ZBUNTOWANE ANIOŁY

II część trylogii

Libba Bray

ZBUNTOWANE ANIOŁY

Przełożyła
Magda Białoń-Chalecka

Wydawnictwo Dolnośląskie

Tytuł oryginału
Rebel Angels

Zdjęcie na okładce
Michael Frost

Projekt okładki
Trish Parcell Watts

Opracowanie DTP
Paweł Bednara

Redakcja
Marta Kitowska

Korekta
Iwona Huchla

Redakcja techniczna
Adam Kolenda

ISBN 978-83-245-8923-4

Wrocław

Wydawnictwo Dolnośląskie
50-010 Wrocław, ul. Podwale 62
oddział Publicat S.A. w Poznaniu
tel. 71 785 90 40, fax 71 785 90 66
e-mail: wydawnictwodolnoslaskie@publicat.pl
www.wydawnictwodolnoslaskie.pl

Barry'emu i Joshowi, oczywiście

I moim ukochanym przyjaciołom, których istnienie dowodzi, że człowiek jednak może odnaleźć własne plemię

LIBBA BRAY

Czyż wszystko, co się zda, jako sen we śnie jeno trwa?
Edgar Allan Poe, przeł. Włodzimierz Lewik

Z czyjej pokusy był ów bunt nikczemny?
To wąż piekielny; on to był, którego
Podstęp zrodzony z zawiści i zemsty
Oszukał matkę ludzi, gdyż go pycha
Z Niebios strąciła, a wraz z nim zastępy
Jego aniołów zbuntowanych, z których
Pomocą pragnął wzbić się w wielkiej chwale
Ponad równymi sobie i uwierzył,
Że Najwyższemu dorówna, gdy zechce
Opór Mu stawić; mając ów cel dumny
Rozpoczął wojnę bezbożną w Niebiosach,
Przeciw tronowi i królestwu Boga
Bój tocząc próżny. Moc najwyższa wówczas
W dół go strąciła i runął płonący
W bezdenną zgubę żaru i ruiny
Ohydnej, aby tam zostać. (...)

O książę, wodzu mocarzy na tronach,
Którzy do boju wiedli serafinów
Pod twym dowództwem i nieustraszeni
Wiekuistemu Władcy Niebios groźni
Byli potęgą uczynków straszliwych,
Każąc Mu walczyć o Swe panowanie;
Czy nas pokonał los, moc czy przypadek,
Zbyt dobrze widzę i płaczę nad owym
Strasznym zdarzeniem, co upadkiem smutnym

Zbuntowane anioły

I klęską zgubną z Nieba nas strąciło,
A wszystkie nasze mocarne zastępy
Pośród ruiny rzuciło pokotem,
Tak zniweczone, jak się bogów niszczy
I ich substancję niebieską, albowiem
Umysł i dusza są niezwyciężone;
Powróci wkrótce dzielność, choć przepadła
Chwała, a wieczna niedola pożarła
Całą szczęśliwość. (...)

Warto władać w piekle, bowiem lepiej
Być władcą w piekle niż sługą w Niebiosach.
Lecz czemu naszym wiernym przyjaciołom,
Współtowarzyszom i wspólnikom w klęsce
Leżeć bez czucia nadal zezwalamy
W tym zapomnienia morzu, nie wzywając
Ich, by dzielili nasz los w tej nieszczęsnej
Siedzibie lub by raz jeszcze powstali
I broń uniósłszy, spróbowali znowu,
Czy czegoś jeszcze nie da się odzyskać
W Niebiosach lub utracić w piekle.

John Milton, *Raj utracony,* Księga I, przeł. Maciej Słomczyński

PROLOG

7 grudnia 1895

Oto wierna i prawdziwa relacja z najważniejszych wydarzeń minionych sześćdziesięciu dni, pióra Kartika, brata Amara, lojalnego syna sprzysiężenia Rakshana. Przedstawię też dziwne nawiedzenie, którego doświadczyłem pewnej zimnej angielskiej nocy, a które wzbudziło we mnie ogromną nieufność. Aby zacząć od początku, muszę cofnąć się do połowy października, do zajść tuż po tamtym nieszczęściu.

Gdy wreszcie opuściłem lasy za Akademią Spence dla Młodych Dam, zaczęło się ochładzać. Sokół przyniósł mi list od Rakshanów, którzy żądali natychmiastowego przyjazdu do Londynu. Miałem się trzymać z dala od głównych traktów i upewnić się, iż nikt nie podąża moim śladem. Przez kilka mil podróżowałem z cygańskim taborem, lecz resztę drogi pokonałem pod osłoną drzew i szerokiej peleryny nocy.

Podczas kolejnego postoju, gdy byłem wyczerpany podróżą i półżywy z chłodu i głodu – niewielką porcję prowiantu spożyłem dwa dni wcześniej – a mój umysł osłabł z osamotnienia, lasy zaczęły płatać mi figle. W tym stanie przerażało mnie każde wołanie lelka, a trzask gałązki łamanej kopytem sarny brzmiał w moich uszach jak jęki niespokojnych dusz barbarzyńców zamordowanych wieki temu.

Przy świetle ogniska przeczytałem kilka stronic mojej jedynej książki – egzemplarza *Odysei* – w nadziei, że losy bohatera natchną mnie męstwem, gdyż nie czułem już ani pewności siebie, ani odwagi. W końcu zmorzył mnie sen.

Nie był to sen spokojny. Śniła mi się trawa, poczerniała jak na pogorzelisku. Wokół widziałem tylko kamienie i popiół. Na tle czerwonego jak krew księżyca rysowała się sylwetka samotnego drzewa, a daleko w dole ogromna armia nieziemskich istot wznosiła okrzyki wojenne. Poprzez zgiełk dotarł do mnie ostrzegawczy głos mego brata, Amara: „Nie zawiedź mnie, bracie. Nie ufaj...". I tu sen się zmienił. Pojawiła się ona. Pochylała się nade mną, a jej złotorude włosy tworzyły aureolę na tle jasnego nieba.

– Twój los jest związany z moim – wyszeptała. Schyliła się jeszcze niżej, a jej usta zawisły nad moimi. Czułem ich delikatne ciepło. Przebudziłem się szybko, ale byłem zupełnie sam. Ognisko dogasało, a las rozbrzmiewał nocnymi odgłosami drobnej zwierzyny szukającej schronienia.

Przybyłem do Londynu niemal zagłodzony. Rakshana nie przekazali mi instrukcji, gdzie ich szukać, więc nie wiedziałem, dokąd iść. Zresztą to oni zawsze odnajdywali mnie. Gdy tak błąkałem się wśród tłumów spacerujących po Covent Garden, unoszący się w powietrzu zapach placków nadziewanych mięsem węgorza, gorących i słonych, prawie doprowadził mnie do obłędu. Już miałem podjąć ryzyko i ukraść jeden, kiedy pod murem zauważyłem mężczyznę palącego cygaro. Wyglądał jak zwykły przechodzień. Był przeciętnej postury, ubrany w ciemny garnitur i kapelusz, pod lewym ramieniem trzymał starannie złożoną poranną gazetę. Miał zadbane wąsy, a jego policzek przecinała długa brzydka blizna. Czekałem, aż odwróci wzrok, żebym mógł bezpiecznie zwinąć placek. Zacząłem udawać zainteresowanie parą ulicznych komediantów. Jeden żonglował nożami, podczas gdy drugi czarował tłum. Wiedziałem, że trzeci kręci się w pobliżu, uwalniając ludzi od ciężaru portfeli. Znów spojrzałem w stronę muru, ale mężczyzna zniknął.

Nadszedł czas, by uderzyć. Trzymając rękę pod płaszczem, sięgnąłem w stronę sterty parujących bułek. Już niemal miałem jedną w dłoni, gdy niepostrzeżenie obok mnie pojawił się mężczyzna spod muru.

– „Gwiazdę Wschodu trudno odnaleźć" – powiedział cichym, lecz wyraźnym głosem. Dopiero wtedy dostrzegłem szpilkę w klapie marynarki: maleńki miecz ozdobiony czaszką. Symbol Rakshanów.

Podekscytowany, odpowiedziałem słowami, których się po mnie spodziewał:

– „Lecz świeci ona jasno dla tych, którzy jej szukają".

W geście bractwa Rakshana podaliśmy sobie prawe dłonie i przykryliśmy je lewymi.

– Witaj, nowicjuszu, czekaliśmy na ciebie. – Pochylił się i szepnął mi na ucho: – Musisz nam wiele wyjaśnić.

Nie wiem, co dokładnie wydarzyło się później. Ostatni widok, jaki zapamiętałem, to sprzedawczyni bułek z mięsem chowająca monety do kieszeni. Poczułem ostry ból z tyłu głowy, a cały świat zawirował i rozpłynął się w czerni.

Gdy odzyskałem przytomność, znajdowałem się w ciemnym, wilgotnym pomieszczeniu. Zmrużyłem oczy, oślepiony blaskiem wysokich świec ustawionych w kręgu wokół mnie. Mój towarzysz zniknął. Głowę rozsadzał mi koszmarny ból, lecz moją czujność wyostrzył lęk przed nieznanym. Gdzie ja się znalazłem? Kim był ten mężczyzna? Skoro należał do Rakshanów, to czemu zostałem zdzielony w głowę? Nadstawiłem uszu, nasłuchując dźwięków, głosów – jakichkolwiek wskazówek, mogących mi podpowiedzieć, gdzie się znalazłem.

– Kartiku, bracie Amara, nowicjuszu bractwa Rakshana... – Głos, głęboki i mocny, dochodził z góry, lecz widziałem tylko świece i absolutną ciemność za nimi.

– Kartiku – powtórzył głos, najwyraźniej domagając się odpowiedzi.

– Tak? – wychrypiałem z trudem.

– Niech rozpocznie się trybunał.

Pokój zaczął nabierać kształtów w ciemności. Jakieś trzy i pół metra nad podłogą, może trochę wyżej, po obwodzie okrągłego pomieszczenia biegła galeryjka. Dostrzegłem tam złowrogie ciemnofioletowe szaty najwyższych rangą Rakshanów. To nie byli bracia, którzy szkolili mnie przez całe moje życie, lecz wpływowe osobistości, które żyły i rządziły skryte w cieniu. Skoro zebrał się taki trybunał, najwyraźniej zrobiłem coś bardzo dobrego – albo bardzo złego.

– Rozczarowałeś nas – kontynuował głos. – Miałeś pilnować dziewczyny.

A jednak coś bardzo złego. Ogarnął mnie paraliżujący strach. To już nie tylko obawa, że mogę zostać napadnięty i obrabowany przez bandytów, lecz lęk, że zawiodłem swoich dobroczyńców, swoich braci, i że teraz wymierzą mi sprawiedliwość bezwzględnie jak zawsze.

Z trudem przełknąłem ślinę.

– Tak, bracie, pilnowałem jej, ale...

W głosie narastał gniew.

– Miałeś jej pilnować i składać nam raporty. To wszystko. Czy to zadanie cię przerosło, nowicjuszu?

Przerażenie odebrało mi mowę.

– Dlaczego nie złożyłeś nam raportu w chwili, gdy wkroczyła do międzyświata?

– Wy... wydawało mi się, że mam wszystko pod kontrolą.

– A miałeś?

– Nie. – Moja odpowiedź zawisła w powietrzu jak dym ze świecy.

– Nie, nie miałeś. I równowaga w międzyświecie została naruszona. Stała się rzecz niewyobrażalna.

Wytarłem spocone dłonie o kolana, ale to nie pomogło. Poczułem w ustach zimny, metaliczny smak strachu. Nie wiedziałem jeszcze tylu rzeczy o stowarzyszeniu, któremu oddałem siebie, swoją lojalność i życie – tak jak przede mną mój brat. Amar wiele opowiadał mi o Rakshanach, o ich kodeksie honorowym, o ich miejscu w historii i roli obrońców międzyświata.

– Gdybyś zgłosił się do nas natychmiast, moglibyśmy zapanować nad sytuacją.

– Z całym szacunkiem, ona nie jest taka, jak się spodziewałem. – Zamilkłem na chwilę, by pomyśleć o dziewczynie, którą zostawiłem: upartej, o zdumiewająco zielonych oczach. – Wydaje mi się, że ona chce dobrze.

Głos zagrzmiał.

– Ta dziewucha nawet nie wie, jak jest niebezpieczna. Ty też nie, chłopcze. Ona ma potencjał, by zniszczyć nas wszystkich. A teraz za sprawą waszych poczynań moc została wyzwolona. Rządzi chaos.

– Ale pokonała zabójcę Kirke.

– Kirke ma niejednego mrocznego ducha do swojej dyspozycji – mówił dalej głos. – Ta dziewczyna zniszczyła runy, które przechowywały magię i zapewniały jej bezpieczeństwo od wielu pokoleń. Czy rozumiesz, że nie ma już żadnej kontroli? W międzyświecie magia wędruje swobodnie i każdy może jej użyć. Już teraz wielu wykorzystuje ją, by deprawować duchy, które muszą przejść na drugą stronę rzeki, i umacniać się, zawodząc je do Krainy Zimy. Ile czasu minie, zanim osłabią zasłonę oddzielającą międzyświat od naszego świata? Zanim znajdą drogę do Kirke albo ona do nich? Zanim zdobędzie moc, której łaknie?

Moimi żyłami popłynął śliski, lodowaty strach.

– Teraz widzisz. Rozumiesz, co zrobiła. W czym jej pomogłeś. Uklęknij…

Znikąd wyłoniły się dwie silne dłonie i zmusiły mnie, bym klęknął. Płaszcz rozsunął mi się pod szyją i poczułem dotyk zimnej, twardej stali na pulsującej szalonym rytmem tętnicy. Teraz się to stanie. Zawiodłem, okryłem wstydem Rakshanów oraz pamięć mojego brata i teraz przez to umrę.

– Czy poddajesz się woli bractwa? – padło pytanie.

Mój głos, zdławiony przez ostrze noża, zabrzmiał dziwnie gorączkowo. Wydał mi się obcy.

– Tak.

– Powiedz to.

– Pod… poddaję się woli bractwa. We wszystkim.

Ostrze cofnęło się. Zostałem uwolniony.

Wstyd się przyznać, ale gdy uświadomiłem sobie, że nie zginę, miałem ochotę rozpłakać się z ulgi. Będę żył i dostanę szansę, by udowodnić Rakshanom swoją wartość.

– Nadal jest pewna nadzieja. Czy dziewczyna kiedykolwiek wspominała przy tobie o Świątyni?

– Nie, mój bracie, nigdy nie słyszałem o takim miejscu.

– Dawno temu, zanim do kontroli magii stworzono runy, Zakon korzystał ze Świątyni. Krążą pogłoski, że stanowi ona źródło wszelkiej mocy w międzyświecie. Dzięki niej można panować nad magią. Kto posiada Świątynię, włada międzyświatem. Dziewczyna musi ją odnaleźć.

– A gdzie to jest?

Na chwilę zapadła cisza.

– Gdzieś w międzyświecie. Nie wiemy dokładnie. Zakon dobrze ją ukrywał.

– Ale jak…

– Musi wykazać się sprytem. Jeżeli rzeczywiście należy do Zakonu, to Świątynia najprawdopodobniej sama ją przywoła. Ale panna musi być ostrożna. Inni też będą szukali, magia jest dzika i nieprzewidywalna. Podstawowa zasada to nieufność. A gdy dziewczyna już odnajdzie Świątynię, musi wypowiedzieć następujące słowa: „Zaklinam magię w imieniu Gwiazdy Wschodu".

– Czy to nie odda Świątyni we władanie Rakshanów?

– Odda nam naszą część. Czemu Zakon ma mieć wszystko? Jego czas już minął.

– Dlaczego nie poprosimy, żeby zabrała nas ze sobą?

W sali zapadła cisza i przestraszyłem się, że za chwilę znów poczuję nóż na gardle.

– Żaden członek bractwa Rakshana nie może wejść do międzyświata. Tak ukarały nas wiedźmy.

Ukarały? Za co? Słyszałem tylko, jak Amar mówił, że jesteśmy strażnikami Zakonu, systemem hamulców i równowagi dla jego mocy. Było to niespokojne przymierze, niemniej jednak przymierze. Słowa, które teraz padły, obudziły moją czujność.

Bałem się odezwać, ale czułem, że muszę.

– Nie wydaje mi się, by ona chciała dla nas pracować.

– Nie zdradzaj, jaki masz cel. Zdobądź jej zaufanie. – Głos na chwilę zamilkł. – Zalecaj się do niej, jeśli to się okaże konieczne.

Przed moimi oczami stanęła silna, władcza, uparta dziewczyna.

– Nie tak łatwo ją będzie omotać.

– Omotać da się każdą dziewczynę. To tylko kwestia znalezienia odpowiedniej metody. Twój brat Amar całkiem zręcznie trzymał matkę dziewczyny po naszej stronie.

Mój brat w pelerynie przeklętych. Mój brat używający wojennego zawołania demona. To nie była odpowiednia pora, by wspominać o niepokojących snach. Mogliby mnie uznać za głupca lub tchórza.

– Wkradnij się w jej łaski. Powstrzymaj od wszelkich nierozważnych kroków. Odnajdź Świątynię. Resztą zajmiemy się sami.

– Ale...

– Idź, bracie Kartiku – powiedział wówczas, używając zaszczytnego tytułu, który być może przypadnie mi w udziale, gdy kiedyś stanę się pełnoprawnym członkiem Rakshana. – Będziemy cię obserwowali.

Moi porywacze postąpili do przodu, żeby znów zawiązać mi przepaskę na oczach. Zerwałem się na równe nogi.

– Czekajcie! – zawołałem. – A kiedy znajdziemy już Świątynię i zdobędziemy władzę, co stanie się z dziewczyną?

Przez chwilę słychać było tylko syk płomieni świec w lekkim przeciągu. W końcu po komnacie poniósł się echem głos:

– Wtedy będziesz musiał ją zabić.

ROZDZIAŁ PIERWSZY

Grudzień 1895
Akademia Spence dla Młodych Dam

Ach, Boże Narodzenie!

Sama wzmianka o świętach u większości ludzi wywołuje miłe, sentymentalne skojarzenia: wysokie, zielone drzewko ozdobione lametą i bombkami, kolorowo opakowane prezenty, huczący ogień i kieliszki przygotowane do wzniesienia toastu, pod drzwiami gromadka kolędników w zawadiackich nakryciach głowy oprószonych śniegiem, a na półmisku dorodna, tłusta gęś w jabłkach.

I oczywiście pudding na deser.

Jasne. Po prostu świetnie. Bardzo chętnie bym to wszystko zobaczyła.

Wszystkie te radosne świąteczne obrazki znajdują się wiele kilometrów od miejsca, w którym teraz się znajduję, czyli Akademii Spence dla Młodych Dam, zmuszona do wykonania małego dobosza jedynie za pomocą cynfolii, bawełny oraz kawałka sznurka. Czuję się, jakbym prowadziła jakiś diaboliczny eksperyment z ożywianiem nieboszczyka. Potwór Frankensteina nie mógł być nawet w połowie tak okropny jak ten żałosny stwór. Nie ma w sobie nic z bożonarodzeniowej słodyczy. Już prędzej dzieci zaniosą się płaczem na jego widok.

– To niemożliwe – jęczę, ale w nikim nie budzę litości. Nawet Felicity i Ann, moje najdroższe przyjaciółki, czyli moje jedyne przyjaciółki, nie chcą przyjść mi z pomocą. Ann z determinacją usiłuje przemienić mokry cukier i drewienka w dokładną replikę Dzieciątka Jezus w żłóbku. Zdaje się widzieć tylko swoje dłonie.

Felicity zaś zwraca na mnie spojrzenie chłodnych szarych oczu, jakby mówiła: „Cierp. Tak jak i ja cierpię”.

One milczą, ale na moją udrękę reaguje nieludzka Cecily Temple. Kochana, kochana Cecily lub – jak ją czule określam w zaciszu własnych myśli – ta, która samym swym istnieniem krzywdzi świat.

– Nie pojmuję, co ci sprawia tyle kłopotu. Doprawdy, to najłatwiejsza rzecz pod słońcem. Zobacz, ja zrobiłam już cztery. – Podnosi swoje cztery idealne foliowe figurki, żebym mogła im się przyjrzeć. Wokół rozlegają się ochy i achy nad ich pięknie wymodelowanymi rączkami, maleńkimi wełnianymi szaliczkami – oczywiście wydzierganymi przez zręczne palce Cecily – i delikatnymi lukrecjowymi uśmiechami, wyrażającymi niekłamaną radość, że mogą wisieć za szyję na choince.

Jeszcze dwa tygodnie do świąt, a mój nastrój pogarsza się z godziny na godzinę. Foliowy ludzik wygląda, jakby błagał, żebym jednym strzałem skróciła jego cierpienie. Coś silniejszego ode mnie każe mi ustawić kalekiego malca na stoliku i odegrać krótką scenkę. Przesuwam pokrakę, zmuszając go, by wlókł za sobą bezużyteczną nogę jak wzruszający Tiny Tim u Dickensa.

– Niech Bóg ma nas wszystkich w opiece – zawodzę.

Widownia przyjmuje moje wystąpienie grobową ciszą. Wszyscy odwracają wzrok. Nawet Felicity, słynąca z tego, że nie jest wzorem delikatności, wydaje się wystraszona. Za moimi plecami rozlega się znajome, pełne dezaprobaty chrząknięcie. Odwracam się i napotykam wzrok pani Nightwing, lodowatej dyrektorki Spence, która patrzy na mnie jak na trędowatą. Niech to gęś.

– Panno Doyle, czy naprawdę uważa to pani za zabawne? Strojenie sobie żartów z pożałowania godnego losu londyńskich nieszczęśników?

– Ja... ja... ale...

Pani Nightwing spogląda znad okularów. Obłok siwiejących włosów wygląda jak chmura deszczowa zwiastująca nadchodzącą burzę.

– Może, panno Doyle, gdyby spędziła pani trochę czasu w służbie dla potrzebujących, zwijając bandaże, tak jak ja w młodości podczas wojny krymskiej, byłaby pani zdolna do zdrowego i jakże potrzebnego współczucia.

– T-tak, proszę pani. Nie wiem, jak mogłam być taka niedobra – plotę trzy po trzy.

Kątem oka widzę Felicity i Ann pochylone nad ozdóbkami, jakby to były jakieś fascynujące relikwie z wykopalisk. Ich ramiona drżą i uświadamiam sobie, że dziewczyny z trudem powściągają śmiech. To się dopiero nazywa przyjaźń.

– Wykreślę pani dziesięć plusów za dobre zachowanie i oczekuję, że w akcie pokuty podczas świąt zajmie się pani dobrymi uczynkami.

– Tak, proszę pani.

– Napisze pani na ten temat dokładne sprawozdanie, wraz z podsumowaniem jak wzbogaciło to pani charakter.

– Tak, proszę pani.

– A nad tą ozdobą trzeba jeszcze sporo popracować.

– Tak, proszę pani.

– Czy ma pani jakieś pytania?

– Tak, proszę pani. To znaczy nie, proszę pani. Dziękuję.

Dobre uczynki? Podczas świąt? Czy liczy się znoszenie towarzystwa mojego brata Thomasa? Ale ambaras! Wpadłam jak śliwka w kompot.

– Proszę pani? – Na sam dźwięk głosu Cecily zaczynam toczyć pianę z ust. – Mam nadzieję, że moje prace spodobają się pani. Bardzo chcę jakoś pomóc tym nieszczęśnikom.

Tak bardzo staram się nie krzyknąć, że chyba zemdleję. Cecily, która nigdy nie przepuszcza okazji, żeby dokuczyć Ann z powodu jej statusu uczennicy na zapomodze, na pewno nie chce mieć nic wspólnego z ubogimi. Natomiast bardzo pragnie być ulubienicą pani Nightwing.

Dyrektorka unosi do światła doskonałe ozdoby Cecily, by lepiej im się przyjrzeć.

– Wzorowe prace, panno Temple. Gratuluję.

Cecily uśmiecha się z satysfakcją.

– Dziękuję, proszę pani.

Ach, Boże Narodzenie.

Z ciężkim westchnieniem demontuję moją żałosną ozdóbkę i zaczynam od początku. Oczy mnie pieką i łzawią. Pocieram je, ale to nie pomaga. Potrzeba mi snu, ale to jego właśnie się obawiam. Od kilku tygodni nawiedzają mnie bowiem okropne, prorocze sny. Kiedy się budzę, pamiętam jedynie fragmenty. Niebo kłębiące się czerwienią i szarością. Malowany kwiat roniący krwawe łzy. Dziwne świetliste lasy. Moja twarz, poważna i pytająca, odbita w wodzie. Ale w końcu pozostaje ze mną tylko obraz j e j – pięknej i smutnej.

Dlaczego mnie tu zostawiłaś? – woła, a ja nie mogę odpowiedzieć. – *Chcę wrócić. Chcę znowu być razem z wami.* – Udaje mi się otrząsnąć i uciekam, ale jej głos mnie goni. – *To twoja wina, Gemmo! Ty mnie tu zostawiłaś! Zostawiłaś mnie!*

Tylko tyle pamiętam, kiedy budzę się co rano, zdyszana i zlana potem, bardziej zmęczona, niż gdy się kładłam. To tylko sny. Ale dlaczego napawają mnie takim niepokojem?

– Mogłyście mnie ostrzec – wyrzucam Felicity i Ann, gdy tylko zostajemy same.

– Powinnaś być ostrożniejsza – gani mnie Ann. Wyciąga z rękawa chusteczkę, poszarzałą od częstego prania i wycierania bezustannie cieknącego nosa i załzawionych oczu.

– Nie zrobiłabym tego, gdybym wiedziała, że ona stoi tuż za moimi plecami.

– Wiesz, że pani Nightwing jest wszechobecna jak sam Pan Bóg. Może ona naprawdę jest Bogiem? – Felicity wzdycha. Na niemal białe włosy przyjaciółki padają złociste refleksy od ognia na kominku. Emanuje blaskiem jak upadły anioł.

Ann nerwowo rozgląda się wokół.

– N-nie powinnaś tak mówić o Bogu – ostatnie słowo wypowiada szeptem.

– Niby dlaczego? – dziwi się Felicity.

– To może przynieść pecha.

Milkniemy, gdyż całkiem niedawno pech prześladował nas nadzwyczaj zapamiętale. Teraz trudno zapomnieć, że istnieją siły wykraczające poza wszelki rozsądek i rozumienie.

Felicity wpatruje się w ogień.

– Nadal zakładasz, że Bóg istnieje, Ann? Po tym wszystkim, co widziałyśmy?

Jedna ze służących śmiga bezszelestnie przez mroczny korytarz. Ponura szarość jej uniformu podkreśla biel fartucha; w ciemności widzę więc tylko fartuch, kobieta całkowicie niknie w cieniu. Gdybym podążyła za nią za załom korytarza, ujrzałabym radosny, oświetlony ogniem hall, z którego właśnie wyszłyśmy. Gromadka dziewcząt w wieku od lat sześciu do siedemnastu spontanicznie intonuje kolędę. Usilnie proszą w niej Boga, by „pokój dał wesołym panom". Nie wspominają o paniach, wesołych czy nie.

Chciałabym się do nich przyłączyć; zapalać świeczki na wielkiej choince i słuchać, jak szeleszczą papierki kolorowych cukierków choinkowych. Chciałabym nie mieć zmartwień innych niż to, czy w tym roku Mikołaj będzie miły, czy też w skarpecie znajdę tylko węgiel.

Trzymając się za ręce jak papierowe figurki z wycinanki, trzy dziewczynki kołyszą się z boku na bok. Jedna oparła pokrytą miękkimi lokami głowę na ramieniu drugiej, a ta złożyła na jej czole lekki pocałunek. Nie mają pojęcia, że to nie jest jedyny istniejący świat. Że daleko za groźnymi, zamkowymi murami Akademii Spence, daleko poza zasięgiem pani Nightwing, mademoiselle LeFarge i innych nauczycieli kształtujących nas niczym miękką glinę, daleko poza samą Anglią, znajduje się miejsce niezwykle piękne i przerażająco potężne. Miejsce, w którym każde marzenie może się spełnić, więc trzeba marzyć bardzo ostrożnie. Miejsce, które może być niebezpieczne. Miejsce, które jedną z nas już zabrało.

A ja stanowię ogniwo łączące z nim nasz świat.

– Chodźmy po płaszcze – proponuje Ann, ruszając w stronę ogromnych, kręconych schodów, które górują nad hallem.

Felicity zerka na nią ciekawie.

– Po co? Dokąd się wybieramy?

– Jest środa – odpowiada Ann, odwracając się. – Czas odwiedzić Pippę.

ROZDZIAŁ DRUGI

Wędrujemy wśród nagich drzew aż do znajomej polanki. Jest okropnie mokro, więc cieszę się, że wzięłam płaszcz i rękawiczki. Po prawej stronie mamy staw. To tutaj, pod wrześniowym niebem, leniwie wylegiwałyśmy się na łódce. Teraz łódka śpi przy brzegu na oszronionych kamieniach i suchej, martwej w zimie trawie. Staw pokrył się gładką, cienką taflą lodu. Kilka miesięcy temu w naszym lesie stał tabor, ale Cyganie dawno odeszli, szukając cieplejszych okolic. Pewnie podróżuje z nimi pewien młody mężczyzna z Bombaju, Kartik, który ma duże brązowe oczy, pełne usta i kij do krykieta mojego taty. Kartik. Ciekawe, czy myśli o mnie tam, gdzie jest. Ciekawe, czy mnie odszuka i co to będzie znaczyło.

Felicity ogląda się.

– O czym tam sobie marzysz za moimi plecami?

– O świętach – kłamię i niczym lokomotywa wypuszczam biały obłoczek pary. Jest okrutnie zimno.

– Zapomniałam, że nigdy nie przeżyłaś prawdziwych angielskich świąt. Będę musiała wszystko ci pokazać podczas ferii. Wymkniemy się z domu i będziemy się fantastycznie bawić – obiecuje Felicity.

Ann wbija wzrok w ziemię. Ona spędzi ferie w Spence. Nie zaproszą jej krewni, nie dostanie żadnych prezentów i nie zostaną jej wspomnienia, którymi by mogła ogrzewać się do wiosny.

– Ann – odzywam się ze sztuczną wesołością – będziesz miała do dyspozycji całe Spence, kiedy wyjedziemy.

– Nie musisz tego robić – odpowiada.

– Czego?

– Odmalowywać tego w radosnych barwach. Będę samotna i nieszczęśliwa. Nie mam złudzeń.

– Och, proszę, nie rozczulaj się nad sobą. Nie wytrzymam w twoim towarzystwie nawet godziny, jeśli będziesz się tak zachowywać – mówi stanowczo Felicity. Bierze długi patyk i uderza nim w mijane drzewa. Zawstydzona Ann milknie i podąża za nią. Powinnam powiedzieć coś w jej obronie, ale coraz bardziej drażni mnie, że Ann nie chce mówić sama za siebie, więc daję sobie spokój.

– Będziecie chodziły na bale świąteczne, prawda? – zagryzając wargę, pyta Ann, żeby jeszcze bardziej siebie podręczyć. Nie różni się to wcale od ukrytych pod rękawami nacięć na przedramionach, które znów zaczęła sobie robić nożyczkami do robótek.

– Oczywiście – odpowiada Felicity, jakby to było głupie pytanie. – Moi rodzice zamierzają wydać bal bożonarodzeniowy. Wszyscy tam będą.

Powinna od razu powiedzieć: „Wszyscy prócz ciebie".

– Ja będę skazana na towarzystwo czepialskiej babki i irytującego brata. Mówię ci, szykują się bardzo wyczerpujące święta. – Uśmiecham się w nadziei, że rozbawię Ann. Mówiąc szczerze, mam poczucie winy, że ją tu zostawiam, ale jednak nie na tyle silne, żeby zaprosić ją na święta do domu.

Ann zerka na mnie z ukosa.

– A jak się miewa twój brat?

– Tak samo. Czyli nadal jest nieznośny.

– To znaczy, że nie znalazł jeszcze wybranki swojego serca?

Ann durzy się w Tomie, a on nawet nie pamięta o jej istnieniu. Beznadziejna sytuacja.

– Chyba znalazł – zmyślam.

Ann zatrzymuje się.

– Kto to jest?

– No... panna Dalton. Jej rodzina pochodzi chyba z Somerset.

– Ładna? – dopytuje się Ann.

– Tak – odpowiadam. Ruszamy, więc mam nadzieję, że to już koniec tematu.

– Tak ładna jak Pippa?

Pippa. Piękna Pippa o fiołkowych oczach i czarnych lokach.

– Nie – odpowiadam. – Nikt nie jest tak piękny jak Pippa. Docieramy na miejsce. Przed nami stoi duże drzewo, którego korę pokrywa cienka warstwa szronu, a u jego stóp leży głaz. Zdejmujemy rękawiczki i odtaczamy go na bok. Pod nim, w spróchniałym, wydrążonym pniu, znajduje się przedziwna zbieranina przedmiotów: dziecięca rękawiczka, liścik na pergaminie przyciśnięty kamykiem, garść ciągutek oraz kilka zasuszonych chryzantem, które natychmiast porywa wiatr

– Przyniosłaś to? – pyta Ann.

Felicity kiwa głową i wyciąga coś zawiniętego w zielony papier. Z pakunku wyjmuje ozdobę choinkową – aniołka z koronki i koralików. To nasze wspólne dzieło. Ann zawija go z powrotem i kładzie na ołtarzyku obok innych pamiątek.

– Wesołych świąt, Pippo – mówi, wypowiadając imię dziewczyny, która od dwóch miesięcy leży pochowana jakieś pięćdziesiąt kilometrów stąd. Ta dziewczyna była naszą najdroższą przyjaciółką, a ja mogłam ją ocalić.

– Wesołych świąt, Pippo – cicho powtarzamy za nią.

Na chwilę zapada milczenie. Tutaj, na polanie, przeszywający wiatr nie napotyka przeszkód. Ostra mgła przenika mój wełniany zimowy płaszcz, przyprawiając mnie o gęsią skórkę.

Spoglądam w prawo w stronę jaskiń; teraz już niedostępnych, gdyż wejście do nich zagradza ceglany mur.

Kilka miesięcy temu zbierałyśmy się tam we cztery, żeby czytać sekretny dziennik Mary Dowd. To z niego dowiedziałyśmy się o międzyświecie – ukrytej, magicznej krainie poza naszą rzeczywistością, niegdyś rządzonej przez potężne zgrupowanie czarodziejek nazywane Zakonem. W międzyświecie można realizować swoje największe marzenia. Ale mieszkają tam również mroczne duchy, które chcą nim rządzić. Mary Dowd odkryła prawdę o międzyświecie. Podobnie jak my, kiedy straciłyśmy na zawsze naszą przyjaciółkę Pippę.

– Okropnie zimno – zauważa Ann, przerywając milczenie. Pochyla głowę i cicho odchrząkuje.

– Tak – potwierdza obojętnie Felicity.

Wiatr zrywa z drzewa uparty brązowy liść i szybko unosi go w dal.

– Myślicie, że jeszcze kiedyś zobaczymy Pippę? – pyta Ann.

– Nie wiem – odpowiadam, choć wszystkie na pewno rozumiemy, że odeszła na dobre.

Przez chwilę słychać tylko szum wiatru buszującego w liściach. Felicity bezmyślnie dźga drzewo ostrym patykiem.

– Kiedy wrócimy? Powiedziałaś...

– ...że wrócimy, kiedy poznamy pozostałe członkinie Zakonu – kończę.

– Minęły dwa miesiące – skarży się Ann. – A jeśli nie ma już nikogo innego?

– A jeśli nie zgodzą się przyjąć mnie i Ann? Nie jesteśmy takie wyjątkowe jak ty – mówi Felicity, nadając słowu „wyjątkowe" nieprzyjemne brzmienie. Świadomość, że tylko ja potrafię samodzielnie wejść do międzyświata, rodzi między nami rozdźwięk. Ja mam moc, a one nie. Mogą się tam dostać tylko wtedy, gdy je ze sobą zabiorę.

– Wiecie, co powiedziała moja mama: międzyświat sam decyduje, kto ma zostać wybrany. Nie mamy na to wpływu – odpowiadam w nadziei, że zamknę dyskusję.

– Kiedy i jak, jeśli można wiedzieć, te panie z Zakonu się z nami skontaktują? – pyta Felicity.

– Nie mam pojęcia – przyznaję, czując się głupio. – Mama powiedziała, że to zrobią. Ale chyba nie mogę po prostu zamieścić ogłoszenia w gazecie, prawda?

– A co z tym hinduskim chłopakiem, którego przysłali, żeby cię pilnował? – dopytuje się Ann.

– Z Kartikiem? Nie widziałam go od dnia pogrzebu Pippy. – Kartik. Czy jest gdzieś tam wśród drzew i mnie obserwuje? Czy przygotowuje się, by zabrać mnie do Rakshanów, żebym już nigdy nie weszła do międzyświata?

– Może więc już po wszystkim i zniknął na zawsze.

Ta myśl sprawia mi ból. Często wspominam ostatni raz, kiedy go widziałam; jego duże, ciemne oczy przepełnione jakimś nieznanym uczuciem i miękkie ciepło kciuka, którym przesunął po mojej wardze, sprawiając, że poczułam się dziwnie pusta i spragniona.

– Może – odpowiadam. – A może poszedł do Rakshanów i o wszystkim im opowiedział.

Felicity zastanawia się nad tym przez chwilę, zaostrzonym patykiem wydrapując w korze swoje imię.

– Gdyby tak było, to pewnie już by po nas przyszli, prawda?

– Chyba tak.

– Ale jakoś ich nie widać. – Tak mocno przyciska patyk, że łamie się na „Y" i zostaje „FELICITV".

– A ty nadal nie miałaś żadnych wizji? – interesuje się Ann.

– Nie. Żadnych, od kiedy rozbiłam runy.

Felicity przygląda mi się chłodno.

– Zupełnie żadnych?

– Żadnych – powtarzam stanowczo.

Ann wtyka dłonie pod pachy, żeby się rozgrzać.

– Sądzisz, że to było ich źródło i że po zniszczeniu runów wizje skończyły się na dobre?

Nie zastanawiałam się nad tym. Trochę mnie to niepokoi. Kiedyś bałam się swoich wizji, ale teraz mi ich brakuje.

– Nie wiem.

Felicity ujmuje moje dłonie i kieruje na mnie cały swój urok.

– Gemmo, pomyśl tylko, ta cudowna magia się marnuje. Jeszcze tylu rzeczy w ogóle nie wypróbowałyśmy!

– Chcę znów być piękna – oświadcza Ann, zapalając się do planu Felicity. – Albo może znalazłabym rycerza, tak jak Pippa. Rycerza, który naprawdę mnie pokocha.

Już to rozważałam. Aż do bólu tęsknię za złotym zachodem słońca nad rzeką, za wielką mocą, której nie mam w tym świecie. Felicity jakby wyczuwa, że moja wola słabnie.

Chłodnymi ustami całuje mnie w policzek.

– Gemmo, kochana, tylko rzucimy okiem. Tam i z powrotem, nikomu nic nie ubędzie.

Dołącza do niej Ann.

– Kartik odszedł i nikt nas już nie obserwuje.

– A Kirke? – przypominam im. – Nadal gdzieś tam się czai i tylko czyha na mój błąd.

– Będziemy bardzo ostrożne – uspokaja mnie Felicity. Już wiem, co mnie czeka. Będą naciskały, dopóki się nie zgodzę.

– Prawda jest taka, że nie mogę wejść do międzyświata – mówię, spoglądając w stronę lasu. – Próbowałam.

Felicity cofa się o krok.

– Bez nas?

– Tylko raz – zapewniam, uciekając wzrokiem. – Ale nie mogłam przywołać drzwi ze światła.

– Jaka szkoda – odzywa się Felicity takim tonem, jakby mówiła: „W ogóle ci nie wierzę".

– Tak więc same widzicie, że najpierw będziemy musiały znaleźć inne członkinie Zakonu. Obawiam się, że nie ma innego wyjścia.

To kłamstwo. Mogłabym wrócić do międzyświata w każdej chwili. Ale jeszcze nie teraz. Nie, najpierw muszę zrozumieć tę dziwną moc, która została mi użyczona, ten przeklęty dar. Nie, najpierw muszę się nauczyć panować nad magią, tak jak mówiła mi mama. Konsekwencje byłyby zbyt poważne. Wystarczy, że do końca moich dni będę dźwigać brzemię śmierci Pippy. Nie mogę popełnić tego samego błędu drugi raz. Na razie lepiej, żeby moje przyjaciółki wierzyły, że straciłam moc. Na razie lepiej będzie je okłamać. Przynajmniej tak się tłumaczę sama przed sobą.

W oddali bije kościelny dzwon, wzywając na nieszpory.

– Spóźnimy się – mówi Felicity głosem zimnym jak wiatr i rusza w stronę kaplicy. Ann posłusznie idzie za nią, co oznacza, że muszę sama przetoczyć ciężki głaz, by zasłonić ołtarzyk.

– Dziękuję za pomoc – mamroczę, mocując się z kamieniem.

List leżący w wydrążonym pniu znowu zwraca moją uwagę. – To dziwne – myślę. Przecież żadna z nas go tam nie wkładała. Nie było go tu w zeszłym tygodniu. A nikt inny nie wie o tym miejscu. Wyjmuję kawałek pergaminu spod kamyka i rozkładam go.

Muszę się z Tobą natychmiast zobaczyć.

Podpis nie jest potrzebny. Rozpoznaję charakter pisma.

To Kartik.

ROZDZIAŁ TRZECI

„Kartik jest w okolicy i znowu mnie obserwuje".

Ta myśl zupełnie pochłania mnie podczas nieszporów. Jest niedaleko i musi ze mną porozmawiać. Natychmiast, jak napisał w liście. Dlaczego? Dlaczego to jest takie pilne? Ze strachu i podniecenia żołądek zwija mi się w twardą kulę. Kartik wrócił.

– Gemmo, modlitewnik – szepcze Ann.

Jestem tak zaabsorbowana, że zapomniałam otworzyć modlitewnik i udawać, że czytam. Pani Nightwing odwraca się na swoim miejscu w pierwszym rzędzie i obrzuca mnie gniewnym wzrokiem, jak to tylko ona potrafi. Żeby okazać entuzjazm, czytam nieco głośniej, niż to konieczne. Dyrektorka, zadowolona z mojej pobożności, siada prosto, a ja po chwili znów pogrążam się w myślach pełnych niepokoju. A jeśli Rakshana w końcu po mnie posłali? Jeśli Kartik wrócił, żeby mnie do nich zabrać?

Po plecach przebiega mi dreszcz. Nie pozwolę mu na to. Będzie musiał po mnie przyjść, a ja nie poddam się bez walki. Kartik. Za kogo on się ma? Kartik. Może będzie próbował mnie zaskoczyć? Zakradnie się od tyłu i silnymi ramionami chwyci mnie w pasie. Oczywiście wywiąże się walka. Będę się z nim biła, choć z tego, co pamiętam, jest całkiem silny. Kartik. Może upadniemy na ziemię, a on przygniecie mnie ciężarem swojego ciała, rękoma przytrzymując moje ramiona, a nogami – nogi. Będę jego więźniem, nie dam rady się poruszyć. Jego twarz znajdzie się tak blisko mojej, że będę mogła poczuć na ustach jego słodki oddech i ciepło...

– Gemmo! – z prawej strony rozlega się ostry szept Felicity.

Spłoszona i zarumieniona powracam do rzeczywistości. Szybko wybieram pierwszy lepszy wers z Biblii i odczytuję go głośno.

Zbyt późno uświadamiam sobie jednak, że tylko mój głos rozbrzmiewa w ciszy. Zdziwione dziewczęta chichoczą, a ja czuję, że płoną mi policzki. Ten wybuch musiał wyglądać, jakbym przeżyła nagłe nawrócenie. Wielebny Waite patrzy na mnie, mrużąc oczy. Nie śmiem spojrzeć na panią Nightwing w obawie, że jej piorunujący wzrok obróci mnie w popiół. Zamiast tego robię to, co inni – pochylam głowę w modlitwie. Po chwili głos wielebnego zaczyna dryfować nad nami, niemalże mnie usypiając.

– O czym ty, na Boga, myślałaś? – szepcze Felicity. – Miałaś bardzo dziwną minę.

– Pogrążyłam się w modlitwie – kłamię z miną winowajcy.

Zamierza coś odpowiedzieć, ale ja pochylam się do przodu, wbijając wzrok w wielebnego. Nie może mnie nagabywać, nie budząc gniewu pani Nightwing.

Kartik. Uświadamiam sobie, że za nim tęskniłam, a jednocześnie wiem, że jego przybycie nie może oznaczać dobrych wieści.

Modlitwa dobiega końca. Wielebny błogosławi swoją trzódkę i wysyła nas w świat. Zmierzch nadpłynął cicho jak okręt widmo, a wraz z nim pojawiła się znajoma mgła. Z oddali przyzywają nas światła Spence. Gdzieś w pobliżu pohukuje sowa.

To dziwne. Nie było tu ostatnio zbyt wielu sów. O, znów się odzywa. Dźwięk dochodzi spomiędzy drzew po mojej prawej. Przez mgłę widzę jakiś blask. U stóp drzewa stoi lampka.

To on. Na pewno.

– Co się stało? – pyta Ann, widząc, że się zatrzymałam.

– Kamyk wpadł mi do buta – odpowiadam. – Idźcie, zaraz was dogonię.

Na chwilę nieruchomieję, żeby go zobaczyć i upewnić się, że nie jest tylko złudzeniem zrodzonym w moim umyśle. Aż podskakuję na dźwięk pohukiwania sowy. Wielebny Waite z trzaskiem zamyka dębowe drzwi kaplicy i odcina tym samym źródło światła. Dziewczęta jedna po drugiej znikają we mgle przede mną, a ich głosy cichną. Ann odwraca się, do połowy zanurzona w szarości.

– Gemmo, chodź! – Jej głos szybuje echem przez mgłę, która po chwili całkowicie go pochłania.

Gem... mo... chodź... odź... odź...

Spomiędzy drzew dobiega wołanie sowy, tym razem bardziej naglące. W ciągu kilku ostatnich minut zapadła zupełna ciemność. Widać tylko łunę nad Spence i to jedno samotne światełko w lesie. Zostałam sama na ścieżce. W ułamku sekundy zakasuję spódnicę i rzucam się za Ann, wrzeszcząc zupełnie nie jak dama:

– Czekaj na mnie! Już idę!

ROZDZIAŁ CZWARTY

Oto, co wiem o historii Zakonu.

Niegdyś jego członkinie były niezwykle potężne – strzegły magicznej mocy, która rządziła międzyświatem. Większość śmiertelników bywała tam jedynie w snach albo po śmierci, a wówczas Zakon pomagał im przekroczyć rzekę i wejść do świata poza wszelkimi światami. Czasami pomagał też duszom wypełnić misję, bez której wykonania nie mogły iść dalej. To Zakon trzymał pieczę nad tą niebywałą mocą, która w naszym świecie pozwala tworzyć iluzje, kształtować ludzkie życie i wpływać na bieg historii. Lecz to wszystko działo się, zanim dwie nowicjuszki, uczennice Akademii Spence, Mary Dowd oraz Sara Rees-Toome, doprowadziły Zakon do zagłady.

Sara, która przyjęła imię Kirke po potężnej greckiej czarodziejce, była najbliższą przyjaciółką Mary. Jednak podczas gdy moc Mary rosła, Sara ją traciła. Międzyświat nie wybrał jej na strażniczkę magii.

Rozpaczliwie chcąc zachować moc, Sara zawarła pakt z mrocznym duchem z zakazanego miejsca zwanego Krainą Zimy. W zamian za dostęp do międzyświata obiecała złożyć w ofierze małą Cyganeczkę. Przekonała Mary do swego planu. Tym jednym czynem dziewczęta związały się z mrocznym duchem i przekreśliły władzę Zakonu. Aby powstrzymać duchy przed wejściem do naszego świata, Eugenia Spence, założycielka Akademii oraz najwyższa kapłanka Zakonu, poświęciła się i oddała w ofierze mrocznej istocie. Zakon stracił przywódczynię. W ostatniej chwili Eugenia oddała Mary swój amulet – księżycowe oko – i przykazała jej zapieczętować drzwi do międzyświata, żeby nic nie mogło się z niego wydostać. Dziewczyna zrobiła, co jej kazano, ale podczas walki z Sarą o amulet przewróciła płonącą świeczkę. We Wschodnim Skrzydle Spence wybuchł gwałtowny pożar, a zniszczona część budynku po dziś dzień jest zamknięta i nieużywana. Przyjęto, że obie uczennice wraz z Eugenią zginęły. Nikt nie wiedział, że gdy ogień szalał, Mary wymknęła się do jaskini za szkołą i ukryła tam pamiętnik, który po latach trafił w nasze ręce. Sary nigdy nie odnaleziono. Mary wyjechała do Indii, poślubiła Johna Doyle'a i odrodziła się jako Virginia Doyle, moja mama. Nie mogąc dostać się do międzyświata, członkinie Zakonu rozproszyły się po świecie, czekając na moment, gdy znów będą mogły odzyskać magiczną krainę i utraconą moc.

Przez dwadzieścia lat nic się nie działo. Historia Zakonu blakła i powoli stawała się mitem; aż do 21 czerwca 1895 roku, czyli moich szesnastych urodzin. Wtedy magia Zakonu znów zaczęła się odradzać: we mnie. I tego dnia Sara Rees-Toome – Kirke – w końcu po nas przyszła. Wcale nie zginęła w owym strasznym pożarze. Przez cały czas przygotowywała plan zemsty, wykorzystując chorą więź z mrocznym duchem z Krainy Zimy. Tropiła po kolei wszystkie członkinie Zakonu, szukając tej, która – jak szeptano – mogła wejść do międzyświata i przywrócić Zakonowi moc. Tego dnia miałam pierwszą wizję. Ujrzałam w niej śmierć mamy z rąk zabójcy Kirke – upiornego potwora, który zabił również Amara z bractwa Rakshana, męskiego stowarzyszenia, które miało chronić władzę Zakonu, choć równocześnie się tej władzy obawiało.

Tego dnia po raz pierwszy zobaczyłam młodszego brata Amara, Kartika. Stał się on moim obrońcą i dręczycielem, uwiązanym przy mnie przez obowiązek i żałobę.

Wydarzenia tego dnia ukształtowały resztę mojego życia. Dlatego właśnie zostałam wysłana tutaj, do Spence, gdzie wizje zaprowadziły mnie i moje przyjaciółki do międzyświata. Tam ponownie spotkałam się z mamą. Dowiedziałam się też o swoim prawie przynależności do Zakonu. Tam wraz z przyjaciółkami zmieniałyśmy swoje życie, używając magii runów. Tam walczyłam z zabójcą Kirke i zniszczyłam Runy Wyroczni – kamienie, które przechowywały magię. Tam ostatecznie umarły moja mama oraz nasza przyjaciółka Pippa. Pippa postanowiła zostać i ramię w ramię z przystojnym rycerzem odeszła do miejsca, z którego nie ma powrotu. Pippa, moja przyjaciółka.

W międzyświecie dowiedziałam się, jaki czeka mnie los: muszę na nowo zebrać Zakon i kontynuować jego dzieło. To mój obowiązek. Ale mam też inną, tajną misję: odnaleźć dawną przyjaciółkę mamy, a moją przeciwniczkę. W końcu odważnie stawię czoło Sarze Rees-Toome, Kirke.

❧

Nie mogę zasnąć, bo monotonny deszcz uderza o szyby, choć Ann i tak chrapaniem mogłaby zbudzić umarłego. Ale to nie hałas jest winien mojej bezsenności i tego, że skóra mnie piecze, a słuch mam wyczulony na każdy szmer. To wszystko dlatego, że za każdym razem, gdy zamykam oczy, widzę te słowa na pergaminie: *Muszę się z Tobą natychmiast zobaczyć.*

Czy teraz Kartik stoi gdzieś na zewnątrz w deszczu?

Podmuch wiatru uderza w okna, które grzechoczą od tego jak kości. Chrapanie Ann to się wzmaga, to słabnie. Po pewnym czasie dochodzę do wniosku, że nie ma sensu tak leżeć i się zamartwiać. Zapalam lampkę nocną i przykręcam płomień tak, żeby tylko lekko oświetlał pokój. Po chwili grzebania w szafie wyciągam pamiętnik mojej mamy. Przesuwam palcami po skórzanej okładce, przypominając sobie jej śmiech i delikatną twarz.

Pół godziny przeglądam dziennik, choć znam go bardzo dobrze. Szukam jakichś rad od mamy, ale nic nie znajduję. Nadal nie mam zielonego pojęcia, jak zabrać się do reformowania Zakonu ani jak używać magii. Nie ma tu żadnych pożytecznych informacji na temat Rakshana ani tego, jakie mogą mieć wobec mnie plany. Nie ma nic więcej o Kirke, nic o tym, jak znaleźć ją szybciej, niż ona mnie. Mam wrażenie, że cały świat czeka, aż zacznę działać, a ja czuję się zupełnie zagubiona. Szkoda, że mama nie zostawiła mi więcej wskazówek.

Nawet na papierze jej głos przemawia do mnie wyraźnie. Tęsknię za nią i wpatruję się w słowa pisane jej ręką, aż późna godzina zaczyna zamykać mi powieki. Sen. Tego mi potrzeba. Sen bez koszmarów. Po prostu sen.

Nagle podrywam głowę. Czy to pukanie do drzwi frontowych? Przyszli po mnie? Wszystkie nerwy mam napięte, a mięśnie naprężone. Słyszę jednak tylko deszcz. Nikt nie poszedł otworzyć drzwi. Jest za późno na gości, a Kartik na pewno nie użyłby wejścia frontowego. Już zaczynam wierzyć, że przyśniło mi się to, kiedy znów rozlega się pukanie – tym razem głośniejsze.

Na dole słychać kroki. Szybko gaszę lampę. Brigid, nasza gderliwa gospodyni, gniewnie tupiąc i mamrocząc, idzie wpuścić gościa. Kto to może być o tak późnej porze? Moje serce łomocze tak głośno jak deszcz. Skradam się korytarzem do szczytu schodów i kucam. Brigid niemalże zbiega po dwa stopnie naraz, a za nią dziko powiewa długi warkocz. Jej świeca pokrywa ścianę smugami cienia.

– Niech to dunder świśnie – mruczy Brigid. Fukając, dociera do wejścia akurat w chwili, gdy rozlega się kolejne pukanie. Drzwi otwierają się z impetem, wpuszczając do środka strugi deszczu. Ktoś przyjechał głuchą nocą. Ktoś ubrany od stóp do głów na czarno.

Mam wrażenie, że zaraz pochoruję się ze strachu. Zamieram, nie wiedząc, czy rzucić się po schodach na dół i uciec na dwór, czy wrócić pędem do pokoju i zaryglować drzwi. W ciemnościach hallu nie mogę dojrzeć twarzy przybysza, ale Brigid podnosi świecę i oświetla sylwetkę. Jeśli to Rakshana po mnie przysłali, to nie wiem, co myśleć. W hallu stoi kobieta. Przedstawia się, ale ponieważ drzwi są nadal otwarte, przez wycie wiatru i ulewny deszcz nie słyszę, co mówi. Brigid kiwa głową, po czym daje znak woźnicy, żeby postawił bagaże gościa w hallu. Kobieta płaci mu, a Brigid zamyka drzwi, odmawiając wstępu natrętnej nocy.

– Obudzę pokojówkę, żeby zaniosła rzeczy do pokoju – odzywa się zrzędliwie gospodyni. – Nie trza budzić pani Nightwing. Zobaczy się z nią rano, jak należy.

– Odpowiada mi to – mówi kobieta. Głos ma głęboki i lekko chropowaty, z cieniem nieokreślonego akcentu.

Brigid zapala lampy, które rozjaśniają hall nikłym blaskiem. Po drodze do pomieszczeń służbowych pozwala sobie na jeszcze jedno prychnięcie.

Kiedy nieznajoma zostaje sama, zdejmuje kapelusz, ukazując gęste, czarne włosy i surową twarz pod ciężkimi brwiami. Rozgląda się po hallu i wzrok jej zatrzymuje się na żyrandolu z wężowym ornamentem oraz ozdobnych płaskorzeźbach, które przedstawiają nimfy i centaury. Wcześniej musiała zauważyć kolekcję gargulców siedzących na dachu. Na pewno dziwi ją ten niecodzienny wystrój.

Zerka w górę okazałych schodów i przekrzywia głowę. Mruży oczy, jakby mnie dostrzegła. Szybko nurkuję w cień i przywieram do ściany. Po chwili dociera do mnie ostry głos Brigid, wydającej polecenie zaspanej pokojówce.

– To panna McCleethy, nowa nauczycielka. Weź bagaże. Ja ją zaprowadzę do pokoju.

Mimi, pokojówka, ziewa i sięga po najlżejszą walizkę, ale panna McCleethy uprzedza ją.

– Pozwolisz, że t y m zajmę się sama. To moje rzeczy osobiste. – Uśmiecha się bez otwierania ust.

– Tak, psze pani. – Mimi dyga z szacunkiem i, westchnąwszy, kieruje się ku dużemu kufrowi.

Na ścianie przy schodach tańczą refleksy od świecy Brigid. Na paluszkach biegnę w głąb korytarza i ukrywam się za paprocią. Stąd, zza osłony jej gigantycznych liści, mogę obserwować idące kobiety. Brigid prowadzi, ale panna McCleethy zatrzymuje się na podeście. Ogląda wszystko, jakby już to kiedyś widziała. Jednak najdziwniejsze dopiero się zaczyna. Kobieta zatrzymuje się pod okazałymi dwuskrzydłowymi drzwiami prowadzącymi do spalonego Wschodniego Skrzydła i przykłada otwartą dłoń do wypaczonego drewna.

Chcę dojrzeć więcej i potrącam donicę ramieniem. Ta chwieje się niebezpiecznie. Szybko ją przytrzymuję, ale panna McCleethy już zerka w ciemność.

– Kto tam jest? – woła.

Z łomoczącym sercem zwijam się w kulkę w nadziei, że paproć mnie ukryje. Nie byłoby dobrze, gdyby ktoś mnie przyłapał na nocnych włóczęgach po korytarzach Spence. Deski trzeszczą gdzieś niedaleko, więc wiem, że panna McCleethy się zbliża. No to po mnie. Stracę wszystkie plusy za zachowanie i za karę będę musiała całą wieczność przepisywać fragmenty Biblii.

– Tutaj, panno McCleethy, niech idzie za mną! – woła z góry Brigid.

– Już idę – odpowiada nauczycielka. Rezygnuje z dalszego zwiedzania i rusza za Brigid krętymi schodami na górę. W korytarzu znów robi się ciemno i cicho i słychać jedynie bębnienie deszczu.

❧

W końcu zasypiam snem niespokojnym, zatrutym widziadłami. Śni mi się międzyświat: piękna zieleń ogrodu, czysty błękit rzeki. Ale to nie wszystko. Są też kwiaty płaczące czarnymi łzami. Trzy dziewczyny w bieli na tle szarości morza. Postać w ciemnozielonym płaszczu. Coś wynurzającego się z wody. Nie widzę, co to jest, dostrzegam jedynie twarze dziewcząt i zimny, przeszywający strach w ich oczach tuż przed tym, zanim zaczynają krzyczeć.

Budzę się na chwilę. Pokój walczy, żeby odzyskać kształt, ale prąd snu jest zbyt mocny i porywa mnie dalej.

Pippa ma na głowie wieniec z kwiatów, założony jak korona. Jej włosy, rozwiane na wietrze, są jak zwykle czarne i lśniące, i ostro kontrastują z bladymi ramionami. Za nią widzę niebo, które krwawi czerwienią, barwiąc grube pasma ciemnych chmur. Jest też sękate, powykręcane drzewo, które wygląda, jakby spłonęło żywcem i tylko tyle pozostało z jego dumnej urody.

– Gemmo... – Pippa wypowiada moje imię. Głos przyjaciółki odbija się echem w mojej głowie, aż nie słyszę nic innego. Jej oczy. Coś jest nie tak z jej oczami. Tęczówki ma błękitnobiałe, koloru świeżego mleka, z czarną obwódką i małą czarną kropką w środku. Chcę odwrócić wzrok, ale nie potrafię.

– Czas wrócić do międzyświata... – powtarza raz za razem jak najczulszą kołysankę. – Ale ostrożnie, Gemmo, moja kochana... Oni po ciebie idą. Wszyscy po ciebie idą.

Otwiera usta i wydaje potworny ryk. Widzę dwa rzędy ostro zakończonych zębów.

ROZDZIAŁ PIĄTY

Kiedy w końcu nadchodzi ranek, jestem okropnie zmęczona i czuję, jakbym miała piasek pod powiekami. W ustach czuję niesmak, więc płuczę je odrobiną wody różanej, po czym wypluwam ją do miednicy. Nie mogę się natomiast pozbyć strasznego obrazu Pippy jako potwora.

To był tylko sen, Gemmo, tylko sen. Dręczą cię wyrzuty sumienia. Pippa postanowiła zostać. To był jej wybór, nie twój. Daj już sobie spokój.

Jeszcze raz płuczę usta, jakby mogło mnie to wyleczyć z wszelkich bolączek.

Długie rzędy stołów w jadalni nakryto do śniadania. Co czwarte miejsce zdobią zimowe bukiety z gwiazd betlejemskich i pierzastych paproci w srebrnych wazonach. Wygląda to uroczo, więc zapominam o śnie, a przypominam sobie, że jest Boże Narodzenie.

Dołączam do przyjaciółek i bez słowa stoimy na baczność za krzesłami w oczekiwaniu, aż pani Nightwing odmówi z nami modlitwę. Obok talerzy znalazłyśmy miseczki z konfiturami i solidnymi bryłkami masła. W powietrzu unosi się słodko-drzewny zapach bekonu. Oczekiwanie jest istną torturą. W końcu pani Nightwing wstaje i każe nam pochylić głowy. Następuje litościwie krótka modlitwa i otrzymujemy pozwolenie na zajęcie miejsc.

– Zauważyłyście? – pyta Martha scenicznym szeptem. Jest jedną z lojalnych poplecznic Cecily, zaczęła ubierać się tak jak ona, a nawet przypomina ją trochę z wyglądu. Wyćwiczyły przed lustrem taki sam pozornie nieśmiały chichot oraz uśmiech, który ma zdawać się skromny, tymczasem robi wrażenie, jakby odgryzły za duży kawałek chleba i nie mogły go przełknąć.

– Co? – chce wiedzieć Felicity.

– Mamy nową nauczycielkę – kontynuuje Martha. – Widzicie? Zajęła miejsce obok mademoiselle LeFarge.

Mademoiselle LeFarge, nasza pulchna nauczycielka francuskiego, siedzi wraz z resztą grona pedagogicznego przy osobnym długim stole. Spotyka się ostatnio z detektywem ze Scotland Yardu, inspektorem Kentem, którego wszystkie bardzo lubimy. Od kiedy zaczęli się umawiać, panna LeFarge nosi weselsze kolory i modniejsze fasony sukien. Jednak jej nowo odkryte szczęście nie zwiększa tolerancji wobec mojej godnej ubolewania francuszczyzny.

Wszystkie głowy zwracają się w kierunku nowej nauczycielki, która siedzi pomiędzy panną LeFarge i panią Nightwing. Ma na sobie kostium z szarej flaneli z przypiętą do klapy gałązką ostrokrzewu. Natychmiast rozpoznaję w niej kobietę, która przybyła do szkoły ciemną nocą. Mogłabym podzielić się tą informacją z innymi i zyskać sporą popularność przy stole. Ale Cecily na pewno bez zwłoki pobiegłaby poinformować panią Nightwing o mojej nocnej eskapadzie. Postanawiam więc zamiast tego zjeść figę.

Właśnie wtedy pani Nightwing wstaje, by przemówić. Mój widelec, który był już tak blisko zakosztowania szczęścia, musi spocząć nieruchomo na talerzu. W duchu odmawiam krótką modlitwę, żeby dyrektorka się streszczała, choć wiem, że jest to równie beznadziejne jak proszenie o śnieg w czerwcu.

– Dzień dobry, dziewczęta.

– Dzień dobry pani – odpowiadamy unisono.

– Chciałabym przedstawić wam pannę McCleethy, naszą nową nauczycielkę sztuki. Prócz rysunku i malowania panna McCleethy doskonale zna się na łacinie, grece, grze w badmintona oraz na łucznictwie.

Felicity posyła mi rozradowany uśmiech. Tylko ja i Ann wiemy, jak bardzo ją to ucieszyło. W międzyświecie okazała się całkiem zdolną łuczniczką, co bez wątpienia zaskoczyłoby tych, którzy sądzą, że Felicity interesuje się wyłącznie najnowszą modą z Paryża.

Pani Nightwing monotonnym głosem mówi dalej.

– Panna McCleethy przyjechała do nas ze słynnej walijskiej Szkoły dla Panien imienia Świętej Wiktorii. Ogromnie się z tego cieszę, gdyż od lat jest ona moją drogą przyjaciółką.

W tym momencie pani Nightwing posyła pannie McCleethy ciepły uśmiech. Zdumiewające! Pani Nightwing ma zęby! Zawsze zakładałam, że nasza dyrektorka wykluła się ze smoczego jaja. A sugestia, iż posiada „drogą przyjaciółkę", zupełnie mnie przerasta.

– Nie wątpię, że okaże się bezcennym nabytkiem dla nas w Spence, i proszę, abyście przyjęły ją serdecznie. Panno Bradshaw, może zechce pani zaśpiewać coś dla naszej panny McCleethy? Najlepiej jakąś kolędę.

Ann wstaje posłusznie i rusza pomiędzy stołami na przód sali. Wokół słychać szepty i chichoty. Pewne dziewczyny nigdy nie mają dość dręczenia Ann, która jak zawsze zwiesza głowę i poddaje się ich okrucieństwu. Lecz gdy otwiera usta, żeby zaśpiewać *Lo, How a Rose E'er Blooming*, jej czysty, mocny i piękny głos ucisza wszystkie komentarze. Gdy kończy, mam ochotę sprawić jej owację na stojąco. Zamiast tego oklaskujemy ją krótko i uprzejmie, gdy wraca do stołu. Cecily i jej zausznice demonstracyjnie ignorują Ann i jej publiczny występ. Dla nich nie istnieje. Jest ledwie duchem.

– Byłaś wspaniała – szepczę.

– Nie – protestuje Ann, rumieniąc się. – Byłam okropna. – Ale niepewny uśmiech mimo to rozjaśnia jej twarz.

Panna McCleethy wstaje i zabiera głos.

– Dziękuję, panno Bradshaw. To miły początek naszej znajomości.

Miły początek? To było świetne, wręcz doskonałe! Dochodzę do wniosku, że panna McCleethy w ogóle nie ma w sobie ognia. Postanawiam wpisać jej dwa minusy za zachowanie do mojego niewidzialnego dziennika.

– Nie mogę się doczekać, aż poznam was wszystkie bliżej. Mam nadzieję, że moje lekcje okażą się ciekawe. Choć być może uznacie mnie za wymagającą nauczycielkę. Zawsze oczekuję od moich uczennic, że dadzą z siebie wszystko. Ale też sądzę, że docenicie moją sprawiedliwość. Jeśli będziecie się przykładały do nauki, zostaniecie nagrodzone, jeżeli nie, poniesiecie tego konsekwencje.

Pani Nightwing wprost promienieje. Znalazła bratnią duszę, czyli osobę zupełnie wyzbytą radości życia.

– Dziękuję, panno McCleethy – mówi dyrektorka, po czym siada, co stanowi błogosławiony znak, że można zacząć jeść.

Och, wspaniale. Zatem do bekonu. Nakładam sobie na talerz dwa grube plastry. Oto obietnica raju.

– Wesoła z niej kobitka – szepcze bezczelnie Felicity, wskazując głową pannę McCleethy. Dziewczęta chichoczą z zamkniętymi ustami. Tylko Felicity może ujść na sucho takie zuchwalstwo. Gdybym to ja zrobiła podobną uwagę, powitałoby ją kamienne milczenie.

– Ma taki dziwny akcent – zauważa Cecily. – Zagraniczny.

– Według mnie to nie brzmi jak walijski – dodaje Martha. – Chyba bardziej jak szkocki.

Elizabeth Poole wrzuca dwie kostki cukru do swojej słabiutkiej herbatki i miesza ją elegancko. Na nadgarstku ma delikatną złotą bransoletkę w kształcie gałązki bluszczu, zapewne przedwczesny prezent od dziadka, który podobno jest bogatszy od samej królowej.

– A może to Irlandka? – odzywa się ostrym, wysokim głosem. – Mam szczerą nadzieję, że nie jest papistką.

Nie warto marnować czasu na przypominanie, że nasza Brigid jest i Irlandką, i katoliczką. Dla ludzi takich jak Elizabeth Irlandczycy są w porządku – jeśli znajdują się na swoim miejscu. A ich miejsce to izba pod schodami i praca w służbie Anglików.

– A ja mam nadzieję, że będzie uczyła lepiej niż panna Moore. – Cecily gryzie grzankę z konfiturami.

Na wzmiankę o pannie Moore moje przyjaciółki milkną i spuszczają wzrok. Nie zapomniały, że to przez nas zwolniono naszą poprzednią nauczycielkę. Jej wina polegała na tym, że zabrała nas do jaskiń za Spence, żeby pokazać prymitywne malowidła przedstawiające boginie. Wyjaśniła pochodzenie mojego amuletu i jego związek z Zakonem. Przekazała nam też kilka historii związanych z Zakonem, co stanowiło bezpośrednią przyczynę jej wydalenia ze szkoły. Panna Moore była moją przyjaciółką i tęsknię za nią.

Cecily marszczy nos.

– Te wszystkie opowieści o sprzysiężeniu czarodziejek... Jakże ono się nazywało?

– Zakon – podpowiada Ann.

– A, tak. Zakon – potwierdza Cecily. Następne zdanie deklamuje teatralnie. – Kobiety, które potrafiły tworzyć iluzje i zmieniać świat. – Elizabeth i Martha wybuchają śmiechem; kilkoro nauczycieli spogląda w naszą stronę.

– Kompletne bzdury, jeśli chcecie znać moje zdanie – dodaje Cecily ciszej.

– To były tylko mity, sama to podkreślała – wtrącam, starając się nie patrzeć na Ann i Felicity.

– No właśnie. Po co opowiadała nam bajki o czarodziejkach? Powinna uczyć nas rysować ładne obrazki, a nie prowadzać po wilgotnych jaskiniach i pokazywać prymitywne szkice jakichś starych wiedźm. To cud, że nie złapałyśmy przeziębienia i nie poumierałyśmy.

– Nie musisz zachowywać się tak melodramatycznie – tonuje ją Felicity.

– Ale to prawda! W końcu dostała to, na co sobie zasłużyła. Pani Nightwing słusznie ją zwolniła. A ty miałaś rację, że wskazałaś winną, czyli właśnie pannę Moore, Fee. Gdyby nie ona, to być może droga Pippa... – Cecily nie kończy.

– Może co? – pytam lodowatym tonem.

– Nie powinnam o tym mówić – kryguje się Cecily. Wygląda jak kot z myszką w pyszczku.

– To epilepsja zabiła Pippę – podkreśla Felicity, bawiąc się serwetką. – Miała atak...

Cecily ścisza głos.

– Ale Pippa jako pierwsza opowiedziała pani Nightwing o tym paskudnym pamiętniku, który czytałyście. To ona wyznała, że byłyście w nocy w jaskini i że ten pomysł poddała wam sama panna Moore. To chyba dziwny zbieg okoliczności, nieprawdaż?

– Bułeczki są dzisiaj wyjątkowo smaczne. – Ann próbuje zmienić temat. Nie potrafi znieść żadnego konfliktu. Boi się, że koniec końców za wszystko i tak ona zostanie obarczona winą.

– O co konkretnie ją oskarżasz? – pytam z tłumioną wściekłością.

– Myślę, że wiesz, o czym mówię.

Nie potrafię już dłużej się hamować.

– Panna Moore nie była winna niczemu poza opowiadaniem ludowych podań. Proponuję, żebyśmy powstrzymały się od rozmowy o niej.

– A to dobre! – odpowiada ze śmiechem Cecily. Inne idą w jej ślady. Cecily jest idiotką, więc jak to się dzieje, że zawsze potrafi sprawić, iż to ja czuję się głupio? – Oczywiście, że musisz jej bronić, Gemmo. Z tego, co pamiętam, początek całej sprawie dał ten twój dziwaczny amulet. Jak on się nazywa?

– Księżycowe oko – znowu podpowiada Ann z okruszkami przyklejonymi do dolnej wargi.

Elizabeth kiwa głową, dolewając oliwy do ognia.

– Wydaje mi się, że nigdy nam nie opowiedziałaś, jak dokładnie weszłaś w jego posiadanie.

Ann w połowie bułki przestaje żuć i szeroko otwiera oczy. Felicity wtrąca się:

– Powiedziała. Jakaś wieśniaczka dała go mamie Gemmy, żeby ją chronił. To taki hinduski zwyczaj.

To amulet Zakonu, podarowany mi przez matkę przed śmiercią. Moją matkę, Mary Dowd, która wraz z przyjaciółką, Sarą Rees-Toome, ponad dwadzieścia lat temu w tej właśnie szkole popełniła zbrodnię, składając w ofierze dziecko, i doprowadziła do upadku Zakonu.

– Tak, zgadza się – potwierdzam miękko.

– Na pewno były w zmowie – Cecily zwraca się do swoich zausz-niczek szeptem odpowiednio głośnym, byśmy go słyszały. – Wcale bym się nie zdziwiła, gdyby się okazało, że ona jest... – Milknie nagle dla lepszego efektu. Łykam tę przynętę, choć nie powinnam.

– Kim?

– Panno Doyle, nie wie pani, że to nieuprzejmie podsłuchiwać cudze rozmowy?

– Kim jest? – naciskam.

Okrutny uśmieszek wypełza na twarz Cecily.

– Wiedźmą.

Wierzchem dłoni przewracam miseczkę konfitur na jej talerz. Porcja malin ląduje też na sukni, więc będzie musiała się przebrać przed lekcją mademoiselle LeFarge. Spóźni się i zaliczy minusa.

Rozwścieczona Cecily zrywa się z miejsca.

– Zrobiłaś to specjalnie, Gemmo Doyle!

– Och, jaka ze mnie niezdara. – Robię diaboliczną minę, obna-żając zęby. – A może to była czarna magia?

Pani Nightwing potrząsa dzwonkiem.

– Co tam się dzieje? Panno Temple! Panno Doyle! Co to za sceny?

– Panna Doyle specjalnie pochlapała moją suknię konfiturami!

Wstaję.

– To był wypadek, proszę pani. Zachowałam się rzeczywiście bardzo niezdarnie. Droga Cecily, pozwól, że ci pomogę. – Uśmie-chając się najuprzejmiej, jak potrafię, wycieram jej suknię serwet-ką, doprowadzając ją tym do szału.

Odpycha moja rękę.

– Ona kłamie, proszę pani! Zrobiła to celowo, prawda, Eliza-beth?

Elizabeth, posłuszna jak pies, rzuca się na ratunek swej pani.

– Prawda, widziałam na własne oczy.

Teraz wstaje również Felicity.

– To kłamstwo, Elizabeth Poole. Doskonale wiesz, że to był wypadek. Nasza Gemma nigdy by nie zrobiła czegoś tak niemiłego.

A to dopiero kłamstwo, ale jestem za nie wdzięczna.

Martha bierze stronę Cecily.

– Ona zawsze miała coś do naszej Cecily. To zupełnie nieokrzesana dziewucha, proszę pani.

– Czuję się dotknięta! – oświadczam. Spoglądam na Ann w poszukiwaniu pomocy, ale ona siedzi potulnie przy stole i je, nadal nie chcąc wdawać się w sprzeczkę.

– Dość tego! – ucisza nas szorstkim tonem pani Nightwing. – Urządziłyście piękne powitanie dla panny McCleethy. Zapewne zaraz spakuje swoje rzeczy i będzie wolała wyruszyć w góry, niż zostać z takimi dzikuskami. Nie mogę was nasłać niczym piekielną sforę na niespodziewający się niczego Londyn. Dlatego poświęcimy dzisiejszy dzień na doskonalenie manier i refleksję w modlitwie, aż znów objawią się młode damy, z których Spence mogłoby być dumne. A teraz pozwólcie nam dokończyć śniadanie w spokoju bez kolejnych niestosownych wybryków.

Przyjmujemy naganę i siadamy, żeby skończyć posiłek.

– Gdybym nie była chrześcijanką, powiedziałabym dosadnie, co o niej myślę – zwraca się Cecily do innych, jakbym jej nie słyszała.

– A jest pani chrześcijanką, panno Temple? Nigdy bym się nie domyśliła – replikuję.

– A co pani może wiedzieć o chrześcijańskim miłosierdziu, panno Doyle, skoro wychowała się pani między poganami w Indiach? – Cecily zwraca się do Ann. – Droga Ann, powinnaś uważać, żeby cię nie kojarzono z taką osobą – mówi, zerkając na mnie. – Kontakty z nią mogą bardzo zaszkodzić twojej reputacji, a to przecież wszystko, co masz do zaoferowania jako guwernantka.

Poznałam diabła, a nazywa się on Cecily Temple. Wredna ropucha dokładnie wie, jak zasiać strach i wątpliwości w sercu Ann – biednej, osieroconej Ann, uczennicy na zapomodze, która uczy się w Spence tylko dzięki hojności dalekich kuzynów, żeby po ukończeniu szkoły móc dla nich pracować. Cecily i jej podobne nigdy nie zaakceptują Ann, ale mają używanie, wykorzystując ją, kiedy im to odpowiada.

Jeśli myślałam, że przyjaciółka stanie na wysokości zadania, to gorzko się rozczarowałam.

Ann nie mówi: „Daj spokój, Cecily, podła z ciebie kreatura". „No, Cecily, na szczęście masz majątek, bo z taką twarzą na pewno ci się przyda". „Ależ, Cecily, Gemma jest moją dobrą, bliską, prawdziwą przyjaciółką i nigdy nie powiem o niej złego słowa".

Nie. Ann siedzi w milczeniu, a swoją odmową, by wystąpić przeciwko niej, budzi w Cecily przekonanie, że wygrała. Dzięki temu ma przez chwilę wrażenie, że dostała się do kręgu Cecily, ale nic nie może być dalsze od prawdy.

Ziemniaki są już zimne i pozbawione smaku. Jednak i tak je jem, jakby nikt nie mógł zranić moich uczuć, a chichoty dziewcząt znaczyły dla mnie tyle, co szum deszczu.

Naczynia zostają uprzątnięte, a my musimy siedzieć przy stołach i męczyć się podczas lekcji manier. Przez cały ranek padał śnieg. Nigdy w życiu nie widziałam śniegu i pragnę wyjść w puszystą biel, poczuć na czubkach palców chłodne, wilgotne kryształki. Słowa pani Nightwing to wpływają, to wypływają z mojego rozkojarzonego umysłu.

Nie chcecie chyba, żeby towarzystwo was lekceważyło, a wasze nazwisko zostało wykreślone z listy gości w najlepszych domach...

Nigdy nie proście mężczyzny, żeby potrzymał wam wachlarz, bukiet czy rękawiczki podczas tańca, chyba że jest waszym towarzyszem lub krewnym...

Ponieważ nie znam żadnego dżentelmena poza moim ojcem i bratem, nie powinnam zaprzątać sobie tym głowy. Nie, to nieprawda. Znam Kartika. Ale mało prawdopodobne, byśmy się spotkali w którejś z londyńskich sal balowych. Jaką ma dla mnie wiadomość? Powinnam była do niego podejść po drodze z nieszporów. Na pewno uważa, że jestem zupełnie głupia.

Damy o najwyższej pozycji wchodzą do jadalni pierwsze. Gospodyni wchodzi ostatnia...

Głośne rozmowy lub śmiech na ulicy to oznaki złego wychowania...

Za wszelką cenę należy unikać towarzystwa mężczyzny, który pije, uprawia gry hazardowe lub zajmuje się innymi niegodziwościami, gdyż może on przynieść ujmę waszej reputacji...

Mężczyzna, który pije. Ojciec. Chcę odepchnąć od siebie tę myśl. Staje mi przed oczami taki, jakim widziałam go w październiku, z oczami zaszklonymi od laudanum i drżącymi rękoma. W listach, które od tamtej pory otrzymałam od babci, nie ma wzmianki o jego zdrowiu ani o nałogu. Czy się wyleczył? Czy będzie takim ojcem, jakiego pamiętam – wesołym mężczyzną z błyskiem w oku, ciągle żartującym i rozśmieszającym wszystkich? Czy też będzie ojcem, który pojawił się po śmierci mamy – apatycznym człowiekiem, zdającym się w ogóle mnie nie zauważać?

Panie nie mogą opuszczać sali balowej bez opieki. To może sprowokować plotki.

Śnieg zbiera się na parapetach, tworząc małe zaspy. Biel śniegu. Biel naszych rękawiczek. Biel skóry Pippy. Pippy...

Idą po ciebie, Gemmo...

Przeszywa mnie chłodny dreszcz. Nie wywołuje go zimno, lecz to, czego nie wiem. I co boję się odkryć.

ROZDZIAŁ SZÓSTY

Wszelkie poranne nieprzyjemności idą w niepamięć, gdy wychodzimy na dwór. Słońce, mocne i jasne, odbija się od świeżej bieli fontannami iskier. Młodsze dziewczęta piszczą z zachwytu, gdy wilgotny śnieg wsypuje im się do butów. Kilka z nich natychmiast zaczyna lepić bałwana.

– Czyż to nie fantastyczne? – wzdycha Felicity. Może się popisać nową mufką z lisiego futra, więc jest całkiem zadowolona. Ann stąpa za nią ostrożnie, krzywiąc się. Dla mnie śnieg stanowi cud. Nabieram garść i z zaskoczeniem odkrywam, że jest taki miękki.

– Ach, lepi się! – wołam.

Felicity spogląda na mnie, jakby mi wyrosła druga głowa.

– No tak, oczywiście. – Nagle zaczyna rozumieć. – Ty nigdy nie widziałaś śniegu!

Mam ochotę rzucić się na ziemię i tarzać, taka ogarnia mnie radość. Podnoszę odrobinę śniegu do ust. Wydaje się, że powinien smakować śmietankowo, jak sos waniliowy, ale zamiast tego jest po prostu zimny. Płatki topnieją natychmiast w cieple moich ust. Chichoczę jak szalona.

– Chodź, pokażę ci coś – mówi Felicity. Dłońmi w rękawiczkach nabiera pełną garść śniegu, po czym uklepuje go i kształtuje w twardą kulę. – Zapamiętaj, to jest śnieżka.

– Aha – odpowiadam, nic nie rozumiejąc.

Bez ostrzeżenia ciska we mnie zlepionym śniegiem i uderza mocno w ramię, zasypując mi twarz i włosy zimnymi kryształkami, aż zaczynam parskać.

– Czyż śnieg nie jest cudowny? – pyta.

Przypuszczam, że powinnam być zła, ale zaczynam się śmiać. Naprawdę jest cudowny. Uwielbiam śnieg i chciałabym, żeby padał wiecznie.

Ann dogania nas w końcu, sapiąc i stękając. Nagle, pośliznąwszy się, wpada z kwikiem w wielką białą zaspę, co wraz z Felicity kwitujemy bardzo nieuprzejmym wybuchem radości.

– Nie byłoby wam do śmiechu, gdybyście to wy całkowicie przemokły – marudzi Ann, niezgrabnie gramoląc się z ziemi.

– Nie bądź takim mazgajem – fuka Felicity. – To nie koniec świata.

– Nie mam dziesięciu par pończoch na zmianę, tak jak ty – odcina się Ann. Miało to być dowcipne, ale zabrzmiało żałośnie i jękliwie.

– Więc nie będę cię już dłużej męczyła – odpowiada Felicity. – O, Elizabeth! Cecily!

I z tymi słowami odmaszerowuje w stronę innych dziewczyn, porzucając nas na chłodzie.

– Ale ja naprawdę nie mam zapasu pończoch – mówi Ann obronnym tonem.

– Po prostu zabrzmiało to, jakbyś się nad sobą rozczulała.

– Ja nigdy nic nie potrafię dobrze powiedzieć.

Moje szczęśliwe popołudnie na śniegu odpływa w siną dal. Chyba nie zniosę godziny z marudzącą Ann. Nadal jestem na nią trochę zła, że nie stanęła po mojej stronie podczas śniadania. Nie tracę czasu na zbędne dywagacje i zgarniam śnieg w dłonie. Ciskam nim w Ann i kulka rozpryskuje się na jej zdumionej twarzy. Zanim udaje jej się zareagować, rzucam kolejną śnieżkę.

Ann prycha niewyraźnie:

– Ja... ja... ja...

Następna kulka trafia w spódnicę.

– No, dalej, Ann – prowokuję ją. – Pozwolisz, żebym cię tak karała? Czy będziesz walczyć?

Odpowiedzią jest kaskada śniegu na mojej szyi. Piszczę, gdy czuję, jak lodowate strużki spływają za kołnierzyk sukienki. Sięgam po kolejną garść śniegu, a tymczasem następna kulka Ann trafia mnie w głowę. Z moich włosów ścieka topniejąca breja.

– To niesprawiedliwe! – wołam. – Nie mam amunicji.

Ann przerywa ofensywę, więc szybko ciskam w nią śnieżką, którą ukryłam za plecami. Na twarzy mojej przyjaciółki maluje się oburzenie.

– Przecież powiedziałaś...

– A ty zawsze postępujesz zgodnie z zasadami? To jest wojna! – Rzucam i nie trafiam, za to kolejna kulka Ann uderza mnie znów w twarz. Wycierając lodowe płatki z oczu, głowię się, jak tu zyskać przewagę.

Długotrwały deszcz sprawił, że ziemia pod śniegiem zamieniła się w gęste błocko. Ugrzęzły mi w nim obcasy, a ponieważ nie mam się o co oprzeć – ani drzewa, ani ławki – obawiam się, że utknęłam na dobre. Szarpię za but i już zaczynam lecieć do przodu, niemalże padając twarzą w to paskudztwo, gdy ktoś mocno chwyta mnie za nadgarstek, podnosi i wciąga między drzewa. Gdy wzrok mi się rozjaśnia, stoję z nim twarzą w twarz.

– Kartik! – wołam.

– Witam, panno Doyle – mówi, z uśmiechem ogarniając wzrokiem mój przemoknięty strój. Topniejący śnieg kapie mi z włosów na nos. – Wyglądasz... dobrze.

Ogarnia mnie trema.

– Dlaczego nie zareagowałaś na mój list? – pyta.

Czuję się głupio. I jestem szczęśliwa, że go widzę. I niepewna. Ogarnia mnie tak wiele uczuć, że nie potrafię ich wszystkich nazwać.

– Trudno się wymknąć ze szkoły. Ja...

Słyszę, jak za drzewami Ann woła mnie, żeby zemścić się w bitwie na śnieżki.

Kartik wzmacnia uścisk.

– Nieważne. Mamy mało czasu, a muszę ci wiele powiedzieć. W międzyświecie źle się dzieje.

– Jak to? Gdy go opuszczałam, wszystko wydawało się w porządku. Zabójca Kirke został pokonany.

Kartik kręci głową. Jego długie, ciemne loki kołyszą się pod kapturem.

– Pamiętasz, jak rozbiłaś Runy Wyroczni i wyzwoliłaś swoją mamę?

Potakuję.

– Te runy stanowiły starożytną pieczęć, którą Zakon nałożył na wielką moc istniejącą wewnątrz międzyświata. To było coś w rodzaju sejfu na magię. W ten sposób Zakon dbał o to, by tylko jego członkinie mogły z niej korzystać.

Ann znów woła. Zbliża się do naszej kryjówki.

Kartik mówi niecierpliwym szeptem:

– Kiedy rozbiłaś runy, zerwałaś tę pieczęć.

– Wyzwoliłam magię – dopowiadam. Czuję, jak przerażenie wnika w moje kości.

Chłopak kiwa głową.

– Teraz jest na wolności i każdy może jej użyć w dowolnym celu, nawet jeśli nie wie jak. Ta magia posiada wyjątkową moc. A wypuszczenie jej w międzyświat bez żadnej kontroli... – Milknie, by po chwili podjąć temat. – Pewne żywioły chciałyby przejąć zwierzchnictwo nad całym międzyświatem. Mogą być w zmowie ze sobą nawzajem... i z Kirke.

– Kirke... – O, Boże, co ja narobiłam.

– Gemmo, wyłaź! Wyjdź natychmiast! – Ann chichocze.

Kartik kładzie palec na moich ustach i przyciska się do mnie. Pachnie ogniskiem, a na brodzie ma delikatny cień zarostu. Jego bliskość zapiera mi dech w piersi.

– Jest sposób, żeby znowu związać magię. Przynajmniej mam taką nadzieję – mówi. Głos Ann odpływa w inną stronę, więc Kartik się odsuwa. Znów dzieli nas powietrze. – Czy twoja matka wspominała kiedyś o miejscu zwanym Świątynią?

Nadal jestem wstrząśnięta, że czułam go tak blisko siebie. Policzki mam zarumienione nie tylko od chłodu.

– N-nie. Co to jest?

– To źródło magii w międzyświecie. Musisz je odnaleźć.

– Istnieje jakaś mapa? Jakieś wskazówki?

Kartik głośno wzdycha i kręci głową.

– Nikt nie wie, gdzie to jest. To miejsce zostało dobrze ukryte. Jedynie kilka członkiń Zakonu wiedziało, jak tam trafić. Tylko w ten sposób można było zagwarantować Świątyni bezpieczeństwo.

– Więc jak mam ją znaleźć? Licząc na tamtejsze stworzenia?

– Nie. Nie ufaj nikomu. I niczemu.

Niczemu. N i c z e m u. Wstrząsa mną dreszcz.

– A co z moimi wizjami? Mogę na nich polegać? – Nie żebym miała jakieś ostatnio.

– Nie wiem. Ich źródło leży w międzyświecie. – Wzrusza ramionami. – Nie potrafię powiedzieć.

– A kiedy już odnajdę Świątynię?

Twarz Kartika blednie, jakby się przestraszył. Nigdy go takim nie widziałam. Nie patrząc na mnie, mówi:

– Wypowiedz następujące słowa: „Zaklinam magię w imieniu Gwiazdy Wschodu".

– Gwiazdy Wschodu? – powtarzam. – Co to znaczy?

– To potężny czar, chyba jakieś zaklęcie Zakonu – odpowiada, odwracając wzrok.

Głos Ann się zbliża. Przez gałęzie widzę błękit jej płaszcza. Kartik też ją zauważa. Jest spięty i gotów do ucieczki.

– Skontaktuję się z tobą – mówi. – Nie wiem, co znajdziesz w międzyświecie, więc bądź ostrożna. Proszę. – Odwraca się, żeby odejść, zatrzymuje się, znów rusza, cofa się, po czym składa na mojej dłoni szybki szarmancki pocałunek. Biegnie szybko po śniegu, jakby to nie wymagało najmniejszego wysiłku, i znika w mgnieniu oka.

Nie wiem, co myśleć. Magia w międzyświecie została wyzwolona i to wszystko moja wina. Muszę odnaleźć Świątynię i przywrócić porządek, zanim międzyświat zostanie zniszczony. A poza tym Kartik właśnie mnie pocałował.

Ledwie mam czas się nad tym wszystkim zastanowić, kiedy nagle przeszywa mnie ostry ból, tak silny, że aż zginam się wpół i muszę przytrzymać się drzewa. Mam zawroty głowy i wszystko wygląda dziwnie. Czuję się bardzo chora. Odnoszę wrażenie, że ktoś mnie obserwuje. Przeraża mnie myśl, iż ktokolwiek miałby mnie zobaczyć w chwili takiej słabości. Biorę głęboki wdech, unoszę wzrok i próbuję się pozbierać.

Początkowo wydaje mi się, że to wina śniegu sypiącego prosto w oczy. Mrugam więc, ale obraz nie znika. Widzę trzy dziewczyny ubrane na biało. Nie znam ich. Nigdy nie widziałam ich w Spence, a chyba są w moim wieku. Mimo mroźnej pogody nie mają na sobie płaszczy.

– Hej! – wołam do nich. Nie odpowiadają. – Zgubiłyście się?

Otwierają usta, żeby odpowiedzieć, ale nie słyszę ich i wtedy dzieje się coś dziwnego. Sylwetki dziewcząt zaczynają migotać i blaknąć, aż nie pozostaje po nich nawet ślad na śniegu. Równie szybko mija ból. Znów czuję się dobrze.

Twarda kula śniegu trafia mnie prosto w szczękę.

– Aha! – woła triumfalnie Ann.

– Ann! – krzyczę ze złością. – Nie byłam przygotowana!

Posyła mi zwycięski uśmiech, który rzadko gości na jej twarzy.

– Sama powiedziałaś, że to wojna.

I niezdarnie rusza przez śnieg, by przede mną uciec.

ROZDZIAŁ SIÓDMY

– Drogie panie, czy mogę prosić o uwagę? Mamy zaszczyt gościć dzisiaj członków Teatru Baśni z Covent Garden. Przygotowali dla nas niezwykle ciekawą inscenizację opowieści o Jasiu i Małgosi pióra braci Grimm.

Miałam nadzieję, że po nieszporach i kolacji będę mogła spędzić trochę czasu z Felicity i Ann, żeby opowiedzieć im o ostrzeżeniu Kartika. Ale takie już moje szczęście, że akurat dziś pani Nightwing zorganizowała dla nas wieczorek teatralny. Nowiny będą musiały poczekać. Młodsze dziewczęta są zachwycone, że obejrzą straszliwą baśń, w której są takie atrakcje, jak niebezpieczny las i zła czarownica. Aktorów przedstawia nam impresario – wysoki, mocno zbudowany mężczyzna o upudrowanej twarzy i ogromnych wąsiskach, zawadiacko podkręconych i nawoskowanych. Jeden po drugim mimowie wchodzą na niewielką scenę w sali balowej. Panowie składają ukłon, a panie dygają. A raczej postacie składają ukłon i dygają, bo w trupie są sami mężczyźni. Nawet grające Małgosię biedactwo to mniej więcej trzynastoletni chłopiec.

– Aktorzy na miejsca – zarządza impresario donośnym, głębokim głosem. Scena pustoszeje. Dwóch inspicjentów ustawia pod nią drewnianą dekorację wyobrażającą drzewa. – Rozpoczniemy naszą opowieść tam, gdzie powinna się zaczynać: w domku na skraju bardzo mrocznego lasu.

Światła gasną. Publiczność milknie. Nie słychać nic prócz monotonnego bębnienia zimnego deszczu o umęczone okna.

– Mężu – woła jędzowata żona – nie wystarczy jedzenia dla nas wszystkich! Musimy zabrać dzieci do lasu, by same o siebie zadbały.

Jej mąż, myśliwy, odpowiada dziką gestykulacją i głosem tak melodramatycznym, jakby parodiował naprawdę fatalną grę aktorską. Gdy staje się jasne, że to jednak nie parodia, z trudem zachowuję panowanie nad sobą.

Felicity szepcze mi do ucha:

– Muszę wyznać, że obłąkańczo się zakochałam w biednym myśliwym. Zdaje się, że podbiła mnie jego subtelność.

Przykładam dłoń do ust, żeby powstrzymać śmiech.

– A ja czuję, że straciłam głowę dla jego żony. Może to ta jej broda...

– O czym tak szepczecie? – pyta Ann, prowokując ostre „ciii" ze strony pani Nightwing, która staje za naszymi plecami. Siedzimy wyprostowane i milczące jak kamienie nagrobne, udając zainteresowanie. Mogę się tylko modlić, żeby okazało się, iż dzisiejszy pudding śliwkowy był przybrany arszenikiem, dzięki czemu jeszcze tylko przez chwilę będę musiała patrzeć na paradę udających kobiety mężczyzn w jaskrawych ludowych strojach.

Mama wpycha Jasia i Małgosię do lasu.

– No, dzieci, idźcie sobie. Tuż za tym lasem znajdziecie wszystko, czego pragniecie.

Jaś i Małgosia znikają wśród drzew, po czym pojawiają się obok domku z piernika. Szeroko otwierając oczy i przesadnie szczerząc zęby w uśmiechach, udają, że wgryzają się w malowane okiennice ozdobione galaretkami.

Impresario dumnie kroczy wzdłuż krawędzi sceny.

– Im więcej jedli, tym większy mieli apetyt – intonuje ponuro. Kilka rzędów dalej młodsze dziewczęta wymieniają uwagi, osłaniając usta rękami. Ktoś chichocze. Gdy rozlega się więcej śmiechów, pani Nightwing opuszcza posterunek obok nas, by dopilnować trzódki gdzie indziej.

Chcę powiedzieć przyjaciółkom o Kartiku, ale teraz zbyt bacznie jesteśmy obserwowane. Nieszczęsne dzieci na scenie zostały w końcu zwabione do chatki z piernika.

– Biedne odrzucone przez świat maleństwa! Ja was nakarmię. Dam wam to, czego szukacie! – Czarownica odwraca się do widowni z porozumiewawczym mrugnięciem, a my jak na dany znak buczymy i gwiżdżemy.

Chłopiec grający Małgosię woła:

– I będziemy dla ciebie jak twoje własne dzieci, droga ciociu? Będziesz nas kochała i wszystkiego uczyła? – Jego głos załamuje się na ostatniej kwestii. Na widowni rozlegają się chichoty.

– Tak, dziecko. Teraz, gdy już tu przyszliście, o co tak gorąco się modliłam, przytulę was do łona i nigdy nie wypuszczę!

Baba Jaga przyciska Jasia do swego ogromnego sztucznego biustu, niemalże go dusząc. Śmiejemy się wesoło z tego błazeństwa. Ośmielona wiedźma napycha Jasiowi buzię kawałkami ciasta, wywołując kolejne salwy śmiechu ze strony publiczności.

Światła migoczą. Rozlega się zbiorowe westchnienie i kilka cichych pisków z ust co energiczniejszych dziewcząt. To oczywiście robota inspicjentów, ale odnosi pożądany skutek. Baba Jaga zaciera ręce i zdradza nam swój diaboliczny plan – chce utuczyć dzieci, a potem upiec je w wielkim piecu. Ta wizja przyprawia wszystkich o gęsią skórkę, a ja nie mogę powstrzymać się od refleksji, co też musieli wycierpieć w dzieciństwie bracia Grimm. Niezbyt wesołe stworzyli bajeczki o tych wszystkich dzieciach pieczonych przez wiedźmy, pannach trutych przez staruchy i tak dalej.

Nagle w powietrzu pojawia się wilgotny chłód przenikający do szpiku kości. Czyżby ktoś otworzył okno? Nie, wszystkie są szczelnie zamknięte, bo pada. Zasłonami nie porusza najlżejszy przeciąg.

Panna McCleethy chodzi wzdłuż ścian, złożywszy ręce z przodu jak ksiądz w modlitwie. Powolny uśmiech wypełza na jej twarz, gdy na nas patrzy. Na scenie wydarzyło się coś zabawnego. Dziewczęta się śmieją. Dźwięk wydaje mi się odległy i zniekształcony, jakbym znajdowała się pod wodą. Panna McCleethy kładzie dłoń na plecach dziewczynki z końca rzędu. Pochyla się, by z uśmiechem wysłuchać pytania, ale jej oczy pod gęstymi, ciemnymi brwiami odnajdują mój wzrok. Choć jest chłodno, zaczynam się pocić jak w gorączce. Ogarnia mnie nieodparta chęć, żeby stąd uciec. Czuję się chora.

Felicity coś do mnie szepcze, ale nie słyszę słów. Jej szept jest jakby wyolbrzymiony, podobny do szelestu suchych skrzydeł i drapania odnóży tysięcy insektów. Gwałtownie mrugam. Szum wypełnia moje uszy, po czym zaczynam szybko i boleśnie spadać przez tunel ze światła i dźwięku. Czas rozwija się jak rolka bandażu. Jestem świadoma swojego oddechu, przepływu krwi w żyłach. Zostaję pochwycona w pęta wizji. Ale nie przypomina ona tych, które miewałam przedtem – jest o wiele silniejsza.

Znajduję się blisko morza. Widzę klify. Czuję zapach soli. Niebo stanowi odbicie morza, kłębią się na nim chmury przypominające morskie bałwany. Na wzgórzu stoi stary zamek. Wszystko dzieje się szybko. Za szybko. Nie widzę... Trzy dziewczyny w bieli skaczą po klifach w absurdalnym tempie. Sól zostawia cierpki posmak na moim języku. Zielony płaszcz. Uniesiona dłoń, wąż, wzburzone niebo, chmury okolone czernią i szarością. Coś jeszcze. Coś – o, Boże – coś wstaje. Strach dławi mnie jak morska woda. Ich oczy. Ich oczy! Takie przerażone. Otwórz teraz. Spójrz, jak powstaje z morza. W ich oczach widać długi, milczący krzyk.

Pulsowanie krwi w żyłach wyrywa mnie z pęt morza i strachu.

Słyszę głosy.

„Co to? Co się stało?". „Cofnijcie się, nie ma czym oddychać". „Czy ona umarła?".

Otwieram oczy. Nade mną majaczą zatroskane twarze. Gdzie? Kto to jest? Czemu leżę na podłodze?

– Panno Doyle...

To moje nazwisko. Powinnam odpowiedzieć, ale mój język przypomina kłąb waty.

– Panno Doyle? – To pani Nightwing. Jej twarz nabiera ostrości. Dyrektorka przesuwa coś ohydnego pod moim nosem. Potworny odór siarki. Sole trzeźwiące. Wydaję głośny jęk i odwracam głowę, żeby uciec od smrodu.

– Panno Doyle, czy może pani wstać?

Jak dziecko wykonuję polecenie. Po drugiej stronie pokoju dostrzegam pannę McCleethy. Nie ruszyła się z miejsca.

Wokół rozlegają się nerwowe szepty i westchnienia.

„Patrzcie". „Tam". „To wstrząsające".

Głos Felicity wznosi się ponad pozostałe:

– Proszę, Gemmo, weź mnie za rękę.

Widzę, jak Cecily mówi coś cicho do swoich przyjaciółek. Słyszę szepty.

– To okropne.

Dostrzegam zakłopotaną twarz Ann.

– Co... co się stało? – pytam. Ann nie może zdobyć się na odpowiedź i nieśmiało spuszcza wzrok.

– Panno Doyle, odprowadzimy panią do pokoju.

Dopiero kiedy pani Nightwing pomaga mi wstać, widzę przyczynę tego całego poruszenia – dużą czerwoną plamę na mojej białej spódnicy. Właśnie zaczęłam miesiączkować.

ROZDZIAŁ ÓSMY

Brigid kładzie butelkę z gorącą wodą pod kołdrą na moim brzuchu.

– Biedulko – mówi. – To zawsze taki ambaras. Sama też się wycierpiałam w trudne dni. A mimo to musiałam caluteńki czas pracować. Nie ma litości dla strudzonych, powiadam panience.

Nie jestem w nastroju, żeby wysłuchiwać o bólach i przypadłościach naszej wiecznie cierpiącej gospodyni. Kiedy już zacznie, nie sposób jej powstrzymać. Na pewno usłyszę o reumatyzmie, słabym wzroku i o tym, że kiedyś prawie pracowała w domu dwunastego kuzyna księcia Walii w czwartym pokoleniu.

– Dziękuję, Brigid. Teraz chyba odpocznę – mówię, zamykając oczy.

– Oczywiście, owieczko. Tylko odpoczynku panience trza. O to chodzi. Pamiętam, jak miałam pracować dla bardzo porządnej damy – była kiedyś pokojówką księżnej Dorset, o, to ci dopiero była porządna dama, powiadam panience...

– Brigid! – Oto i Felicity, a za nią Ann. – Wydaje mi się, że widziałam, jak pokojówki z parteru wymykają się pograć w karty. Pomyślałam, że chętnie się o tym dowiesz.

Brigid opiera pięści na mięsistych biodrach.

– Ja im nie pozwoliłam skończyć pracy. Ach, te nowe dziewuchy, nie znają swojego miejsca. W moich czasach gospodyni stanowiła prawo. – Brigid mija nas, fukając groźnie i mrucząc do siebie pod nosem: – Pograć w karty. Już ja im pokażę!

– Naprawdę poszły grać w karty? – pytam Felicity, gdy gospodyni wychodzi.

– Oczywiście, że nie. Musiałam się jej jakoś pozbyć.

– Jak się czujesz? – pyta Ann, oblewając się rumieńcem.

– Koszmarnie – odpowiadam.

Felicity przysiada na krawędzi mojego łóżka.

– Chcesz powiedzieć, że jesteś pierwszy raz... niedysponowana z powodu miesięcznej przypadłości?

– Tak – warczę. Czuję się trochę jak jakieś egzotyczne, niezrozumiane zwierzę.

Prócz butelki z gorącą wodą zapakowano mnie do łóżka z mocną herbatą i maleńką porcją brandy – wyrazem współczucia ze strony pani Nightwing, która uznała, że w tym szczególnym wypadku brandy to lekarstwo, a nie przejaw rozwiązłości. Herbata jest zimna i gorzka, ale alkohol przynosi ukojenie. Uspokaja pulsujący ból w brzuchu. Nigdy nie czułam się równie głupio. Jeśli to właśnie oznacza bycie kobietą, to nie jestem zainteresowana w najmniejszym stopniu.

– Biedna Gemma – mówi Ann, poklepując mnie po dłoni. – Tak na oczach wszystkich. Jakie to musi być dla ciebie żenujące.

Czuję się ostatecznie upokorzona.

– Pozwolę sobie zapytać, kiedy wy zaczęłyście...? – Milknę znacząco.

Felicity podchodzi do biurka i przegląda leżące na nim rzeczy. Rozczesuje moją szczotką niemalże białe włosy.

– Całe lata temu.

No, oczywiście. Jak mogłam tak głupio zapytać. Patrzę na Ann, która natychmiast nabiera koloru rzodkiewki.

– Och, ja... my nie p-powinnyśmy rozmawiać o t-takich sprawach.

– Racja – zgadzam się, z wielką uwagą wygładzając palcami skraj prześcieradła.

– Ona pewnie nie jest jeszcze kobietą – chłodno sugeruje Felicity.

Ann zrywa się na nogi z głośnym protestem.

– Jestem! Już od sześciu miesięcy!

– Od sześciu miesięcy! Proszę, proszę. Czyli właściwie jesteś ekspertem w tym zakresie.

Próbuję podnieść się z łóżka, ale Ann popycha mnie z powrotem.

– Och, nie. Nie wolno ci się ruszać. Nie posłuży ci to w obecnym stanie.

– Ale... jak mam zajmować się swoim życiem?

– Po prostu musisz to przetrwać. To kara dla córek Ewy. Jak myślisz, dlaczego nazywają to „trudnymi dniami"?

Mocny skurcz szarpie moim brzuchem; czuję się ciężka i poirytowana.

– Naprawdę? A jaka kara spotyka Adamów tego świata?

Ann otwiera usta i z braku pomysłu znów je zamyka.

Odpowiada mi Felicity ze stalowym błyskiem w oku.

– Są podatni na pokusy. A my jesteśmy kusicielkami.

Słowo „pokusa" przywodzi mi na myśl Kartika. Kartika i ostrzeżenia. Magia międzyświata na wolności. Świątynia.

– Muszę wam coś powiedzieć – mówię. I opowiadam im o wizycie Kartika, o moim zadaniu i dziwnej wizji, którą miałam podczas przedstawienia. Gdy kończę, dziewczęta szeroko otwierają oczy ze zdumienia.

– Mam gęsią skórkę. Pomyślcie tylko: cała ta magia dostępna dla każdego, kto zechce z niej skorzystać – odzywa się Felicity. Nie potrafię stwierdzić, czy ta perspektywa ją cieszy, czy przeraża.

Ann wygląda na zakłopotaną.

– Ale jak masz odnaleźć Świątynię, skoro nie potrafisz wejść do międzyświata?

Zapomniałam o tym kłamstwie. Teraz nie da się z tego wywinąć. Będę musiała powiedzieć prawdę. Podciągam prześcieradło pod szyję i staram się wyglądać na bardzo maleńką w wielkim łóżku.

– Prawda jest taka, że nie próbowałam tam wchodzić. Ani razu od czasu Pippy.

Spojrzenie Felicity mogłoby tłuc szklanki.

– Okłamałaś nas.

– Tak, wiem. Przepraszam, po prostu nie byłam gotowa.

– Mogłaś nam to wyjaśnić – mówi cicho Ann, najwyraźniej zraniona.

– Naprawdę przepraszam. Uznałam, że tak będzie najlepiej.

Szare oczy Felicity są twarde niczym krzemień.

– Nie okłamuj nas więcej, Gemmo. Uznamy to za zdradę Zakonu.

Nie podoba mi się sposób, w jaki to mówi, ale nie jestem teraz w nastroju do sprzeczek. Kiwam głową i sięgam po brandy.

– Więc kiedy pójdziemy do międzyświata? – chce wiedzieć Ann.

– Spotkamy się o północy? – Głos Felicity brzmi niemalże błagalnie. – Och, nie mogę się doczekać, kiedy znów to wszystko zobaczę!

– Nie jestem dzisiaj w formie – odpowiadam. Tego nie mogą zakwestionować.

– W takim razie trudno – poddaje się z westchnieniem Fee. – Odpoczywaj.

– O co chodzi? – pyta Ann na widok mojej miny.

– Prawdopodobnie o nic. Pomyślałam tylko, że ostatnią rzeczą, jaką zapamiętałam przed zemdleniem, jest twarz panny McCleethy. Patrzyła na mnie w przedziwny sposób, jakby znała wszystkie moje tajemnice.

Diabelski uśmiech zakwita na pełnych wargach Felicity.

– Masz na myśli sprrrawiedliwą, lecz wymagającą pannę McCleethy – mówi, naśladując dziwny akcent nowej nauczycielki. Wbrew sobie wybucham śmiechem.

– Jeśli to stara przyjaciółka Nightwing, to bez wątpienia jest pedantyczną małpą, która uprzykrzy nam życie – zauważam z chichotem.

– Cieszę się, że znajduję panią w lepszym nastroju, panno Doyle. – W progu stoi panna McCleethy we własnej osobie. Serce opada mi niżej żołądka. Och, nie. Od jak dawna tu jest?

– Czuję się o wiele lepiej, dziękuję, proszę pani – udaje mi się wyskrzeczeć.

Jestem niemal całkiem pewna, że wszystko słyszała, gdyż wpatruje mi się w oczy odrobinę za długo, czym zmusza mnie, żebym odwróciła wzrok, a wtedy mówi po prostu, bez fałszywej serdeczności:

– Miło mi to słyszeć. Powinna pani trochę poćwiczyć. Ćwiczenia to podstawa. Jutro zabieram wszystkie dziewczęta na zajęcia z łucznictwa.

– Wspaniały pomysł! Nie mogę się doczekać, kiedy zaczniemy – Felicity wyznaje nieco zbyt radośnie w nadziei, że zasłyszane przykrości pokryje świeżym lukrem entuzjazmu.

– Czy miała już pani jakieś doświadczenia z łukiem i strzałą, panno Worthington?

– Bardzo skromne – kryguje się Felicity. Tak naprawdę strzela doskonale.

– Cudownie. Wygląda na to, że kryją panie w zanadrzu przeróżne niespodzianki. – Dziwny półuśmiech czai się w kącikach jej zaciśniętych ust. – Mam nadzieję, że się zaprzyjaźnimy. Poprzednie uczennice uważały mnie za osobę dość przystępną, mimo mojej reputacji pedantycznej małpy.

Słyszała wszystko. Jesteśmy załatwione. Znienawidzi nas na zawsze. Nie, to mnie znienawidzi. *Fantastyczny początek, Gemmo. Brawo!*

Panna McCleethy spogląda uważnie na blat biurka, po czym ujmuje w palce różne przedmioty – indyjską figurkę słonia z kości słoniowej, szczotkę do włosów – żeby im się lepiej przyjrzeć.

– Lillian, to znaczy pani Nightwing, powiedziała mi o waszym niefortunnym zaangażowaniu w znajomość z poprzednią nauczycielką, panną Moore. Przykro mi, że ta osoba tak nadużyła waszego zaufania.

Znów spogląda na nas przenikliwie.

– Nie jestem panną Moore. Przy mnie nie będzie żadnych bajek ani zdrożności. Nie będę tolerowała zamętu w szeregach. Będziemy się stosowały do litery prawa i wyjdzie nam to tylko na dobre. – Przygląda się naszym pobladłym twarzom. – Och, bez przesady, wyglądają panie, jakbym je skazała na gilotynę!

Próbuje się zaśmiać. Nie jest to śmiech ciepły ani sympatyczny.

– A teraz powinnyśmy zostawić pannę Doyle, żeby mogła odpocząć. W salonie serwują właśnie eggnog*. Chodźcie, opowiecie mi o sobie i zostaniemy dobrymi przyjaciółkami, hm?

Jak wielki ptak rozkładający szare skrzydła, kładzie ręce na plecach Felicity i Ann, popychając je w stronę drzwi. Najwyraźniej będę musiała przeżyć cierpienia trudnych dni w samotności.

– Dobranoc, Gemmo – mówi Ann.

– Tak, dobranoc – powtarza po niej Felicity.

– Dobranoc, panno Doyle. Miłych snów – dodaje panna McCleethy. – Świt nadejdzie szybciej, niż się pani spodziewa.

– Szkoda, że ominą mnie zajęcia z łucznictwa – odzywam się.

Panna McCleethy odwraca głowę.

– Ominą? Nic takiego się nie stanie, panno Doyle.

– Ale myślałam... w obecnym stanie...

– Pod moją kuratelą nie ma miejsca na słabości, panno Doyle. Albo zobaczę panią jutro na zajęciach, albo otrzyma pani naganę. – Brzmi to raczej jak wyrok, a nie jak warunek.

– Tak, proszę pani – odpowiadam. Podjęłam już decyzję: nie lubię panny McCleethy.

❧

Słyszę, jak z salonu dobiega radosny śmiech. Niewątpliwie Felicity i Ann opowiedziały już pannie McCleethy całą swoją historię. Pewnie znają się już jak łyse konie i siedzą przed kominkiem, spijając piankę z eggnogu, podczas gdy ja zyskam reputację koszmarnej, źle wychowanej dziewuchy, która nazwała pannę McCleethy małpą.

Brzuch znowu mnie boli. Przeklęta niedyspozycja. Jak młodzi mężczyźni oznajmiają swoje wejście w dorosłość? Spodniami, tak po prostu. Nowymi, ładnymi spodniami. W tej chwili gardzę absolutnie wszystkimi.

---

* Tradycyjny angielski koktajl na bazie mleka, śmietany, jajek i cukru, a czasami również alkoholu (przyp. tłum.)

Po pewnym czasie dzięki brandy ogarnia mnie ciepło i senność. Z każdym ciężkim mrugnięciem pokój zdaje się ciaśniejszy. Zapadam w sen.

Idę przez ogród. Trawa jest twarda i ostra, drapie mnie w stopy. Znajduję się w pobliżu zamglonej rzeki.

– Bliżej – mówi obcy głos.

Posuwam się parę centymetrów do przodu.

– Jeszcze bliżej.

Staję na brzegu, ale nikogo nie widzę, tylko słyszę ten upiorny głos.

– A więc to prawda. Przyszłaś...

– Kim jesteś? – pytam. – Nie widzę twojej twarzy.

– Nie – odpowiada głos. – Za to ja widziałem twoją...

ROZDZIAŁ DZIEWIĄTY

Następnego popołudnia za dziesięć trzecia meldujemy się na wielkim trawniku; stoi na nim w rzędzie sześć tarcz. Umieszczone na nich kolorowe kółka zdają się ze mnie szydzić: „No, dalej, spróbuj nas trafić". Przez całe śniadanie musiałam znosić opowieści o cudownym wieczorze, który mnie ominął, z absolutnie kochaną panną McCleethy, która chciała wiedzieć o dziewczętach po prostu wszystko.

– Powiedziała mi, że Poole'owie są potomkami samego króla Artura! – emocjonuje się Elizabeth.

– Gemmo, ona opowiada wspaniałe historie – przekonuje Ann.

– O Walii i tamtejszej szkole. Dziewczęta miały tam tańce właściwie co drugi tydzień i zapraszały prawdziwych mężczyzn – mówi Felicity.

Odzywa się Martha:

– Modlę się, żeby wpłynęła na panią Nightwing, aby u nas było tak samo.

– Wiesz, co jeszcze powiedziała? – pyta Cecily.

– Nie, ponieważ mnie tam nie było – odpowiadam. Sama sobie współczuję.

– Och, Gemmo, o ciebie też pytała – uspokaja mnie Felicity.

– Naprawdę?

– Tak. Chciała wszystko o tobie wiedzieć. Wydawało się, że nawet nie ma pretensji o to, że nazwałaś ją małpą.

– Gemmo, nie wierzę, że się tak zachowałaś! – woła Elizabeth, wytrzeszczając oczy.

– Nie byłam sama – odpowiadam, patrząc ze złością na moje przyjaciółki.

Felicity okazuje niezmącony spokój.

– Jestem pewna, że z czasem się zaprzyjaźnicie. O, idzie. Panno McCleethy! Panno McCleethy!

– Dzień dobry, panienki. Widzę, że jesteśmy gotowe. – Panna McCleethy przemierza trawnik niczym królowa, zdecydowanym głosem udzielając wskazówek, jak należy trzymać łuk. Dziewczęta zabiegają o jej uwagę, proszą, by im zademonstrowała odpowiednią postawę. Kiedy ją prezentuje, a jej strzała oczywiście natychmiast trafia w cel, wszystkie wiwatują, jakby im pokazała drogę do raju.

Pierwsza grupa uczennic otrzymuje strzały.

– Proszę pani! – woła zmartwiona Martha. – Naprawdę mamy używać prawdziwych strzał?

Trzyma ostry, metalowy grot z dala od siebie, jakby był to naładowany pistolet.

– Właśnie, czy nie powinnyśmy używać strzał z gumową końcówką? – sekunduje jej Elizabeth.

– Nonsens. Absolutnie nic wam się nie stanie, jeżeli tylko nie będziecie celowały w siebie nawzajem. No, kto pierwszy?

Elizabeth podchodzi do linii wysypanej kredą na martwej trawie. Panna McCleethy pomaga jej ustawić się odpowiednio i odciąga jej łokieć do tyłu. Strzała Elizabeth upada ze stukiem na ziemię, ale nauczycielka każe próbować znów i znów, aż za czwartym podejściem dziewczynie prawie udaje się trafić w dolną krawędź tarczy.

– To już postęp. Proszę ćwiczyć dalej. Kto następny?

Dziewczęta walczą o drugą pozycję. Wyznam, że ja też chciałabym, aby panna McCleethy mnie polubiła. Przysięgam zrobić, co w mojej mocy, żeby ją podbić i wymazać wspomnienie o wczorajszym nieszczęsnym zajściu. Podczas gdy panna McCleethy idzie wzdłuż szeregu od uczennicy do uczennicy, ja w myślach ćwiczę swoje wystąpienie.

To bardzo ekscytujące, proszę pani, a ja od dawna marzę o tym, żeby zostać łuczniczką. Jakże to inteligentne z pani strony, że pani o tym pomyślała. Bardzo podoba mi się pani kostium, proszę pani. Doprawdy, stanowi pani uosobienie dobrego gustu.

– Panno Doyle? Jest pani z nami? – Panna McCleethy stoi obok mnie.

– Tak, dziękuję – odpowiadam. Nerwowo chwytam łuk oraz strzałę i staję na linii. Łuk jest o wiele cięższy, niż się spodziewałam. Ciągnie mnie do przodu, aż zaczynam się garbić.

– Musi pani popracować nad kondycją, panno Doyle. Proszę stać prosto. Nie pochylać się. Dobrze. Ramię do tyłu. No, proszę, na pewno potrafi pani naciągnąć mocniej.

Wysilam się, żeby odgiąć cięciwę, ale w końcu puszczam ją ze stęknięciem. Strzała właściwie nie leci, tylko spada w powietrzu, a potem wbija się prosto w ziemię.

– Musi pani celować wyżej, panno Doyle – poucza mnie panna McCleethy. – Proszę przynieść strzałę!

Moja strzała jest upaprana błotnistym śniegiem. Na ziemi wszędzie wokół leżą strzały, tylko nie przed Felicity. Jej udaje się trafić w tarczę niemalże za każdym razem.

– Mam ją – stwierdzam rzecz oczywistą z uśmiechem, który pozostaje nieodwzajemniony. Użyj swojego wdzięku, Gemmo. Zapytaj ją o coś.

– Skąd pani pochodzi? Bo nie jest pani Angielką – zagaduję, próbując nawiązać rozmowę.

– Jestem obywatelką świata, można powiedzieć. Proszę podnieść łuk w taki sposób.

Próbuję umieścić strzałę na miejscu, ale ona nie chce współpracować.

– Ja pochodzę z Bombaju.

– W Bombaju jest bardzo gorąco. Ledwo mogłam tam oddychać.

– Była pani w Bombaju?

– Tak, niedługo, z wizytą u przyjaciół. Proszę trzymać łokieć blisko boku.

– Może mamy wspólnych znajomych – sugeruję w nadziei, że wkupię się w łaski panny McCleethy. – Zna pani może Fairchildów...

– Cicho, panno Doyle. Dość już gadania. Proszę się skoncentrować na celu.

– Tak, proszę pani – odpowiadam, po czym puszczam cięciwę. Strzała ślizga się po rozmokłym trawniku.

– Ach, prawie się udało, ale zawahała się pani. Musi pani strzelać bez wahania. Widzieć tarczę, cel i nic więcej.

– Widzę tarczę – zauważam ze zniecierpliwieniem. – Po prostu nie potrafię w nią trafić.

– Zamierza pani unieść się dumą i odejść urażona, czy też ćwiczyć, aż będzie pani potrafiła wykonać zadanie?

Cecily rozpromienia się, widząc, że zbieram burę. Ponownie unoszę łuk.

– Nie czuję się u r a ż o n a – mruczę pod nosem.

Panna McCleethy kładzie dłonie na moich rękach.

– Bardzo dobrze. Teraz proszę się skoncentrować, panno Doyle. Słuchać tylko siebie, swojego oddechu. Patrzeć w sam środek, aż przestanie go pani widzieć. Aż pani i centrum tarczy połączycie się w jedno i nie będzie już żadnej tarczy.

Mój oddech materializuje się w postaci zimnych obłoczków. Staram się myśleć tylko o celu, ale mój umysł nie chce się uspokoić. Kiedy ona była w Indiach? Kogo tam odwiedzała? Czy podobało jej się tak jak mnie? I dlaczego mnie nie lubi? Wpatruję się w środek tarczy, aż robi się zupełnie zamazany.

Patrz tylko na cel i na nic więcej.

Nie wahaj się.

Aż nie będzie już żadnej tarczy.

Strzała leci z ostrym, świdrującym dźwiękiem. Uderza w dolną krawędź płótna i tkwi tam, drżąc.

– Już lepiej – uznaje panna McCleethy.

Po mojej prawej Felicity celuje, puszcza cięciwę i trafia idealnie w środek. Dziewczęta dziko wiwatują. Przyjaciółka stoi rozpromieniona, niczym wojownicza księżniczka.

– Wspaniale, panno Worthington. Jest pani bardzo silna. Podziwiam silnych ludzi. Jak pani sądzi, dlaczego potrafi pani tak dobrze strzelać?

Ponieważ ćwiczyła z łowczynią w międzyświecie – myślę sobie.

– Ponieważ spodziewam się, że wygram – brzmi pewna siebie odpowiedź Felicity.

– Brawo, panno Worthington. – Panna McCleethy maszeruje przez trawnik i wyciąga zbłąkane strzały z ziemi i z krawędzi tarcz, mówiąc do nas: – Drogie panie, jeśli się w coś angażujecie, nie możecie sobie pozwolić na niepewność. To, czego chcecie, może należeć do was. Ale najpierw musicie wiedzieć, czego chcecie.

– Ja nie chcę być łuczniczką – jęczy cichutko Cecily. – Boli mnie ramię.

Panna McCleethy kontynuuje wykład.

– Niech panna Worthington będzie przykładem dla nas wszystkich.

– A więc dobrze – szepczę. Będę taka jak Felicity: samo działanie i niewiele przemyśleń. Ze złością unoszę łuk i wypuszczam strzałę.

– Gemmo! – krzyczy Ann. W nagłym przypływie determinacji nie zauważam, że panna McCleethy akurat przechodzi przed moją tarczą. Szybka jak mucha wyciąga dłoń, żeby osłonić się przed strzałą, która z pewnością przebiłaby jej czaszkę. Sapie z bólu. Krew rozlewa się plamą na białej rękawiczce. Dziewczęta rzucają kołczany oraz łuki i pędzą na pomoc. Ja jak otępiała idę za nimi. Nauczycielka, siedząc na ziemi, zdejmuje rękawiczkę. W jej dłoni widnieje schludna dziura. Nie jest głęboka, za to mocno krwawi.

– Dajcie chusteczkę! – wrzeszczy ktoś.

Podaję moją. Panna McCleethy przyjmuje ją, rzucając mi zimne, złe spojrzenie.

– Prze... przepraszam – dukam. – Nie widziałam pani.

– A czy pani cokolwiek widzi, panno Doyle? – pyta nauczycielka, krzywiąc się z bólu.

– Czy mam iść po panią Nightwing? – wtrąca się Felicity, odwracając się do mnie plecami.

Panna McCleethy przeszywa mnie wzrokiem.

– Nie, proszę ćwiczyć dalej. Panna Doyle pomoże mi opatrzyć ranę. W ramach pokuty.

– Tak, oczywiście – mówię, pomagając jej wstać.

Idziemy w milczeniu. Gdy docieramy do szkoły, każe mi przynieść bandaż od Brigid, która nie może sobie odmówić wykładu na temat tego, że to kara boska dla panny McCleethy za uczenie nas czegoś tak „nieprzystojnego" jak łucznictwo.

– Niechby uczyła robienia igłą albo tymi ślicznymi akwurelami, jeśli pytacie starą Brigid, choć nikt nigdy nie pyta, i tym gorzej dla niego. Niech weźmie te bandaże. I niech zawiąże je ciasno.

Z opatrunkiem w ręku biegnę do panny McCleethy, która przemyła już ranę i ściereczką próbuje zatamować krwawienie.

– Przyniosłam – mówię, podając jej bandaże. Nie wiem, co robić.

Panna McCleethy przygląda mi się, jakbym była wioskowym głupkiem.

– Musi pani opatrzyć ranę, panno Doyle.

– Tak, oczywiście – odpowiadam. – Przepraszam. Obawiam się, że nigdy...

Nauczycielka przerywa mi.

– Proszę zacząć od wnętrza dłoni i owinąć całą rękę. Dobrze. Teraz na krzyż i jeszcze raz. Au!

Za mocno zacisnęłam bandaż.

– Przepraszam, bardzo przepraszam – powtarzam znów. Robię dalej opatrunek, po czym wsuwam końcówkę bandaża pod spód.

– A teraz bardzo proszę, panno Doyle, przynieść mi rękawiczki na zmianę. Są w mojej szafie w najwyższej szufladzie po prawej – wydaje polecenie. – Tylko proszę się nie ociągać. Musimy kontynuować lekcję.

❧

Pokój panny McCleethy jest skromny i schludny. Czuję się bardzo dziwnie, przebywając za drzwiami, za którymi mieszkają nauczyciele. Mam wrażenie, jakbym wkroczyła na święte terytorium. Otwieram drzwi wielkiej mahoniowej szafy i odnajduję najwyższą szufladę po prawej. Rękawiczki leżą tam, gdzie powinny, w równym rzędzie niczym żołnierze na apelu. Wyciągam jedną parę, po czym rzucam ostatnie spojrzenie na pokój, sprawdzając, czy nie zauważę jakiejś wskazówki co do tajemnicy, którą stanowi nasza nowa nauczycielka. Najbardziej rzuca się w oczy znikoma liczba przedmiotów. Żadnych akcentów osobistych, które zdradziłyby coś na jej temat. W szafie wiszą gustowne, zupełnie nieprzyciągające uwagi kostiumy, spódnice i bluzki w kolorze szarym, czarnym i brązowym. Na stoliku nocnym znajdują się dwie książki: Biblia oraz tom wierszy lorda Byrona. Nie ma żadnych zdjęć rodziny czy przyjaciół. Żadnych obrazów ani szkiców – dziwne w przypadku artystki. Tak jakby panna McCleethy pochodziła znikąd i z nikim nie była związana.

Już mam wyjść, gdy dostrzegam walizeczkę, którą nauczycielka uparła się sama wnieść tej nocy, gdy przyjechała. Spoczywa sobie spokojnie pod łóżkiem.

Nie powinnam. To byłoby złe.

Cicho zamykam drzwi do pokoju i wyciągam walizkę z ukrycia. Ma zamek, który prawdopodobnie jest zamknięty, i to zakończy całą sprawę. Drżącymi palcami dotykam zamka, który ku mojemu zaskoczeniu z łatwością się otwiera. W środku znajduje się tylko kilka rzeczy: ulotka z londyńskiej księgarni Złoty Świt, dziwny pierścień w kształcie dwóch splecionych węży ze złota i błękitnej emalii, papeteria oraz zestaw do pisania.

Nagle skrawek papieru spada na podłogę i ląduje pod łóżkiem. W panice zaczynam szukać go na czworakach. Sięgam ręką pod kapę i wyjmuję go. Widnieje na nim spis szkół: Akademia dla Dziewcząt Panny Farrow, Szkoła dla Dziewcząt MacKenzie w Szkocji, Kolegium Królewskie w Bath, Święta Wiktoria, Akademia Spence dla Młodych Dam. Wszystkie poza Spence wykreślone. Układam kartkę z powrotem w walizce w nadziei, że wszystko jest tak jak przedtem, a całość znów bezpiecznie wsuwam pod łóżko.

– Jeśli tak wygląda nieociąganie się w pani wydaniu, panno Doyle, to nie chcę wiedzieć, jak się pani n i e spieszy – zauważa z ironią panna McCleethy, kiedy wracam.

Nie spodziewam się, że jeszcze kiedykolwiek zostaniemy przyjaciółkami. Nauczycielka szybko naciąga rękawiczkę, krzywiąc się, gdy materiał uciska zranioną dłoń.

– Przepraszam – mówię znów.

– No cóż, proszę w przyszłości zachowywać się ostrożniej, panno Doyle – dodaje, jak zawsze dziwnie przeciągając „r".

– Tak, proszę pani – odpowiadam, nie potrafiąc opanować ziewania. Panna McCleethy mruży oczy, zdumiona moim brakiem wychowania. – Proszę mi wybaczyć. Ostatnio nie sypiam dobrze.

– Potrzebuje pani więcej ruchu. Ruch na świeżym powietrzu cudownie wpływa na kondycję i na sen. W Świętej Wiktorii pilnowałam, by moje dziewczęta chodziły na spacery i wdychały morskie powietrze niezależnie od pogody. Kiedy padał deszcz, nosiłyśmy kalosze. Kiedy padał śnieg, wkładałyśmy grube płaszcze. A teraz wrócimy przed szkołę, jeśli pani pozwoli.

Panna McCleethy nie ma w sobie chyba ani krztyny humoru. A ja właśnie zostałam jej najmniej lubianą uczennicą. Nagle nie mogę się doczekać świąt.

ROZDZIAŁ DZIESIĄTY

Wieczór rozpoczyna się od tradycyjnego bożonarodzeniowego przedstawienia w sali balowej. Bardziej niż odświętny spektakl jest to czytanie na role świątecznych opowieści, w kostiumach wydobytych z kufrów złożonych w licznych nieużywanych pokojach Spence.

Po korytarzach i schodach ze śmiechem ugania się przedziwna gromadka rozbawionych dziewcząt w różnym wieku, poprzebieranych za pastuszków, anioły, wróżki, faunę i florę. Jedna mała dziewczynka chyba dobrała się do niewłaściwej skrzyni. Dziewczę przemyka krokiem baleriny ubrane w wyświechtany piracki płaszcz i wystrzępione spodnie. Ann jest duchem dawnych świąt Bożego Narodzenia w długiej brązowej tunice przewiązanej w talii srebrną szarfą. Felicity wygląda jak średniowieczna księżniczka w uroczej sukni z czerwonego aksamitu ze złotą lamówką na rękawach i rąbku spódnicy. Twierdzi, że jest duchem przyszłych świąt Bożego Narodzenia, ale ja uważam, że po prostu znalazła najlepszą suknię i postanowiła być, czym tylko zechce. Ja jestem duchem teraźniejszych świąt Bożego Narodzenia w zielonej szacie i koronie z jemioły na głowie. Czuję się jak drzewo po wycince, ale Ann zapewnia mnie, że wyglądam „odpowiednio do pory roku".

– To cud, że panna McCleethy nie urwała ci dzisiaj głowy. Wyglądała, jakby była gotowa to zrobić – mówi Ann, gdy zmierzamy na kolację, mijając grupkę rozplotkowanych wróżek i czarnoksiężnika albo dwóch.

– Nie zrobiłam tego naumyślnie – protestuję, poprawiając amulet mojej mamy – mój amulet – pod szyją. Wypolerowałam młotkowany metal, że aż lśni. – Ona jest dziwna. Wszystko mi jedno, co o mnie myśli – dodaję. – A ty nie uważasz, że jest dziwna?

Felicity sunie po dywanie krokiem księżniczki.

– Myślę, że dokładnie kogoś takiego potrzeba w Spence. Odświeżająco szczerego. Nawet ją lubię. Wypytywała o różne rzeczy na mój temat.

– Tylko dlatego, że prawi ci komplementy, uznałaś, że będzie twoją przyjaciółką – protestuję.

– Jesteś zazdrosna, ponieważ to mnie wyróżniła.

– Bzdura – parskam szyderczo, choć przypuszczam, że jednak tkwi w tym ziarno prawdy. Wydaje się, że Felicity już została ulubienicą panny McCleethy, nie wkładając w to prawie żadnego wysiłku, podczas gdy ja będę mogła się uważać za szczęściarę, jeśli nauczycielka odpowie na moje powitanie. – Wiesz, że ma listę szkół w sekretnej walizce pod łóżkiem?

Felicity unosi brew.

– A skąd ty niby o tym wiesz?

Czuję, że się rumienię.

– Była otwarta.

– Nonsens! Myszkowałaś! – prowokuje mnie Felicity. Wsuwa rękę pod jedno moje ramię, a Ann pod drugie. – Co tam jeszcze było? Mów.

– Niewiele. Pierścionek z wężami, chyba bardzo stary. Ulotka z księgarni o nazwie Złoty Świt. No i ta lista.

Dwie młodsze dziewczynki próbują się przepchnąć obok nas. Mają anielskie stroje i podłe uśmiechy. Felicity szarpie za miękkie skrzydła najbliższej dziewczynki, prawie ją przewracając.

– Mamy pierwszeństwo. Zmiatajcie stąd.

Przestraszone panienki biorą nogi za pas.

– Co jeszcze było w walizce? – dopytuje się Ann.

– To wszystko – odpowiadam.

– Wszystko? – powtarza rozczarowana Felicity.

– Ale nie powiedziałam wam jeszcze czegoś o liście – kontynuuję. – Wszystkie szkoły poza Spence były wykreślone. Co wam to mówi?

Felicity bagatelizuje to.

– Nic. Prowadzi spis szkół, w których szukała pracy. Nie ma w tym nic szczególnego.

– Masz złe nastawienie, bo ona cię nie lubi – podsumowuje Ann.

– Powiedziała, że mnie nie lubi? – pytam.

Felicity okręca się, a jej spódnica rozkłada się szeroko.

– Nie musi. To oczywiste. A ty próbowałaś ją postrzelić, co wcale nie poprawiło twojej sytuacji.

– Mówię wam, że to był wypadek!

Dwie anielice wracają. Jakoś udaje im się wcisnąć do jadalni przed nami.

– Wy małe czorty! – warczy Felicity. Dziewczęta uciekają z piskiem zadowolone, że zdobyły się na taką odwagę.

❧

Do tradycji bożonarodzeniowej należy ostatnia kolacja, którą pani Nightwing wydaje, zanim dziewczęta porozjeżdżają się do domów. Najwyraźniej tradycją jest również późniejsza uroczystość w wielkim salonie, kiedy to nauczycielom serwuje się sherry, a nam ciepły cydr. Mogłabym się upić samym pięknem tego pokoju. Ogień buzuje w wielkim kamiennym palenisku, a nasza choinka – gęste, wesołe drzewko – stoi na środku, szeroko rozkładając gałęzie, niczym serdeczna gospodyni ramiona. Pan Grunewald, nauczyciel muzyki, dał się namówić, by zagrać na wiolonczeli, co robi z zaskakującą jak na osiemdziesięciolatka żwawością.

Są też bożonarodzeniowe bomby. Trzeba szybko pociągnąć za wstążkę, a bomba pęka z wielkim hukiem, przyprawiając wszystkich o palpitacje. Nie do końca rozumiem, czemu to jest uważane za taką świetną zabawę. Potem śpiewamy kolędy. Zapalamy i podziwiamy świeczki na choince. Dajemy prezenty nauczycielom. Dla mademoiselle LeFarge jest recytacja po francusku, dla pana Grunewalda piosenka. Są też wiersze, ciasteczka i ciągutki. Ale dla pani Nightwing naprawdę się wykosztowałyśmy.

W pokoju zapada cisza, gdy Cecily idzie z wielkim pudłem na kapelusze. Ponieważ jest najstarszą uczennicą, to jej przypada zaszczyt wręczenia prezentu dyrektorce.

– Wesołych świąt, proszę pani – mówi, podając pudło.

Pani Nightwing odstawia kieliszek na mały stolik.

– Mój Boże, cóż to może być?

Zdejmuje pokrywkę i odsuwa sztywny papier, wyciągając cudowny filcowy kapelusz przybrany lśniącymi czarnymi piórami. Naturalnie to Felicity zadbała o prezent. Z naszych ust wyrywa się szczere „ach". W salonie wyraźnie wyczuwa się atmosferę radości i zachwytu, gdy pani Nightwing wkłada wyszukany kapelusz na głowę.

– Jak wyglądam? – pyta.

– Jak królowa! – woła jakaś dziewczynka.

Bijemy brawo i unosimy w górę filiżanki.

– Życzymy pani wesołych świąt!

Przez dłuższą chwilę wydaje się, że pani Nightwing podda się uczuciom. Oczy ma wilgotne, ale jej głos, gdy w końcu się odzywa, jest równie opanowany jak zawsze.

– Dziękuję wam. To bardzo piękny prezent i pewna jestem, że będzie mi wspaniale służył – zapewnia. Z tymi słowami zdejmuje kapelusz i ostrożnie układa go w wymoszczonym papierem opakowaniu. Zamyka wieko i wpycha pudło pod stół, gdzie go nie widać.

Ann, Felicity i ja ponownie napełniamy filiżanki i wymykamy się z towarzystwa, żeby przycupnąć na podłodze pod choinką. Ziemisty zapach gałęzi drażni mój nos, a ciepły cydr wywołuje rumieńce na policzkach.

– To dla ciebie – mówi Felicity, kładąc małą aksamitną sakiewkę na mojej dłoni.

W środku znajduje się śliczny szylkretowy grzebyk.

– Piękny – podziwiam go, zażenowana hojnością przyjaciółki. – Dziękuję ci.

– Och! – wykrzykuje Ann, otwierając swój prezent. Rozpoznaję go. To broszka Felicity, którą Ann się kiedyś zachwycała. Bez wątpienia Felicity ma nową, która zastąpi tamtą, ale Ann jest wzruszona. Natychmiast przypina klejnot do kostiumu.

– Proszę – mówi po chwili nieśmiało, wręczając nam dwa podarunki zapakowane w papier gazetowy. Zrobiła dla nas ozdoby – delikatne koronkowe anioły, takie jak dla Pippy.

Teraz moja kolej. Nie umiem posługiwać się igłą tak jak Ann ani nie mam takich funduszy jak Felicity. Ale mogę podarować im coś wyjątkowego.

– Ja też mam coś dla was – oznajmiam.

– Gdzie to jest? – pyta Ann. Za jej plecami płomienie lamp wykonują swój taniec, a błędne ogniki pełgają po ścianach.

Pochylam się i szepczę:

– Spotkajmy się tu o północy.

Rzucają się na mnie, piszcząc z zachwytu, ponieważ w końcu zgodziłam się, byśmy wróciły do międzyświata.

Dobiega nas głośny śmiech. Nie słyszałam go nigdy przedtem; może dlatego, że należy do pani Nightwing. Dyrektorka siedzi pomiędzy nauczycielami, którym dopisują już całkiem niezłe humory.

– Och, Sa... Claire, zrujnowałaś moją reputację – mówi pani Nightwing, poklepując się dłonią po klatce piersiowej, jakby chciała w ten sposób pohamować wesołość.

– Z tego, co pamiętam, to sama wywołałaś całe to zamieszanie – odpowiada panna McCleethy z uśmiechem. – Byłaś wówczas dość śmiała, przypominam ci.

Dziewczęta napływają jak woda przelewająca się przez pęknięcie w tamie, porwane nurtem nienasyconej ciekawości.

– O co chodzi? – dopytują się. – Proszę nam powiedzieć!

– Nie wiedziałyście, jaka pani dyrektor była figlarna? – dziwi się pani McCleethy, zarzucając przynętę. – A także romantyczna.

– No, no, no – mityguje ją pani Nightwing, sącząc kolejny kieliszeczek sherry.

– Proszę nam o tym opowiedzieć – błaga Elizabeth. Reszta wtóruje jej chóralnym „Prosimy!”.

Ponieważ pani Nightwing nie oponuje, panna McCleethy podejmuje opowieść.

– Wybrałyśmy się na bożonarodzeniowe tańce, na których rozdawano takie cudowne karneciki. Pamiętasz, Lillian?

Pani Nightwing potakuje z zamkniętymi oczami.

– Tak. Karty ozdobione puszystymi czerwonymi chwostami. Śliczne, śliczne…

– Było obecnych wielu dżentelmenów, ale oczywiście naszymi sercami zawładnął jeden szczególny mężczyzna o ciemnych włosach i niezwykle eleganckiej sylwetce. Był niesamowicie przystojny.

Pani Nightwing nic nie mówi, wypija tylko kolejne sherry.

– „To jest mężczyzna, którego poślubię" – oświadczyła nam wszystkim wasza dyrektorka z wielką stanowczością. Śmiałyśmy się, ale po chwili wzięła mnie pod ramię i przeparadowała…

– Nie paradowałam...

– …obok, bardzo zręcznie upuszczając u jego stóp karnecik i udając, że tego nie zauważyła. Oczywiście mężczyzna poszedł za nią. I zatańczyli trzy razy z rzędu, aż przyzwoitki musiały interweniować.

Jesteśmy zachwycone tą opowieścią.

– A co się stało później? – pyta Felicity.

– Poślubiła go – odpowiada panna McCleethy. – Jeszcze tego samego Bożego Narodzenia.

Pan Nightwing? Zapomniałam, że pani Nightwing była niegdyś zamężna, że była kiedyś dziewczyną. Próbuję ją sobie wyobrazić jako osobę młodą i roześmianą, rozmawiającą z przyjaciółmi; ale nie mogę. Widzę ją tylko taką, jaka jest teraz: w okularach, z chmurą siwiejących włosów i surowymi manierami.

– To strasznie romantyczne – komentuje Cecily omdlewającym głosem.

– Tak, strasznie – zgadzamy się wszystkie.

– To było z twojej strony bardzo śmiałe, Lillian – dorzuca panna McCleethy.

Przez twarz dyrektorki przepływa cień.

– To było szaleństwo.

– Kiedy pan Nightwing zmarł? – szepczę do Felicity.

– Nie wiem. Dam ci funta, jak o niego zapytasz – odpowiada szeptem.

– Nigdy w życiu.

– A nie chcesz wiedzieć?

– Nie aż tak.

– Funta, powiadasz? – interesuje się Ann.

Felicity kiwa głową.

Ann chrząknięciem oczyszcza gardło.

– Proszę pani, czy pan Nightwing dawno odszedł z tego świata?

– Pan Nightwing jest wśród aniołów od dwudziestu pięciu lat – odpowiada dyrektorka, nie podnosząc wzroku znad kieliszka. Pani Nightwing ma czterdzieści osiem, może pięćdziesiąt lat. To smutne, że połowę życia spędziła we wdowieństwie.

– Był zatem jeszcze młodym człowiekiem? – docieka Cecily.

– Tak. Młodym, bardzo młodym – odpowiada dyrektorka, wpatrując się w bladoczerwone sherry. – Byliśmy małżeństwem przez sześć szczęśliwych lat. Pewnego dnia... – Milknie.

– Pewnego dnia? – podpowiada Ann.

– Pewnego dnia wyszedł do pracy w banku. – Przerywa i upija łyk. – I nie widziałam go już nigdy więcej.

– Co się stało? – pyta Elizabeth z przejęciem.

Pani Nightwing wydaje się zaskoczona, jakby nie rozumiała pytania, ale potem powoli formułuje odpowiedź.

– Przejechał go powóz na ulicy.

Zapada okropna cisza, która zazwyczaj towarzyszy niespodziewanym złym wieściom, których nijak nie można zlekceważyć ani zmienić. Uważam panią Nightwing za niedostępną fortecę, za osobę, która ma kontrolę nad wszystkim. Trudno jest przyjąć, że to nieprawda.

– To musiało być dla pani koszmarne – odzywa się w końcu Martha.

– Biedna pani Nightwing – dołącza do niej Elizabeth.

– Jakie to smutne – sekunduje im Ann.

– Nie bądźmy sentymentalne. To się zdarzyło dawno temu. Opanowanie – oto klucz. Należy szczelnie zamknąć nieprzyjemne myśli i nigdy do nich nie wracać. Inaczej zmarnowalibyśmy życie, płacząc w chusteczkę i pytając „dlaczego?", i niczego byśmy nie osiągnęli. – Osusza kieliszek. Pęknięcie w zbroi zostało załatane. Znów jest panią Nightwing. – Dobrze. Kto ma dla nas jakąś świąteczną opowieść?

– Och, ja! – piszczy Elizabeth. – To mrożąca krew w żyłach historia ducha o imieniu Marley z długim łańcuchem...

Panna McCleethy przerywa jej:

– Ma pani na myśli *Opowieść wigilijną* Dickensa? Chyba już ją znamy, panno Poole.

Wszyscy świetnie się bawią kosztem Elizabeth.

– Ale to moja ulubiona historia – odpowiada dziewczyna, wydymając usteczka.

– Ja znam wspaniałą opowieść, proszę pani – świergocze Cecily.

Można się było spodziewać.

– Cudownie, panno Temple.

– Dawno temu żyła sobie pewna bardzo dobra dziewczyna. Charakter miała wręcz nieposzlakowany. Zawsze zachowywała się rozważnie, miło, serdecznie i uprzejmie. Na imię miała Cecile.

Zdaje się, że wiem, do czego zmierza.

– Niestety Cecile była prześladowana przez okrutną, nieokrzesaną dziewuchę o imieniu Jemima. – Ma tyle tupetu, żeby spojrzeć na mnie, gdy wypowiada te słowa. – Nienawistna Jemima dręczyła biedną, słodką Cecile, opowiadając o niej kłamstwa i nastawiając przeciwko niej bliskie przyjaciółki.

– Przerażające! – Elizabeth cmoka z dezaprobatą.

– Przez cały ten czas Cecile pozostawała uprzejma i szlachetna. Ale napięcie okazało się zbyt wielkie i pewnego dnia biedne dziewczę zapadło na śmiertelną chorobę, której przyczyną było bezwzględne okrucieństwo Jemimy.

– Mam nadzieję, że ta Jemima dostanie za swoje – odzywa się Martha, pociągając nosem.

– Mam nadzieję, że Cecile zejdzie przedwcześnie – szepcze do mnie Felicity.

– Co się działo dalej? – pyta Ann. Historia jest bardzo w jej guście.

– Wszyscy zrozumieli, jaką potworną dziewczyną była w głębi duszy Jemima i zaczęli od niej stronić. Kiedy książę usłyszał o dobroci Cecile, sprowadził swojego doktora, by ten ją wyleczył, a sam szaleńczo się w niej zakochał. Pobrali się, gdy tymczasem Jemima wędrowała po kraju jako niewidoma żebraczka, ponieważ dzikie psy wyjadły jej oczy.

Pani Nightwing wygląda na zbitą z tropu.

– Nie bardzo rozumiem, czemu to ma być opowieść bożonarodzeniowa.

– No – szybko wyjaśnia Cecily – rzecz się dzieje w okresie narodzin Pana Jezusa. A Jemima uświadomiła sobie, że zbłądziła, więc błaga Cecile o przebaczenie i podejmuje pracę na wiejskiej plebanii, gdzie zamiata podłogi u pastora i jego żony.

– Ach – odpowiada pani Nightwing.

– Ciężko jej musi być zamiatać, skoro straciła wzrok – rzucam pod nosem.

– Tak – pogodnie potwierdza Cecily. – Srodze cierpi. Ale dlatego właśnie jest to taka wspaniała opowieść wigilijna.

– Doskonale – mówi dyrektorka, choć język ma nieco sztywny. – Zaśpiewamy? To w końcu Boże Narodzenie.

Pan Grunewald siada przy pianinie i gra starą angielską melodię. Niektórzy nauczyciele przyłączają się do śpiewu. Kilka dziewcząt wstaje, żeby zatańczyć. Jednak panna McCleethy nie śpiewa ani nie tańczy. Wpatruje się prosto we mnie.

Nie, to w amulet się wpatruje. Gdy zauważa, że ją obserwuję, posyła mi szeroki uśmiech, jakbyśmy w ogóle się nie pokłóciły i były dobrymi przyjaciółkami.

– Panno Doyle! – woła, kiwając na mnie dłonią, ale Ann i Felicity już są obok mnie.

– Chodź, zatańczymy – nalegają, po czym stawiają mnie na nogi i ciągną za sobą.

❧

Wieczór mija niczym szczęśliwy sen. Młodsze dziewczynki są zupełnie wyczerpane ekscytującymi przeżyciami. Opierając się o siebie nawzajem, zasypiają przed kominkiem, anielskie skrzydła leżą zmięte pod pulchnymi bezwładnymi ramionami, korony z jemioły i cukierków przekrzywiły się na ich potarganych włosach. W dalszym kącie siedzą pani Nightwing z panną McCleethy i naradzają się pochylone ku sobie. Panna McCleethy mówi coś naglącym szeptem, a dyrektorka potrząsa głową.

– Nie – protestuje, a sherry sprawia, że jej głos brzmi donośnie. – Nie mogę.

Nauczycielka delikatnie przykrywa dłonie pani Nightwing swoimi, mrucząc coś, czego nie słyszę.

– Ale pomyśl o kosztach – odpowiada dyrektorka. Na moment przechwytuje mój wzrok, a ja szybko odwracam oczy. Po chwili wstaje niepewnie i przytrzymuje się oparcia krzesła, żeby odzyskać równowagę.

❧

Długo po tym, jak lampy zostały przykręcone, ogień wygasł, a wszyscy znaleźli się bezpiecznie w łóżkach, Ann, ja i Felicity spotykamy się w wielkim salonie na dole. Ostatnie żarzące się węgielki w ogromnym kamiennym kominku rozświetlają przestronny pokój niesamowitą poświatą. Choinka wygląda jak złowrogi olbrzym. Na widok marmurowych kolumn ozdobionych postaciami wróżek, centaurów i nimf przebiega mnie dreszcz. To żywe stworzenia uwięzione tutaj przez magię międzyświata, miejsca, które gotowe jesteśmy znów zobaczyć, poczuć i dotknąć – jeśli nam się uda.

– Nie zapomnij, że jesteś mi winna funta – zwraca się Ann do Felicity, głośno szczękając zębami.

– Nie zapomnę – obiecuje przyjaciółka.

– Boję się – dodaje Ann.

– Ja też – wyznaję.

Nawet Felicity straciła zwykłą brawurę.

– Cokolwiek się wydarzy, wrócimy stamtąd wszystkie razem.

Nie dopowiada: *Nie tak jak wtedy, gdy zostawiłaś Pip... zostawiłaś na pewną śmierć.*

– Zgoda – odpowiadam. Oddycham głęboko, żeby uspokoić nerwy. – Podajcie mi ręce.

Chwytamy się za dłonie i zamykamy oczy. Już tak dawno nie wchodziłyśmy do międzyświata. Boję się, że nie będę umiała przywołać świetlistych drzwi, ale po chwili czuję na skórze znajome mrowienie i ciepło światła. Otwieram jedno oko, a potem drugie. Przed nami połyskuje wspaniały portal do innego świata.

Na twarzach Felicity i Ann maluje się strach.

– Nie wiem, co tam zastaniemy – ostrzegam.

– Jest tylko jeden sposób, żeby się przekonać – mówi Felicity.

Otwieram drzwi i wchodzimy do międzyświata.

Z drzew niczym deszcz spadają kwiaty i łaskoczą nas w nosy. Wieczne lato sprawia, że trawa ciągle jest zielona. Po prawej stronie szemrze rzeka. Z jej toni wydobywa się cicha piosenka, tworząc srebrne kręgi na powierzchni. I to niebo! Z najwspanialszym zachodem słońca w najszczęśliwszym dniu życia. Mam wrażenie, że serce zaraz mi pęknie. Jakże tęskniłam za tym miejscem! Jak w ogóle mogło mi przyjść do głowy, żeby je opuścić?

– Och! – woła Felicity. Wiruje ze śmiechem, wyciągając otwarte dłonie w stronę pomarańczowego nieba. – Jak tu jest pięknie!

Ann podchodzi do rzeki. Pochyla się i z uśmiechem spogląda na swoje odbicie.

– Jaka ja tu jestem piękna.

To prawda. Wygląda tak, jak wyglądałaby Ann bez trosk, bez lęków, bez upokorzeń, bez konieczności wypełniania pustki ciastkami i bułeczkami.

Felicity przebiega palcami po gałązkach wierzby, które unoszą się i przemieniają w fontannę.

– To niesamowite. Możemy tu zrobić wszystko. Wszystko!

– Patrzcie! – krzyczy Ann. Ukrywa w dłoniach źdźbło trawy i zamyka oczy. Gdy otwiera ręce, leży w nich lśniący rubinowy naszyjnik. – Pomóżcie mi go założyć!

Felicity zapina zatrzask. Klejnot lśni na skórze Ann niczym skarb radży.

– Mamo?! – wołam, zastanawiając się, czy wyjdzie mnie przywitać. Nie słychać nic prócz pieśni rzeki i pełnego zachwytu śmiechu moich przyjaciółek, które przemieniają kwiaty w motyle, a kamienie w klejnoty. Właściwie wiem, że odeszła na zawsze, ale nie mogłam całkiem zrezygnować z nadziei.

Za drzewami stoi srebrny łuk prowadzący do serca ogrodu. To tutaj walczyłam z zabójcą Kirke, mrocznym duchem z Krainy Zimy. To tutaj zniszczyłam Runy Wyroczni, uwalniając matkę, ale równocześnie wyzwalając magię. Tak, magia jest wolna. Dlatego tu przybyłyśmy. A jednak wszystko wygląda tak jak przedtem. Zdaje się, że nic się nie zmieniło.

– Chodźcie za mną – proszę. Przechodzimy pod srebrnym łukiem i wkraczamy w znajomy krąg. Tam, gdzie niegdyś wznosiły się wysokie i potężne kryształy runów, teraz są tylko plamy wypalonej ziemi, na której rosną dziwne maleńkie muchomory.

– Mój Boże – wzdycha Ann. – Naprawdę to zrobiłaś, Gemmo?

– Tak.

– Ale jak? – chce wiedzieć Felicity. – Jak mogłaś zniszczyć coś, co istniało od wieków?

– Nie wiem – wyznaję.

– Fe – mówi Ann. Nadepnęła na muchomora. Grzyb pękł, ukazując czarne, wilgotne wnętrze.

– Uważaj, jak chodzisz – przestrzega ją Felicity.

– Gdzie mamy szukać tej Świątyni? – pyta Ann.

Wzdycham.

– Nie mam pojęcia. Kartik powiedział, że nie istnieje żadna mapa. Wiem tylko, że to gdzieś w międzyświecie.

– Nawet nie wiemy, jakiej wielkości jest międzyświat – zauważa Ann. – Ani z ilu krain się składa.

– Nie masz żadnej wskazówki? – wypytuje Felicity.

– Nie. To nie może być tu, w ogrodzie, bo już byśmy ją zauważyły. Przypuszczam, że powinnyśmy wybrać kierunek i... Co?

Twarz Felicity zrobiła się biała. Ann również. Cokolwiek to jest, znajduje się za moimi plecami. Z mięśniami napiętymi do granic możliwości powoli odwracam się, by stanąć oko w oko z przeznaczeniem.

Wynurza się z oliwnego gaju z girlandą kwiatów wplecioną w ciemne włosy. Ma te same fiołkowe oczy i tę samą jasną cerę. I jest oszałamiająco piękna.

– Cześć – mówi Pippa. – Miałam nadzieję, że wrócicie.

ROZDZIAŁ JEDENASTY

Felicity zrywa się pędem.

– Czekaj! – wrzeszczę, ale nie da się jej już powstrzymać. Podbiega do przyjaciółki i mocno ją obejmuje. Pippa całuje ją w policzki.

– To ty! – mówi Felicity, śmiejąc się i płacząc równocześnie. – Pip, Pip, kochana Pip, jesteś tutaj!

– Tak! Jestem. Ann! Gemmo! Och, proszę, nie gapcie się tak na mnie.

– Pippa! – krzyczy Ann, też do niej biegnąc. Trudno mi w to uwierzyć. Pip, nasza Pip, jest tutaj, równie urocza jak zawsze. Coś we mnie pęka. Opadam na trawę, łkając, a tam, gdzie padają moje łzy, rozkwitają małe kwiaty lotosu.

– Och, Gemmo, kochana, nie płacz – prosi Pippa. Szybko niczym łania znajduje się u mojego boku. Zimne ręce, które widywałam w snach, przeczesują moje włosy i są ciepłe jak letni deszcz. – Nie płacz.

Podnoszę na nią wzrok. Uśmiecha się do mnie.

– Gdybyś widziała swoją minę, Gemmo. No doprawdy, co za powaga!

Rozśmiesza mnie tym. I wywołuje następny atak płaczu. Wkrótce wszystkie śmiejemy się przez łzy, obejmując się nawzajem. Przypomina to powrót do domu po długiej podróży zakurzoną drogą.

– Niech no się wam przyjrzę – mówi Pippa. – Och, tak za wami tęskniłam. Musicie mi o wszystkim opowiedzieć. Jak się miewa pani Nightwing? Czy Cecily i Martha nadal są nieznośnymi snobkami?

– Absolutnie obrzydliwymi – potwierdza Ann, chichocząc.

– Kilka dni temu Gemma wywróciła spodek z konfiturami na suknię Cecily, żeby ją uciszyć – opowiada Felicity.

Pippa szeroko otwiera usta.

– Nie zrobiłaś tego!

– Obawiam się, że jednak zrobiłam – przyznaję i wstydzę się z powodu mojego złego zachowania.

– Gemmo! – wykrzykuje Pippa, uśmiechając się szeroko. – Jesteś mistrzynią!

Padamy na trawę, śmiejąc się. Mamy tyle do opowiedzenia. Mówimy jej wszystko – o Spence, o innych dziewczętach, o pogrzebie.

– Czy wszyscy bardzo płakali? – pyta Pippa.

Ann kiwa głową.

– Okropnie.

Nasza przyjaciółka zrywa dmuchawiec. Puch unosi się na wietrze, po czym przemienia się w rój świetlików.

– Miło mi to słyszeć. To byłoby straszne, gdyby ludzie siedzieli wokół mojej trumny z kamiennymi twarzami. A kwiaty były ładne? Bo chyba były kwiaty, co?

– Najpiękniejsze, najbardziej wyszukane bukiety – mówi Felicity. – Musiały kosztować fortunę.

Pippa uśmiecha się i kiwa głową.

– Cieszę się, że miałam taki ładny pogrzeb. Och, opowiedzcie mi jeszcze o szkole! Czy rozmawiają o mnie w wielkim salonie? Czy wszyscy strasznie za mną tęsknią?

– Och, tak – szczerze potwierdza Ann. – Wszyscy bardzo tęsknimy.

– Przecież nie musisz wcale za mną tęsknić – zapewnia Pip, ściskając ją za rękę.

Nie chcę o to pytać, ale nie mam wyjścia.

– Pippo, myślałam, że ty... – Umarłaś. Nie potrafię się zmusić, żeby to powiedzieć. – Myślałam, że przeszłaś przez rzekę. Do innego świata poza międzyświatem. Kiedy odchodziłam, ty i twój rycerz...

Ann siada prosto.

– A gdzie twój rycerz?

– A, on. Odprawiłam go. – Pippa ziewa. – Zawsze robił to, o co prosiłam. Potworna nuda.

– Za to był bardzo przystojny – rozpływa się Ann.

– Był, prawda? – Pippa chichocze.

– Przepraszam – mówię z obawą, że zniszczę nasze szczęście. – Ale nie rozumiem. Dlaczego nie przeszłaś na drugą stronę?

Pippa wzrusza ramionami.

– Mój pan, rycerz, powiedział mi, że mimo wszystko nie muszę przechodzić. Jest tu wiele plemion, stworzeń, które żyją w międzyświecie od zawsze. Są częścią tej krainy. – Opiera się z tyłu na wyprostowanych ramionach, zgina kolana i delikatnie nimi kołysze z boku na bok.

– Więc po prostu wróciłaś? – podsuwam.

– Tak. A potem zatrzymałam się, żeby pozbierać dzikie kwiaty na koronę. Podoba się wam?

– Och, tak – odpowiada Ann.

– Zrobię taką też dla ciebie.

– I dla mnie również – prosi Felicity.

– Oczywiście – zapewnia Pippa. – Wszystkie będziemy takie miały.

Jestem kompletnie zagubiona. Mama mówiła mi, że dusze albo przechodzą przez rzekę, albo zostają zdeprawowane. Ale oto jest nasza Pippa, szczęśliwa i pełna blasku, o oczach koloru świeżych fiołków, ta sama dziewczyna, którą znamy od zawsze.

– Jak długo już tu jestem? – pyta.

– Dwa miesiące – odpowiadam.

– Naprawdę? Czasami wydaje mi się, że ledwie od wczoraj, a czasami, jakbym tu była całą wieczność. Dwa miesiące... Czyli mamy już prawie Boże Narodzenie. Chyba będzie mi brakowało świąt.

Żadna z nas nie wie, co na to odpowiedzieć.

– Może nie wypełniła jeszcze zadania swojej duszy – sugeruje Ann. – Może dlatego nadal tu jest.

– Może ma nam pomóc w odnalezieniu Świątyni! – wykrzykuje Felicity.

– Jakiej świątyni? – interesuje się Pippa.

– Kiedy rozbiłam runy, wyzwoliłam moc Zakonu w międzyświecie – wyjaśniam. – Świątynia jest źródłem magii. Ten, kto odnajdzie Świątynię i zapieczętuje tam magię, będzie nad nią panował.

Pippa szeroko otwiera oczy.

– To cudowne!

Ann przestrzega:

– Ale wszyscy jej szukają, nawet szpiedzy Kirke.

Pippa wsuwa mi rękę pod ramię.

– Musimy zatem znaleźć ją pierwsze. Zrobię wszystko, co w mojej mocy, żeby wam pomóc. Możemy popytać różne stworzenia.

Kręcę głową.

– Kartik powiedział, że nie wolno nam ufać nikomu z międzyświata, kiedy magia jest na wolności. – Nie ufaj nikomu. Nie ufaj niczemu. Ale to z pewnością nie dotyczy Pippy.

– Kartik? – powtarza Pippa, jakby próbowała sobie przypomnieć coś z zamierzchłej przeszłości. – Ten chłopak z Indii? Rakshana?

– Tak.

Ścisza głos.

– Powinnaś na niego uważać. Rakshana też mają tutaj swoich szpiegów. Nie można im ufać.

– Co masz na myśli?

– Dowiedziałam się, że Rakshana i Zakon wcale się nie przyjaźnią. Rakshana tylko udają obrońców. Tymczasem tak naprawdę chodzi im wyłącznie o moc Zakonu, o kontrolę nad magią i międzyświatem.

– Kto ci naopowiadał takich rzeczy?

Pippa wzrusza ramionami.

– To powszechnie wiadome tutaj. Zapytaj, kogo chcesz.

– Nigdy o tym nie słyszałam – odpowiadam. – Na pewno mama by mnie ostrzegła, gdyby to była prawda.

– Może nie zdążyła – sugeruje Pippa. – Albo może nie wiedziała wszystkiego. Z zapisków w pamiętniku wynika, że była dopiero nowicjuszką, kiedy wybuchł pożar. – Zaczynam protestować, ale Pippa mi przerywa. – Biedna Gemmo, złościsz się, że wiem teraz więcej niż ty?

– Nie, oczywiście, że nie – zaprzeczam, choć to prawda. – Po prostu sądzę, że powinnyśmy zachować ostrożność.

– Ciii, Gemmo, chcę poznać wszystkie sekrety międzyświata – karci mnie Felicity, odwracając się plecami. Pippa uśmiecha się triumfalnie, a ja wspominam to, co mi powiedziała w sali balowej Spence, kiedy zastąpiłam ją w roli ulubienicy Felicity: „Uważaj. Upadek jest bolesny".

Pippa obejmuje nas wszystkie i serdecznie całuje w policzki. Jej uśmiech wygląda bardzo szczerze.

– Och, tęskniłam za wami!

Łza toczy się po jej alabastrowej buzi.

Jestem okropną przyjaciółką. Ja też bardzo tęskniłam za Pip. Teraz jest z nami, a ja psuję tę chwilę swoimi humorami.

– Przepraszam, Pip. Proszę, powiedz nam, co wiesz.

– Skoro nalegasz! – Jej uśmiech jest oszałamiający. Wszystkie wybuchamy śmiechem i jest tak, jakbyśmy się nigdy nie rozstawały. Z drzew powoli opadają liście, pokrywając nasze spódnice promiennymi kolorami.

– Międzyświat jest wielki. Wydaje się nie mieć końca. Słyszałam, że są w nim wprost niewyobrażalne cuda. Las lśniących drzew. Złote mgły i skrzydlate stworzenia przypominające wróżki. I okręt z głową gorgony.

– Gorgony! – wykrzykuje zaniepokojona Ann.

– Och, tak! Widziałam ją w nocy, jak przepływała we mgle. Niesamowity statek ze straszliwą twarzą – kontynuuje Pippa.

– Jak bardzo straszliwą? – pyta Ann, przygryzając wargę.

– Mogłabyś umrzeć ze strachu, patrząc jej w oczy – odpowiada Pippa. Ann wygląda na przerażoną. Pippa całuje ją w policzek. – Nie martw się, kochana Ann. Ja cię obronię.

– Nie chcę spotkać tej gorgony.

– Powiadają, że została przeklęta przez Zakon i zniewolona mocą, która sprawia, że nigdy nie spocznie, zawsze mówi prawdę – dodaje Pippa.

– Przeklęta? Dlaczego? – pyta Felicity.

– Nie wiem. To jedna z legend.

– Skoro musi mówić prawdę, to może powie nam, gdzie jest Świątynia – sugeruję.

– Znajdę dla ciebie tę gorgonę – zapewnia szybko Pippa.

– Nie ma innego sposobu? – niepokoi się Ann.

– Zobacz, Ann, spójrz na to. – Pippa bierze garść trawy i ugniata ją w rękach. Kiedy otwiera dłonie, siedzi na nich maleńki czarny kotek i mruga.

– Och! – Ann przytula kociaka do twarzy.

– Teraz, gdy znów jesteśmy wszystkie razem, będziemy się świetnie bawiły!

Czuję w środku ukłucie niepokoju. Moja mama twierdziła, że duchy muszą przejść na drugą stronę. A jeśli się myliła?

Widziałam, jak umiera. Widziałam ją złożoną do grobu. Widziałam ją w snach.

– Miałam o tobie okropne sny – mówię na próbę.

Pippa głaszcze kotka, zmieniając jego kolor najpierw na pomarańczowy, a potem na czerwony.

– Naprawdę? Jakie?

– Pamiętam tylko ostatni. Przyszłaś do mnie i powiedziałaś: „Uważaj, Gemmo. Idą po ciebie".

Pippa marszczy brwi.

– Kto po ciebie idzie?

– Nie wiem. Pomyślałam, że może próbujesz przekazać mi wiadomość.

– Ja? – Kręci głową. – Nic mi o tym nie wiadomo. Chodźcie za mną! – woła jak wesoły szczurołap z Hameln. – Chcę ubrać choinkę.

Zostajemy w międzyświecie przez wiele godzin, jak nam się wydaje. I z tego, co wiemy, być może rzeczywiście jest to wiele godzin. Nikt nie chce się pożegnać pierwszy, więc wymyślamy różne powody, żeby zostać – jeszcze trochę magicznej lamety na choince, kolejna zabawa w chowanego, dalsze poszukiwania gorgony, która się w ogóle nie pojawia. W końcu nadchodzi czas. Musimy iść.

– Możecie wrócić jutro? – błaga Pippa ze smutną minką.

– Ja wyjeżdżam do Londynu – ponuro wyznaje Felicity. – A wy dwie nie ważcie się tu przychodzić beze mnie!

– Ja zostaję do pojutrza – dodaję.

Ann milczy.

– Ann? – pyta Pippa.

– A ja zostaję w Spence i spędzam święta ze służbą, jak zawsze.

– Kiedy znów się spotkacie? – chce wiedzieć Pippa.

– Za dwa tygodnie – odpowiadam. Nie pomyślałam o tym. Jak mamy szukać Świątyni, skoro rozstajemy się na tak długo?

– To bez sensu – uznaje Pip. – Co ja będę robiła przez całe dwa tygodnie? Będę się bez was nudziła. – Ta sama stara Pippa.

– Felicity i ja będziemy się widywały – mówię – ale Ann...

Ann wygląda, jakby się miała rozpłakać.

– Po prostu będziesz musiała pojechać na ferie ze mną – stwierdza Felicity. – Jutro zaraz z rana wyślę telegram do mamy i zawiadomię ją, żeby się nas spodziewała. A wieczór poświęcę na wymyślanie jakiegoś bardzo wiarygodnego pretekstu.

Ann uśmiecha się promiennie.

– Podoba mi się to. Ferie i pretekst.

– Najwcześniej jak się da, czyli za dwa dni, znów przyjdziemy – zapewniam Pippę.

– Będę czekała.

– Może coś odkryjesz na własną rękę – pocieszam ją. – Znajdź gorgonę.

Pippa kiwa głową.

– Musicie iść tak szybko? Chyba nie zniosę pożegnania.

– Zobaczymy się niedługo – zapewnia ją Felicity.

Przechodzimy obok miejsca, w którym niegdyś stały runy.

– Uwaga! – woła Felicity.

Tam, gdzie pękł muchomor, trawa zmieniła się w popiół. Wije się w nim śliski, czarny wąż.

– Fuj! – Ann odsuwa się z obrzydzeniem.

Pippa chwyta ostry kamień i ciska nim w gada.

– Proszę bardzo – mówi, otrzepując palce.

– Nienawidzę węży – wyznaje Felicity z drżeniem.

To zaskakujące, że cokolwiek jest w stanie wyprowadzić ją z równowagi. Ale jeszcze bardziej zaskakuje mnie co innego: Pippa z dziwnym uśmiechem spogląda na kamień, który rzuciła. Nie potrafię opisać jej miny, lecz budzi we mnie niepokój.

Jeszcze ostatni pocałunek na pożegnanie, przywołujemy drzwi ze światła i wracamy do wielkiego salonu.

– Patrzcie! – woła Ann.

Rubin na jej szyi nadal lśni i migocze.

– Zabrałaś magię ze sobą – mówię, dotykając kamienia.

– Nie zrobiłam tego celowo – tłumaczy się Ann, jakby miała mieć z tego powodu nieprzyjemności. – To się po prostu stało.

– Jest nieposkromiona – wyjaśniam – to pewnie dlatego.

– Pozwólcie, że spróbuję – mówi Felicity. Zamyka oczy i w jednej chwili unosi się wysoko nad podłogę.

– Felicity! Zejdź na dół! – ponaglam ją szeptem.

– Nigdy w życiu! Może wy pofatygujecie się na górę?

Ann z piskiem unosi się na spotkanie Felicity. W połowie drogi chwytają się za ręce i wirują wysoko nad podłogą niczym duchy.

– Czekajcie na mnie! – wołam, wzlatując w ich stronę. Rozkładam ramiona, a moje nogi dyndają wysoko nad oparciami krzeseł i półką nad kominkiem. Kręci mi się w głowie z radości, nieważkość jest niesłychanie przyjemna.

– Cudownie – mówi z chichotem Ann. Sięga ręką w dół i poprawia anioła na czubku choinki, żeby stał prosto. – Proszę bardzo.

– Co robisz? – pytam Felicity, która ma zamknięte oczy. Pociera prawą ręką o lewą. Po chwili trzyma w dłoni przepiękny pierścionek z diamentem. Wsuwa go na palec i wyciąga rękę, żebyśmy mogły popatrzeć.

– To najwspanialszy prezent bożonarodzeniowy w moim życiu – mówi wpatrzona w pierścionek. – Pomyślcie, jak się będziemy bawiły w Londynie, mając magię do dyspozycji.

– To niezbyt mądre – protestuję. – Mamy uwięzić magię. Taki jest nasz cel.

Felicity wydyma usta.

– Nie zamierzam wykorzystać jej w złym celu.

Nie chcę teraz zaczynać kłótni.

– Polatajmy jeszcze – proponuję, żeby zmienić temat.

W końcu nawet Felicity czuje znużenie. Cicho zmierzamy do naszych pokojów, z radością rozprawiając o przyjaciółce, którą opłakiwałyśmy przez dwa miesiące. Może dziś będę spała spokojnie. Bez koszmarnych snów, po których rano jestem wykończona.

Dopiero po godzinie, kiedy bezpiecznie leżę w łóżku, udaje mi się sprecyzować, co wyrażała mina Pippy patrzącej na stworzenie, które zabiła.

To był głód.

ROZDZIAŁ DWUNASTY

Przyjechał powóz, który ma zabrać Felicity oraz Ann na stację. Żegnamy się we wspaniałym, wyłożonym marmurem hallu, podczas gdy służba wskazuje woźnicom odpowiednie kufry. Ann, podekscytowana i ożywiona nadzieją, włożyła rzeczy pożyczone od Felicity. Ma na sobie o wiele za lekką jak na tę pogodę krótką pelerynkę z granatowego aksamitu spiętą broszą w kształcie kiści winogron.

– Została ci jakaś magia? – pyta Felicity.

– Nie – odpowiadam. – Całkiem zniknęła. A tobie?

– Też nie. – Ostrzega, zmrużywszy oczy: – Nie waż się wracać tam bez nas.

– Po raz setny obiecuję, że tego nie zrobię. – Woźnica bierze ostatnie bagaże. – Lepiej już idźcie. Nie chcecie chyba spóźnić się na pociąg. – Trudno rozmawiać w całym tym zamieszaniu i hałasie. A ja nienawidzę pożegnań.

Ann rozpromienia się.

– Fee pożyczyła mi pelerynę.

– Śliczna – odpowiadam, starając się nie zwracać uwagi na zdrobnienie. Felicity nigdy nic mi nie chciała pożyczyć i nie mogę zapanować nad ukłuciem zazdrości, że dziewczyny spędzą ferie razem.

Przyjaciółka poprawia ubranie Ann i wygładza zagniecenia.

– Poproszę mamę, żeby wzięła nas jutro na lunch do swojego klubu. To jeden z najlepszych klubów dla pań. Powinnyśmy wtajemniczyć Gemmę w nasz mistrzowski plan. Będzie w nim musiała odegrać rolę.

Już żałuję tego, co mnie czeka.

– Postanowiłam przeprowadzić metamorfozę Ann na te ferie. Koniec z szarą myszą, smutną uczennicą na zapomodze. W naturalny sposób dopasuje się do otoczenia. I nikt niczego się nie domyśli.

Jak na dany sygnał Ann podejmuje wyjaśnienia.

– Mam powiedzieć mamie Felicity, że pochodzę z rosyjskiego rodu królewskiego i że dopiero niedawno stryjeczny dziad, książę Chesterfield, odnalazł mnie w Spence i poinformował o testamencie moich zmarłych rodziców.

Przyglądając się niskiej, pulchnej i bardzo angielskiej Ann, pytam uprzejmie:

– Sądzicie, że to mądry pomysł?

– Wpadłam na niego zeszłej nocy dzięki temu rubinowi. Pomyślałam sobie, co by to było, gdybyśmy zaczęły tworzyć własne iluzje? – tłumaczy Felicity. – Gdybyśmy zagrały w taką grę?

– A jeżeli nas zdemaskują? – niepokoi się Ann.

– Nie zrobią tego – zapewnia ją Felicity. – Powiem paniom w klubie mamy, że przed śmiercią rodziców uczyłaś się od słynnego rosyjskiego śpiewaka operowego. Będą podekscytowane, że mogą posłuchać, jak śpiewasz. Z pewnością będą się zabijały, żebyś zgodziła się wystąpić u nich na tańcach czy proszonych kolacjach. Będziesz główną atrakcją, a przez ten cały czas nikt nie będzie miał pojęcia, że jesteś biedna jak mysz kościelna.

W uśmiechu Felicity jest coś szalonego.

– Pewnie ich rozczaruję – mamrocze Ann.

– Natychmiast przestań – upomina ją przyjaciółka. – Nie po to tak się wysilam dla twojego dobra, żebyś to wszystko popsuła.

– Dobrze, Felicity – zgadza się Ann.

Otwarłszy parasole, które mają nas chronić przed deszczem, wychodzimy na zewnątrz; tam przez chwilę możemy być same. Żadna z nas nie chce powiedzieć, co naprawdę czuje – czyli że czekanie na ponowną wizytę w międzyświecie będzie torturą. Zasmakowałam w magii i nie mogę się doczekać, by znów jej spróbować.

– Olśnisz ich – zwracam się do Ann. Lekko się przytulamy, a woźnica nawołuje przez deszcz.

– Dwa dni – podkreśla Felicity.

Kiwam głową.

– Dwa dni.

Dziewczęta ruszają biegiem do powozu, rozchlapując błoto.

Gdy wchodzę do wielkiego salonu, siedzi w nim mademoiselle LeFarge. Ma na sobie najlepszy wełniany kostium i czyta *Dumę i uprzedzenie*.

– Wygląda pani ślicznie – mówię. – Eee, *très jolie*!

– *Merci beaucoup* – odpowiada z uśmiechem. – Wkrótce przyjedzie po mnie inspektor.

– Widzę, że czyta pani Jane Austen – kontynuuję rozmowę, wdzięczna, że mnie nie upomniała za fatalną francuszczyznę.

– Och, tak. Lubię jej powieści. Są takie romantyczne. To bardzo mądre, że kończy zawsze optymistycznym akcentem – zaręczynami albo ślubem.

Pokojówka puka do drzwi.

– Przyszedł pan Kent.

– Ach, dziękuję. – Mademoiselle LeFarge odkłada książkę. – A zatem, panno Doyle, zobaczymy się w nowym roku. Wesołych Świąt.

– Wesołych Świąt, proszę pani.

– A, i proszę popracować nad francuskim przez święta. To czas cudów. Może jakiś przydarzy się nam obu.

❧

W ciągu kilku godzin Spence prawie zupełnie pustoszeje. Pozostaje tylko garstka osób. Przez cały dzień dziewczęta wyjeżdżały. Obserwowałam z mojego okna, jak wychodzą na zimny wiatr i wsiadają do powozów jadących na stację kolejową. Obserwowałam ich pożegnania, obietnice, że się spotkają na tym balu czy tamtej operze. To zadziwiające, że tak płaczą i tak długo sobie powtarzają: „Będę tęskniła", a przecież rozstają się ledwie na parę dni.

Mogę korzystać z całego budynku, więc trochę czasu poświęcam na zwiedzanie. Wspinam się stromymi schodami na wąskie wieżyczki, z ich okien widzę tereny dookoła Spence. Przemykam obok zamkniętych drzwi i ciemnych, wyłożonych boazerią pokojów, które bardziej przypominają ekspozycje muzealne niż żywe, zamieszkane miejsca. Wędruję, aż robi się ciemno i mija pora, o której powinnam znaleźć się w łóżku, choć raczej nikt nie będzie mnie szukał.

Gdy docieram na moje piętro, staję jak wryta. Jedno skrzydło olbrzymich drzwi do spalonych pozostałości Wschodniego Skrzydła jest uchylone. Z zamka wystaje klucz. Podczas całego mojego pobytu tutaj nigdy nie widziałam, żeby ktoś wchodził przez te drzwi, i zastanawiam się, czemu są otwarte teraz, gdy w szkole nikogo nie ma.

Prawie nikogo.

Podkradam się bliżej, starając się nie wydawać żadnych dźwięków. Ze środka dochodzą głosy. Chwilę trwa, zanim udaje mi się je zidentyfikować: pani Nightwing i panna McCleethy. Nie słyszę ich wyraźnie. Wiatr dmie niczym w miechy, przywiewając do mnie strzępy wypowiedzi: „Musimy zacząć". „Londyn". „Pomogą nam". „Zadbałam o to".

Jestem zbyt przestraszona, żeby zajrzeć do środka, więc przykładam ucho do drzwi, akurat gdy pani Nightwing mówi:

– Zajmę się tym. To w końcu mój obowiązek.

Po tych słowach panna McCleethy staje w progu i przyłapuje mnie na niecnej czynności.

– Podsłuchujemy, panno Doyle? – pyta, miotając wzrokiem płomienie.

– Co to? O co chodzi? – dopytuje się pani Nightwing. – Panno Doyle! Cóż to ma znaczyć?!

– Ja... ja przepraszam, proszę pani. Usłyszałam głosy.

– Co pani słyszała? – pyta dyrektorka.

– Nic takiego – odpowiadam.

– Spodziewa się pani, że w to uwierzymy? – naciska panna McCleethy.

– Kiedy to prawda – kłamię. – W szkole jest tak pusto, że miałam kłopoty z zaśnięciem.

Panna McCleethy i pani Nightwing wymieniają spojrzenia.

– W takim razie proszę wracać do łóżka, panno Doyle – mówi dyrektorka. – W przyszłości proszę od razu dawać znać o swojej obecności.

– Tak, proszę pani – odpowiadam, niemalże rzucając się biegiem do pokoju na drugim końcu korytarza.

O czym one rozmawiały? Co muszą zacząć?

Z pewnym wysiłkiem zdejmuję buty, suknię, gorset oraz pończochy, aż zostaję tylko w halce. We włosach mam dokładnie czternaście spinek. Liczę je, wyjmując drżącymi rękami jedną po drugiej. Miedziane loki z westchnieniem ulgi spływają mi na plecy.

To bezcelowe. Jestem zbyt podenerwowana, żeby myśleć o śnie. Potrzebuję rozrywki, czegoś, co odwróci moją uwagę. Ann trzyma pod łóżkiem stertę czasopism z rodzaju tych, które udzielają porad i prezentują najnowszą modę. Biorę jedno, na którego okładce znajduje się rysunek przepięknej kobiety. Włosy ma przyozdobione piórami. Jej cera to śmietankowa doskonałość, a spojrzenie udaje jej się mieć zarówno dobrotliwe, jak i rozmarzone, tak jakby wpatrywała się w zachód słońca, jednocześnie myśląc o bandażowaniu odrapanych kolan płaczących dzieci. Nie mam pojęcia, jak osiągnąć takie spojrzenie. Odczuwam nową obawę: że nigdy, przenigdy nie będę taka urocza.

Siedzę przy toaletce i wpatruję się w siebie w lustrze, odwracając twarz to w jedną, to w drugą stronę. Profil mam całkiem przyzwoity. Mam też prosty nos i ładną linię szczęki. Znów patrzę prosto w lustro, kontemplując piegi i jasne brwi. Beznadzieja. Nie chodzi o to, że jest we mnie coś okropnego, ale o to, że nie ma nic wyjątkowego. Żadnej tajemnicy. Nie należę do tych kobiet, które ktoś chciałby umieścić na okładce czasopisma za pensa, żeby w godny podziwu sposób patrzyły w dal. Nie należę do gatunku tych, za którymi tęsknią wielbiciele czy które unieśmiertelnia się w pieśniach. I nie mogę powiedzieć, żeby ta świadomość mnie nie bolała.

Kiedy zacznę chodzić na bale i na przyjęcia – to znaczy, jeśli zacznę chodzić – co zobaczą we mnie mężczyźni? Czy w ogóle mnie zauważą? Czy też znudzeni bracia, drodzy starzy wujaszkowie albo dalecy kuzyni innych kuzynów będą zmuszeni tańczyć ze mną z poczucia przyzwoitości, ponieważ nakłonią ich do tego żony, matki lub gospodynie?

Czy mogłabym być boginią? Szczotkuję włosy i układam je na ramionach tak, jak to widziałam na śmiałych plakatach operowych, w których chore na gruźlicę kobiety umierają z miłości, wyglądając boleśnie pięknie. Jeśli zmrużę oczy i rozchylę usta, o tak właśnie, można by mnie chyba przez pomyłkę wziąć za ponętną. W moim odbiciu wyraźnie czegoś brakuje. Ostrożnie zsuwam halkę, ukazując nagie ramiona. Lekko potrząsam głową, tak że burzę trochę fryzurę, jakbym była leśną nimfą, nieco nieposkromioną.

– Przepraszam – zwracam się do swojego odbicia – chyba się nie znamy. Jestem…

Blada. Oto jaka jestem. Szczypię się w policzki, żeby nadać im trochę koloru i zaczynam od nowa, uwodzicielsko obniżając głos.

– A któż to tak swobodnie wędruje po moim lesie? Wyznaj swoje imię. Mów!

Wtedy za mną rozlega się chrząknięcie, a po nim szept:

– To ja, Kartik.

Z gardła wymyka mi się cichy okrzyk. Zrywam się od toaletki i od razu zahaczam o jej krawędź, w efekcie czego przewracam się na dywan, ciągnąc za sobą krzesło. Kartik wychodzi zza parawanu, obronnym gestem unosząc dłonie na wysokość piersi.

– Proszę, nie krzycz.

– Jak śmiesz! – sapię i pędzę do szafy po podomkę. O Boże, gdzie ona jest?

Kartik wpatruje się w podłogę.

– Ja… Nie miałem złych zamiarów, zapewniam cię. Siedziałem tam, ale zdrzemnąłem się, a potem… Czy ty… wyglądasz już przyzwoicie?

Znalazłam szlafrok, ale moje palce odmawiają posłuszeństwa. Guziki są krzywo zapięte. Ubranie wisi na mnie pod dziwnym kątem. Krzyżuję ramiona, żeby zminimalizować szkody.

– Może nie wiesz, ale to niewybaczalne ukrywać się w pokoju kobiety. I nie uprzedzić o swojej obecności, kiedy ona się ubiera! – wściekam się. – Niewybaczalne!

– Przepraszam – mówi, wyraźnie zażenowany.

– Niewybaczalne – powtarzam.

– Czy mam sobie pójść i przyjść kiedy indziej?

– Skoro już tu jesteś, to równie dobrze możesz zostać. – Prawdę mówiąc, cieszę się, że mam towarzystwo po wcześniejszym niefortunnym spotkaniu. – Cóż było tak pilnego, że musiałeś wdrapywać się po ścianie i ukrywać za moim parawanem?

– Weszłaś do międzyświata? – pyta.

Potakuję.

– Tak. Ale wszystko wydawało się w porządku. Było równie pięknie jak przedtem. – Milknę, rozmyślając o Pippie. O ślicznej Pippie, na którą kiedyś Kartik patrzył z takim podziwem. Myślę o tym, jak mnie ostrzegła przed Rakshanami.

– O co chodzi?

– O nic. Poprosiłyśmy kogoś stamtąd o pomoc. Będzie naszym przewodnikiem.

Kartik kręci głową.

– To niemądre! Mówiłem ci, że teraz nie można ufać nikomu ani niczemu, co pochodzi z międzyświata.

– Tej osobie możemy zaufać.

– Skąd wiesz?

– To jest Pippa – odpowiadam cicho.

Kartik szeroko otwiera oczy.

– Panna Cross? Ale myślałem…

– Tak, ja też. Lecz widziałam ją wczoraj w nocy. Nic nie wie o Świątyni, ale pomoże nam ją odnaleźć.

Kartik wpatruje się we mnie.

– Ale przecież jeżeli nie przejdzie przez rzekę, to zostanie zdeprawowana.

– Mówi, że wcale nie musi tak być.

– Nie możesz jej ufać. Być może zło już znalazło do niej dostęp.

– Nie ma w niej nic dziwnego – protestuję. – Jest tak samo... – Jest tak samo piękna, jak przedtem, już mam powiedzieć.

– Jaka jest?

– Jest tą samą Pippą – odpowiadam spokojnie. – I zna międzyświat lepiej niż my. Może nam pomóc. To więcej, niż ty mi zaoferowałeś na początek.

Jeśli zraniłam jego dumę, to nie daje tego po sobie poznać. Zaczyna chodzić po pokoju i mija mnie tak blisko, że czuję jego zapach: mieszankę dymu, cynamonu, wiatru, czegoś zakazanego. Ciasno owijam się podomką.

– No dobrze – odzywa się, pocierając brodę. – Postępuj ostrożnie. Nie podoba mi się to. Rakshana jasno ostrzegali...

– Rakshana tam nie byli, więc skąd mogą wiedzieć, komu nie należy ufać? – Nagle ostrzeżenie Pippy wydaje mi się bardzo słuszne. – Nic nie wiem o waszym bractwie. Dlaczego miałabym mu ufać? Dlaczego miałabym ufać tobie? No, sam popatrz, zakradasz się do mojego pokoju i ukrywasz za parawanem. Śledzisz mnie. Ciągle rzucasz mi rozkazy: Zamknij umysł! A nie, serdecznie przepraszam, otwórz umysł! Pomóż nam znaleźć Świątynię! Poskrom magię!

– Powiedziałem ci wszystko, co wiem – broni się.

– A zatem niewiele wiesz, prawda? – warczę.

– Wiem, że mój brat był Rakshaną. Wiem, że zginął, próbując chronić twoją matkę, a ona zginęła, próbując chronić ciebie.

O to chodzi. O brzydki smutek, który nas łączy. Czuję się, jakby wyciśnięto ze mnie całe powietrze.

– Nie rób tego – ostrzegam.

– Czego?

– Nie zmieniaj tematu. Dla odmiany tym razem to ja porozkazuję. Chcesz, żebym znalazła Świątynię. A ja chcę czegoś od ciebie.

– Szantażujesz mnie? – pyta.

– Możesz to nazwać, jak sobie chcesz. Ale nie zdradzę ci nic więcej, dopóki nie odpowiesz na moje pytania.

Siadam na łóżku Ann, a on naprzeciwko na moim. Jesteśmy jak para psów, gotowych się pogryźć przy najmniejszej prowokacji.

– Pytaj – rzuca.

– Zapytam, kiedy będę gotowa – odpowiadam.

– Dobrze, więc nie pytaj. – Wstaje, żeby wyjść.

– Opowiedz mi o Rakshanach – mówię szybko.

Kartik wzdycha i spogląda w sufit.

– Bractwo Rakshana istnieje tak długo jak Zakon. Powstało na Wschodzie, ale w miarę upływu lat dołączyli do niego inni. Należał do niego Karol Wielki, podobnie jak wielu rycerzy templariuszy. Byli strażnikami międzyświata i jego granic, przysięgali chronić Zakon. Ich emblematem jest miecz i czaszka. – Recytuje to wszystko pospiesznie, niczym lekcję historii przygotowaną dla nauczyciela.

– Bardzo przydatne wiadomości – sarkam.

Kartik unosi palec.

– A jakie pouczające.

Ignoruję jego kpinę.

– Jak to się stało, że należysz do Rakshanów?

Wzrusza ramionami.

– Zawsze byłem z nimi.

– Na pewno nie zawsze. Musiałeś mieć matkę i ojca.

– Tak, ale nigdy ich naprawdę nie znałem. Odszedłem, kiedy miałem sześć lat.

– Och. – Jestem wstrząśnięta. Nigdy nie myślałam o Kartiku jako o małym chłopczyku opuszczającym objęcia matki. – Przykro mi.

Unika mojego wzroku.

– Nie ma powodu. Było oczywiste, że zostanę wyszkolony na Rakshanę jak mój brat Amar przede mną. To był wielki zaszczyt dla naszej rodziny. Bractwo wzięło mnie pod opiekę i wykształciło w matematyce, językach, broni, sztukach walki. I krykiecie. – Uśmiecha się. – Całkiem nieźle gram w krykieta.

– Co jeszcze?

– Dowiedziałem się, jak przetrwać w lesie. Jak tropić. Jak kraść.

Unoszę brwi.

– Uczyłem się wszystkiego, co konieczne do przetrwania. Nigdy nie wiadomo, kiedy sięgnięcie do czyjejś kieszeni zapewni jedzenie tego dnia albo posłuży do odwrócenia uwagi we właściwym momencie.

Myślę o mojej mamie, która odeszła na zawsze, i o tym, jak głęboko przeżyłam tę stratę.

– Nie tęskniłeś za swoją rodziną?

Kiedy się odzywa, mówi bardzo cicho.

– Początkowo. Szukałem mamy na każdej ulicy, na każdym bazarze, nie traciłem nadziei, że ją zobaczę. Ale przynajmniej był ze mną Amar.

– To potworne. Nie miałeś nic do powiedzenia.

– Takie było moje przeznaczenie. Zaakceptowałem je. Rakshana byli dla mnie bardzo dobrzy. Zostałem wyszkolony w elitarnym bractwie. Co mógłbym robić w Indiach? Paść krowy? Głodować? Żyć w cieniu Anglików i musieć się uśmiechać, podając im jedzenie lub oporządzając ich konie?

– Nie chciałam cię zdenerwować...

– Nie zdenerwowałaś mnie – odpowiada. – Chyba nie rozumiesz, jaki to zaszczyt zostać wybrańcem Rakshana. Wkrótce będę gotów przejść na ostatni poziom szkolenia.

– I co się wtedy stanie?

– Nie wiem – odpowiada ze słodkim uśmiechem. – Musisz złożyć przysięgę wierności aż po grób. Wtedy poznajesz wieczne tajemnice. Nikt o tym nie mówi. Ale najpierw trzeba wypełnić wyznaczone zadanie, aby udowodnić swoją wartość.

– Na czym polega twoje zadanie?

Jego uśmiech blednie.

– Na znalezieniu Świątyni.

– W takim razie twój los jest związany z moim.

– Tak – potwierdza miękko – na to wygląda.

Patrzy na mnie dziwnym wzrokiem, więc znów uświadamiam sobie, w jak bardzo kompromitującej sytuacji się znajduję.

– Powinieneś już iść.

– Owszem, powinienem – potwierdza, zrywając się z miejsca. – Mogę ci zadać pytanie?

– Tak – zgadzam się.

– Często rozmawiasz z lustrem? I czy wszystkie młode damy to robią?

– Nie. Oczywiście, że nie. – Pokrywam się tak głęboką purpurą, jakiej nigdy jeszcze nie zaobserwowano na policzkach dziewczyny. – Robiłam próbę. Do przedstawienia. Mam... mam grać w chórze.

– Z pewnością będzie to bardzo interesujący spektakl – stwierdza Kartik, kręcąc głową.

– Czeka mnie jutro długa podróż, więc chciałabym się już pożegnać – odzywam się dość oficjalnym tonem. Chcę, żeby już sobie poszedł i żebym mogła przeżywać swój wstyd w odosobnieniu. Przerzuca silne nogi przez parapet i sięga po linę ukrytą w gęstym bluszczu porastającym ścianę szkoły. – Aha, jak mam cię znaleźć, jeśli dowiem się czegoś o Świątyni?

– Rakshana załatwili mi pracę w Londynie na ferie. Gdzieś w pobliżu. Będę się z tobą kontaktował.

Z tymi słowami znika za oknem i zjeżdża na dół po linie. Patrzę, jak rozpływa się w ciemnościach, pragnąc, żeby wrócił. Ledwie zamknęłam okno, kiedy rozlega się pukanie do drzwi. To panna McCleethy.

– Wydawało mi się, że słyszę głosy. – Rozgląda się po pokoju.

– Ja... czytałam na głos – odpowiadam, podnosząc magazyn Ann z łóżka.

– Rozumiem – mówi z tym swoim dziwnym akcentem, po czym podaje mi szklankę. – Powiedziała pani, że ma kłopoty z zaśnięciem, więc przyniosłam ciepłe mleko.

– Dziękuję. – Biorę szklankę. Nie cierpię ciepłego mleka.

– Mam wrażenie, że nasza znajomość źle się zaczęła.

– Przykro mi z powodu tego incydentu ze strzałą, proszę pani. Naprawdę. I nie podsłuchiwałam dzisiaj. Ja...

– No już, już. To wszystko poszło w niepamięć. Dzieli pani ten pokój z panną Bradshaw?

– Tak – potwierdzam.

– Ona i panna Worthington to pani najlepsze przyjaciółki?

– Tak. – Właściwie to moje jedyne przyjaciółki.

– To z pewnością miłe młode damy, ale śmiem twierdzić, że nawet w połowie nie tak interesujące jak pani, panno Doyle.

Osłupiałam.

– J-ja? Wcale nie jestem jakoś bardzo interesująca.

– Ależ, panno Doyle – karci mnie, podchodząc bliżej. – Akurat dziś wieczorem rozmawiałyśmy z panią Nightwing i doszłyśmy do wniosku, że jest w pani coś szczególnego.

Stoję przed nią w krzywo zapiętej podomce.

– Obawiam się, że są panie zbyt uprzejme. To panna Bradshaw ma wspaniały głos, a panna Worthington jest niezwykle inteligentna.

– No i proszę, jaka pani lojalna. Natychmiast broni pani przyjaciółek. Godna pochwały cecha.

Niewątpliwie chce mi powiedzieć komplement, ale ja czuję się nieswojo, jakby mnie analizowała.

– Bardzo oryginalny naszyjnik. – Zupełnie bez skrępowania przesuwa palcem po łuku księżyca. – Skąd go pani ma?

– Należał do mojej mamy – odpowiadam.

Posyła mi przenikliwe spojrzenie.

– Musiało jej być trudno rozstać się z taką cenną rzeczą.

– Ona nie żyje. Dostałam go w spadku.

– Czy to coś symbolizuje? – dopytuje się.

– Nie – kłamię. – Przynajmniej nic mi o tym nie wiadomo.

Panna McCleethy wpatruje się we mnie tak długo, że w końcu muszę odwrócić wzrok.

– Jaka była pani mama?

Zmuszam się do ziewnięcia.

– Proszę mi wybaczyć, ale chyba jednak jestem zmęczona. – Nauczycielka wygląda na rozczarowaną.

– Powinna pani wypić mleko, póki ciepłe. Pomoże pani zasnąć. Odpoczynek jest bardzo ważny.

– Tak, dziękuję – odpowiadam, trzymając szklankę.

– No dalej, proszę pić.

Nie da się od tego wykręcić. Wmuszam w siebie kilka łyków zawiesistego napoju. Ma dziwnie słodki smak.

– To mięta – wyjaśnia panna McCleethy, jakby czytała w moich myślach. – Dobrze wpływa na sen. Odniosę szklankę Brigid. Ona mnie chyba za bardzo nie lubi, prawda?

– Na pewno się pani myli – mówię, bo tak każe uprzejmość.

– Patrzy na mnie, jakbym była diabłem wcielonym. A pani uważa, że jestem diabłem, panno Doyle?

– Nie – odpowiadam chrapliwie – oczywiście, że nie.

– Cieszę się, że postanowiłyśmy się zaprzyjaźnić. Miłych snów, panno Doyle. Proszę już dzisiaj nie czytać na głos.

❧

Moje ciało staje się rozgrzane i ciężkie. Czy to zasługa ciepłego mleka? Mięty? Czy też panna McCleethy mnie otruła? Nie bądź śmieszna, Gemmo.

Otwieram oba okna, wpuszczając do środka lodowate powietrze. Nie wolno mi zasnąć. Chodzę po pokoju wielkimi krokami. Robię skłony, dotykając palców u nóg. W końcu siadam na łóżku i śpiewam kolędy. Na darmo. Mój śpiew cichnie, a ja osuwam się w półmrok snu.

Sierp księżyca lśni w mojej dłoni. Dłoń zmienia się w kwiat lotosu. Grube zielone pnącza przeciskają się przez szczeliny muru, a maleńkie pączki rozkwitają w cudowne róże. Widzę swoją twarz, która wpatruje się we mnie odbita w ścianie wody. Wkładam rękę w ścianę, aż w końcu cała w nią wpadam.

Zapadam się głębiej i otula mnie czarna peleryna snu bez marzeń.

Nie wiem, która jest godzina, kiedy nagle coś mnie budzi. Nasłuchuję, co to może być, ale panuje cisza. Mleko zostawiło na moim języku warstwę osadu, który wydaje się rosnąć mi w ustach. Czy tego chcę, czy nie, będę musiała zejść na dół, żeby się napić.

Z ciężkim westchnieniem odrzucam koc, po czym zapalam świecę. Osłaniając płomień dłonią, wędruję ciemnym korytarzem, który wygląda, jakby się ciągnął całymi kilometrami. Jestem jedyną żywą duszą, która pozostała na tym piętrze. Ta myśl sprawia, że przyspieszam kroku.

Kiedy znajduję się już przy schodach, płomień nagle gaśnie. Nie! Będę musiała wrócić, żeby znów zapalić świecę. Nagle zaczyna mi się kręcić w głowie. Uginają się pode mną kolana i chwytam się balustrady, żeby zachować równowagę. W ciemności rozlega się cicho ostry odgłos drapania, jakby ktoś za mocno przyciskał kredę do tabliczki.

Nie jestem już sama. Mam towarzystwo.

Ledwie udaje mi się wyszeptać:

– Halo? Brigid? To ty?

Drapanie zbliża się do mnie. Świeca w mojej dłoni rozbłyskuje, tworząc zwartą kulę światła. A oto i one, ich sylwetki lśnią na krawędziach. Nie są całkiem realne, ale o wiele konkretniejsze niż wizja, którą miałam w śniegu. Trzy dziewczyny w bieli. Gdy podchodzą bliżej i bliżej, spiczaste czubki ich trzewików drapią po drewnianej podłodze, wydając koszmarny dźwięk. Poruszają ustami, jakby mówiły, ale nie słyszę słów. Oczy mają smutne i mocno podkrążone.

Nie krzycz, Gemmo. To tylko wizja. Nie mogą cię skrzywdzić. A może mogą?

Znajdują się tak blisko, że muszę odwrócić głowę i zamknąć oczy. Chce mi się wymiotować z powodu przerażenia i zapachu, który im towarzyszy. Co to jest? Morze i coś jeszcze. Rozkład.

Znów rozlega się ten dźwięk przypominający szelest tysięcy owadzich skrzydeł. Mówią tak cicho, że chwilę trwa, zanim udaje mi się zrozumieć ich słowa, ale wtedy chłód przenika mnie do szpiku kości.

– Pomóż nam.

Otwieram oczy wbrew woli. Są tak blisko, te lśniące istoty. Jedna wyciąga dłoń. *Proszę. Proszę, nie dotykaj mnie. Będę krzyczeć. Będę krzyczeć. Będę...*

Jej dłoń jest jak lód, ale nie mam czasu krzyknąć. Wciąga mnie wizja, moje ciało sztywnieje. Obrazy zalewają mi umysł. Trzy dziewczynki idą w podskokach wzdłuż postrzępionych klifów. Morze rozbija się o skały i zostawia pod ich stopami cienkie pasma piany. Chmury ciemnieją. To burza. Nadchodzi sztorm. Zaraz, jest jeszcze czwarta dziewczyna. Została z tyłu. Ktoś je woła. Pojawia się kobieta. Ma na sobie zielony płaszcz.

Słodkie jak ulepek głosy dziewcząt wlewają mi się do ucha.

– Patrz...

Kobieta ujmuje czwartą dziewczynkę za rękę. I wtedy z morza wyłania się koszmar. Niebo ciemnieje. Dziewczęta krzyczą.

Wracamy do rozświetlonego korytarza. Zjawy blakną, rozpływając się w ciemnościach.

– Ona kłamie – szepczą. – Nie ufaj jej...

Po czym odchodzą. Ból znika. Klęczę na zimnej, twardej podłodze zupełnie sama. Świeca syczy nagle, niesfornie strzelając iskrami.

To mi wystarcza. Zrywam się i gnam na złamanie karku jak przerażona mysz. Zatrzymuję się dopiero, gdy docieram do swojego pokoju i zatrzaskuję mocno drzwi – choć nie potrafię powiedzieć, przed czym je zamykam. Zapalam wszystkie lampy. Kiedy robi się jasno, zaczynam czuć się troszkę lepiej. Cóż to była za wizja? Dlaczego te istoty stały się silniejsze? Czy dlatego, że magia wydostała się na wolność? Czy to je jakoś ośmiela? Czułam jej rękę na swoim ramieniu...

Przestań, Gemmo. Przestań pobudzać w sobie strach.

Kim są te dziewczyny i czego ode mnie chcą? Co miało znaczyć: „Nie ufaj jej"? Wcale mi nie pomaga to, że w szkole jest tak pusto. Ani to, że jutro spotkam się z rodziną w Londynie i nie wiem, jakim prawdziwym koszmarom będę musiała stawić czoło.

Nie znajduję żadnych odpowiedzi. I boję się zasnąć. Zanim pierwsze światło przyciska nos do szyb, stoję ubrana, ze spakowanym kufrem, gotowa jechać do Londynu, choćbym sama miała popędzać konie.

ROZDZIAŁ TRZYNASTY

Tom spóźnia się jak zwykle.

Przyjechałam na Victoria Station pociągiem o dwunastej ze Spence, tak jak było umówione, ale mojego brata nigdzie nie widać. Może miał straszliwy wypadek i leży umierający na ulicy, błagając ostatnim tchem, żeby ktoś z zapłakanych gapiów pobiegł na dworzec wybawić z opresji jego niewinną i nad wyraz cnotliwą siostrę? To jedyne wspaniałomyślne wytłumaczenie, jakie przychodzi mi do głowy. Najprawdopodobniej jednak Tom siedzi w klubie, śmiejąc się i grając w karty z kumplami, a o mnie całkowicie zapomniał.

– Moja droga, pewna jesteś, że brat po ciebie przyjdzie?

To Beatrice, jedna z siedemdziesięcioletnich starych panien, sióstr, które siedziały koło mnie w pociągu, bez przerwy rozmawiając o reumatyzmie i roztrząsając zalety róż stulistnych, aż myślałam, że oszaleję. Jednak w przeciwieństwie do brata one troszczą się o moje dobro.

– Och, tak. Na pewno, dziękuję. Proszę się o mnie nie martwić.

– Mój Boże, Millicent, chyba nie powinnyśmy jej tutaj tak zostawiać, jak sądzisz?

– Masz rację, Beatrice. Ona musi pojechać z nami. Prześlemy wiadomość jej rodzinie.

To przesądza sprawę. Zamierzam zamordować Toma.

– Jest tam! – wołam, spoglądając na daleki koniec peronu, gdzie wcale nie ma mojego brata.

– Gdzie? – pytają siostry.

– Widzę go! Zapewne przedtem patrzyłam w złym kierunku. Miło mi było panie poznać. Mam nadzieję, że jeszcze się kiedyś spotkamy. – Podaję rękę i żegnam się. Odchodzę zdecydowanym krokiem, po czym ukrywam się za kasą biletową. Gdy wszyscy znikają, siadam na ławce na końcu peronu.

Gdzie on może być?

Kolejny pociąg wjeżdża ze świstem na stację i wyładowuje pasażerów, którzy wpadają w objęcia uśmiechniętych krewnych. Przekazują im paczki i dostają kwiaty. Tom spóźnia się już pół godziny. Niech no ojciec się o tym dowie.

Siada koło mnie mężczyzna w eleganckim czarnym garniturze. Cóż on musi sobie myśleć o mnie czekającej tu samotnie? Gniewna blizna szpeci lewą stronę jego twarzy, przecinając ją od górnej części ucha do kącika ust. Garnitur ma mistrzowsko skrojony. W klapie marynarki dostrzegam szpilkę i zasycha mi w ustach, gdyż wiem już, co ona oznacza. To miecz i czaszka Rakshanów. Czy to zbieg okoliczności, że usiadł koło mnie? Czy też przyszedł w określonym celu? Uśmiecha się lekko. Spokojnie wstaję i oddalam się. Gdy dochodzę do połowy peronu, zawracam. Mężczyzna też wstał z ławki. Z gazetą wetkniętą pod ramię idzie za mną. Gdzie jest Tom? Zatrzymuję się przy kwiaciarce i udaję, że przyglądam się kwiatom i bukietom. Mężczyzna też podchodzi. Wybiera czerwony goździk do butonierki, muska rondo kapelusza w geście podziękowania, po czym bez słowa upuszcza monetę na dłoń sprzedawczyni.

Ze strachu nogi mam słabe jak nowo narodzony kociak.

A jeśli spróbuje mnie porwać? A jeśli coś poszło źle z Kartikiem? A jeśli Pippa ma rację i tym ludziom w ogóle nie wolno ufać?

Czuję, że mężczyzna w czarnym garniturze zbliża się do mnie. Gdybym zaczęła krzyczeć, czy ktokolwiek mnie usłyszy przez syk i stukot pociągów? Kto mi pomoże?

Zauważam samotnego młodego człowieka, który czeka na kogoś.

– Tutaj jesteś! – wołam, idąc szybko w jego stronę. Odwraca się, żeby sprawdzić, do kogo się zwracam. – Spóźniłeś się, wiesz?

– Ja... spóźniłem się? Bardzo przepraszam, ale czy my...

Pochylam się i szepczę błagalnie:

– Proszę mi pomóc. Ten mężczyzna mnie śledzi.

Wygląda na zmieszanego.

– Który mężczyzna?

– Tamten. – Oglądam się za siebie, ale go nie ma. Nikogo nie ma. – Był tu mężczyzna w czarnym garniturze. Miał potworną bliznę na lewym policzku. Siadł obok mnie na ławce, a potem poszedł za mną do stoiska z kwiatami. – Uświadamiam sobie, że to brzmi, jakbym była lekko szalona.

– Może potrzebował kwiatka do butonierki – sugeruje młodzieniec.

– Ale szedł za mną aż stamtąd.

– Znajdujemy się blisko wyjścia. – Wskazuje drzwi na ulicę.

– Och, rzeczywiście – odpowiadam. Jaka ja jestem głupia. – Bardzo przepraszam. Wygląda na to, że boję się własnego cienia. Brat miał wyjść po mnie na stację. Chyba się trochę spóźnia.

– Zostanę więc i dotrzymam pani towarzystwa, dopóki się nie pojawi.

– Och, nie, nie mogłabym…

– Właściwie pani też może mi pomóc – dochodzi do wniosku.

– W jaki sposób? – pytam ostrożnie.

Z kieszeni płaszcza wyciąga piękne aksamitne etui wielkości pudełka na herbatniki.

– Potrzebna mi opinia damy na temat podarunku. Pomoże mi pani?

– Oczywiście – zgadzam się z ulgą.

Kładzie puzderko na otwartej dłoni i unosi wieczko. W środku nic nie ma.

– Ale tu jest pusto – zauważam.

– Tak się tylko wydaje. Proszę patrzeć. – Pociąga za to, co wydawało się dnem pudełka, a ono wysuwa się, ukazując sekretną przegródkę, w której spoczywa przepiękna kamea.

– Jest śliczna – oceniam. – A pudełko bardzo sprytne.

– Czyli aprobuje pani?

– Jestem pewna, że obdarowana dama będzie zachwycona – mówię. I natychmiast oblewam się rumieńcem.

– To dla mojej matki – wyjaśnia młodzian. – Przyszedłem odebrać ją z pociągu.

– Och – odpowiadam.

Spoglądamy na siebie niezdecydowanie. Nie wiem, co mówić ani co robić. Czy powinnam stać tu jak idiotka, czy też ratować resztki dumy, życzyć mu miłego dnia i znaleźć miejsce, w którym będę się mogła ukrywać, zanim pojawi się brat?

Otwieram usta, żeby się pożegnać, akurat w chwili, gdy on wyciąga rękę.

– Nazywam się Simon Middleton. Przepraszam bardzo, pani chciała coś powiedzieć?

– Nie, ja... ja tylko... Miło mi pana poznać.

Ściskamy sobie dłonie.

– Dziękuję. Mnie również miło panią poznać, panno...?

– O mój Boże! Oczywiście, jestem...

– Gemma! – Rozlega się moje imię. W końcu pojawił się Tom. Pędzi w naszą stronę z kapeluszem w ręku, a irytujący lok opada mu na oczy. – Wydawało mi się, że miałaś przyjechać na Paddington Station.

– Nie, Thomasie – odpowiadam, zmuszając się do uprzejmego uśmiechu. – Wyraźnie powiedziałam, że na Victoria.

– Mylisz się. Mówiłaś, że na Paddington!

– Panie Middleton, czy mogę przedstawić mojego brata, pana Thomasa Doyle'a? Pan Middleton był tak miły, że zechciał mi towarzyszyć, Thomasie – dodaję uszczypliwie.

Twarz Toma blednie. Jeśli poczuł się zawstydzony, to bardzo mnie to cieszy.

Simon uśmiecha się szeroko, a oczy wesoło mu błyszczą.

– Dobrze cię widzieć, Doyle, staruszku.

– Panicz Middleton – odpowiada Tom, wyciągając rękę. – Jak się mają wicehrabia i wicehrabina Denby?

– Rodzice czują się dobrze, dziękuję.

Simon Middleton jest synem wicehrabiego? Jak ktoś taki miły, czarujący i uprzejmy jak on może być znajomym mojego okropnego brata?

– Panowie się znają? – pytam.

– Studiowaliśmy razem w Eton – odpowiada Simon. To oznacza, że Simon, czcigodny Simon Middleton, jest w wieku mojego brata, czyli ma dziewiętnaście lat. Teraz, gdy już szok mija, spostrzegam, że jest przystojnym młodzieńcem o brązowych włosach i niebieskich oczach. – Nie wiedziałem, że masz taką uroczą siostrę.

– Ja też nie – wyznaje Tom. Biorę go pod ramię, ale tylko po to, żeby móc go uszczypnąć, tak by Simon tego nie widział. Gdy Tom gwałtownie wciąga powietrze, czuję się trochę lepiej. – Mam szczerą nadzieję, że nie nękała cię za bardzo.

– Ależ skąd. Odniosła wrażenie, że ktoś ją śledzi. Mężczyzna w ciemnym garniturze z... co to było? Z potworną blizną na lewym policzku.

Teraz jest mi bardzo głupio, że tak się zachowałam.

Rumieniec oblewa bladą szyję Toma.

– Ach, tak. Słynna wyobraźnia Doyle'ów. Nasza Gemma chyba będzie pisać powieści grozy.

– Przepraszam, że sprawiłam panu kłopot – odzywam się.

– Skądże znowu. To była najbardziej ekscytująca część dzisiejszego dnia – mówi z tak ujmującym uśmiechem, że mu wierzę. – I bardzo mi pani pomogła – dodaje, unosząc aksamitne pudełko. – Nasz powóz stoi tuż przy wyjściu. Jeśli zechcą państwo poczekać, to chętnie was podwiozę.

– Nasz powóz już czeka – odpowiada Tom nie bez przechwałki w głosie.

– Oczywiście.

– Ale dziękujemy za uprzejmą propozycję – dodaję. – Życzę panu miłego dnia.

Simon Middleton wykonuje niezwykle śmiały gest. Ujmuje mnie za dłoń i składa na niej wytworny pocałunek.

– Mam szczerą nadzieję, że jeszcze się spotkamy podczas ferii świątecznych. Muszą państwo przyjść do nas na kolację. Dopilnuję tego. Do zobaczenia, paniczu Doyle. – Zamaszyście kłania się Tomowi kapeluszem, a mój brat odpowiada mu takim samym gestem, jakby byli dwoma starymi przyjaciółmi, odgrywającymi wobec siebie spektakl.

Simon Middleton. Nie mogę się doczekać, kiedy opowiem o nim Ann i Felicity.

Ulice przed dworcem pełne są hałasu, koni, omnibusów oraz ludzi, którzy przyjechali do Londynu na zakupy lub w poszukiwaniu rozrywki. To szalona i wesoła sceneria, a ja jestem szczęśliwa, że stanowię część tętniącego życiem miasta. Wita mnie mgliste powietrze i bicie dzwonów kościelnych, a ja czuję się wyrafinowana i tajemnicza. Mogłabym być kimkolwiek – księżną, wiedźmą lub podejrzaną łowczynią fortun. Kto to może wiedzieć? W końcu mam już za sobą cudowne spotkanie z synem wicehrabiego. Wpadam w optymistyczny nastrój. Tak, to będą bardzo przyjemne ferie z tańcami, podarunkami, a może nawet z kolacją w domu przystojnego syna wicehrabiego. Ojciec uwielbia Boże Narodzenie. Świąteczny nastrój rozweseli go i nie będzie tak bardzo potrzebował laudanum. Razem z Ann i Felicity znajdziemy Świątynię, poskromimy magię i wszystko dobrze się skończy.

Jakiś człowiek wpada na mnie w pośpiechu i nawet nie przeprasza. Ale nic nie szkodzi. Wybaczam ci, człowieku w pośpiechu z ostrymi łokciami. Witaj i żegnaj! Ponieważ ja, Gemma Doyle, zamierzam spędzić cudowne święta w Londynie. Wszystko będzie dobrze. Boże, pokój daj wesołym panom. I paniom.

Tom rozpaczliwie usiłuje zatrzymać w tym tłumie jakąś dwukółkę.

– A gdzie powóz? – pytam.

– Nie ma powozu.

– Przecież powiedziałeś…

– Nie zamierzałem tłumaczyć się przed Middletonem i znosić upokorzenia. Mamy powóz w domu, zapewniam cię. Ale nie mamy woźnicy. Stary Potts odszedł dość nagle dwa dni temu. Chciałem zamieścić ogłoszenie, ale ojciec powiedział, że już kogoś znalazł. No nareszcie...

Stosując nieco nieczyste metody, udaje mu się wreszcie zdobyć powóz i możemy pojechać do londyńskiego domu, którego nigdy nie widziałam.

– Nie mogę uwierzyć, że wpadłaś akurat na Simona Middletona – wyznaje Tom, gdy dwukółka rusza spod stacji. – A w dodatku mamy zjeść kolację z jego rodziną.

Nie warto wspominać, że czcigodny Simon Middleton zaprosił na kolację mnie, a nie Toma.

– Więc on naprawdę jest synem wicehrabiego?

– Naprawdę. Jego ojciec należy do Izby Lordów i jest bardzo wpływowym mecenasem nauki. Mógłbym daleko zajść z jego pomocą. Szkoda, że nie ma córki na wydaniu.

– Szkoda? Właśnie myślałam, że to łaska boska.

– Moja własna siostra mnie nie wesprze? A skoro o tym mowa, czy nie miałaś mi znaleźć pięknej przyszłej żony z niewielką fortunką? Odniosłaś jakiś sukces w tej materii?

– Tak, ostrzegłam je wszystkie.

– Ja tobie też życzę wesołych świąt! – odpowiada Tom ze śmiechem. – Rozumiem, że wybieramy się na bal bożonarodzeniowy do twojej przyjaciółki, panny Worthington. Może wśród obecnych tam dam trafię na odpowiednią, czyli zamożną, żonę.

I może wszystkie z krzykiem uciekną do klasztoru.

– Jak się czuje ojciec? – pytam w końcu. To pytanie wypala mi wewnątrz dziurę.

Tom wzdycha.

– Robimy pewne postępy. Schowałem butelkę z laudanum i dałem mu inne, rozcieńczone wodą, więc bierze mniej. Obawiam się, że chwilami bywa z tego powodu dość rozdrażniony, gdyż dręczą go upiorne bóle głowy. Ale pewien jestem, że to zadziała. – Spogląda na mnie. – Nie wolno mu dawać więcej, rozumiesz? Ojciec jest sprytny i będzie próbował cię do tego nakłonić.

– Nie zrobi tego – protestuję. – Nie mnie. Wiem to.

– No cóż...

Tom nie kończy myśli. Jedziemy w milczeniu, a zamiast naszej rozmowy słychać tylko uliczny hałas. Wkrótce, gdy narasta ekscytacja miastem, moje troski schodzą na plan dalszy. Oxford Street to fascynujące miejsce. Podziwiam wszystkie te wspaniałe budynki. Stoją wysokie i dumne, a markizy rozpościerają się nad chodnikami, przywodząc na myśl damy, które figlarnie uniosły rąbek spódnicy, żeby budzić pokusę. Mijamy sklep papierniczy, kuśnierza, studio fotograficzne oraz teatr, gdzie kilku stałych klientów zebrało się przy kasie, żeby sprawdzić dzisiejszy repertuar.

– Niech to licho!

– Co? – pytam.

– Miałem odebrać ciasto dla babci, a właśnie minęliśmy cukiernię. – Tom woła do woźnicy, który zatrzymuje się przy krawężniku. – To potrwa tylko minutkę – obiecuje mój brat, choć przypuszczam, że mówi to nie po to, aby mnie uspokoić, ale aby przekonać woźnicę, żeby nie policzył mu bajońskiej sumy za ten niezaplanowany przystanek.

Ze swojej strony jestem szczęśliwa, że mogę siedzieć i podziwiać świat w całej jego okazałości. Młody chłopiec manewruje wśród przechodniów, a na jego ramieniu niepewnie spoczywa wielka gęś. Gromadka rozbawionych kolędników pośród hałasu waltorni i obojów chodzi od domu do domu w nadziei na garść orzechów lub łyczek czegoś do picia. Ruszają dalej, a muzyka snuje się za nimi. Na wystawie sklepu, do którego wszedł Tom, znajdują się wszelkiego rodzaju smakołyki: wielkie rodzynki i kandyzowane cytryny, góry gruszek, jabłek i pomarańczy, sterty kolorowych przypraw. Ślinka napływa mi do ust. Chodnikiem zbliża się wysoka kobieta w eleganckim kapeluszu i tweedowym kostiumie. Wydaje mi się znajoma, lecz rozpoznaję ją, dopiero kiedy mnie mija.

– Panno Moore! – krzyczę przez okno, kompletnie zapominając o dobrych manierach.

Panna Moore zatrzymuje się, bez wątpienia zdziwiona, kto też może ją wołać na ulicy w taki obcesowy sposób. Zauważa mnie i podchodzi do powozu.

– Ależ to panna Doyle! Dobrze pani wygląda. Wesołych świąt!

– Wesołych świąt.

– Na długo przyjechała pani do Londynu? – pyta.

– Wracam tuż po Nowym Roku – wyjaśniam.

– Jaki szczęśliwy zbieg okoliczności! Koniecznie musi mnie pani odwiedzić.

– Bardzo chętnie – odpowiadam. Panna Moore wygląda promiennie.

Wręcza mi kartę wizytową.

– Zamieszkałam przy Baker Street. Jutro cały dzień będę w domu. Proszę obiecać, że pani wpadnie.

– Ależ tak, oczywiście! Byłoby wspaniale. Och... – Milknę.

– O co chodzi?

– Obawiam się, że jestem już na jutro umówiona z panną Worthington i panną Bradshaw.

– Rozumiem. – Nie musi mówić nic więcej. Obie wiemy, że to my jesteśmy odpowiedzialne za jej zwolnienie.

– Bardzo nam przykro z powodu tego, co się stało, proszę pani.

– Co się stało, to się nie odstanie. Możemy tylko iść naprzód.

– Tak. Ma pani oczywiście rację.

– Choć gdyby nadarzyła się okazja, z radością bym podręczyła pannę Worthington – wyznaje nauczycielka z błyskiem w oku. – Ma zdecydowanie zbyt dużo tupetu.

– Jest dosyć zuchwała – przyznaję z uśmiechem. Ach, tak bardzo tęskniłam za panną Moore!

– A panna Cross? Nie spotka się pani z moją oskarżycielką podczas ferii? – Panna Moore przestaje się uśmiechać, gdy widzi moją wstrząśniętą minę. – Boże drogi! Zdenerwowałam panią. Przepraszam. Mimo moich uczuć do panny Cross, wiem, że się przyjaźnicie. Zachowałam się nieuprzejmie.

– Nie, nie chodzi o to. Tylko... Pippa umarła.

Panna Moore zakrywa usta dłonią.

– Umarła? Kiedy?

– Dwa miesiące temu.

– Och, panno Doyle, proszę mi wybaczyć – mówi nauczycielka, kładąc swoje dłonie na moich. – Nie miałam pojęcia. Nie było mnie przez te dwa miesiące. Wróciłam dopiero w zeszłym tygodniu.

– To z powodu epilepsji – kłamię. – Pamięta pani, że chorowała. – Jakaś część mnie chce powiedzieć pannie Moore prawdę o tamtej nocy, ale jeszcze nie teraz.

– Tak, pamiętam – przyznaje panna Moore. – Przykro mi. To czas przebaczenia, a ja okazałam zatwardziałe serce. Proszę zaprosić do mnie pannę Bradshaw i pannę Worthington. Z przyjemnością je zobaczę.

– To bardzo wspaniałomyślne z pani strony. Wszystkie chętnie posłuchamy o pani podróżach – mówię.

– Więc wam o nich opowiem. Powiedzmy jutro o trzeciej? Przygotuję bardzo mocną herbatę i galaretki różane.

Niech to gęś. Ciężko mi będzie przekonać babcię, żeby mnie puściła samą z wizytą.

– Bardzo chętnie, jeśli moja babka wyrazi zgodę.

– Rozumiem – mówi, odsuwając się od powozu. Mały żebrak z jedną nogą kuśtyka w jej kierunku.

– Panienko? Pół pensa dla kaleki? – prosi, a broda mu drży.

– Nie ma mowy – odpowiada panna Moore. – Schowałeś nogę w nogawce, co? Nie okłamuj mnie.

– Nie, psze pani – odpowiada, ale teraz widzę wyraźnie zarys drugiej nogi.

– Zmiataj stąd, zanim wezwę konstabla.

Kończyna błyskawicznie znajduje się na swoim miejscu i chłopak ucieka, przebierając dwiema sprawnymi nogami. Śmieję się na ten widok.

– Och, proszę pani, tak się cieszę, że panią widzę.

– Ja również. Zazwyczaj jestem w domu po południu od trzeciej do piątej. Ma pani nieustające zaproszenie.

Odchodzi i znika w tłumie na Oxford Street. Panna Moore jako pierwsza opowiedziała nam o Zakonie i zastanawiam się, co jeszcze mogłaby nam wyjawić – gdybyśmy odważyły się zapytać. Pewnie kazałaby nam się wynosić, gdybyśmy to zrobiły, i miałaby rację. Jednak na pewno może rzucić więcej światła na całą sprawę, jeżeli będziemy ostrożne w dociekaniach. A nawet jeśli nie, to przynajmniej mam pretekst, żeby uciec z domu babki. Panna Moore może być moją jedyną nadzieją na zachowanie zdrowia psychicznego w te ferie.

Tom wraca ze sklepu. Rzuca mi na kolana pudełko zmyślnie zapakowane w brązowy papier i owinięte sznurkiem.

– Paskudne ciasto z bakaliami. Kim była ta kobieta?

– A – odpowiadam – to nikt taki. Nauczycielka. – Gdy powóz rusza, dodaję: – Przyjaciółka.

ROZDZIAŁ CZTERNASTY

Babcia wynajmuje elegancki dom przy modnym Belgrave Square niedaleko Hyde Parku. Zazwyczaj mieszka w Sheep's Meadow, swoim wiejskim domu, a do Londynu przyjeżdża tylko w sezonie, czyli od maja do połowy sierpnia oraz na Boże Narodzenie. To znaczy, przyjeżdża tylko wtedy, gdy chce się pokazać oraz pooglądać londyńskie towarzystwo.

To bardzo dziwne uczucie wejść do obcego hallu, zobaczyć wieszak na płaszcze oraz konsolkę z lustrem, tapety w kolorze czerwonego wina, aksamitne zasłony z pomponami i wiedzieć, że powinnam znajdować pocieszenie w tych nieznanych rzeczach, że powinnam znać i kochać to miejsce, gdy tymczasem moja stopa nigdy tu nie postała. Choć znajduje się tu pełno foteli z poduchami, pianino, choinka przybrana łańcuchami z prażonej kukurydzy i wstążkami, choć we wszystkich pokojach na kominkach płonie ogień, nie czuję się tu jak w domu. Dla mnie domem są Indie. Myślę o naszej gospodyni, Saricie, widzę jej pobrużdżoną zmarszczkami twarz i szczerbaty uśmiech. Widzę nasz dom z otwartym gankiem i miską daktyli na stole nakrytym czerwonym jedwabiem. Ale przede wszystkim myślę o obecności mamy i o dudniącym śmiechu taty w czasach, gdy jeszcze się śmiał.

Ponieważ babcia do tej pory nie wróciła z wizyty, wita mnie gospodyni, pani Jones. Pyta, czy miałam przyjemną podróż, a ja potwierdzam, bo tego się spodziewa. Nie mamy sobie nic więcej do powiedzenia, zatem prowadzi mnie schodami do mojej sypialni. Mam zająć pokój od tyłu wychodzący na wozownie i stajnie. Przy wąskiej alejce między nimi mieszkają woźnice i ich rodziny. To obskurny, ciasny zaułek i zastanawiam się, jakie to uczucie oporządzać konie, cały czas patrząc na światła tych wspaniałych, wielkich białych domostw, których mieszkańcy mają wszystko, czego sobie zażyczą.

Przebieram się do kolacji i znów schodzę na dół. Zatrzymuję się na podeście drugiego piętra. Ojciec i Tom kłócą się za zamkniętymi drzwiami biblioteki, więc podchodzę bliżej, żeby posłuchać.

– Ale, ojcze – mówi Tom – uważasz, że to mądre zatrudniać obcokrajowca jako woźnicę? Śmiem twierdzić, że jest wielu dobrych Anglików nadających się do tej pracy.

Zerkam przez szczelinę w drzwiach. Tata i Tom stoją naprzeciwko siebie jak dwie ściśnięte sprężyny.

Jakaś część mojego dawnego ojca budzi się do życia.

– Mieliśmy wielu lojalnych hinduskich służących w Bombaju, pozwól, że ci przypomnę, Thomasie.

– Tak, ojcze, ale to było w Indiach. Teraz jesteśmy tutaj, wśród ludzi nam równych, a oni zazwyczaj zatrudniają angielskich woźniców.

– Czy kwestionujesz moją decyzję, Thomasie?

– Nie, sir.

– Grzeczny chłopiec.

Zapada niezręczna cisza, po czym Tom odzywa się ostrożnie:

– Ale musisz przyznać, że Hindusi mają pewne nawyki, które w przeszłości przysporzyły ci kłopotów, ojcze.

– Dość tego, Thomasie Henry! – warczy ojciec. – Koniec dyskusji na ten temat.

Tom wypada z biblioteki, niemal zwalając mnie z nóg.

– Boże! – mówię. Kiedy nie odpowiada, dodaję: – Mógłbyś przeprosić.

– A ty mogłabyś nie podsłuchiwać przez dziurkę od klucza – odszczekuje. Idę za nim do schodów.

– Ty zaś mógłbyś nie pouczać ojca, jak ma się zajmować swoimi sprawami – szepczę dosadnie.

– Łatwo ci mówić – rzuca przez zęby. – Ty nie musiałaś spędzić ostatnich dwóch tygodni na odciąganiu go od butelki tylko po to, by teraz dał się omotać jakiemuś woźnicy.

Tom pokonuje schody pełnymi furii susami. Z trudem za nim nadążam.

– Nie wiesz tego. Dlaczego musisz go tak denerwować?

Tom okręca się na pięcie.

– Ja go denerwuję? Staram się go wyłącznie zadowolić, ale cokolwiek bym zrobił, jest źle.

– To nieprawda – protestuję.

Wygląda, jakbym go uderzyła.

– Skąd możesz to wiedzieć, Gemmo? To ty jesteś jego ulubienicą.

– Tom... – zaczynam.

Pojawia się wysoki kamerdyner.

– Kolacja podana, paniczu Thomasie, panienko Gemmo.

– Dziękuję, Davis – odpowiada Tom, po czym odwraca się szybko i odchodzi.

❧

Kolacja to posępne wydarzenie. Wszyscy tak bardzo staramy się być pogodni i uśmiechnięci, jakbyśmy pozowali do rodzinnego portretu. Próbujemy zatuszować fakt, że nie mieszkamy tutaj razem i że to nasze pierwsze Boże Narodzenie bez mamy. Nikt nie chce być tym, kto wywlecze prawdę na stół i popsuje wieczór, więc oddajemy się wymuszonym uprzejmym pogawędkom na temat planów na ferie, poczynań w szkole i plotek w mieście.

– Jak ci idzie w Spence, Gemmo? – pyta ojciec.

No cóż, moja przyjaciółka Pippa nie żyje, właściwie z mojej winy, a ja rozpaczliwie usiłuję zlokalizować Świątynię, źródło magii w międzyświecie, zanim Kirke – zła kobieta, która zabiła mamę, również członkinię Zakonu, ale o tym nie możesz wiedzieć – znajdzie ją i rozpęta piekło. A potem powinnam tę magię poskromić, choć nie mam zielonego pojęcia jak. I tak to jakoś leci.

– Bardzo dobrze, dziękuję.

– Ach, to wspaniale. Wspaniale.

– Czy Thomas powiedział ci, że dostał posadę lekarza w Królewskim Szpitalu Bethlem? – pyta babcia, nabierając na widelec obfitą porcję groszku.

– Nie, chyba nie.

Tom uśmiecha się krzywo.

– Dostałem posadę lekarza w Królewskim Szpitalu Bethlem – papuguje.

– Doprawdy, Thomasie – karci go babcia bez przekonania.

– Masz na myśli Bedlam, szpital dla wariatów? – upewniam się.

Nóż Toma ze zgrzytem przesuwa się po talerzu.

– Nie nazywamy go tak.

– Jedz groszek, Gemmo – napomina mnie babcia. – Zostaliśmy zaproszeni na bal wydawany przez lady Worthington, żonę admirała. To najbardziej pożądane zaproszenie tego sezonu. Jaką dziewczyną jest ta panna Worthington?

No, doskonałe pytanie. Zastanówmy się... Całuje się z Cyganami w lesie, a raz zamknęła mnie w kaplicy po tym, jak poprosiła, bym ukradła wino mszalne. W bladym świetle księżyca widziałam, jak zabiła sarnę i wspięła się po zboczu wąwozu naga i ochlapana krwią. Co dziwne, jest też jedną z moich najlepszych przyjaciółek. Nie każ mi wyjaśniać dlaczego.

– Energiczną – odpowiadam.

– Pomyślałam, że jutro odwiedzimy moją przyjaciółkę, panią Rogers. Po południu urządza wieczorek muzyczny.

Biorę głęboki wdech.

– Zostałam na jutro zaproszona z wizytą.

Widelec babci zatrzymuje się w pół drogi do ust.

– Do kogo? Dlaczego nie zostawiono dla mnie karty wizytowej? Absolutnie się nie zgadzam. To wykluczone.

Idzie mi świetnie. Może w następnej kolejności powieszę się na obrusie?

– Do panny Moore, nauczycielki sztuki ze Spence. – Nie ma potrzeby wspominać o jej wydaleniu z tej instytucji. – Jest szalenie lubiana, a ze wszystkich uczennic zaprosiła tylko pannę Bradshaw, pannę Worthington i mnie, żebyśmy odwiedziły ją w domu. To prawdziwy zaszczyt.

– Panna Bradshaw... Chyba poznaliśmy ją w Spence? To ta uczennica na zapomodze, tak? – mówi babcia z grymasem niezadowolenia. – Sierota?

– Nie mówiłam ci? – Moje nowo odkryte zamiłowanie do kłamstwa przeradza się w prawdziwy talent.

– Czego nie mówiłaś?

– Okazało się, że panna Bradshaw ma stryjecznego dziadka, księcia, który mieszka w Kent, i jest spokrewniona z rosyjskim rodem królewskim. To daleka kuzynka carycy.

– Niemożliwe! – woła Tom. – Co za szczęśliwy obrót spraw.

– Tak – zgadza się babcia. – Brzmi jak jedna z tych historii, które drukują w tanich gazetach.

No właśnie. I proszę, nie kop głębiej, bo zaczniesz dostrzegać wręcz uderzające podobieństwa.

– Będę musiał dokładniej przyjrzeć się pannie Bradshaw, teraz gdy jest w posiadaniu fortuny – żartuje Tom, ale przypuszczam, że w głębi duszy może mówić poważnie.

– Ona wystrzega się łowców posagów – przestrzegam go.

– Uważasz, że wydam jej się aż taki niemiły? – Tom pociąga nosem.

– Przecież ma oczy i uszy – dogryzam mu.

– Ha! To ci się dostało, młody człowieku – stwierdza ojciec ze śmiechem.

– John, nie zachęcaj jej. Nie wypada robić takich nieuprzejmych uwag, Gemmo – ruga mnie babcia. – Nie znam tej całej panny Moore. Nie wiem, czy mogę pozwolić na wizytę u niej.

– Wprost cudownie uczy rysunku i malowania – podsuwam.

– I zdrowo sobie za to liczy, bez wątpienia. Takie osoby zawsze tak robią – mówi babcia, wcinając ziemniaki. – Twoje rysunki nie ucierpią przez tych kilka tygodni. Powinnaś raczej spędzić ten czas w domu lub chodząc ze mną w gości, żebyś mogła poznać osoby, które się liczą.

Mam ochotę ją udusić za tę uwagę. Panna Moore warta jest dziesięciu jej „osób, które się liczą". Odchrząkuję głośno.

– Oczywiście będziemy robiły ozdoby, żeby udekorować szpitale na święta. Panna Moore twierdzi, że aktów dobroczynności nigdy nie jest zbyt wiele.

– Godne podziwu – komentuje babcia, krojąc polędwicę wieprzową na małe kawałeczki. – Może pójdę z tobą i sama sobie obejrzę tę pannę Moore.

– Nie! – niemalże krzyczę. – Chodzi mi o to... – O co mi chodzi? – Panna Moore byłaby bardzo zażenowana, gdyby jej dobre uczynki stały się powszechnie znane. Ona doradza daleko posuniętą dyskrecję. Jak jest napisane w Piśmie Świętym... – Milknę. Ponieważ nigdy za bardzo nie wczytywałam się w Biblię, nie mam zielonego pojęcia, co tam jest napisane. – „Niech wasze ozdoby cieszą tylko uszy Boga... dłonie. Dłonie Boga".

Szybko upijam łyk herbaty. Babcia wydaje się skonsternowana.

– Tak jest napisane w Piśmie Świętym? W którym miejscu?

Wlewam sobie do ust zbyt dużą porcję gorącej herbaty. Przełykam ją z trudem, krztusząc się.

– W Księdze Psalmów – udaje mi się wychrypieć.

Ojciec posyła mi dziwne spojrzenie. Wie, że kłamię.

– W Księdze Psalmów, powiadasz? A w którym psalmie? – docieka babcia.

Krzywy uśmiech taty wydaje się mówić: *Aha, wpadłaś w pułapkę, moja droga.*

Herbata wypala sobie drogę do mojego żołądka, dzięki czemu odprawiam natychmiastową pokutę.

– Bożonarodzeniowym.

Babcia znów zaczyna hałaśliwie przeżuwać.

– Lepiej będzie, jak odwiedzimy panią Rogers.

– Mamo – wtrąca się ojciec – nasza Gemma jest już młodą damą o własnych zainteresowaniach.

– Własnych zainteresowaniach? Nonsens! Nie skończyła jeszcze szkoły – oburza się babcia.

– Odrobina wolności dobrze jej zrobi – ujmuje się za mną tato.

– Wolność może prowadzić do nieszczęścia – odpowiada babcia. Nie wypowiedziała imienia mojej mamy na głos, ale wyraźnie celuje w nas taką groźbą.

– Wspomniałem wam może o tym, że Gemma miała niezwykłe szczęście i spotkała dziś na dworcu Simona Middletona? – W chwili gdy wypowiada te słowa na głos, Tom wie już, że popełnił błąd.

– A jak do tego doszło? – chce wiedzieć ojciec.

Tom blednie.

– Cóż, nie mogłem znaleźć dwukółki i był koszmarny zator przy...

– Chłopcze – przerywa mu tato – chcesz powiedzieć, że moja córka przebywała sama na Victoria Station?

– Tylko przez chwilkę – zapewnia go Tom.

Pięść ojca opada na stół, aż talerze podskakują, a babcia unosi dłonie.

– Zawiodłeś mnie. – I z tymi słowami tato opuszcza pokój.

– Jak zawsze – konstatuje Tom.

– Mam nadzieję, że wiesz, co robisz, Thomasie – szepcze babcia. – Jego nastrój pogarsza się z dnia na dzień.

– Przynajmniej robię cokolwiek – rzuca z rozgoryczeniem mój brat.

Pojawia się pani Jones.

– Wszystko w porządku, proszę pani?

– Tak, oczywiście – odpowiada babcia. – Pan zje ciasto później – mówi, jakby zupełnie nic się nie stało.

Po tej bardzo nieprzyjemnej kolacji ojciec i ja zasiadamy przy stoliku do gier, żeby rozegrać partię szachów. Dłonie mu drżą, ale nadal gra zaskakująco dobrze. W zaledwie sześciu ruchach daje mi bezwzględnego mata.

– Bardzo inteligentnie rozegrane. Jak to zrobiłeś? – pytam.

Puka się palcem w skroń.

– Musisz przeniknąć swojego przeciwnika. Wiedzieć, jak rozumuje.

– A jak ja rozumuję?

– Dostrzegasz oczywisty ruch, po czym zakładasz, że jest jedynym możliwym, i wykonujesz go natychmiast, bez zastanowienia i bez sprawdzenia, czy istnieje inne wyjście. W ten sposób się odsłaniasz.

– Ale to b y ł jedyny możliwy ruch – protestuję.

Ojciec unosi palec, żeby mnie uciszyć. Ustawia bierki na szachownicy tak, jak stały dwa ruchy temu.

– A teraz popatrz.

Widzę ten sam układ.

– Twoja królówka jest niechroniona.

– Pośpiech, pośpiech... Pomyśl kilka ruchów naprzód.

Widzę tylko królówkę.

– Przepraszam, tato. Nie umiem tego dostrzec.

Pokazuje mi całą sytuację – gońca czekającego, żeby zwabić mnie w zasadzkę, z której już nie ma wyjścia.

– Wszystko jest w głowie – mówi. – Tak by powiedziała twoja matka.

Matka. Wypowiedział na głos to zakazane słowo.

– Jesteś do niej bardzo podobna. – Ukrywa twarz w dłoniach i płacze. – Tak bardzo mi jej brakuje.

Nie wiem, co powiedzieć. Nigdy nie widziałam, żeby ojciec płakał.

– Mnie też jej brakuje.

Wyjmuje chusteczkę i wyciera nos.

– Tak mi przykro, kwiatuszku. – Ożywia się nieco. – Mam dla ciebie trochę wcześniejszy prezent pod choinkę. Myślisz, że bardzo cię zepsuję, dając ci go teraz?

– Tak, niezmiernie! – wołam, próbując wprowadzić lżejszy nastrój. – Gdzie on jest?

Ojciec podchodzi do serwantki i szarpie za drzwi.

– O, zamknięte. Klucze są chyba w pokoju babci. Możesz je przynieść, kochanie?

Pędzę do pokoju babci, znajduję klucze na nocnym stoliczku i wracam z nimi. Ręce trzęsą się ojcu tak bardzo, że z trudem otwiera szafkę.

– Czy to biżuteria? – dopytuję się.

– To by dopiero było. – Z wysiłkiem otwiera szklane drzwi i przestawia przedmioty w środku, szukając czegoś. – Gdzie ja to zostawiłem?... Chwileczkę.

Otwiera niezamkniętą na klucz szufladę poniżej i wyjmuje paczuszkę owiniętą w czerwony papier z gałązką ostrokrzewu za wstążką.

– Cały czas leżało w szufladzie.

Zanoszę pakunek na sofę i zdzieram z niego papier. To egzemplarz *Sonetów z portugalskiego* Elizabeth Barrett Browning.

– Ach – mówię w nadziei, że nie słychać, jak bardzo jestem rozczarowana. – Książka.

– Należała do twojej mamy. To były jej ulubione wiersze. Czytywała mi je wieczorami. – Urywa, gdy nie jest w stanie mówić dalej.

– Ojcze?

Przyciąga mnie do siebie i mocno tuli.

– Cieszę się, że jesteś w domu, Gemmo.

Czuję, że powinnam coś powiedzieć, ale nie wiem co.

– Dziękuję za książkę, ojcze.

Puszcza mnie.

– Tak. Miłego czytania. Czy możesz odnieść klucze?

Wchodzi pani Jones.

– Przepraszam, sir. Posłaniec właśnie przyniósł przesyłkę dla panienki Gemmy.

– Dobrze, dobrze – odpowiada ojciec z lekką irytacją.

Pani Jones podaje mi paczuszkę i kopertę.

– Dziękuję.

List stanowi oficjalne zaproszenie na kolację zaadresowane do mojej babci. *Hrabia i hrabina Denby mają przyjemność zaprosić pana Johna Doyle'a, panią Williamową Doyle, pana Thomasa Doyle'a oraz pannę Gemmę Doyle na kolację we wtorek siedemnastego o godzinie ósmej. Uprasza się o odpowiedź.* Nie mam wątpliwości, że babcia entuzjastycznie wyrazi zgodę.

A teraz paczuszka. Rozrywam papier i moim oczom ukazuje się piękne aksamitne puzderko Simona Middletona z liścikiem: *Tutaj można ukryć wszystkie sekrety.*

Co dziwne, tato w ogóle nie pyta mnie o ten prezent.

– Gemmo, kwiatuszku – mówi nieco roztargnionym tonem – Odnieś teraz klucze. Bądź grzeczną dziewczynką, dobrze?

– Tak, ojcze – odpowiadam i całuję go w czoło. Radośnie biegnę do pokoju babci, odkładam klucze, a potem pędzę do siebie, gdzie kładę się na łóżku i oglądam mój piękny prezent. Czytam liścik raz po raz, analizuję pismo Simona, podziwiam, jak energicznie, zamaszyście kreśli litery. Simon Middleton. Wczoraj jeszcze nawet nie wiedziałam o jego istnieniu. Teraz potrafię myśleć tylko o nim. Życie czasami sprawia dziwne niespodzianki.

Musiałam zasnąć, ponieważ budzi mnie głośne pukanie do drzwi. Zegar wskazuje wpół do pierwszej. Tom, bardzo zagniewany, wpada do mojego pokoju.

– Ty mu to dałaś?

– Co… co dałam? – pytam, ocierając sen z oczu.

– Czy dałaś to ojcu? – Ściska w ręku brązową buteleczkę. Laudanum.

– Nie, oczywiście, że nie! – odpowiadam, przytomniejąc.

– W takim razie jakim cudem, na litość boską, to zdobył?

Nie ma prawa przychodzić do mojego pokoju i tak mnie dręczyć.

– Nie wiem, ja mu tego nie dałam – odpowiadam hardo.

– Zamknąłem to w serwantce. Tylko ja i babcia mieliśmy klucze.

Opadam na łóżko, chora i oniemiała.

– Och, nie. Poprosił mnie, żebym ją otworzyła, bo chciał mi dać wcześniejszy prezent na Boże Narodzenie.

– Przecież mówiłem ci, że jest sprytny.

– Tak, mówiłeś – odpowiadam. Po prostu w to nie uwierzyłam. – Przepraszam, Tom.

Brat przeczesuje włosy palcami.

– A tak dobrze mu szło.

– Przepraszam – powtarzam, choć to niewielka pociecha. – Mam to wyrzucić do śmieci?

– Nie – decyduje. – Nie możemy tego całkiem wyrzucić. Jeszcze nie. – Podaje mi buteleczkę. – Weź ją i schowaj gdzieś, gdzie jej nie znajdzie.

– Tak, oczywiście. – Flaszeczka wydaje się parzyć mnie w rękę. Taka maleńka rzecz. A taka potężna.

Kiedy Tom wychodzi, otwieram pudełko od Simona i wyciągam fałszywe dno.

Tutaj można ukryć wszystkie sekrety…

Wkładam buteleczkę do środka, wsuwam sprytną szufladę z powrotem na miejsce i jest tak, jakby laudanum nigdy nie istniało.

ROZDZIAŁ PIĘTNASTY

Babcia nie chce ulec i nie zgadza się, bym odwiedziła pannę Moore, ale pozwala mi wybrać się na świąteczne zakupy z Felicity i Ann, pod warunkiem że pokojówka Felicity będzie nam towarzyszyła jako przyzwoitka. Gdy powóz Worthingtonów podjeżdża pod dom, jestem taka szczęśliwa, że zobaczę przyjaciółki – i że ucieknę od apodyktycznej babci – iż prawie wybiegam im na powitanie.

Ann ma na sobie eleganckie ubranie należące do Felicity oraz nowy, zielony filcowy kapelusz. Zaczyna trochę przypominać debiutantkę. A właściwie zaczyna przypominać sobowtóra Fee.

– Och, Gemmo, jak cudownie! Nikt nie wie, że nie należę do towarzystwa! Nie muszę myć naczyń i nikt się ze mnie nie naśmiewa. Tak jakbym naprawdę była potomkinią carycy.

– To wspa...

Ann nie daje mi dojść do słowa.

– Mamy pójść do opery. I będę witała gości na balu bożonarodzeniowym, jakbym była członkiem rodziny! – Ann uśmiecha się do Felicity, która wsuwa jej rękę pod ramię. – A dzisiaj po południu...

– Ann – cicho ostrzega ją Felicity.

Ann uśmiecha się z zażenowaniem.

– Przepraszam, Fee.

– O co chodzi? – pytam, zirytowana ich bliską relacją.

– O nic – mamrocze Ann. – Nie wolno mi mówić.

– Niełładnie jest mieć sekrety w towarzystwie – odpowiadam zapalczywie.

– Idziemy dziś z mamą do jej klubu na podwieczorek. To wszystko – wyjaśnia Felicity. Dla mnie nie ma zaproszenia. Nagle nie cieszę się już, że je widzę. Wolałabym, żeby były gdzieś daleko. – Och, Gemmo, nie rób takiej ponurej miny. Ciebie też bym zaprosiła, ale bardzo trudno jest wprowadzić więcej niż jednego gościa.

Nie wydaje mi się, żeby o to chodziło.

– Nie ma sprawy – mówię. – I tak jestem już umówiona.

– Naprawdę? – dziwi się Ann.

– Tak, mam odwiedzić pannę Moore – kłamię. Szeroko otwierają buzie, gdy opowiadam o naszym spotkaniu. Bardzo mnie cieszy ich zdumienie. – Pomyślałam, że spytam ją o Zakon. Więc same widzicie, że...

– Nie możesz pójść bez nas – oświadcza Felicity.

– Ale wy wybieracie się beze mnie do klubu twojej mamy – ripostuję. Felicity nic nie może na to odpowiedzieć. – No więc jedziemy na zakupy na Regent Street?

– Nie – decyduje Felicity. – Idziemy z tobą do panny Moore.

Ann wydyma usta.

– Myślałam, że kupimy mi nowe rękawiczki. W końcu do Bożego Narodzenia zostało już tylko dziewięć dni. Poza tym panna Moore z pewnością nienawidzi nas za to, co się stało.

– Wcale nie – prostuję. – Wybaczyła nam wszystkim. I przygnębiła ją wiadomość o Pippie.

– To przesądza sprawę – mówi Felicity, wsuwając drugą rękę pod moje ramię. – Złożymy wizytę pannie Moore. A potem Gemma pójdzie z nami na podwieczorek.

Ann stawia opór.

– A co z Franny? Wiesz, że donosi o każdym uchybieniu.

– Franny nie sprawi nam żadnych kłopotów – zapewnia Felicity.

Słońce stoi wysoko, dzień jest jasny i rześki, kiedy przybywamy do skromnego domu panny Moore przy Baker Street. Franny, dama do towarzystwa pani Worthington, ma szeroko otwarte oczy i uszy, gotowa wyłapać najdrobniejszą niedyskrecję z naszej strony, tak by posłusznie o niej donieść mamie Felicity lub mojej babci. Dziewczyna nie jest wiele starsza od nas. To chyba mało zabawne chodzić wszędzie za nami i bezustannie przyglądać się innemu życiu, dla niej zupełnie nieosiągalnemu. Choć zapewne jest rozgoryczona z powodu swojego losu, to nie śmie żalić się na głos. Niemniej jednak pretensja jest obecna w mocno zaciśniętej linii ust, w tym, jak zmusza się, by na nas nie patrzeć, choć wszystko widzi.

– Miałam towarzyszyć paniom podczas zakupów, panienko – mówi.

– Nastąpiła zmiana planów, Franny – chłodno wyjaśnia Felicity. – Matka prosiła, żebym zajrzała do przyjaciółki, która zachorowała. Należy okazywać dobre serce, nie sądzisz?

– Nie wspominała mi o tym, panienko.

– Wiesz, jak często zapomina o różnych sprawach. Jest taka zajęta.

Woźnica pomaga nam wysiąść z powozu. Franny chce ruszyć za nami, ale Felicity powstrzymuje ją z zimnym uśmiechem.

– Możesz poczekać w powozie, Franny.

Starannie wyszkolona, spokojna twarz pokojówki na moment nieoczekiwanie ożywia się złością – oczy zmrużone, usta na pół otwarte – zanim znów przybiera wyraz pełnej niechęci rezygnacji.

– Pani Worthington prosiła, żebym wszędzie panienkom towarzyszyła.

– I tak też robisz. Ale spotkanie wyznaczono dla trzech osób, a nie dla trzech osób i służącej.

Nienawidzę, kiedy Felicity tak się zachowuje.

– Na dworze panuje chłód – mówię w nadziei, że zrozumie sugestię.

– Pewna jestem, że Franny zna swoje miejsce. – Felicity posyła jej uśmiech, który mógłby ujść za niezwykle uprzejmy, gdybym nie wyczuwała pod nim okrucieństwa.

– Tak, panienko. – Franny chowa głowę pod dach powozu i sadowi się w najdalszym kącie, żeby poczekać godzinę.

– Teraz możemy spędzić miłe popołudnie z dala od szpiega mojej matki – stwierdza Felicity. Nie chodzi zatem o bezwzględność wobec Franny, lecz o zemstę na matce z jakiegoś nieznanego mi powodu.

Ann stoi niepewnie, wpatrzona w powóz.

– Idziesz? – pyta Felicity.

Ann wraca, zdejmuje płaszcz i podaje go wdzięcznej pokojówce. Bez słowa mija mnie oraz zaskoczoną Felicity i dzwoni do drzwi, żeby zapowiedzieć naszą wizytę.

– I taka wdzięczność mnie spotyka – narzeka Felicity, gdy podążamy za przyjaciółką. – Zabieram ją do swojego domu, zamieniam w rosyjską arystokratkę, a ona w pełni wczuwa się w rolę.

Drzwi się otwierają. Staje przed nami ponura, zezowata stara kobieta z rękami wspartymi na obfitych biodrach.

– Oj! Kto tam? Czego chcą? Cały dzień mam tak sterczeć i się gapić? Mam dom do oporządzenia.

– Jak się pani ma? – zaczynam, ale niecierpliwe babsko przerywa mi. Zezuje ciężko w moim kierunku. Ciekawe, czy w ogóle cokolwiek widzi.

– Jeżeli zbieracie na biednych, to możecie się zmywać.

Felicity wyciąga rękę.

– Nazywam się Felicity Worthington. Przyszłyśmy z wizytą do panny Moore. Jesteśmy jej uczennicami.

– Uczennicami, powiadasz? Nic mi nie gadała, że będzie brała uczennice – gdera.

– Nie wspominałam o tym, pani Porter? Jestem pewna, że uprzedzałam panią wczoraj. – To panna Moore schodzi po schodach z odsieczą.

– Dziwna historia, panienko. Jak to tak dalej pójdzie, to podniosę czynsz za mieszkanie. Ładniutkie mieszkanko. Kupa ludzi chce je nająć.

– Tak, oczywiście – zgadza się panna Moore.

Pani Porter odwraca się do nas, wypinając biust.

– Ja tam lubię wiedzieć, co się dzieje w mojej chałupie. W dzisiejszych czasach samotna kobitka musi być bardzo ostrożna. Prowadzę szacowne gospodarstwo. Pytajcie, kogo chcecie, a wam powie, że pani Porter to szacowna kobitka.

Zaczynam mieć obawy, że cały dzień będziemy tutaj stały na chłodzie. Ale panna Moore, puszczając oko, wprowadza nas do środka.

– Bardzo słusznie, pani Porter. W przyszłości będę panią informowała na bieżąco. Jak miło znowu was wszystkie widzieć. Co za urocza niespodzianka.

– Dzień dobry pani. – Felicity wymienia szybki uścisk dłoni z naszą byłą nauczycielką, a zaraz po niej Ann. Obie mają na tyle przyzwoitości, że wyglądają na zawstydzone tym, jak podle ją kiedyś potraktowały. Ze swej strony panna Moore nie przestaje się uśmiechać.

– Pani Porter, pozwoli pani, że przedstawię: panna Ann Bradshaw, panna Gemma Doyle, panna Felicity Worthington. Panna Worthington, oczywiście, jest córką sir George'a Phineasa Worthingtona, admirała.

Pani Porter głośno wciąga powietrze i prostuje się.

– No naprawdę, poważnie? A niech to dunder świśnie! Córcia admirała w mojej chałupie? – Krótkowzroczna pani Porter bierze mnie za Felicity i chwyta moje dłonie w swoje, po czym potrząsa nimi, jakby od tego zależało jej życie. – Och, panienko, co za zaszczyt, no niech mnie! Świętej pamięci pan Porter też był wilkiem morskim. To on tam, na obrazie.

Wskazuje na fatalny portret teriera ubranego w elżbietańską krezę. Pies zbolałym wyrazem pyska zdaje się błagać mnie, bym odwróciła wzrok i pozwoliła mu znosić upokorzenie w samotności.

– Trza to uczcić kieliszeczkiem porto! Co panienka na to? – ekscytuje się gospodyni.

– Może innym razem. Musimy się brać do lekcji, bo inaczej admirał bardzo się na mnie rozgniewa – odpowiada panna Moore gładkim kłamstwem.

– A zatem buzia na kłódkę. – Pani Porter uśmiecha się konspiracyjnie, ukazując wielkie zęby, obłupane i pożółkłe jak klawisze starego fortepianu. – Porterowa potrafi dochować tajemnicy. Chyba nie wątpicie?

– Gdzieżbyśmy śmiały, pani Porter! Dziękuję za fatygę.

Panna Moore prowadzi nas schodami na trzecie piętro do swojego skromnego mieszkania. Obita aksamitem kanapa, kwieciste dywany i ciężkie draperie muszą odzwierciedlać upodobania dekoratorskie pani Porter. Ale przepełnione biblioteczki i biurko zarzucone rysunkami to już zasługa panny Moore. W jednym kącie stoi stary globus na drewnianym stelażu. Obrazy, głównie pejzaże, pokrywają całą ścianę. Na kolejnej wisi kolekcja egzotycznych masek, przerażających swym prymitywnym pięknem.

– O mój Boże! – wzdycha Ann, zerkając na nie.

– Pochodzą ze Wschodu – wyjaśnia panna Moore. – Podobają się pani moje maski, panno Bradshaw?

Ann wzdraga się.

– Wyglądają, jakby chciały nas pożreć.

Nauczycielka pochyla się bliżej.

– Dzisiaj raczej nie, zostały już nakarmione. – Trwa chwilę, zanim Ann uświadamia sobie, że panna Moore żartuje. Zapada niezręczna cisza i zaczynam się obawiać, że popełniłam potworny błąd, przyprowadzając przyjaciółki. Powinnam była przyjść sama.

– To wygląda jak Aberdeen – odzywa się w końcu Felicity, przyglądając się wzgórzom i fioletoworóżowym wrzosom na obrazie.

– Zgadza się. Była pani w Szkocji, panno Worthington? – pyta panna Moore.

– Raz na wakacjach. Tuż przed wyjazdem mamy do Francji.

– Piękny kraj – stwierdza nasza gospodyni.

– Czy pani rodzice mieszkają w Szkocji? – nieśmiało pyta Fee.

– Nie. Oboje nie żyją już od dawna. Nie mam żadnej rodziny poza dalekimi kuzynami w Szkocji, którzy są tak przeraźliwie nudni, że można pożałować, iż nie jest się zupełnie osieroconym.

Śmiejemy się z tej uwagi. Jak miło, że nie trzeba cały czas zachowywać się poprawnie.

– Dużo pani podróżowała? – chce wiedzieć Ann.

– Mhm – panna Moore potakuje. – A to moje pamiątki z tych cudownych eskapad. – Wskazuje na liczne obrazy zdobiące ściany:

bezludna plaża, wzburzone morze, sielankowe angielskie pola. – Podróże, podobnie jak kilka innych rzeczy, otwierają umysł. Mają działanie hipnotyczne, a ja nieodmiennie im ulegam.

Rozpoznaję jedno miejsce przedstawione na obrazie.

– Czy to jaskinie niedaleko Spence?

– Owszem – odpowiada panna Moore. Niezręczna cisza powraca, gdyż wszystkie wiemy, że wizyta w jaskiniach była jednym z powodów, dla których nauczycielka została zwolniona z pracy.

Panna Moore przynosi herbatę, placuszki, chleb i osełkę masła.

– Zapraszam na skromny poczęstunek – mówi, stawiając tacę na małym stoliczku. Zegar nerwowo odmierza sekundy, a my skubiemy jedzenie. Felicity chrząka co chwilę. Czeka, aż zadam pytanie o Zakon, jak obiecałam. Ale ja teraz już nie jestem pewna, czy to dobry pomysł.

– Może w pokoju jest za ciepło, panno Worthington? – pyta panna Moore, gdy Felicity chrząka po raz czwarty. Dziewczyna kręci głową, po czym nadeptuje mi na stopę.

– Au!

– Panno Doyle? Dobrze się pani czuje? – niepokoi się nasza gospodyni.

– Tak, dobrze, dziękuję – odpowiadam, odsuwając nogi.

– Powiedzcie mi, proszę, co słychać w Spence? – zadaje pytanie panna Moore, wybawiając mnie z opresji.

– Mamy nową nauczycielkę – wypala Ann.

– O? – zachęca ją panna Moore, smarując masłem grubą kromkę świeżego chleba. Twarz ma nieruchomą jak maska. Czy to boli, że została zastąpiona?

– Tak – kontynuuje Ann. – To niejaka panna McCleethy. Przyjechała do nas z Walii, ze Szkoły dla Panien imienia Świętej Wiktorii.

Nóż wypada pannie Moore z ręki, zostawiając na kciuku sporą grudkę masła.

– Chyba nie zrobię się od tego tak smakowita, żeby można było mnie schrupać. – Mówi, a my śmiejemy się z jej dowcipu. –

Święta Wiktoria? Raczej o niej nie słyszałam. I co, czy panna McCleethy jest dobrą nauczycielką?

– Uczy nas łucznictwa – mówi Felicity.

Panna Moore unosi jedną brew.

– To niezwykłe.

– Felicity radzi sobie całkiem nieźle – chwali przyjaciółkę Ann.

– Nie wątpię – odpowiada panna Moore. – Panno Doyle, a pani co myśli o tej pannie McCleethy?

– Jeszcze nie wiem. – Wymieniamy z Felicity spojrzenia, które nie umykają uwagi panny Moore.

– Czyżbym wyczuwała niezadowolenie?

– Gemma jest przekonana, że ona jest wiedźmą – wyznaje Felicity.

– Naprawdę? Widziała pani jej miotłę, panno Doyle?

– Nigdy nie twierdziłam, że ona jest wiedźmą – protestuję.

Ann wtrąca się, a z podniecenia niemalże brak jej tchu. Uwielbia mroczne intrygi.

– Gemma powiedziała nam, że ona przyjechała do Spence głuchą nocą, akurat gdy rozpętała się potworna burza!

Panna Moore robi wielkie oczy.

– Na Boga! Ulewny deszcz? W grudniu? W Anglii? To z pewnością oznaka czarnej magii. – Wszystkie świetnie się bawią moim kosztem. – Proszę mówić dalej. Chcę usłyszeć ten fragment, w którym panna McCleethy wsadza dzieci do pieca.

Felicity i Ann znów wybuchają radosnym chichotem.

– Ona i pani Nightwing poszły do Wschodniego Skrzydła – wyjawiam. – Podsłuchałam, jak rozmawiały o załatwieniu czegoś w Londynie. Robiły wspólne plany.

Felicity mruży oczy.

– Nie mówiłaś nam o tym!

– To się stało przedwczoraj w nocy. Byłam jedyną uczennicą w szkole. Przyłapały mnie pod drzwiami i były na mnie złe. A potem panna McCleethy przyniosła mi ciepłe mleko z miętą.

– Z miętą? – powtarza panna Moore, marszcząc czoło.

– Powiedziała, że to pomoże mi zasnąć.

– To zioło znane z właściwości uspokajających. Ciekawe, że o tym wie.

– Ma też dziwny pierścionek z dwoma splecionymi wężami.

– Z wężami, mówi pani? Interesujące.

– Wypytywała o mój amulet! – dodaję. – I o mamę.

– I co jej pani powiedziała? – chce wiedzieć panna Moore.

– Nic – odpowiadam.

Nauczycielka popija herbatę.

– Rozumiem.

– Jest dawną przyjaciółką pani Nightwing, choć wygląda kilka lat młodziej – snuje rozważania Felicity.

Ann drży.

– Może wcale nie jest młodsza. Może zawarła pakt z diabłem!

– Chyba na niezbyt dobrych warunkach, skoro nadal uczy w szkole dla dziewcząt w Anglii – sucho zauważa panna Moore.

– A może ona jest Kirke? – mówię w końcu.

Filiżanka panny Moore zatrzymuje się w pół drogi do ust.

– Zgubiłam się.

– Kirke. Sara Rees-Toome? To ta dziewczyna ze Spence, która wywołała pożar i doprowadziła Zakon do upadku, a przynajmniej tyle wyczytałyśmy z pamiętnika Mary Dowd. Pamięta pani? – wyjaśnia Ann z przejęciem.

– Czy pamiętam? Jak mogłabym zapomnieć? Ta książeczka przyczyniła się do mojego zwolnienia.

Znów zapada niezręczna cisza. Gdyby panna Moore nie nakryła nas z pamiętnikiem, nie czytałaby go nam na głos i może nigdy nie zostałaby wyrzucona ze Spence. Ale zrobiła to i przypieczętowała tym swój los w oczach pani Nightwing.

– Bardzo nam przykro, proszę pani – wyznaje Ann, wlepiając wzrok w turecki dywan.

Felicity dodaje:

– To przede wszystkim robota Pippy.

– Naprawdę? – pyta panna Moore. W poczuciu winy popijamy herbatę. – Ostrożnie z oskarżeniami. Działają jak bumerang. W każdym razie stało się. Ale ta Sara Rees-Toome, ta Kirke, jeśli istniała...

– Oczywiście, że istniała! – zapewniam. Nie mam co do tego wątpliwości.

– ...to czy nie zginęła w pożarze w Spence?

– Nie – zaprzecza z przejęciem Felicity. – Chciała tylko, żeby ludzie tak myśleli, a tymczasem nadal jest aktywna. Serce tłucze mi się w piersi niczym młot.

– Proszę pani? Zastanawiałyśmy się, to znaczy miałyśmy nadzieję, że może opowie nam pani coś więcej o Zakonie?

Wzrok ma kamienny.

– Tę drogę już przeszłyśmy, prawda?

– Tak, ale teraz nie mogą z tego wyniknąć żadne kłopoty, skoro została pani już wydalona ze Spence – bezceremonialnie zauważa Felicity.

Panna Moore cicho parska śmiechem.

– Panno Worthington, pani tupet mnie oszałamia.

– Pomyślałyśmy, że może pani wie pewne rzeczy. O Zakonie. Z własnego doświadczenia – mówię z wahaniem.

– Z własnego doświadczenia – powtarza nasza gospodyni.

– Tak – potwierdzam, czując się idiotycznie na sto różnych sposobów, ale teraz już nie uda mi się wycofać, więc równie dobrze mogę kontynuować. – Myślałyśmy, że może pani... kiedyś do niego należała.

Powiedziałam. Filiżanka trzęsie mi się w ręku. Czekam, aż panna Moore zruga nas, wyprosi, przyzna, że wie wszystko, że wie cokolwiek. Ale nie jestem przygotowana na jej śmiech.

– Myślałyście...? Że ja...? O mój Boże! – Po prostu nie może przestać się śmiać.

Ann i Felicity też zaczynają chichotać, jakby uważały to za zabawne od początku. Zdrajczynie.

– Boże drogi – wzdycha panna Moore, ocierając oczy. – Tak, to prawda. Jestem wielką kapłanką Zakonu. Mieszkam tu w tych trzech pokojach i przyjmuję uczennice, żeby opłacić czynsz – to wszystko zręczny podstęp, żeby ukryć moją prawdziwą tożsamość.

Policzki mnie palą.

– Przepraszam. Po prostu myślałyśmy – mówię, mocno akcentując liczbę mnogą – że skoro wie pani tak dużo o Zakonie...

– Ojej, ależ musiałam was rozczarować. – Obrzuca długim spojrzeniem pokój, przenosząc wzrok z nadmorskich pejzaży na jaskinie za Spence i maski na przeciwległej ścianie. Obawiam się, że naprawdę ją zdenerwowałyśmy. – Skąd to zainteresowanie Zakonem? – pyta w końcu.

– Te kobiety miały władzę – wyjaśnia Felicity. – U nas to niemożliwe.

– Kobieta zasiada na tronie – podpowiada panna Moore.

– Na mocy prawa boskiego – kontruje Ann.

Panna Moore uśmiecha się gorzko.

– Tak, to prawda.

– Chyba dlatego pamiętnik tak nas zaintrygował – mówię. – Proszę sobie wyobrazić krainę, ten międzyświat, w której kobiety rządzą, w której dziewczyna może mieć wszystko, czego pragnie.

– To by było rzeczywiście świetne miejsce. – Panna Moore upija łyk herbaty. – Przyznaję, że idea Zakonu i opowieści o nim fascynowały mnie już od dziecięcych lat. Kiedy byłam dziewczyną w waszym wieku, mnie też podobał się pomysł świata pełnego magii.

– Ale... ale co by było, gdyby takie krainy naprawdę istniały? – pytam.

Panna Moore przygląda nam się przez chwilę. Odstawia herbatę na boczny stolik i siada prosto, stukając kciukiem w zegarek kieszonkowy, który ma przypięty do paska w talii.

– Dobrze, zagram w to. Co by było, gdyby międzyświat naprawdę istniał? Jak by wyglądał?

– Byłby piękny ponad wszelkie wyobrażenie – mówi Ann marzycielskim tonem.

Panna Moore wskazuje na swój szkic.

– Ach. Tak jak Paryż?

– Piękniejszy! – woła Ann.

– Skąd możesz wiedzieć? Nigdy nie byłaś w Paryżu – kpi Felicity. Ignorując Ann, sama podejmuje wątek. – Proszę sobie wyobrazić świat, w którym wszystko, czego pani pragnie, może się spełnić. Z drzew pada deszcz kwiatów. A rosa przemienia się w motyle w pani dłoniach.

– Jest tam rzeka, a ten, kto się w niej przegląda, staje się urodziwy – mówi Ann. – Tak urodziwy, że nikt go nie może lekceważyć.

– Brzmi uroczo – łagodnie odpowiada panna Moore. – I wszędzie tak tam jest? Powiedziałaś „krainy" w liczbie mnogiej. Więc jakie są inne krainy?

– Nie wiemy – odpowiadam.

– Nie byłyśmy... nie wyobrażałyśmy sobie pozostałych – dodaje Ann.

Panna Moore podsuwa nam tacę z placuszkami.

– A kto mieszka w tych krainach?

– Duchy i różne stworzenia. Niektóre z nich wcale nie są sympatyczne.

– Chcą przejąć kontrolę nad magią – dodaję.

– Nad magią? – powtarza panna Moore.

– Och, tak. Jest tam magia. Mnóstwo! – wykrzykuje Felicity. – A te stwory gotowe są na wszystko, żeby ją zdobyć.

– Na wszystko?

– Tak, wszystko – podkreśla Ann dramatycznym tonem.

– A czy mają do niej dostęp? – pyta panna Moore.

– Teraz mają. Magia była chroniona we wnętrzu runów – wyjaśnia Ann między kolejnymi kęsami. – Ale runów już nie ma, magia wydostała się na wolność i każdy może z niej korzystać do woli.

Panna Moore wygląda, jakby chciała zadać pytanie, ale Felicity się wtrąca:

– I jest tam Pippa, piękna jak zawsze.

– Musicie okropnie za nią tęsknić – zauważa nasza gospodyni. Cały czas bawi się zegarkiem. – Te opowieści to cudowny sposób na zachowanie jej w pamięci.

– Tak – potwierdzam z nadzieją, że nie widać po mnie poczucia winy.

– A teraz, gdy magia jest na wolności, jak mówicie, jak to jest? Czy przebywacie tam z innymi członkiniami Zakonu i odprawiacie swoje czary-mary?

– Nie, one wszystkie zostały zabite albo się ukrywają – odpowiada Felicity. – I to niedobrze, że magia została wyzwolona.

– Naprawdę? Dlaczego?

– Niektóre duchy mogą jej użyć w niecnych celach. Mogą z niej skorzystać, żeby przedostać się do tego świata albo żeby zaprowadzić Kirke do tamtego – wyjaśnia Felicity. – Dlatego musimy odnaleźć Świątynię.

Panna Moore wygląda na zagubioną.

– Obawiam się, że będę musiała robić notatki, żeby nadążyć. Co to, na Boga, za Świątynia?

– To tajemne źródło magii w międzyświecie – odpowiadam.

– Tajemne źródło? – powtarza panna Moore. – A gdzie znajduje się to miejsce, ta Świątynia?

– Nie wiemy, jeszcze jej nie odnalazłyśmy – odpowiadam. – Ale kiedy to zrobimy, znów uwięzimy magię i utworzymy nowy Zakon.

– A zatem *bon courage*. Fascynująca opowieść – podsumowuje panna Moore. Zegar na kominku wybija czwartą. Nauczycielka sprawdza godzinę na swoim zegarku. – Ach, jak zawsze idealnie punktualny.

– Czy to już czwarta? – pyta Felicity, zrywając się z miejsca. – Za pół godziny powinnyśmy spotkać się z mamą.

– Jaka szkoda – żałuje panna Moore. – Musicie znów mnie odwiedzić. A właściwie, w czwartek odbędzie się świetna wystawa w pewnej prywatnej galerii w Chelsea. Pójdziemy na nią razem?

– Och, tak! – wołamy.

– No to ustalone – podsumowuje nasza gospodyni, wstając. Pomaga nam włożyć płaszcze. Naciągamy rękawiczki i poprawiamy kapelusze.

– Czyli nie może nam pani powiedzieć nic więcej na temat Zakonu? – pytam nieśmiało.

– Czy macie wstręt do czytania, drogie panie? Gdybym chciała się dowiedzieć czegoś więcej o jakimś zagadnieniu, znalazłabym dobrą książkę – odpowiada, sprowadzając nas po schodach na dół, gdzie już czeka pani Porter.

– A wasze śliczniutkie obrazki? – pyta i sprawdza, czy niesiemy papier lub kredę. – Nie ma się co wstydzić. Pokażcie starej Porterowej.

– Obawiam się, że nie mamy nic do pokazania – wyznaje Ann.

Twarz pani Porter chmurzy się.

– Chwilunia! Prowadzę tu szacowny dom, panienko. Gadałaś, że admirał płaci za lekcje. To czym tam się zajmowałyście cały ten czas?

Panna Moore pochyla się nad panią Porter, aż staruszka musi cofnąć się o krok.

– Czarną magią – szepcze zuchwale. – Chodźcie, panienki. Pozapinajcie się. Wiatr jest bezwzględny i nie bierze zakładników.

Wyprowadza nas przed drzwi, podczas gdy pani Porter pokrzykuje z korytarza:

– Nie podoba mnie się to, panienko. Wcale mnie się to nie podoba!

Nauczycielka nie odwraca się i nie przestaje się uśmiechać.

– Do zobaczenia w czwartek – mówi, machając nam na do widzenia.

ROZDZIAŁ SZESNASTY

– Zmarnowałyśmy popołudnie. Panna Moore nie wie nic więcej na temat Zakonu i międzyświata. Zamiast tego mogłyśmy pochodzić po sklepach – narzeka Felicity, gdy podjeżdżamy pod klub jej matki.

– Nie zmuszałam was, żebyście szły ze mną – bronię się.

– Może Pippie się poszczęściło przy szukaniu Świątyni – pogodnie zauważa Ann.

– Minęły już dwa dni – podkreśla Felicity, patrząc na mnie wymownie. – Obiecałyśmy wrócić jak najszybciej.

– A jak możemy zapewnić sobie trochę prywatności? – pytam.

– Zostawcie to mnie – odpowiada Felicity.

Służący w białych rękawiczkach przytrzymuje przed nami otwarte drzwi. Felicity podaje kartę mamy, a patykowaty mężczyzna bacznie ją studiuje.

– Jesteśmy gośćmi lady Worthington, mojej matki – z wyższością wyjaśnia przyjaciółka.

– Pani wybaczy, ale nie leży w zwyczaju klubu Alexandra wpuszczanie więcej niż jednego gościa. Przykro mi, ale zasady to zasady. – Służący robi, co może, żeby wyglądać współczująco, ale w jego uśmiechu dostrzegam cień satysfakcji.

Felicity posyła mężczyźnie w eleganckim uniformie stalowe spojrzenie.

– Czy wie pan, kto to jest? – mówi scenicznym szeptem, który przyciąga uwagę kobiet stojących w pobliżu. Mam się na baczności, gdyż wiem, że Felicity coś knuje. – To panna Ann Bradshaw, niedawno odnaleziona stryjeczna wnuczka księcia Chesterfielda. – Trzepocze rzęsami, jakby służący był idiotą. – Jest potomkinią samej carycy. Z pewnością czytał pan o tym.

– Obawiam się, że nie, proszę pani – odpowiada kamerdyner już z mniejszą pewnością siebie.

Felicity wzdycha.

– Gdy myślę o trudnościach, przez jakie przeszła, żyjąc jako sierota uznana za zmarłą przez tych, którzy najbardziej ją kochali, och, to serce mi krwawi, że znów ktoś tak źle ją traktuje. Och, mój Boże, panno Bradshaw! Bardzo mi przykro z powodu tych nieprzyjemności. Nie wątpię, że mama bardzo się zdenerwuje, gdy o tym usłyszy.

Podchodzi do nas jakaś matrona z towarzystwa.

– Boże drogi, panno Worthington, czy to naprawdę dawno zaginiona stryjeczna wnuczka carycy?

Właściwie nigdy tego nie twierdziłyśmy, ale taka wersja całkiem nam odpowiada.

– Och, tak – odpowiada Felicity niewinnym tonem. – Właściwie panna Bradshaw przyszła tu dzisiaj zaśpiewać dla nas, więc nie jest gościem mojej mamy, lecz raczej klubu.

– Felic... Panno Worthington! – protestuje spanikowana Ann.

– Jest nadmiernie skromna – wyjaśnia Felicity.

Wśród pań z towarzystwa rozlegają się szepty. Zaraz zrobi się z tego wielka scena. Kamerdyner jest chory ze zdenerwowania. Jeśli nas wpuści, to na oczach wszystkich złamie zasady. Natomiast jeżeli jedną z nas odeśle, to ryzykuje, że rozgniewa członkinię klubu i być może zostanie za to zwolniony. Felicity po mistrzowsku rozegrała karty.

Matrona zabiera głos.

– Skoro panna Bradshaw jest gościem Alexandry, nie wydaje mi się, żeby należało jej robić jakieś trudności.

– Jak pani sobie życzy – mówi kamerdyner.

– Chętnie posłucham, jak pani będzie dziś śpiewała – dodaje kobieta.

– Felicity! – szepcze Ann, gdy służący prowadzi nas do pokrytej dębową boazerią jadalni, w której stoją stoły przykryte białymi adamaszkowymi obrusami.

– O co chodzi?

– Nie powinnaś była wspominać o śpiewaniu.

– Potrafisz śpiewać, tak?

– Tak, ale...

– Chcesz brać udział w tej grze czy nie, Ann?

Ann nie mówi już nic więcej. Pomieszczenie pełne jest eleganckich kobiet popijających herbatę i skubiących kanapki z rzeżuchą. Zostajemy posadzone przy stole po drugiej stronie sali.

Nagle twarz Felicity pochmurnieje.

– Przyjechała moja mama.

Lady Worthington lawiruje zręcznie między stolikami. Wszyscy zgromadzeni przyglądają się jej, gdyż jest atrakcyjną kobietą – jasną jak porcelanowa filiżanka i z pozoru równie kruchą. Roztacza aurę delikatności, jak ktoś o kogo troszczono się przez całe życie. Uśmiecha się ciepło, ale nie nazbyt zachęcająco. Mogłabym ćwiczyć tysiąc lat, a i tak nie umiałabym się tak uśmiechnąć. Jej brązowa jedwabna suknia jest kosztowna i skrojona według najnowszej mody. Ze smukłej szyi lady Worthington zwieszają się sznury pereł. Ogromny kapelusz z pawimi piórami na rondzie stanowi tło dla jej twarzy.

– *Bonjour*, kochanie – mówi, całując Felicity w policzki na paryską modłę.

– Mamo, musisz robić takie przedstawienie? – krzywi się Fee.

– Ależ, kochanie! Witam, panno Bradshaw – dodaje lady Worthington. Spogląda na mnie i jej uśmiech nieco przygasa. – My się chyba nie znamy.

– Mamo, pozwól, że ci przedstawię pannę Gemmę Doyle.

– Miło mi panią poznać – odzywam się.

Pani Worthington posyła córce chłodny uśmiech.

– Felicity, kochanie, byłabym wdzięczna, gdybyś mnie informowała, że zapraszasz gości na podwieczorek. Klub Alexandra dość rygorystycznie podchodzi do tej kwestii.

Chcę umrzeć. Chcę wsiąknąć w podłogę i zniknąć. Dlaczego Felicity musi robić takie rzeczy?

U boku lady Worthington niczym cień pojawia się służąca i nalewa herbatę.

Pani Worthington rozkłada serwetkę na kolanach.

– Cóż, nie ma to już żadnego znaczenia. Cieszę się, gdy poznaję przyjaciółki Felicity. To bardzo miło, że panna Bradshaw może spędzić święta z nami, ponieważ jej stryjecznego dziada, księcia, coś zatrzymało w Sankt Petersburgu.

– Tak – potwierdzam, starając się nie udławić tym skandalicznym kłamstwem. – Bardzo fortunnie się składa dla nas wszystkich.

Lady Worthington zadaje kilka uprzejmych pytań, a ja przedstawiam nudną, lecz w miarę wierną autobiografię. Mama Felicity zdaje się wsłuchiwać w każde moje słowo. Sprawia, że czuję się, jakbym była jedyną osobą obecną w jadalni. Łatwo zrozumieć, dlaczego admirał się w niej zakochał. Również gdy sama mówi, jej opowieści okazują się niezwykle zajmujące. Ale jej córka siedzi w posępnym milczeniu i nerwowo bawi się łyżeczką, aż lady Worthington nakrywa jej dłoń swoją.

– Kochanie – mówi. – Musisz?

Felicity wzdycha i rozgląda się po pokoju, jakby w poszukiwaniu ratunku.

Pani Worthington posyła jej oszałamiający uśmiech.

– Kochanie, mam wspaniałe wiadomości. Chciałam sprawić ci niespodziankę, ale nie dam już rady czekać ani chwili dłużej.

– Co to takiego? – interesuje się Felicity.

– Papa wziął wychowanicę. Mała Polly jest córką jego kuzynki Bei. Bea zmarła na suchoty, jak nam powiedziano, choć moim zdaniem powodem było złamane serce. Ojciec dziewczynki zawsze był bezużyteczny, a teraz zrzekł się jej bez wahania. Własnej córki!

Felicity blednie.

– Co masz na myśli? Ona będzie z nami mieszkała? Z tobą i z papą?

– Tak. I oczywiście z panią Smalls, guwernantką. Ojciec jest taki szczęśliwy, że w domu znowu będzie mała księżniczka. Felicity, kochanie, nie dodawaj tyle cukru do herbaty. To niezdrowe dla zębów – z uśmiechem upomina córkę lady Worthington.

Felicity jakby nie słyszała, wrzuca do filiżanki dwie dodatkowe kostki cukru i wypija herbatę. Jej matka udaje, że niczego nie zauważyła.

Kobieta miękka i wypchana niczym kanapa zbliża się kaczym chodem do naszego stolika.

– Dzień dobry, pani Worthington. Czy to prawda, że pani znakomity gość ma dzisiaj dla nas zaśpiewać?

Lady Worthington wygląda na skonfundowaną.

– Och. Cóż, ja nie... to znaczy...

Kobieta paple dalej.

– Właśnie rozmawiałyśmy o tym, jakie to niezwykłe, że wzięła pani pannę Bradshaw pod swoje skrzydła. Jeśli mogłybyśmy zająć pani chwilkę, to proszę się do nas przysiąść i opowiedzieć pani Threadgill oraz mnie, jak doszło do tego, że dawno zaginiona krewna carycy znalazła się tutaj.

– Wybaczcie, proszę – zwraca się do nas pani Worthington, odpływając w stronę drugiego stolika niczym łabędź.

– Dobrze się czujesz, Fee? Wyglądasz blado.

– Nic mi nie jest. Po prostu nie podoba mi się perspektywa, że jakiś mały potwór będzie mi się plątał pod nogami, kiedy będę przyjeżdżała do domu.

Jest zazdrosna. Zazdrosna o kogoś nazywanego „małą Polly". Felicity potrafi być czasami niewiarygodnie małostkowa.

– To tylko dziecko – uspokajam ją.

– Wiem o tym – warczy Felicity. – Nie warto o tym rozmawiać. Mamy ważniejsze sprawy na głowie. Chodźcie za mną.

Prowadzi nas między stolikami, przy których siedzą eleganckie damy w okazałych kapeluszach, popijając herbatkę i plotkując. Unoszą na nas wzrok, ale nie jesteśmy nikim ważnym, więc podejmują rozmowę o tym, kto i co zrobił komu. Potem wchodzimy szerokimi, wyłożonymi dywanem schodami, mijając panie w sztywnych, modnych sukniach, które okazują dyskretne, choć wyraźne zainteresowanie zuchwałymi pannicami, szturmującymi barykady ich eleganckiego klubu.

– Dokąd nas prowadzisz? – pytam.

– Klub ma prywatne gabinety dla członkiń. Z pewnością jeden z nich będzie pusty. – Nagle wykrzykuje: – Och, nie!

– Co się stało? – pyta nerwowo Ann.

Felicity patrzy ponad balustradą na foyer poniżej. Solidnie wyglądająca kobieta w fioletowej sukni i futrzanej etoli zabawia towarzyszki rozmową. Ma dominującą osobowość, rozmówczynie wprost spijają słowa z jej ust.

– Jedna z byłych przyjaciółek mojej mamy, lady Denby.

Lady Denby? Czy to może być matka Simona? Rośnie mi wielka gula w gardle. Mogę tylko mieć nadzieję, że uda mi się wymknąć, zanim mnie zauważy i zdąży sobie wyrobić na mój temat niekorzystną opinię.

– Dlaczego nazywasz ją byłą przyjaciółką? – pyta Ann ze zmartwioną miną.

– Nigdy nie wybaczyła mojej mamie przeprowadzki do Francji. Nie lubi Francuzów, gdyż korzenie rodziny Middletonów sięgają do samego lorda Nelsona – wyjaśnia, wspominając brytyjskiego bohatera marynarki wojennej. – Jeśli lady Denby cię polubi, jesteś ustawiona na całe życie. Ale jeśli odkryje w tobie jakikolwiek mankament, to twój koniec. Zważ, że nadal będzie serdeczna, ale bardzo chłodna. A moja głupia matka jest zbyt zaślepiona, żeby to zauważyć. Ciągle próbuje zaskarbić sobie łaski lady Denby. Ja na pewno nigdy taka nie będę.

Felicity śmiało idzie niespiesznym krokiem wzdłuż balkonu i przygląda się lady Denby. Ja staram się nie podnosić głowy.

– Czy ona jest matką Simona Middletona? – pytam.

– Tak – odpowiada Felicity. – Skąd znasz Simona Middletona?

– Kto to jest Simon Middleton? – chce wiedzieć Ann.

– Spotkałam go wczoraj na dworcu kolejowym. Znają się z Tomem.

Felicity szeroko otwiera oczy.

– Kiedy zamierzałaś nam o tym powiedzieć?

Ann próbuje jeszcze raz:

– Kto to jest Simon Middleton?

– Gemmo, znowu masz przed nami sekrety!

– To nie jest sekret! – protestuję z rumieńcem. – To naprawdę nic takiego. Zaprosił moją rodzinę na kolację. I tyle.

Felicity wygląda, jakby ktoś wyrzucił ją z łodzi na środku Tamizy.

– Zostaliście zaproszeni na kolację? To z pewnością coś.

– W złym tonie jest rozmawiać o ludziach, których nie znam – narzeka Ann.

Felicity postanawia się nad nią zlitować.

– Simon Middleton jest synem wicehrabiego, do tego niezwykle przystojnym. I wygląda na to, że zainteresował się Gemmą, choć ona nie chce nam o tym powiedzieć.

– To naprawdę nic takiego – oponuję. – Po prostu zachował się uprzejmie.

– Middletonowie nigdy nie są po prostu uprzejmi – odpowiada, spoglądając na dół. – Musisz bardzo uważać na jego matkę. Bawi ją ocenianie ludzi.

– Nie uspokoiłaś mnie – odpowiadam.

– Lepiej mieć się na baczności, Gemmo.

Na dole lady Denby powiedziała coś zabawnego, a jej towarzyszki zaśmiały się w ten powściągliwy sposób, którego kobiety uczą się, gdy głęboko chowają swoje dziewczęce ja. Wcale nie wygląda na takiego potwora, jak to przedstawia Felicity.

– Co włożysz? – pyta z rozmarzeniem Ann.

– Rogi i skórę jakiegoś wielkiego zwierzęcia – odpowiadam. Ann zastanawia się nad tym przez chwilę, jakby bezwzględnie mi uwierzyła. Co ja mam z nią zrobić? – Włożę odpowiednią suknię. Coś, co spotka się z aprobatą mojej babki.

– Będziesz musiała opowiedzieć nam wszystko ze szczegółami – żąda Felicity. – Bardzo mnie to interesuje.

– Dobrze znasz pana Middletona? – dociekam.

– Znamy się od niepamiętnych czasów – odpowiada. Gdy tak stoi z luźnymi kosmykami złotych włosów wijącymi się wokół twarzy, wygląda jak z obrazka, a jej dziwna uroda ukazuje się w najbardziej uwodzicielskim wydaniu.

– Rozumiem. A czy interesuje cię jako mężczyzna?

Felicity krzywi się.

– Simon? Jest dla mnie jak brat. Nie potrafię sobie wyobrazić romansu z nim.

Czuję ulgę. To głupie, żebym wiązała jakiekolwiek nadzieje z Simonem tak wcześnie, ale jest czarujący, przystojny i wygląda na to, że mu się spodobałam. Jego zainteresowanie sprawia, iż czuję się piękna. To tylko delikatny płomyk uczucia, ale nie chcę, żeby zgasł.

Jedna z towarzyszek lady Denby unosi wzrok i zauważa, że się im przyglądamy. Lady Denby podąża za jej spojrzeniem.

– Idziemy – szepczę. – Szybko!

– Musisz tak się pchać? – beszta mnie Fee, gdy niemalże zwalam ją z nóg. Dajemy nurka w korytarz. Felicity wciąga nas do pustej sypialni i zamyka drzwi.

Ann nerwowo rozgląda się wokół.

– Myślicie, że możemy tu być?

– Chciałyście prywatności – odpowiada Felicity. – Tutaj ją mamy.

Na krześle leży przerzucona przez oparcie podomka, a w kącie kilka pudeł na kapelusze. Pokój być może jest pusty – w tej chwili – ale z pewnością nie jest niezamieszkany.

– Musimy działać szybko – mówię.

– No właśnie – zgadza się z uśmiechem Felicity.

Ann wygląda, jakby było jej niedobrze.

– Nasza reputacja zostanie zrujnowana. To pewne.

Ale gdy podajemy sobie dłonie, a ja przywołuję drzwi ze światła, cały niepokój znika. Jest tylko zachwyt.

ROZDZIAŁ SIEDEMNASTY

Ledwie wstąpiłyśmy w jasny blask międzyświata, gdy nagle wszystko ciemnieje. Ktoś zasłania mi oczy zimnymi palcami. Wymykam się i szybko obracam. Za mną stoi Pippa. Nadal nosi wianek, który jednak już nieco przywiądł. Dodała do niego różowy narcyz i pokrzywę, żeby wyglądał trochę weselej.

Mój strach wyraźnie ją rozbawił.

– Och, biedna Gemma! Zlękłaś się?

– N-nie. No, może trochę.

Felicity i Ann z krzykiem podbiegają do przyjaciółki i zarzucają jej ramiona na szyję.

– Co się stało? – pyta mnie Ann.

– Przestraszyłam naszą biedną Gemmę. Nie gniewaj się już – mówi Pippa i bierze mnie za rękę. Dodaje szeptem: – Mam niespodziankę. Chodźcie za mną.

Prowadzi nas wśród drzew.

– Zamknijcie oczy! – woła. W końcu zatrzymujemy się. – Otwórzcie.

Stoimy nad rzeką. Na wodzie kołysze się statek. W życiu nie widziałam niczego podobnego. Nawet nie jestem do końca pewna, czy to statek, gdyż przypomina ciało smoka, czerwono-czarne, z wielkimi skrzydłami po bokach. Jest gigantyczny, z rzeźbionym dziobem i rufą. Ma wielki maszt wznoszący się przy dziobie, a na nim żagiel cienki niczym łupina cebuli. Grube liny z wodorostów zwisają z obu burt, podobnie jak błyszczące srebrne sieci, które unoszą się na powierzchni wody. Ale najbardziej niezwykła ze wszystkiego jest potężna głowa przymocowana do dziobu statku: zielona i łuskowata, z wężami długimi jak konary drzewa, wijącymi się wokół przeraźliwej, nieruchomej twarzy.

– Znalazłam ją! – woła podekscytowana Pippa. – Znalazłam gorgonę!

To ma być gorgona?

– Szybko! Zapytajmy ją o Świątynię, zanim odpłynie – proponuje Pippa i podchodzi bliżej do przeraźliwego okrętu. – Ahoj, tam na pokładzie!

Gorgona odwraca twarz w naszą stronę. Węże na jej głowie syczą i wiją się, jakby chciały nas pożreć za zakłócanie spokoju. Zapewne tak właśnie by zrobiły, gdyby nie były przymocowane do głowy. Nadal nie wiem, co o tym sądzić, gdy stwór otwiera duże żółte oczy.

– Czego sssobie życzycie? – pyta złowrogim, syczącym głosem.

– Jesteś gorgoną? – upewnia się Pippa.

– Tak jessst.

– Czy to prawda, że Zakon zobowiązał cię magią, byś jego członkiniom nie robiła krzywdy i mówiła wyłącznie prawdę? – kontynuuje.

Gorgona zamyka oczy na ułamek sekundy.

– Tak jessst.

– Szukamy Świątyni. Znasz to miejsce? – docieka Pippa.

Oczy znów się otwierają.

– Wszyscy je znają. Ale nikt nie wie, jak tam trafić. Nikt prócz członkiń Zakonu, a one nie pojawiają się tu już od wielu lat.

– Czy ktoś wie, gdzie to jest? – nie ustępuje Pippa. Irytuje ją, że gorgona okazuje się taka nieprzydatna.

Gorgona znów patrzy na rzekę.

– Las Świateł. Szczep Filona. Niektórzy twierdzą, że oni byli niegdyś sprzymierzeńcami Zakonu. Może będą wiedzieli, gdzie szukać tej Świątyni.

– I bardzo dobrze – stwierdza Pippa. – Chcemy zatem się udać do Lasu Świateł.

– Może mi rozkazywać tylko członkini Zakonu – oponuje gorgona.

– Ona jest członkinią Zakonu – mówi Pippa, wskazując na mnie.

– Zobaczymy – odpowiada stwór.

– No, Gemmo – ponagla mnie Felicity. – Spróbuj.

Występuję do przodu i głośno chrząkam. Węże kręcą się wokół głowy gorgony niczym wirująca grzywa. Syczą na mnie, ukazując ostre, szpiczaste kły. Gdy patrzę w tę potworną twarz, trudno mi wydobyć z siebie głos.

– Chcemy się udać do Lasu Świateł. Zabierzesz nas tam, gorgono?

W odpowiedzi jedno z wielkich skrzydeł łodzi powoli opada na brzeg, pozwalając nam wejść na pokład. Pippa i Felicity z trudem powstrzymują radość. Wesoło szczerzą zęby, wstępując na trap.

– Musimy tym płynąć? – pyta Ann, wyraźnie się ociągając.

– Nie bój się, kochana Ann, będę przy tobie – mówi Pippa, ciągnąc ją naprzód.

Skrzydło trzeszczy i chwieje się, gdy po nim przechodzimy. Felicity wyciąga rękę i dotyka sieci zwieszającej się z burty łodzi.

– Jest lekka jak pajęczyna – mówi, muskając palcami delikatne włókna. – Czy da się tym złowić jakąś rybę?

– One nie są do łowienia – odpowiada gorgona głosem gęstym jak syrop. – One mają odstraszać.

Woda pod nami wiruje, wysyłając na powierzchnię różowe i fioletowe odblaski.

– Patrzcie, jakie ładne – mówi Ann z dłonią przyłożoną do lustra rzeki. – Czekajcie, słyszycie to?

– Co? – pytam.

– Znowu! Ach, to najpiękniejszy dźwięk, jaki słyszałam w życiu – mówi Ann, zbliżając twarz do wody. – Dochodzi z rzeki. Coś tam jest, tuż pod powierzchnią.

Palce Ann muskają lśniącą wodę i przez sekundę wydaje mi się, że widzę coś przesuwającego się bardzo blisko jej ręki. Bez ostrzeżenia wielkie skrzydło, które się dla nas obniżyło, unosi się, zmuszając nas, byśmy wbiegły na pokład.

– To było dość nagłe – komentuje Ann. – Muzyka ucichła i teraz już nigdy się nie dowiem, skąd dochodziła ta cudowna pieśń – grymasi.

– Pewnych rzeczy lepiej nie wiedzieć – stwierdza gorgona.

Ann wzdryga się.

– Nie podoba mi się to. Nie ma stąd żadnego wyjścia.

Pippa całuje Ann w policzek, jak matka uciszająca lęki dziecka.

– Teraz musimy być dzielnymi dziewczynkami. Powinnyśmy udać się do Lasu Świateł, jeśli mamy znaleźć Świątynię.

Gorgona znów przemawia.

– Ty jesteś moją panią i musisz wydać rozkaz.

Uświadamiam sobie, że to na mnie czeka. Spoglądam na wijącą się rzekę, która płynie nie wiadomo dokąd.

– No dobrze – mówię, biorąc głęboki wdech. – W dół rzeki, jeśli można.

Wielka łódź rusza z cichym pomrukiem. Ogród znika nam z pola widzenia. Wpływamy za zakręt i rzeka robi się szersza. Odległych brzegów strzegą kolosalne kamienne bestie z długimi kłami i wyszukanymi fryzurami. Jak gargulce w Spence są ślepe, lecz przerażające, starożytni strażnicy przyległych terytoriów. Woda jest tu wzburzona. Spienione fale kołyszą łodzią, a mnie przewraca się w żołądku.

– Gemmo, nabrałaś zdecydowanie zielonej barwy – zauważa Pippa.

– Mój ojciec twierdzi, że pomaga, jeśli widzisz, dokąd zmierzasz – podpowiada Felicity.

Dobrze, niech będzie. Spróbuję czegokolwiek. Zostawiam towarzyszki rozbawione i rozgadane i idę na dziób łodzi, gdzie siadam w pobliżu naszego dziwnego nawigatora.

Gorgona wyczuwa moją obecność.

– Dobrze się czujesz, Wasza Wysokość?

Oślizgły, czarny język przyłapuje mnie w chwili słabości.

– Jestem niedysponowana. Za chwilę poczuję się lepiej.

– Trzeba oddychać głęboko. To pomaga.

Kilka razy wciągam powietrze do płuc. Wydaje się, że to rzeczywiście działa i wkrótce rzeka oraz mój żołądek uspokajają się.

– Gorgono – mówię, zdobywając się na odwagę – czy jest tu więcej takich stworzeń jak ty?

– Nie – pada odpowiedź. – Jestem ostatnią przedstawicielką mojego gatunku.

– A co się stało z pozostałymi?

– Zostały zniszczone lub wygnane podczas rebelii.

– Rebelii?

– To było dawno, dawno temu – mówi gorgona znużonym głosem. – Jeszcze przed Runami Wyroczni.

– Było coś przed runami?

– Tak jessst. W owych czasach magia nie była niczym ograniczona i wszyscy mogli z niej korzystać. Ale były to też mroczne czasy. Dochodziło do wielu bitew, gdyż stworzenia walczyły ze sobą o władzę. Wówczas zasłona między waszym światem i naszym była bardzo cienka. Mogliśmy przez nią przechodzić w tę i we w tę.

– Mogliście wchodzić do naszego świata? – dziwię się.

– Och, tak. To bardzo interesujące miejsce.

Przypominają mi się historie, które czytałam, o spotkaniach z wróżkami, duchami, o mitycznych morskich stworach wabiących żeglarzy na śmierć. Nagle przestają to być tylko legendy.

– Co się stało?

– Stał się Zakon – odpowiada gorgona, ale nie mogę rozpoznać, czy w jej głosie brzmi złość, czy ulga.

– To Zakon nie istniał od zawsze?

– W pewnym sensie istniał. Był jednym ze szczepów. Kapłanki. Uzdrowicielki, mistyczki, prorokinie. Przeprawiały dusze do następnego świata. Były mistrzyniami w tworzeniu iluzji. Zawsze miały wielką moc, ale w miarę upływu czasu coraz bardziej rosły w siłę. Krążyły pogłoski, że odnalazły źródło wszelkiej magii w międzyświecie.

– Świątynię?

– Tak jessst – brzmi oślizgła odpowiedź gorgony. – Świątynię. Powiadano, że członkinie Zakonu piły z jej wód i w ten sposób wniknęła w nie magia. Żyła w nich i umacniała się z każdym pokoleniem. Miały więcej mocy niż ktokolwiek inny. Usiłowały naprawiać to, co im się nie podobało. Ograniczyły odwiedziny stworzeń w waszym świecie. Nikt nie mógł tam wejść bez ich zezwolenia.

– Czy wtedy właśnie stworzyły runy?

– Nie – odpowiada gorgona – to była ich zemsta.

– Nie rozumiem.

– Kilka stworów z różnych szczepów sprzymierzyło się. Nie podobało im się, że Zakon miał nad nimi władzę. Nie chciały prosić o pozwolenie. Pewnego dnia przypuściły atak. Gdy kilka młodych nowicjuszek z Zakonu bawiło się w ogrodzie, stworzenia złapały je i uprowadziły do Krainy Zimy, gdzie zabiły wszystkie. I wtedy stworzenia odkryły potworną tajemnicę.

W ustach zupełnie mi wyschło od tej opowieści.

– Co to była za tajemnica?

– Złożenie kogoś w ofierze dawało wielką moc.

Woda, szumiąc, przepływa pod nami i niesie nas do przodu.

– Owładnięte gniewem i żałobą członkinie Zakonu zapieczętowały magię runami. Zamknęły granicę między światami, tak że tylko one mogły przez nią przechodzić. To, co znajdowało się po obu stronach tej granicy, zostało tam uwięzione na zawsze.

Przychodzą mi na myśl marmurowe kolumny w Spence i stworzenia zaklęte w kamień.

– Tak było przez wiele lat. Dopóki jedna z was nie zdradziła Zakonu.

– Kirke – mówię.

– Tak jessst. Złożyła ofiarę i znów dała moc mrocznym istotom z Krainy Zimy. Im więcej duchów przeprowadzały na swoją stronę, tym potężniejsze się stawały i tym słabsza robiła się pieczęć runów.

– To dlatego dałam radę ją zniszczyć? – pytam.

– Może. – Odpowiedź gorgony brzmi jak westchnienie. – Może, Wasza Wysokość.

– Dlaczego nazywasz mnie Waszą Wysokością?

– Bo nią jesteś.

Moje przyjaciółki opierają się o burtę. Na zmianę chwytają szoty, całym ciałem opierając się sile wiatru napędzającej żagiel. Wesoły śmiech Pippy unosi się nad szumem wody. Mam pytanie, które chcę zadać, ale boję się wypowiedzieć je na głos; boję się odpowiedzi.

– Gorgono – zaczynam. – Czy to prawda, że duchy osób z naszego świata muszą przejść na drugą stronę?

– Tak zawsze było.

– A czy są duchy, które zostają tu na zawsze?

– Nie znam ani jednego, który by nie został zdeprawowany i nie przeniósł się do Krainy Zimy.

Wiatr chwyta wianek Pippy. Dziewczyna pędzi za nim ze śmiechem, aż w końcu łapie go mocno w dłonie.

– Ale teraz wszystko jest inaczej, prawda?

– Tak jessst – syczy gorgona. – Inaczej.

– Więc może jest sposób, żeby to zmienić?

– Może.

– Gemmo! – woła Pippa. – Jak się czujesz?

– O wiele lepiej! – odkrzykuję.

– A więc wracaj!

Porzucam swoje miejsce na dziobie i dołączam do pozostałych.

– Czyż ta rzeka nie jest piękna? – pyta Pippa, uśmiechając się szeroko. Rzeczywiście, woda ma tu cudowny turkusowy odcień. – Och, tak bardzo za wami tęskniłam. Wy też okrutnie za mną tęskniłyście?

Felicity podbiega do przyjaciółki i gwałtownie ją przytula.

– Myślałam, że już was nigdy nie zobaczę.

– Widziałaś nas dwa dni temu – przypominam jej.

– Ale z trudem znoszę rozstania. Już prawie Boże Narodzenie – dodaje z zadumą. – Byłyście na jakichś tańcach?

– Nie – odpowiada Ann. – Ale rodzice Felicity wydają świąteczny bal.

– Przypuszczam, że będzie wspaniały – odzywa się Pippa z żalem w głosie.

– Po raz pierwszy będę miała na sobie długą suknię – wyznaje Ann, po czym zaczyna ze szczegółami opisywać swój strój. Pippa wypytuje nas o bal. Jest tak, jakbyśmy wróciły do Spence i siedziały w namiocie Felicity w salonie, plotkując i robiąc plany.

Pippa z uśmiechem okręca Fee wokół, gdy statek powoli płynie w dół rzeki.

– Jesteśmy razem. I nigdy się nie rozstaniemy.

– Ale my musimy wrócić – mówię.

Ból w oczach Pippy rani mnie.

– Lecz kiedy znów stworzycie Zakon, przyjdziecie po mnie. Prawda?

– Oczywiście, że tak – zapewnia ją Felicity. Znów we wszystkim ulega Pippie, szczęśliwa, że jest blisko niej.

Pippa obejmuje Fee i kładzie jej głowę na ramieniu.

– Jesteście moimi najdroższymi przyjaciółkami. Nic nigdy tego nie zmieni.

Ann dołącza do nich. W końcu ja też obejmuję Pippę. Otaczamy ją jak płatki kwiatu, a ja staram się nie myśleć o tym, co się stanie, gdy w końcu znajdziemy Świątynię.

Za ostrym zakrętem rzeka otwiera się, ukazując majestatyczny brzeg i jaskinie w klifie wysoko nad nami. W skale wyrzeźbiono boginie. Stoją wysokie na jakieś piętnaście metrów, z wyszukanymi nakryciami głowy w kształcie stożka. Na ich szyjach wiszą klejnoty; prócz tego są zmysłowo nagie, z kusicielsko wygiętymi biodrami, ramionami założonymi za głową, ustami rozchylonymi w uśmiechu. Przyzwoitość podpowiada mi, że powinnam odwrócić wzrok, ale nie mogę się powstrzymać i zerkam na nie ukradkiem.

– O mój Boże – jęczy Ann, spojrzawszy w górę i natychmiast spuściwszy oczy.

– Co to jest? – pyta Felicity.

Gorgona otwiera usta.

– Groty Westchnień. Teraz to tylko opustoszałe ruiny zamieszkane jedynie przez Hajinów, pariasów.

– Pariasów? – pytam.

– Tak jessst. O, tam widzę jednego. – Głowa gorgony wskazuje w prawo. Ktoś przemyka wśród krzewów przy brzegu. – Plugawy szkodnik.

– Dlaczego nazywa się ich pariasami? – pyta Ann.

– Zawsze tak było. Zakon zesłał ich do Grot Westchnień. Nikt tam teraz nie chodzi. To zakazane.

– To niesprawiedliwe – mówi Ann, podnosząc głos. – To bardzo niesprawiedliwe. – Biedna Ann. Już ona wie, co to znaczy być pariasem.

– A do czego służyły te jaskinie wcześniej? – chcę wiedzieć.

– Tutaj członkinie Zakonu przyprowadzały swoich kochanków.

– Kochanków? – pyta Felicity.

– Tak. – Gorgona milczy chwilę, a potem dodaje. – Rakshanów.

Nie wiem, co na to powiedzieć.

– Rakshana i członkinie Zakonu byli kochankami?

Głos gorgony zdaje się płynąć z daleka:

– Niegdyś.

Nagle Felicity krzyczy:

– Patrzcie na to!

Wskazuje na horyzont, gdzie ciężka mgła opada z nieba jak złote wióry, przesłaniając to, co przed nami. Ryczy przy tym jak wodospad.

– Mamy przez to przepłynąć? – pyta zmartwiona Ann.

Pippa przyciąga ją bliżej.

– Nie trap się tak. Na pewno wszystko będzie dobrze, inaczej gorgona nie zabierałaby nas tam. Prawda, Gemmo?

– Tak, oczywiście – odpowiadam, maskując przerażenie, gdyż, prawdę mówiąc, nie mam pojęcia, jak to się skończy. – Gorgono, musisz nas chronić, prawda?

Lecz moje pytanie tonie w bezlitosnym huku złotego wodospadu. Kulimy się wszystkie na pokładzie statku. Ann mocno zamyka oczy. Po chwili ja też idę w jej ślady, żeby nie wiedzieć, co się za moment wydarzy. Ryk wypełnia nasze uszy, przepływamy przez wilgotną zasłonę, po czym wynurzamy się po drugiej stronie, gdzie rzeka przypomina ocean, a w zasięgu wzroku poza zieloną wyspą w oddali nie ma żadnego lądu.

– Żyjemy – stwierdza Ann, czując naraz zdumienie i ulgę.

– Ann – mówi do niej Pippa – zobacz, teraz jesteś złotą dziewczyną!

To prawda. Złote płatki pokrywają naszą skórę. Felicity obraca dłońmi i śmieje się radośnie, gdy lśnią.

– Nic nam nie jest, co? Nikomu nic się nie stało!

Pippa chichocze.

– Mówiłam ci, że nie ma czego się bać.

– Magia jest silna – odzywa się gorgona. Nie jestem pewna, czy to stwierdzenie faktu, czy ostrzeżenie.

– Gemmo – zwraca się do mnie Pippa – dlaczego musimy uwięzić magię?

– To chyba proste. Ponieważ swobodnie krąży po międzyświecie.

– A jeśli to wcale nie jest takie straszne? Dlaczego moc nie miałaby być dla wszystkich?

Nie podoba mi się kierunek jej rozumowania.

– Bo każdy mógłby jej użyć, żeby dostać się do naszego świata i siać spustoszenie. Zapanowałby zupełny chaos i anarchia.

– Nie mamy pewności, że mieszkańcy międzyświata korzystaliby z niej w niemądry sposób.

Nie słyszała opowieści gorgony, bo miałaby inne zdanie.

– Nie możemy? A pamiętasz tego stwora, który uwięził moją matkę?

– Ale on był związany z Kirke. Może nie wszystkie są takie jak on – sugeruje Pippa.

– A jak mam podjąć decyzję, kto powinien zyskać dostęp do magii, komu można zaufać?

Przyjaciółki nie potrafią mi odpowiedzieć.

Kręcę głową.

– To wykluczone. Im dłużej magia pozostaje na wolności, tym większe ryzyko, że tutejsze duchy zostaną zdeprawowane. Musimy odnaleźć Świątynię i ponownie poskromić magię. Wtedy zreformujemy Zakon i utrzymamy równowagę w międzyświecie.

Pippa robi nadąsaną minkę. Ogromnie irytuje mnie, że ona wygląda pięknie nawet z takim głupim grymasem.

– Jak sobie chcesz. I tak jesteśmy już prawie na miejscu.

ROZDZIAŁ OSIEMNASTY

Rzeka znów się zwęża. Wpływamy w miejsce, w którym rosną wysokie zielone drzewa o potężnych pniach. Z ich gałęzi zwieszają się setki latarni. Przypomina mi to Diwali, święto lamp w Indii, gdy mama i ja do późna nie kładłyśmy się spać, żeby zobaczyć, jak ulice rozkwitają światłem świec i lampionów.

Okręt wpływa na miękki, wilgotny piasek u brzegu wyspy.

– Las Świateł – mówi gorgona. – Strzeżcie się. Przedstawcie swoją sprawę tylko i wyłącznie Filonowi.

Skrzydlaty trap opada i wychodzimy na delikatny dywan trawy i piasku, który kończy się pod gęstymi krzewami obsypanymi pełnymi białymi kwiatami lotosu. Drzewa są tak wysokie, że znikają w suficie ciemnej zieleni. Gdy unoszę na nie wzrok, kręci mi się w głowie. Światła chwieją się i poruszają. Jedno śmiga przed moją twarzą, aż wyrywa mi się cichy okrzyk zdumienia.

– Co to? – pyta Ann z szeroko otwartymi oczyma.

– Coś się stało? – dołącza Felicity ze światełkami na włosach. Jej zachwyconą twarz rozjaśnia lśniąca korona.

Światła formują kulę, która unosi się przed nami, wskazując drogę.

– Wygląda na to, że chcą, abyśmy za nimi szły – zauważa zdumiona Pippa.

Maleńkie lśniące chochliki, jeśli tym właśnie są, prowadzą nas do lasu. W powietrzu unosi się mocny zapach ziemi, a mech porasta ogromne drzewa niczym miękkie zielone futro. Oglądam się, ale nie widzę już gorgony. Tak jakby las nas wchłonął. Mam ochotę rzucić się pędem z powrotem, zwłaszcza gdy słyszę, że zbliża się ku nam cichy, rytmiczny stukot kopyt. Kula światła wybucha, a chochliki bezładnie rozpierzchają się po lesie.

– Co to? – piszczy Felicity, tocząc wokół przerażonym wzrokiem.

– Nie wiem – odpowiada Pippa.

Dudnienie zdaje się dochodzić ze wszystkich stron. Cokolwiek to jest, otoczyło nas. Zbliża się i równie nagle zatrzymuje. Spomiędzy drzew jeden po drugim wyłaniają się centaury. Nerwowo przebierają silnymi końskimi nogami, a umięśnione ramiona krzyżują na nagich męskich piersiach. Największy z klanu wychodzi naprzód. Jego podbródek pokrywa rzadki zarost.

– Kim jesteście? Co was tu sprowadza? – chce wiedzieć.

– Przybyłyśmy spotkać się z Filonem – odpowiada Pippa. Okazuje sporo odwagi, gdyż ja najchętniej bym uciekła gdzie pieprz rośnie.

Centaury wymieniają podejrzliwe spojrzenia.

– Przywiozła nas gorgona – dodaję z nadzieją, że to przełamie lody.

Największy podchodzi tak blisko, że jego kopyta znajdują się ledwie kilka centymetrów od moich stóp.

– Gorgona? W co ona z nami gra? Ale proszę bardzo. Zaprowadzę was do Filona, niech przywódca zadecyduje o waszym losie. Wsiadaj, chyba że wolisz iść na piechotę.

Chwyt ma silny, gdy jedną ręką wrzuca mnie na swój szeroki, gładki grzbiet.

– Och – wzdycham z rozpaczą, bo nie widzę żadnych cugli. Prawdę mówiąc, w ogóle nie mam się czego chwycić i jestem zmuszona objąć ramionami jego grubą talię i oprzeć głowę o szerokie plecy.

Nie pytając o zgodę, centaur puszcza się galopem, a ja trzymam się go ze wszystkich sił. Pędzimy między drzewami, których gałęzie śmigają niebezpiecznie blisko. Niektóre z nich zostawiają długie zadrapania na mojej twarzy oraz ramionach. Przypuszczam, że on robi to celowo. Centaury niosące Felicity, Pippę i Ann galopują obok nas. Ann ma zamknięte oczy, a usta wykrzywione w wyrazie przerażenia. Natomiast jeśli chodzi o Felicity i Pippę, to wydaje się, jakby ta dziwna przejażdżka niemal je cieszyła.

W końcu docieramy na polanę, na której stoją kryte strzechą chaty i lepianki. Centaur podaje mi rękę i gwałtownym szarpnięciem ściąga mnie z grzbietu, a ja ciężko klapię zadkiem o ziemię. Centaur wspiera dłonie na biodrach i stoi nade mną z uśmiechem.

– Pomóc ci wstać?

– Nie, dziękuję – zrywam się, żeby otrzepać spódnicę z trawy.

– Jesteś jedną z nich, prawda? – mówi, wskazując na amulet, który wysunął się spod bluzki podczas szaleńczej jazdy. – Plotki mówią prawdę! – woła do przyjaciół. – Członkinie Zakonu wracają do międzyświata. Oto one.

Stado zbliża się i otacza naszą grupkę.

– I co mamy zrobić z tym fantem? – pyta centaur, a w jego słowach pobrzmiewa gniew. Nie chcę już spotkać Filona ani pytać go o Świątynię. Chcę tylko uciec.

– Kreostusie! – rozlega się nowy, dziwny głos.

Centaury rozstępują się i cofają. Chylą głowy w ukłonie. Największy, Kreostus, też skłania głowę, ale zaraz ją podnosi.

– Co to jest? – szepcze Ann, kurczowo się mnie chwytając.

Przed nami stoi najwspanialsza istota, jaką kiedykolwiek widziałam. Nie wiem, czy to kobieta, czy mężczyzna, bo może być zarówno jednym, jak i drugim. Jest smukła, o skórze i włosach w przydymionym kolorze kwiatów bzu, okryta długą, powłóczystą peleryną z żołędzi, krzewów ciernistych i ostu. Oczy ma jaskrawozielone o uniesionych kącikach, jak oczy kota. Jedno ramię kończy się łapą, a drugie szponem.

– Kto przyszedł? – pyta istota głosem przypominającym trójdźwięczny akord: tony są wyraźne, a równocześnie nierozdzielne.

– Wiedźma – mówi bezczelny centaur. – Przeklęta gorgona przywiozła ją na nasz brzeg.

– Hmmm – mruczy istota, wpatrując się we mnie, aż zaczynam się czuć jak nieznośne dziecko, które zaraz dostanie lanie. Ostrym końcem szpona unosi mój amulet, żeby mu się przyjrzeć. – Kapłanka. Od wielu lat nie widzieliśmy tu nikogo takiego. Czy to ty zniszczyłaś runy, zerwałaś pieczęć z magii?

Zabieram naszyjnik i wtykam go pod bluzkę.

– Ja.

– Czego od nas oczekujesz?

– Przepraszam, ale mogę rozmawiać tylko z Filonem. Wiesz, gdzie mogę...

– To ja jestem Filon.

– A – odpowiadam. – Przyszłam prosić cię o pomoc.

Przerywa mi Kreostus.

– Nie pomagaj jej, Filonie. Pamiętasz, co z nami było przez te wszystkie lata?

Filon ucisza go spojrzeniem.

– Dlaczego miałbym ci pomóc, kapłanko?

Nie mam na to gotowej odpowiedzi.

– Ponieważ zerwałam pieczęć z magii. Porządek musi zostać przywrócony.

Centaury wybuchają śmiechem.

– Pozwól zatem, że to my go przywrócimy... i będziemy kontrolować! – woła jeden, a pozostałe mu wtórują.

– Ale tylko Zakon może uwięzić magię i rządzić międzyświatem – protestuje Felicity.

Znów odzywa się Filon.

– Tak było od pokoleń, ale kto mówi, że zawsze musi tak być? Władza jest zmienna. Wędruje jak ziarna piasku.

Pozostali wiwatują jeszcze głośniej. Zebrał się tłum. Prócz centaurów są tu jeszcze świecące chochliki, które urosły do około trzydziestu centymetrów. Wiszą w powietrzu jak przerośnięte robaczki świętojańskie.

– Wolelibyście, żeby Kirke zaprowadziła porządek? – pytam. – Albo mroczne duchy z Krainy Zimy? Jeśli one zaczną rządzić, wyobrażacie sobie, jakie będą wobec was wspaniałomyślne?

Filon zastanawia się nad moimi słowami.

– Kapłanka ma rację. Chodźcie.

Kreostus woła za nami:

– Niczego im nie obiecuj, Filonie. Przede wszystkim winien jesteś lojalność wobec swojego ludu! Pamiętaj!

Filon wprowadza nas do największej chaty i nalewa do pucharu czerwoną ciecz. Nam nic nie proponuje, co budzi we mnie trochę więcej zaufania do tej dziwnej istoty, ponieważ gdybyśmy cokolwiek zjadły lub wypiły, musiałybyśmy tutaj zostać na zawsze, tak jak Pippa. Filon kręci płynem w kielichu, po czym go wypija.

– Zgadzam się, że magię należy opanować. Teraz jest zbyt potężna. Niektórzy nigdy nie byli wystawieni na jej pełne działanie i to mąci im w głowach. Chcą coraz więcej i więcej. Budzą się niepokoje. Obawiam się, że zawrą nierozważne sojusze i skażą nas na niewolnictwo. To stanowi zagrożenie dla naszego sposobu życia.

– Więc pomożecie mi znaleźć Świątynię? – pytam.

– A co nam obiecasz, jeśli ci pomożemy? – Gdy nie odpowiadam, Filon uśmiecha się znacząco. – Tak jak myślałem. Zakon nie jest zainteresowany dzieleniem się władzą w międzyświecie.

– Gorgona mówiła, że byliście kiedyś sprzymierzeńcami Zakonu.

– Tak – potwierdza Filon. – Kiedyś. – Stwór krąży po pokoju z pełną elegancji kocią gracją. – Centaury były ich posłańcami, a ja zbrojmistrzem. Ale po rebelii Zakon zabronił nam dostępu do magii, tak jak innym, choć my zachowaliśmy się lojalnie. Tak nam podziękował.

Nie wiem, co na to powiedzieć.

– Może nie było innego wyjścia.

Istota wpatruje się we mnie tak długo, że w końcu jestem zmuszona odwrócić wzrok.

– Oni nie zamierzają nam pomóc, Gemmo. Zabierajmy się stąd – odzywa się Felicity.

Filon ponownie napełnia kielich.

– Nie potrafię wam powiedzieć, jak odnaleźć Świątynię, ponieważ, prawdę mówiąc, nie wiem, gdzie ona jest. Ale mogę wam coś zaoferować. Chodźcie ze mną.

Znów wychodzimy w mgliste światło dnia. Kreostus zatrzymuje swego wspaniałego przywódcę i mówi do niego coś cicho w języku, którego nie rozumiem. Ale rozumiem złość w jego głosie, czujność w oczach za każdym razem, gdy na nas patrzy. Filon odprawia go krótkim: „Nyim!".

– Nie możesz im ufać, Filonie – wyrzuca z siebie centaur. – Ich obietnice są jak sława – blakną z czasem.

Filon prowadzi nas do niskiej chaty. Jej ściany są zawieszone różnego rodzaju wypolerowaną do połysku bronią. Części nigdy w życiu nie widziałam. Srebrne lassa wiszą na haczykach. Inkrustowane klejnotami czary i lustra w misternie kutych oprawach stoją obok siebie.

– Dopóki magia jest na wolności, używamy jej, by wrócić do starych zwyczajów. Nie wiemy, co się wkrótce wydarzy, i musimy być przygotowani na wszystko. Pozwolę wam zaopatrzyć się na podróż.

– To wszystko jest broń? – dziwię się.

– Przy odpowiednim zaklęciu każdy przedmiot może stać się bronią, kapłanko.

Jest tego mnóstwo. Nie wiem, od czego zacząć.

– Och! – sapie Felicity. Znalazła lekki łuk i kołczan pełen strzał ze srebrnymi grotami.

– Wygląda na to, że wybór został dokonany – zauważa Filon, podając jej broń. Strzały są ładnie wykonane, ale nie wyróżniają się niczym szczególnym poza dziwnymi znakami na srebrnych grotach – są tam niezrozumiałe serie liczb, linii oraz symboli.

– Co to jest? – pyta Felicity.

– To język naszej starszyzny.

– Magiczne strzały? – pyta Ann, zerkając na groty.

Felicity unosi łuk i zamyka jedno oko, celując w wyimaginowaną tarczę.

– To tylko strzały, Ann. Będą działały tak jak inne.

– Może – mówi Filon. – Jeśli będziesz miała odwagę wycelować i strzelić.

Felicity gniewnie marszczy czoło. Kieruje łuk w stronę Filona.

– Felicity! – syczę. – Co ty wyprawiasz?

– Mam mnóstwo odwagi – warczy moja przyjaciółka.

– A odnajdziesz ją w sobie, gdy będzie ci najbardziej potrzebna? – chłodno pyta Filon.

Pippa opuszcza ręką łuk.

– Fee, przestań.

– Mam mnóstwo odwagi – powtarza Felicity.

– Oczywiście, że masz – łagodzi Pippa.

Filon przygląda się im z zaciekawieniem.

– Zobaczymy. – Zwraca się do mnie: – A zatem, kapłanko, tę broń wybieracie?

– Tak – odpowiadam. – Na to wygląda.

– Musimy już iść – odzywa się Felicity. – Dziękuję za strzały.

Filon skłania swoją wspaniałą głowę.

– Proszę bardzo. Ale to nie jest prezent. To przypomnienie o długu, który należy spłacić.

Czuję się, jakbym się zapadała w głęboką dziurę, a im bardziej chcę się wydostać, tym głębiej się pogrążam.

– A co ma być zapłatą?

– Chcemy udziału w magii, jeśli znajdziecie Świątynię jako pierwsze. Nie zamierzamy znowu żyć w cieniu.

– Dobrze. – Składam obietnicę, choć nie wiem, czy będę mogła jej dotrzymać.

❧

Filon odprowadza nas na skraj lasu, gdzie czekają dziwne lśniące świetliki, żeby wskazać nam drogę powrotną na statek.

– Wiele istot będzie próbowało przeszkodzić wam w dotarciu do Świątyni. Musicie o tym wiedzieć. Jak się obronicie? Macie jakichś sprzymierzeńców?

– Mamy gorgonę – odpowiadam.

Filon powoli kiwa głową.

– Gorgona. Ostatnia przedstawicielka swojego gatunku. Za grzechy na wieki uwięziona na statku.

– Co masz na myśli? – pytam.

– To, że o wielu sprawach nie masz pojęcia – odpowiada Filon. – Stąpaj ostrożnie, kapłanko. Tutaj nie ma się gdzie ukryć. Twoje największe marzenia, najskrytsze potrzeby i najgłębsze lęki mogą być wykorzystane przeciwko tobie. Jest wielu takich, którzy chcieliby cię powstrzymać przed wykonaniem zadania.

– Dlaczego mi o tym mówisz? Czy mimo wszystko jesteś lojalny wobec Zakonu?

– To jest wojna – odpowiada Filon, a wiatr zwiewa długie fioletowe włosy na jego wysokie kości policzkowe. – Jestem lojalny wobec zwycięzcy.

Światła układają się w krąg i przemykają nad głową Pippy, która próbuje je żartobliwie pacnąć ręką. Mam jeszcze jedno pytanie, zanim odejdziemy.

– Gorgona jest naszym sprzymierzeńcem, prawda? Jest zobowiązana zawsze mówić nam prawdę?

– Przez co zobowiązana? Na magii nie można już polegać. – Wysoka, smukła istota odwraca się, a peleryna z ostów ciągnie się za nią niczym łańcuch.

Gdy docieramy na brzeg, czeka tam na nas Kreostus, stojąc jak zawsze z ramionami skrzyżowanymi na piersi.

– Znalazłaś to, czego szukałaś, wiedźmo?

Felicity poklepuje wiszący na jej plecach kołczan ze strzałami.

– Więc Filon dał wam upominek. A co dostaniemy w zamian? Dacie nam moc? Czy znów wszystkiego nam odmówicie?

Nie odpowiadam, tylko przechodzę po skrzydlatym trapie i słucham, jak z trzeszczeniem zamyka się za nami. W szeroki, przejrzysty żagiel wpada wiatr. Oddalamy się od maleńkiej wyspy, aż staje się tylko plamką zieleni na horyzoncie. Ale dziki krzyk centaura goni mnie niesiony wiatrem, chwytając mój oddech w swoją pięść.

– Co nam dasz w zamian, wiedźmo? Co nam dasz?

❧

Znów przepływamy przez złocistą kurtynę. Gdy ponownie zbliżamy się do posągów na skale, do Grot Westchnień, zauważam barwny dym – czerwony, niebieski, pomarańczowy, fioletowy – unoszący się wysoko w górze i jestem prawie pewna, że za nim dostrzegam jakąś postać. Ale kiedy wiatr wieje mocniej i dym zmienia kierunek, nie widzę nic prócz kolorowych smug.

Napływa srebrzysta mgła. Tu i ówdzie wyłaniają się fragmenty brzegu, ale trudno cokolwiek zobaczyć dokładnie. Ann podbiega do burty statku.

– Słyszycie to? Znów ta cudowna pieśń!

Po chwili ja też ją słyszę. Pieśń brzmi cicho, lecz pięknie. Wnika w żyły i przepływa przeze mnie, sprawiając, że robi mi się ciepło i lekko.

– Patrzcie! Tam w wodzie! – woła Ann.

Jedna po drugiej wynurzają się trzy łyse głowy. To kobiety, ale takich kobiet nie widziałam nigdy w życiu. Na ich ciałach migoczą lekko lśniące łuski, które mienią się na różowo, brązowo i brzoskwiniowo. Gdy unoszą dłonie ponad wodę, między ich długimi palcami dostrzegam delikatną błonę. Czuję się jak zahipnotyzowana i odkrywam, że nie mogę przestać na nie patrzeć. Od ich pieśni kręci mi się w głowie. Felicity i Ann śmieją się i przechylają przez burtę, chcąc znaleźć się jak najbliżej. Dołączamy do nich wraz z Pippą. Błoniaste dłonie głaszczą wielką łódź, jakby była główką dziecka. Gorgona nie zwalnia. Skłębiona masa węży syczy dziko.

Ann wyciąga dłoń, ale do nich nie sięga.

– Och, tak bardzo chciałabym ich dotknąć – mówi.

– Dlaczego nie możemy? – pyta Pippa. – Gorgono, opuść trap, proszę.

Gorgona nie odpowiada i nie zwalnia.

Te kobiety są takie piękne, a ich pieśń taka przejmująca.

– Gorgono – odzywam się. – Opuść trap.

Węże wiją się, jakby cierpiały straszny ból.

– Czy tego sobie życzysz, Wasza Wysokość?

– Tak, tego sobie życzę.

Wielka łódź zwalnia i skrzydło obniża się, aż zawisa tuż nad wodą. Zbieramy spódnice w dłonie, wchodzimy na trap i kucamy w poszukiwaniu jakichkolwiek śladów ich obecności.

– Gdzie one są? – pyta Ann.

– Nie wiem – odpowiadam.

Felicity na czworakach wpatruje się w rzekę, a końce jej włosów zanurzają się w wodzie.

– Może odeszły.

Wstaję i próbuję przebić wzrokiem mgłę. Coś mokrego i zimnego pieści moją kostkę. Krzyczę i podskakuję, a błoniasta dłoń stworzenia puszcza moją nogę, zostawiając lśniące łuski na pończosze.

– Och, nie! Przestraszyłam ją – martwię się. Syrenie ciało wślizguje się pod trap i znika.

Powierzchnię rzeki pokrywa gęsta, oleista substancja. Po chwili stworzenia znów się pojawiają. Wydają się nami równie zafascynowane jak my nimi. Podpływają krótkimi zrywami, a ich dziwne ręce bezustannie ruszają się w tył i w przód, w tył i w przód.

Ann klęka na trapie.

– Witajcie.

Jedna z istot zbliża się i zaczyna śpiewać.

– Och, jak pięknie – zachwyca się Ann.

Rzeczywiście ich pieśń jest cudowna, chciałabym pójść za nimi do wody i słuchać ich już zawsze. Zebrał się spory tłumek – sześć, potem siedem, aż w końcu dziesięć. Z każdą kolejną przybyłą pieśń rośnie w siłę, staje się coraz potężniejsza. Tonę w jej pięknie.

Jedna z istot chwyta się łodzi. Patrzymy na siebie. Oczy ma wielkie niczym zwierciadła oceanu. Patrzę w nie i widzę siebie, jak spadam szybko w głębinę, w której znika wszelkie światło. Istota wyciąga rękę, żeby pogładzić mnie po policzku. Jej pieśń omywa moją twarz.

– Gemmo! Nie! – Jak przez mgłę słyszę, że Pippa wykrzykuje moje imię, ale ono wplata się w pieśń i staje się melodią zapraszającą mnie do rzeki. *Gemmo… Gemmo… Gemmo…*

Pippa brutalnie szarpie mnie do tyłu i upadamy obie na trap. Pieśń nimfy przeradza się w dziki pisk, który wywołuje gęsią skórkę na moich plecach.

– C-co? – pytam, jakbym się właśnie obudziła ze snu.

– Ten stwór niemalże wciągnął cię do wody! – odpowiada Pippa. Szeroko otwiera oczy. – Ann! – woła.

Ann zwiesiła obie nogi z trapu. Na jej ustach rozkwita absolutnie ekstatyczny uśmiech, podczas gdy jedna z istot głaszcze ją po łydce i śpiewa tak słodko, że serce aż pęka. Felicity wyciąga rękę, a jej palce znajdują się zaledwie kilka centymetrów od błoniastych dłoni dwóch nimf.

– Nie! – krzyczę równocześnie z Pippą.

Ja chwytam Ann, a ona otacza ramionami Felicity. Walczą z nami, ale udaje się nam je odciągnąć.

Stwory wydają kolejny potworny skrzek. Niesione furią chwytają trap, jakby chciały go oderwać od statku albo potrząsnąć nim tak, żebyśmy powpadały do wody.

Ann kuli się w ramionach Pippy, podczas gdy Felicity kopie je po rękach.

– Gorgono! – wołam. – Pomóż nam!

– Omata! – rozlega się głos gorgony, donośny i rozkazujący. – Omata! Zostawcie je albo użyjemy sieci!

Istoty krzyczą i cofają się. Patrzą na nas z rozczarowaniem, a potem znów powoli nikną pod wodą. Na powierzchni zostaje tylko oleisty poblask świadczący o ich niedawnej obecności. Niemal wpycham przyjaciółki na pokład.

– Gorgono, podnieś trap! – krzyczę.

– Jak sobie życzysz – odpowiada, unosząc ciężkie skrzydło. Łysym, lśniącym kobietom to się nie podoba. Znów skrzeczą.

– Co to za stworzenia? – pytam, z trudem łapiąc oddech.

– Wodne nimfy – odpowiada gorgona, jakbym codziennie je spotykała przy podwieczorku. – Fascynuje je wasza skóra.

– Czy są niebezpieczne? – Ann strzepuje kolorowe łuski z pończoch.

– To zależy – odpowiada gorgona.

Felicity wpatruje się w wodę.

– Od czego?

Gorgona mówi dalej:

– Od tego, jak bardzo czarujący ktoś im się wydaje. Jeśli są szczególnie zachwycone, próbują zwabić ofiarę do swojej sadzawki. A kiedy już złapią ją w pułapkę, zabierają jej skórę.

Cała drżę na myśl, jak niewiele brakowało, żebym podążyła za nimi w głębinę.

– Chcę wracać – mamrocze Ann.

Ja też chcę.

– Gorgono, zabierz nas natychmiast do ogrodu – rozkazuję.

– Jak sobie życzysz – odpowiada.

Wodne nimfy unoszą się w wodzie, nad wzburzoną powierzchnię wystawiają lśniące głowy, które wyglądają jak klejnoty z zaginionego skarbca. Dociera do nas urywek ich pięknej pieśni i znów bezwiednie zbliżam się do burty, chcąc zanurkować pod wodę. Z szarpnięciem ruszamy naprzód; gdy się od nich oddalamy, pieśń przemienia się w gniewny krzyk, przypominający dźwięk, jaki wydają wygłodniałe ptaki.

– Przestańcie – mówię cicho. Pragnę, by to się już skończyło. – Dlaczego nie przestają?

– Spodziewały się prezentu, podarunku na drogę – odpowiada gorgona.

– Jakiego podarunku? – pytam.

– Jednej z was.

– To potworne – podsumowuję.

– Tak jessst – syczy gorgona. – Obawiam się, że je unieszczęśliwiłyście. A rozgniewane potrafią być dość wredne. I długo chowają urazę.

Na myśl o tych zimnych, mokrych dłoniach wciągających którąś z nas pod wodę znów dygoczę.

– Jest tu więcej takich nimf? – pyta Pippa, której bladą twarz oświetla pomarańczowe niebo.

– Jesst – odpowiada gorgona. – Ale nie przejmowałabym się nimi zbytnio. Mogą was dopaść tylko w wodzie.

Ładne mi pocieszenie.

Mgła się rozwiewa. Kończyny mi drżą, jakbym bardzo długo biegła. Cała nasza czwórka leży na pokładzie statku i wpatruje się w jasne niebo.

– Jak znajdziemy Świątynię, jeśli te stworzenia używają przeciwko nam własnej magii? – pyta Ann.

– Nie wiem – odpowiadam.

To już nie jest ten przepiękny ogród, w który wprowadziła mnie mama. Teraz stało się zupełnie jasne, że międzyświat poza granicami ogrodu to miejsce, w którym cały czas muszę się mieć na baczności.

– Gorgono – odzywam się, gdy wszystko znów się uspokaja i ogród pojawia się w zasięgu wzroku – czy to prawda, że zostałaś uwięziona na tym statku za karę?

– Tak jessst – pada sycząca odpowiedź.

– Przez czyją magię?

– Zakonu.

– Ale dlaczego?

Wielka łódź trzeszczy i jęczy na wodzie.

– To ja poprowadziłam mój lud przeciwko Zakonowi podczas rebelii.

Węże na jej głowie wiją się i prężą. Jeden okręca się wokół dziobu, wysuwając język zaledwie kilka centymetrów od mojej dłoni. Odsuwam się na bezpieczniejszą odległość.

– Nadal jesteś lojalna wobec Zakonu? – pytam.

– Tak jessst – pada odpowiedź. Ale nie odruchowa, jakby reakcja była wymuszona przez magię. Poprzedza ją chwila wahania. Gorgona musiała p o m y ś l e ć. I uświadamiam sobie, że ostrzeżenie Filona było uzasadnione.

– Gorgono, wiedziałaś, że wodne nimfy znajdują się w pobliżu?

– Tak jessst – odpowiada.

– Dlaczego nas nie ostrzegłaś?

– Nie pytałyście. – I w tym momencie docieramy do ogrodu, a wielka zielona bestia zamyka oczy.

Pippa przytula nas mocno i nie chce puścić.

– Musicie się tak spieszyć z powrotem? Kiedy znów będziecie mogły przyjść?

– Najszybciej, jak się da – zapewnia ją Felicity. – Uważaj tutaj na siebie, Pip.

– Dobrze – odpowiada Pippa. Bierze mnie za ręce. – Gemmo, uratowałam ci dzisiaj życie.

– Tak, to prawda, dziękuję ci.

– To nas chyba wiąże ze sobą? Tak jak obietnica?

– Chyba tak – zgadzam się niepewnie.

Pippa całuje mnie w policzek.

– Wróćcie, jak najszybciej dacie radę!

Drzwi ze światła ożywają i zostawiamy przyjaciółkę machającą nam na pożegnanie, jak ostatni ulotny obraz ze snu tuż przed przebudzeniem.

Po powrocie do klubowej sypialni dokładnie sprawdzamy, czy nic nam się nie stało. Jesteśmy zdrowe, choć nieco wstrząśnięte, i gotowe zasiąść do podwieczorku.

– Czujecie to? – pyta Felicity, gdy powoli schodzimy po schodach.

Kiwam głową. Magia mnie przepełnia. Krew szybciej krąży w żyłach i wszystkie zmysły mam wyostrzone. To zdumiewające, jakby coś rozświetlało mnie od środka. Zza zamkniętych drzwi jadalni dobiegają urywki rozmów, czuję pragnienia i chęci, małostkowe zazdrości i rozczarowania każdego bijącego serca, aż zmuszona jestem odepchnąć je od siebie.

– Ach, a oto i nasza panna Bradshaw – odzywa się zażywna kobieta, gdy wchodzimy do pokoju. – Rozumiemy, że jako dziecko była pani szkolona przez najlepszych mistrzów w Rosji i dzięki temu, dzięki pani wspaniałemu głosowi, rodzina carycy od razu rozpoznała, że jest pani ich dawno zaginioną krewną. Czy zechce nam pani wyświadczyć zaszczyt i zaśpiewać?

Z każdym kolejnym zdaniem równie trudno ujarzmić tę historię jak magię w międzyświecie.

– Tak, po prostu musisz – nalega Felicity, biorąc Ann pod ramię. – Użyj magii – szepcze.

– Felicity! – protestuję szeptem. – Nie powinnyśmy...

– Musimy! Nie możemy tak zostawić Ann.

Ann spogląda na mnie błagalnie.

– Tylko ten jeden raz – prosi Felicity.

– Tylko ten jeden raz – ulegam.

Uśmiechnięta Ann odwraca się do tłumu.

– Z przyjemnością zaśpiewam.

Czeka, aż ucichnie szelest sukien, a kobiety zajmą swoje miejsca. Potem zamyka oczy. Czuję, jak się koncentruje, jak przywołuje magię. Jest tak, jakbyśmy się przez nią połączyły, wspólnie pracując nad stworzeniem iluzji. Ann otwiera usta, żeby zaśpiewać. Natura obdarzyła ją ładnym głosem, ale muzyka, która teraz się z niej wylewa, jest potężna i uwodzicielska. Dopiero po chwili rozpoznaję język. Ann śpiewa po rosyjsku, w języku, którego w ogóle nie zna. To bardzo miły akcent.

Kobiety z Alexandry są oszołomione. Gdy pieśń Ann osiąga crescendo, kilka z nich ociera oczy, tak bardzo się wzruszają. Artystka kończy lekkim, pełnym skromności dygnięciem, a wtedy wybuchają owacje i panie spieszą, żeby wyrazić swój podziw. Ann pławi się w ich zachwycie.

Lady Denby też podchodzi do naszej przyjaciółki i składa jej gratulacje.

– Lady Denby, wygląda pani cudownie – odzywa się pani Worthington. Matka Simona kiwa głową, ale nie odpowiada. Wszyscy zauważają zniewagę. W pokoju zapada nieprzyjemna cisza.

Lady Denby chłodno mierzy Ann wzrokiem.

– Powiada pani, że jest krewną księcia Chesterfield?

– T-tak – jąka się Ann.

– Dziwne. Chyba nigdy go nie poznałam.

Czuję szarpnięcie, jakąś zmianę w powietrzu. Magia. Rozglądam się i zauważam, że Felicity ma zamknięte oczy, a na jej pełnych ustach igra lekki uśmiech. Nagle lady Denby głośno puszcza wiatry. Nie potrafi ukryć szoku i przerażenia, gdy uświadamia sobie, co zrobiła. Znów puszcza bąka, a niektóre panie chrząkają i odwracają wzrok, jakby chciały udawać, że nie zauważyły jej popisu. A lady Denby pośpiesznie porzuca towarzystwo, po drodze do wyjścia mrucząc coś na temat niedyspozycji.

– Felicity, to było okropne z twojej strony! – mówię szeptem.

– Dlaczego? – pyta przyjaciółka tak spokojnie, jak tylko ona potrafi. – Przecież w końcu jest starą prukwą.

Po wyjściu lady Denby wszyscy tłoczą się wokół Ann oraz pani Worthington, gratulując matce Felicity, że gości pod swoim dachem tak wybitną osobę. Sypią się w wielkiej obfitości zaproszenia na podwieczorki, kolacje, wizyty. Zniewaga poszła w niepamięć.

– Już nigdy nie będę bezsilna – oznajmia Felicity, choć nie wiem, co dokładnie ma na myśli, a ona nie zamierza mi tego wyjaśnić.

ROZDZIAŁ DZIEWIĘTNASTY

Gdy wracam do domu, noc koi Londyn niczym balsam, a światło gazowych latarni wygładza ostre kontury, tak że wszystko staje się rozmazane i jednolite. W domu panuje cisza. Babcia poszła grać w karty z przyjaciółmi. Ojciec śpi niespokojnie w fotelu z otwartą książką na kolanach. Mój biedny ojciec, dręczony nawet w snach.

Przepływają przeze mnie resztki magii. Zamykam drzwi i kładę mu dłoń na czole. Tylko ten jeden raz, jak powiedziała Felicity. Nie potrzeba mi więcej. Nie używam mocy, żeby mieć nową suknię na bal. Używam jej, by uleczyć tatę. Czy coś takiego może być złe?

Ale od czego zacząć? Mama mówiła, że muszę się skoncentrować. Muszę być pewna tego, co zamierzam i czego chcę. Zamykam oczy i pozwalam, by moje myśli popłynęły do ojca, by wyleczyły go z choroby.

– Chcę uzdrowić tatę – mówię. – Chcę, żeby już nigdy więcej nie pragnął laudanum.

Czuję mrowienie w dłoniach. Coś się dzieje. Szybko niczym wezbrany strumień magia przelewa się ze mnie w ojca. Pod jej naporem wygina plecy w łuk. Nie otwierając oczu, widzę, jak chmury pędzą po niebie, widzę tatę znów zdrowego i roześmianego. W zabawie porywa mnie do tańca i rozdaje prezenty bożonarodzeniowe służącym, którzy patrzą na niego z wdzięcznością i życzliwością. To tato, jakiego znam. Aż do tej pory nie miałam pojęcia, jak bardzo za nim tęskniłam. Po mojej twarzy płyną łzy.

Ojciec przestaje jęczeć. Chcę zdjąć z niego rękę, ale nie mogę. Pojawia się jeszcze coś, szybko jak sztuczka magika. Widzę twarz mężczyzny z oczami podkreślonymi czernią.

– Dziękuję, maleńka – mruczy cicho tato. Odzyskuję wolność. Świeczki na choince płoną jasno. Trzęsę się cała i pocę po tym ogromnym wysiłku. Tato jest taki spokojny i cichy, iż obawiam się, że go zabiłam.

– Ojcze? – odzywam się łagodnie. Gdy się nie rusza, potrząsam nim. – Ojcze!

Mruga, zaskoczony moją gwałtownością.

– Cześć, kochanie. Troszkę przysnąłem, co?

– Tak – potwierdzam, bacznie mu się przyglądając.

Dotyka czoła palcami.

– Miałem bardzo dziwne sny.

– Jakie, ojcze? O czym śniłeś?

– Ja... nie pamiętam. No, ale już się obudziłem. I umieram z głodu. Przespałem podwieczorek? Będę musiał się zdać na łaskę naszej drogiej kucharki. – Energicznym krokiem przemierza pokój. Po chwili słyszę jego dudniący głos i śmiech kucharki. To takie cudowne dźwięki, że zaczynam płakać.

– Dziękuję – nie zwracam się do nikogo szczególnego. – Dziękuję za pomoc w uleczeniu ojca.

Kiedy wchodzę do kuchni, tato siedzi przy małym stoliku. Zajada ze smakiem kanapkę z pieczoną kaczką, a swoimi opowieściami przeszkadza w pracy kucharce oraz pokojówce.

– I nagle znalazłem się twarzą w twarz z największą kobrą, jaką można sobie wyobrazić. Była gruba jak ramię dorosłego mężczyzny, a stojąc na ogonie osiągała wysokość młodego drzewka.

– Słodki Jezu – wzdycha kucharka, wsłuchując się w każde słowo. – I co też pan zrobił, sir?

– Powiedziałem: „No, moja droga, na pewno nie chcesz mnie zjeść. Jestem bardzo kościsty. Lepiej zajmij się moim towarzyszem, panem Robbinsem".

– Niemożliwe, sir!

– Możliwe. – Ojciec delektuje się reakcją publiczności. Zrywa się z miejsca, żeby odegrać resztę opowieści jak pantomimę. – Natychmiast się na niego rzuciła. Miałem tylko sekundę na reakcję.

Cicho jak mysz wyciągnąłem maczetę i pociąłem kobrę na plasterki akurat w chwili, gdy już miała pożreć Robbinsa.

Pokojówka, dziewczę mniej więcej w moim wieku, z przejęcia głośno wciąga powietrze. Jeśli nie brać pod uwagę brudnej plamy na nosie, jest całkiem ładna.

– Była przepyszna. – Ojciec siada z zadowolonym uśmiechem. Czuję się tak szczęśliwa, że jest w dobrym stanie, że mogłabym słuchać tych opowieści całą noc.

– Och, sir, to pasjonujące. Jakież pan miał przygody! – Kucharka podaje talerz pokojówce. – Masz, zanieś to panu Kartikowi ode mnie.

– Panu Kartikowi? – pytam i mam wrażenie, że zaraz zemdleję.

– Tak – potwierdza ojciec, wycierając sos kawałkiem chleba. – Kartik. To nasz nowy woźnica.

– Ja pójdę, jeśli nie macie nic przeciwko temu – oświadczam, po czym wyjmuję talerz z rąk pokojówki, która wygląda na mocno rozczarowaną. – Powinnam poznać tego pana Kartika.

Zanim ktokolwiek zdąży się sprzeciwić, ruszam w stronę alejki na tyłach, mijając sprzątaczkę umazaną sadzą oraz zmęczoną praczkę, która przyciska ręce do pleców. W pokojach nad stajniami mieszkają całe rodziny. Trudno to sobie doprawdy wyobrazić. Smród jest taki, że muszę zatkać nos dłonią. Nasza powozownia to czwarty budynek po prawej. Chłopak stajenny zajmuje się dwoma końmi ojca. Na mój widok zdejmuje czapkę.

– Bry wieczór, panienko.

– Szukam pana Kartika – odpowiadam.

– Jest tam, za bryczką.

Idę we wskazanym kierunku i proszę, oto on, poleruje szmatą i tak już lśniący powóz. Dostał odpowiedni uniform – spodnie, buty, kamizelkę w prążki, ładną koszulę oraz kapelusz. Loki ujarzmił za pomocą pomady. Wygląda jak prawdziwy dżentelmen. Zapiera mi dech w piersiach.

Chrząkam cicho. Odwraca się i zauważa mnie, a na jego usta wypływa złośliwy uśmiech.

– Miło mi pana poznać – odzywam się oficjalnie na użytek stajennego, który bacznie nas obserwuje.

Kartik podejmuje grę.

– Dobry wieczór, panienko. Willie! – woła do chłopaka.

– Tak, psze pana?

– Bądź grzecznym chłopcem i pomóż Ginger rozprostować nogi, dobrze?

Chłopak wyprowadza kasztankę ze stajni.

– Jak ci się podoba mój nowy strój? – pyta Kartik.

– Nie sądzisz, że przyjęcie posady naszego woźnicy to z twojej strony dość śmiałe posunięcie? – szepczę.

– Powiedziałem ci, że będę blisko.

– Owszem. Jak to załatwiłeś?

– Rakshana mają swoje sposoby. – Rakshana. Oczywiście. Jest cicho. Słyszę, jak Ginger lekko parska po drugiej stronie stajni.

– No cóż – mówię.

– No cóż – powtarza jak echo Kartik.

– A więc to tak.

– Tak. Miło, że przyszłaś się ze mną zobaczyć. Dobrze wyglądasz.

Mogłabym umrzeć od tych uprzejmości.

– Przyniosłam ci kolację – wyjaśniam, podając talerz.

– Dziękuję – odpowiada, a następnie ustawia dla mnie stołek i zdejmuje *Odyseję*, która na nim leży. Sam przysiada na stopniach powozu. – Przypuszczam zatem, że Emily już nie przyjdzie.

– Kto to jest Emily? – pytam.

– Pokojówka. Miała mi przynieść kolację. Sprawia wrażenie bardzo sympatycznej dziewczyny.

Policzki mi płoną.

– I wydałeś opinię o jej charakterze po jednym dniu znajomości?

– Tak – odpowiada, zdejmując skórkę z cennej pomarańczy, bez wątpienia umieszczonej na tacy przez sympatyczną Emily. Ciekawe, czy Kartik kiedykolwiek mógłby pomyśleć o mnie jako o zwykłej dziewczynie, z którą można wiązać nadzieje, tęsknić za nią, uważać za „sympatyczną".

– Masz jakieś wieści o Świątyni? – pyta, nie podnosząc wzroku.

– Dzisiaj odwiedziłyśmy miejsce nazywane Lasem Świateł – opowiadam. – Poznałam stwora o imieniu Filon. Nie wiedział, gdzie szukać Świątyni, ale zaproponował pomoc.

– Jakiego rodzaju?

– Broń.

Kartik mruży oczy.

– Uznał, że będziecie jej potrzebować?

– Tak. Filon dał nam magiczne strzały. Mnie się na nic nie zdadzą, ale Feli... panna Worthington jest uzdolniona w tym kierunku. Ona...

– O co poprosił w zamian? – Kartik patrzy na mnie przenikliwie.

– O udział w magii, gdy odnajdziemy Świątynię.

– Oczywiście odmówiłaś. – Kiedy nie odpowiadam, Kartik z niesmakiem ciska pomarańczę na tacę. – Zawarłaś układ z istotą z międzyświata?

– Nie powiedziałam tego! – złoszczę się. To nie jest prawda, ale też i nie kłamstwo. – Skoro nie załatwiam tego tak, jak sobie życzysz, to czemu sam się tym nie zajmiesz?

– Wiesz, że nam nie wolno wchodzić do międzyświata.

– Chyba więc będziesz musiał zaufać, że robię wszystko, co mogę.

– Ufam ci – odpowiada miękko.

Otaczają nas ciche dźwięki nocy – odgłosy stóp małych stworzonek, które biegają to tu, to tam, w poszukiwaniu ciepła i pożywienia.

– Czy wiedziałeś, że Rakshana i członkinie Zakonu byli kiedyś kochankami? – pytam.

– Nie wiedziałem – odpowiada po kilku sekundach wahania. – To... ciekawe.

– Tak, owszem.

Odrywa białe włókno z pomarańczy i podaje mi obraną cząstkę.

– Dziękuję – mówię, gdy biorę owoc z jego dłoni i kładę go sobie na języku. Jest bardzo słodki.

– Proszę bardzo. – Uśmiecha się do mnie lekko. Przez chwilę siedzimy, delektując się smakiem pomarańczy. – Czy kiedykolwiek...

– Co?

– Zastanawiałem się, czy widziałaś Amara w międzyświecie?

– Nie – zaprzeczam. – Nie widziałam go.

Kartik wygląda, jakby mu ulżyło.

– Więc chyba musiał już przejść na drugą stronę, jak sądzisz?

– Tak, chyba tak.

– Jak jest w międzyświecie?

– Miejscami pięknie. Tak pięknie, że chciałbyś nigdy stamtąd nie odchodzić. W ogrodzie możesz przemieniać kamyki w motyle albo mieć śpiewającą tkaninę ze srebrnych nitek, albo... albo cokolwiek zechcesz.

Kartik uśmiecha się, słysząc to.

– Mów dalej.

– Jest tam łódź, przypominająca statek wikingów, z głową gorgony na dziobie. Przewiozła nas przez złocistą wodę, która zostawiła lśniące iskierki na całej naszej skórze.

– Takie jak złote błyski w twoich włosach?

– O wiele ładniejsze – odpowiadam, rumieniąc się, gdyż to bardzo nie w stylu Kartika zwrócić uwagę na cokolwiek, co dotyczy mnie. – Ale nie wszędzie jest tak przyjemnie. Są tam dziwne stworzenia... różne potworności. Przypuszczam, że muszę uwięzić magię po to, by nie dostała się w ich ręce.

Uśmiech Kartika gaśnie.

– Tak, zapewne dlatego. Panno Doyle?

– Tak?

– Jak sądzisz... To znaczy, co by było, gdybyś miała zostać w międzyświecie, kiedy już znajdziesz Świątynię?

– Co masz na myśli?

Kartik pociera palce w miejscu, w którym zbielały od soku z pomarańczy.

– To wygląda na świetne miejsce, żeby się ukryć.

– Dziwne rzeczy mówisz.

– To znaczy, żeby żyć. Świetne miejsce na życie, nie sądzisz?

Czasami w ogóle nie rozumiem Kartika.

Latarnia rzuca światło na siano i ziemię pod naszymi stopami. Nagle znikąd pojawia się urocza pomoc kuchenna i ma bardzo zdumioną minę.

– Proszę wybaczyć, panienko. Zapomniałam podać panu Kartikowi kawę.

– Właśnie miałam już iść – odpowiadam, zrywając się z miejsca. Zakładam, że to jest wspomniana wcześniej Emily. – Dziękuję za ten, hm, bardzo przydatny, yyy, wykład na temat... na temat...

– Bezpieczeństwa w powozie? – podpowiada Kartik.

– Tak. W takich sprawach ostrożności nigdy dosyć. Dobranoc – dodaję.

– Dobranoc – odpowiada. Emily najwyraźniej nigdzie się nie wybiera. Gdy mijam boksy dla koni, słyszę, że śmieje się nieśmiało i bardzo dziewczęco z czegoś, co powiedział Kartik.

Ginger parska na mnie.

– Nieuprzejmie jest się tak gapić – upominam ją, a potem puszczam się biegiem, by móc się dąsać w samotności swojego pokoju.

❧

Pudełko od Simona leży na stoliczku nocnym. Wyciągam fałszywe dno i patrzę na znienawidzoną brązową buteleczkę.

– Nie będziesz już więcej potrzebna – zwracam się do niej. Pudełko ląduje w kącie mojej szafy, gdzie znika między halkami i obrąbkami sukien. Z okna mam widok na latarnie w zaułku ze stajniami i naszą powozownię. Widzę, jak Emily z lampą w dłoni wraca ze stajni. Światło pada na jej twarz, gdy odwraca się, by posłać uśmiech Kartikowi, a ten do niej macha. Chłopak unosi wzrok, więc chowam się, szybko gasząc lampę. Pokój niknie w cieniu.

Dlaczego miałoby mnie niepokoić to, że Kartik lubi Emily? Czy łączy nas cokolwiek prócz obowiązku? Chyba to właśnie mnie niepokoi. Och, powinnam zapomnieć o całej tej sprawie z Kartikiem. To głupie.

Jutro będzie nowy dzień: siedemnasty grudnia. Zjem kolację z Simonem Middletonem. Zrobię, co w mojej mocy, żeby oczarować jego matkę i nie zachowywać się nieznośnie. Potem zajmę się szukaniem Świątyni, ale przez jeden wieczór, jeden wspaniały, beztroski wieczór, zamierzam nosić piękną suknię i cieszyć się towarzystwem przystojnego młodzieńca.

– Jak się pan miewa, panie Middleton? – zwracam się do powietrza. – Nie – odpowiadam obniżonym głosem. – Jak p a n i się miewa, panno Doyle? Wprost cudownie, panie...

Szarpie mną ból. Nie mogę złapać tchu. Boże! Nie mogę oddychać! Nie, nie, nie, proszę, zostawcie mnie, proszę! To na nic. Wizja porywa mnie jak przypływ, cała się w niej zanurzam. Nie chcę otworzyć oczu. Wiem, że tu są. Czuję je. Słyszę je.

– Chodź z nami... – szepczą.

Otwieram jedno oko, potem drugie. I widzę trzy upiorne dziewczynki. Wydają się takie zagubione, takie smutne z tą bezbarwną cerą i ciemnymi cieniami kładącymi się na policzkach.

– Chcemy ci coś pokazać...

Jedna z nich dotyka mojego ramienia. Sztywnieję i czuję, że wpadam w kolejną wizję. Nie mam pojęcia, gdzie jesteśmy. To coś w rodzaju zamku, jakby wielka zrujnowana forteca z kamienia. Z jednej strony porasta ją ciemnozielony mech. Rozlegają się wesołe głosy i przez wysokie, zwieńczone łukiem okno widzę przebłyski bieli. To bawiące się dziewczęta. Nie jakieś tam dziewczęta, lecz dziewczęta w bieli. Ale jak ślicznie wyglądają, jak świeżo, żywo i wesoło!

– Złap mnie, jeśli potrafisz! – woła jedna, a mnie boli serce, gdyż tak bawiła się za mną mama, kiedy byłam dzieckiem. Pozostałe dwie dziewczynki wyskakują zza muru, strasząc ją. Wybuchają śmiechem.

– Eleanor! – wołają wszystkie trzy. – Gdzie jesteś? Już czas! Będziemy miały moc, obiecała nam.

Biegną ku krawędzi klifu, w dole kipi morze. Przechodzą przez głazy, a ich sylwetki rysują się na tle szarego nieba jak greckie posągi, które ożyły. Śmieją się, takie szczęśliwe, tak bardzo szczęśliwe.

– Chodź, nie ociągaj się! – wołają do czwartej dziewczynki. Nie widzę jej dokładnie. Ale zauważam kobietę w ciemnozielonym płaszczu, która zbliża się szybko, a jej długimi, szerokimi rękawami szarpie wiatr. Kobieta chwyta za rękę dziewczynkę, która została z tyłu.

– Czy już czas? – pytają pozostałe.

– Tak! – odkrzykuje kobieta w zielonym płaszczu. Trzymając mocno dłoń dziewczynki, zamyka oczy i unosi ich połączone ręce ku niebu. Mruczy coś pod nosem. Nie, przyzywa kogoś! Przerażenie podchodzi mi do gardła jak fala mdłości i dławi mnie. To wynurza się z morza, a ona to przywołuje! Dziewczęta krzyczą w panice. Ale kobieta w zieleni nie otwiera oczu. Nie przestaje.

Dlaczego mi to pokazują? Chcę uciec! Muszę uciec od tego czegoś, uciec od ich przerażenia. Wracam do swojego pokoju. Dziewczęta są ze mną. Ich spiczaste buciki szurają po podłodze – szur, szur, szur. Mam wrażenie, że oszaleję od tego dźwięku.

– Dlaczego? – oddycham głęboko, próbując nie zwymiotować. – Dlaczego?

– Ona kłamie... – szepczą. – Nie ufaj jej... nie ufaj jej... nie ufaj jej...

– Kto? – udaje mi się wydyszeć, ale ich już nie ma. Przestaję czuć ten straszny nacisk. Walczę o oddech, cieknie mi z oczu i z nosa. Nie mogę znieść tych okropnych wizji. Nie rozumiem ich. Komu mam nie ufać? I dlaczego mam jej nie ufać?

Ale w tej wizji było coś jeszcze, pewien szczegół, który nie daje mi spokoju. Dotyczy dłoni tej kobiety. Nosiła pierścionek, dość niezwykły. Leżę chwilę na podłodze, żeby dojść do siebie. I nagle uświadamiam sobie, co to było.

Pierścionek na palcu kobiety miał kształt dwóch splecionych ze sobą węży.

Widziałam go już wcześniej – w walizce pod łóżkiem panny McCleethy.

ROZDZIAŁ DWUDZIESTY

– Gemmo, przestań się bawić włosami – karci mnie babcia, która siedzi obok mnie w powozie.

– Och – wzdycham. Byłam tak zatopiona w myślach, że nie zauważyłam, iż nerwowo kręcę na palcu pukiel włosów. Przez cały dzień zastanawiałam się nad wizją z poprzedniego wieczoru i nad tym, co ona znaczy. Kobieta z wężowym pierścionkiem. Panna McCleethy ma wężowy pierścionek. Ale co ją może łączyć z damą w płaszczu lub z tamtymi dziewczętami? Moje wizje nie mają sensu. Kim są te dziewczynki i dlaczego potrzebują pomocy? Co próbują mi pokazać?

Muszę na jakiś czas odepchnąć od siebie te myśli. Wybieram się na przyjęcie, a perspektywa spotkania ze straszliwą lady Denby przeraża mnie bardziej niż jakakolwiek wizja.

Udaje mi się naliczyć jeszcze trzy powozy pod domem Simona. Jego jasno rozświetlone okna i ceglane mury prezentują się wspaniale. Po drugiej stronie alejki Hyde Park wygląda jak ciemna smuga. Otoczone świetlistą mgłą gazowe lampy tworzą wokół nas rozmazane aureole, przez które wyglądamy jaśniej, jak jakieś niebiańskie istoty. Kartik podaje mi rękę i pomaga wysiąść. Przydeptuję sobie przód sukni i wywracam się na niego. Chwyta mnie w talii. Przez sekundę spoczywam w jego objęciach.

– Powoli, panienko – mówi, pomagając mi stanąć o własnych siłach.

– Dziękuję panu.

– Śmiem twierdzić, że stary Potts nigdy by się nie wykazał takim chwytem – ojciec prowokuje Toma. Oglądam się i widzę, że Kartik patrzy na mnie ubraną w błękitną suknię i aksamitny płaszcz, jakbym była kimś zupełnie innym, obcą mu osobą.

Tato bierze mnie pod ramię i prowadzi do drzwi. Gładko ogolony, w białym krawacie i rękawiczkach, przypomina wreszcie tego ojca, którego pamiętam.

– Wyglądasz bardzo przystojnie, papo – mówię.

Do jego oczu powrócił blask.

– To tylko dym i lustra – żartuje, mrugając do mnie. – Dym i lustra.

Tego się właśnie obawiam. Jak długo magia będzie działała? Nie, nie będę się teraz o to martwiła. Zadziałała i on znów jest moim kochanym ojcem, a za chwilę zjem kolację z przystojnym, młodym mężczyzną, który z jakiegoś powodu uważa mnie za interesującą osobę.

Wita nas kolumna pokojówek i lokajów w uniformach tak perfekcyjnie wyprasowanych, że ich kantami można by ciąć do krwi. Babcia z ekscytacji prawie wychodzi z siebie. Gdyby miała się jeszcze bardziej wyprężyć, chybaby sobie złamała kręgosłup. Zostajemy wprowadzeni do przestronnej bawialni. Simon stoi przy kominku, pogrążony w rozmowie z dwoma dżentelmenami. Posyła mi wilczy uśmiech. Natychmiast odwracam wzrok, jakbym właśnie dostrzegła wytapetowane ściany i zainteresowała się nimi ponad miarę, choć moje serce wybija nowy rytm: *Podobam mu się, podobam mu się, podobam mu się.* Mam niewiele czasu na omdlewanie z radości. Lady Denby robi obchód pokoju, witając gości, a jej sztywne spódnice szeleszczą przy każdym kroku. Ciepło wita jakiegoś dżentelmena, lecz wobec jego żony zachowuje się dość chłodno.

Jeśli lady Denby cię polubi, jesteś ustawiona na całe życie. Ale jeśli odkryje w tobie jakikolwiek mankament, to twój koniec.

Język przykleja mi się do podniebienia. Nie mogę przełknąć śliny. Gospodyni, zbliżając się, ogląda mnie od stóp do głów. Simon natychmiast znajduje się u jej boku.

– Mamo, pozwól, że przedstawię pana Johna Doyle'a, jego matkę, panią Williamową Doyle, pana Thomasa Doyle'a oraz pannę Gemmę Doyle. Thomas jest moim kompanem z czasów w Eton. Obecnie pracuje jako lekarz u doktora Smitha w szpitalu Bethlem – dodaje.

Lady Denby wydaje się z miejsca oczarowana moim bratem.

– Coś takiego! Doktor Smith to nasz stary przyjaciel. Proszę mi powiedzieć, czy to prawda, że macie pacjenta, który był kiedyś członkiem Parlamentu? – pyta w nadziei na pikantną plotkę.

– Droga pani, gdybyśmy zamknęli wszystkich szaleńców z Parlamentu, nie zostałby nikt, kto mógłby urzędować – żartuje tato, zapominając, że ojciec Simona zasiada w Izbie Lordów. Mogłabym umrzeć.

Ku mojemu zaskoczeniu lady Denby śmieje się z dowcipu.

– Och, proszę pana! Ależ z pana żartowniś. – Wypuszczam oddech z cichym sykiem, którego mam nadzieję, nikt nie słyszy.

Kamerdyner ogłasza, że podano kolację. Lady Denby komenderuje swoimi gośćmi jak doświadczony generał wysyłający oddziały do boju. Robię, co w mojej mocy, żeby nie zapomnieć o niczym, czego pani Nightwing nauczyła mnie o manierach. Jestem śmiertelnie przerażona, że popełnię jakieś okrutne *faux pas* i narażę rodzinę na wieczny wstyd.

– Pójdziemy? – Simon oferuje mi ramię, a ja wsuwam pod nie rękę. Nigdy nie szłam pod ramię z nikim spoza mojej rodziny. Zachowujemy przyzwoity dystans, ale i tak czuję, jak przeskakuje między nami prąd.

Po zupie na stole pojawia się pieczona wieprzowina. Widok prosiaka z jabłkiem w pysku bynajmniej nie zaostrza mi apetytu. Podczas gdy goście paplają o posiadłościach ziemskich, polowaniu na lisy i problemach ze znalezieniem dobrej służby, Simon szepcze:

– Słyszałem, że to była bardzo nieprzyjemna świnia. Ciągle zrzędziła. Nikomu nigdy nie powiedziała dobrego słowa. Kiedyś złośliwie ugryzła kaczątko. Na pani miejscu zjadłbym ją bez poczucia winy.

Uśmiecham się. Głos lady Denby wznosi się ponad inne:

– Panno Doyle, wydaje mi się, że gdzieś już panią widziałam.

– Ja... wczoraj jako gość pani Worthington odwiedziłam klub Alexandra, żeby posłuchać śpiewu panny Bradshaw.

– Panna Bradshaw śpiewała? – Tom z zachwytem dowiaduje się o społecznym awansie Ann. – To cudownie.

Mój wzrok spoczywa na lady Denby, która mówi:

– Tak, dziwna sprawa. Panie Middleton – zwraca się do męża – spotkałeś kiedyś księcia Chesterfield?

– Raczej go nie spotkałem, może nie poluje.

Lady Denby układa usta w ciup, jakby nad czymś rozmyślała, a potem zadaje pytanie:

– Podobno uczy się pani w Spence?

– Tak, proszę pani – odpowiadam nerwowo.

– I jak się tam pani podoba? – dopytuje się, nakładając sobie porcję pieczonych ziemniaków. Czuję się jak owad pod soczewką mikroskopu.

– To bardzo przyjemna szkoła – odpowiadam, odwracając wzrok.

– Oczywiście, Gemma miała porządną angielską guwernantkę w Indiach – wtrąca babcia, jak zawsze obawiając się towarzyskiej wpadki. – Bałam się odsyłać ją z domu, ale zapewniono mnie, że Spence to bardzo dobra szkoła dla dziewcząt.

– A pani co myśli, panno Doyle? Czy skłania się pani ku opinii, że w obecnych czasach młode damy powinny się uczyć łaciny i greki? – pyta lady Denby.

To nie jest niewinne pytanie. Sprawdza mnie, jestem tego pewna. Biorę głęboki wdech.

– Uważam, że edukacja jest równie ważna dla córek, jak i dla synów. Inaczej jak mogłybyśmy być odpowiednimi żonami i matkami? – To najbezpieczniejsza odpowiedź, jaka przychodzi mi do głowy.

Ledy Denby uśmiecha się cię ciepło.

– W zupełności się z panią zgadzam, panno Doyle. Rozsądne z pani dziewczę.

Cicho wzdycham z ulgą.

– Rozumiem już, czemu mój syn jest taki oczarowany – dodaje lord Denby.

Rumieniec powoli barwi moje policzki i czuję, że nie dam rady nikomu spojrzeć w oczy. Muszę ze sobą walczyć, żeby się głupawo nie uśmiechać. W mojej głowie kołacze tylko jedna nieprzytomna myśl: Simon Middleton, młodzieniec wielkiej doskonałości, upodobał sobie mnie, dziwną i irytującą Gemmę Doyle.

Cichy śmiech przetacza się po zebranych gościach.

– No to pięknie – dowcipkuje wąsaty dżentelmen. – Dziewczyna już nigdy tu nie wróci.

– Doprawdy, panie Conrad – żartobliwie strofuje go lady Denby. Nie rozumiem, dlaczego Felicity ma o niej takie złe zdanie. Wobec mnie zachowuje się bardzo miło i nawet ją polubiłam.

Wieczór mija jak szczęśliwy sen. Ostatni raz taka spokojna i zadowolona byłam jeszcze przed śmiercią mamy. Widok ojca wracającego do życia sprawia, że czuję się jak w raju i w końcu mam powód, by się cieszyć z mojej dziwnej, pięknej mocy. Podczas kolacji tato, równie czarujący jak kiedyś, zabawia lady Denby oraz Simona opowieściami o Indiach. Twarz babci, zazwyczaj pobrużdżona troską, jest dziś pogodna, a Tom zachowuje się nawet sympatycznie, jeśli coś takiego w ogóle można o nim powiedzieć. Oczywiście uważa, że to on wyleczył ojca, a ja przynajmniej raz nie mam ochoty się z nim kłócić. Tyle dla mnie znaczy to, że rodzina dobrze się bawi. Chciałabym zachować tę szczęśliwą bańkę mydlaną czasu, to uczucie, że gdzieś przynależę. Że zostałam zaakceptowana. Chciałabym, żeby ten wieczór trwał wiecznie.

Rozmowa przy stole schodzi na Bethlem. Tom zabawia towarzystwo opowieściami o swoich pacjentach.

– ...uparł się, że jest cesarzem West Sussex i jako takiemu przysługuje mu dodatkowa porcja mięsa. Kiedy odmówiłem, zagroził, że każe mnie ściąć.

– O mój Boże! – śmieje się lady Denby.

– Lepiej na siebie uważaj, młody człowieku. Obyś pewnego dnia nie obudził się bez głowy – mówi ojciec Simona. Ma takie same jak syn łagodne niebieskie oczy.

– A może w twoim wypadku byłaby to zmiana na lepsze? – Simon zaczepia Toma, który udaje, że się obraża.

– Ho, ho! *Touché*!

– Och, nie, mój syn musi zachować głowę – z poważną miną oświadcza ojciec. – Zapłaciłem sporą sumkę za jego nowy kapelusz i już jej nie odzyskam.

Wszyscy wybuchają śmiechem.

Babcia zabiera głos:

– Lady Denby, czy to prawda, że Bethlem co dwa tygodnie urządza otwarte wieczorki taneczne?

– Owszem. Pacjentom bardzo dobrze robi, gdy mogą przebywać wśród ludzi i przypomnieć sobie przyjemności życia towarzyskiego. Wybraliśmy się tam z mężem kilkakrotnie. Za tydzień są kolejne tańce. Musicie przyjść jako nasi goście.

– Będziemy zachwyceni – odpowiada babcia w imieniu nas wszystkich, co jej się często zdarza.

Bolą mnie już mięśnie twarzy od bezustannego utrzymywania przyjemnej miny. Czy czas już ponownie włożyć rękawiczki? Czy powinnam zjeść deser do końca, na co mam ogromną ochotę, czy zostawić połowę, żeby pokazać, iż nie jestem łakoma? Nie chcę popełnić błędu, nie dziś wieczorem.

– Och, proszę nam coś jeszcze opowiedzieć – błaga Toma lady Denby.

– Tak, zrób to – popiera ją Simon. – Inaczej ja będę musiał rozprawiać o tym, jak na polowaniu spojrzałem w oczy nieszczęsnemu bażantowi i zanudzę wszystkich na śmierć. – Simon znów na mnie zerka. Odkrywam, że sprawia mi przyjemność, gdy interesuje się moją reakcją. Lubię być adorowana. To daje poczucie władzy.

– Zastanówmy się... – mówi Tom z namysłem. – Przebywał u nas niejaki pan Waltham, który twierdził, że słyszy, co się dzieje w każdym mijanym budynku, gdyż przemawiają do niego kamienie. Z radością mogę wyznać, że został wyleczony i wypuszczony do domu w zeszłym miesiącu.

– Brawo! – woła ojciec Simona. – Nauka i ludzki umysł potrafią poradzić sobie ze wszystkim.

– No właśnie – potwierdza Tom, zadowolony, że znalazł poparcie u tak wysoko postawionej osobistości.

– I co jeszcze? – dopomina się dama w sukni z brzoskwiniowego jedwabiu.

– Jest pani Sommers, która uważa, że jej życie to tylko sen, natomiast w nocy w swoim pokoju widuje duchy.

– Biedactwo – odruchowo komentuje babcia.

Te opowieści burzą moje szczęście. Co by powiedzieli szacowni zgromadzeni, gdyby wiedzieli, że miewam wizje i odwiedzam inne światy?

Tom kontynuuje.

– Jest też Nell Hawkins, lat dziewiętnaście. Podczas pobytu w szkole zdiagnozowano u niej stan ostrej manii.

– Widzicie? – odzywa się wąsaty dżentelmen, kiwając palcem. – Organizm kobiety nie jest przystosowany do wymogów formalnej edukacji. Nie może z tego wyniknąć nic dobrego.

– Och, panie mężu – żartobliwie protestuje jego żona. – Proszę mówić dalej, panie Doyle.

– Nell Hawkins cierpi na urojenia – opowiada dalej mój brat, strosząc piórka.

Ojciec włącza się do opowieści:

– Uważa, że jest Joanną d'Arc, prawda?

– Nie, to pan Jernigan z oddziału M1B. Panna Hawkins jest wyjątkowa. Wydaje jej się, że należy do jakiejś mistycznej sekty czarodziejek nazywanej Zakonem.

Ściany pokoju napierają na mnie. Moje serce galopuje jak oszalałe. Z bardzo daleka słyszę, jak pytam:

– Zakonem?

– Tak. Twierdzi, że zna tajemnice miejsca, które określa mianem międzyświata, i że kobieta o imieniu Kirke chce zagarnąć całą władzę. Utrzymuje, że sama siebie doprowadziła do obłędu, aby zamącić swój umysł i w ten sposób trzymać go poza zasięgiem owej Kirke. – Tom potrząsa głową. – Bardzo trudny przypadek.

– Zgadzam się z panem, panie Conrad, zbyt duża doza formalnej edukacji nie jest dobra dla dziewcząt. Oto jakie są konsekwencje. Bardzo się cieszę, że w Spence kładą nacisk na dobre maniery. – Babcia napycha sobie usta sporą porcją kremu czekoladowego.

Drżę i robię, co mogę, żeby nie zerwać się od stołu. Gdzieś w szpitalu Bethlem przebywa dziewczyna, która być może potrafi powiedzieć mi wszystko, co mnie interesuje. Muszę znaleźć do niej dojście.

– Co można zrobić z takim przypadkiem? – pyta pan Conrad.

– Pacjentka znajduje pewną pociechę w poezji. Pielęgniarki czytają jej, kiedy tylko mogą.

– Może ja mogłabym jej poczytać? – proponuję i mam nadzieję, że nie słychać, jak bardzo jestem zdesperowana. Zrobiłabym wszystko, żeby poznać tę dziewczynę. – To znaczy, może znajdzie pocieszenie w rozmowie z osobą w zbliżonym wieku?

Ojciec Simona unosi w moją stronę kieliszek z winem.

– Panna Doyle ma dobre serce.

– Jest naszym aniołem – dodaje ojciec.

Nie, nie jestem. Podle ich oszukuję, ale muszę się zobaczyć z Nell Hawkins.

– Proszę bardzo – Tom zgadza się niechętnie. – Jutro cię do niej zabiorę.

ROZDZIAŁ DWUDZIESTY PIERWSZY

Gdy stół zostaje uprzątnięty po deserze, mężczyźni przechodzą na brandy i cygaro do gabinetu, podczas gdy kobiety udają się do salonu na herbatę i ploteczki.

– Mamo, panna Doyle na pewno chciałby zobaczyć portret dziadka – mówi Simon, gdy dogania nas przy wyjściu. Do tej pory nie słyszałam ani słowa o tym portrecie.

– Tak, oczywiście. Wszystkie chętnie pójdziemy – odpowiada lady Denby.

Przebiegły uśmiech Simona blednie.

– Nie chciałbym, żebyś się oddalała od kominka, mamo. W bibliotece zdarzają się przeciągi.

– Nonsens, weźmiemy szale i nic nam nie będzie. Naprawdę musicie zobaczyć drogiego George'a, namalował go cieszący się wielką renomą portrecista z Cotswold.

Nie wiem, co się właśnie stało, ale rozumiem, że Simon przegrał.

– To tutaj. – Lady Denby wprowadza nas do przestronnego pokoju, w którym dominuje obraz wielki jak drzwi. Jest to przesadnie ozdobny portret siedzącego na koniu mężczyzny o beczkowatym torsie. Ma na sobie czerwoną kurtkę i w każdym calu wygląda na wiejskiego dżentelmena na polowaniu. U jego stóp leżą dwa posłuszne psy.

Simon głową wskazuje dzieło.

– Panno Doyle, pozwoli pani, że przedstawię mojego dziadka, Corneliusa George'a Basila Middletona, wicehrabiego Denby.

Babcia robi z siebie przedstawienie, rozpływając się nad malowidłem, choć wszystko, co wie o sztuce, dałoby się zmieścić w naparstku. Mimo to lady Denby wyraźnie to pochlebia. Przechodzi do kolejnego *objet d'art* wiszącego nad kominkiem i zmusza pokojówkę, która właśnie czyściła palenisko, by nieruchomo stała obok ze szczotką w umazanej sadzą dłoni.

– Piękny obraz – mówię dyplomatycznie.

Simon unosi brew.

– Jeśli słowo „piękny" w pani ustach oznacza bezsensowny, przesadny i groteskowy, to przyjmuję komplement.

Tłumię śmiech.

– Psy wyglądają bardzo dystyngowanie.

Simon przysuwa się bliżej, a przeze mnie znów przebiega ten dziwny prąd. Młodzieniec przekrzywia głowę w zadumie nad moim komentarzem i nad obrazem.

– Tak. Właściwie może to raczej je powinienem prezentować jako krewnych.

Ma takie niebieskie oczy. I taki ciepły uśmiech. Stoimy zaledwie parę centymetrów od siebie. Kątem oka widzę, że babcia i pozostałe panie dalej zwiedzają pokój.

– Ile z tych książek pan przeczytał? – udaję ciekawość, ruszając w stronę biblioteczki.

– Niewiele – odpowiada Simon, idąc obok mnie. – Mam mnóstwo zainteresowań, które pochłaniają większość mojego czasu. Moim obowiązkiem jest pilnowanie interesów w Denby, posiadłości i tak dalej.

– Tak, oczywiście – okazuję zrozumienie i wolnym krokiem kontynuuję obchód.

– Czy może przez przypadek będzie pani na balu u admirała i lady Worthingtonów?

– Tak, będę – odpowiadam, zbliżając się do wychodzącego na ulicę okna.

– Ja również. – Dogania mnie. I znów stoimy bok w bok.

– Och – mówię. – To miło.

– Może zarezerwuje pani dla mnie taniec? – pyta nieśmiało.

– Tak – odpowiadam z uśmiechem. – Może.

– Widzę, że nie założyła dziś pani naszyjnika.

Unoszę dłoń do nagiej szyi.

– Zauważył pan moją biżuterię?

Widząc, że matka jest zajęta, szepcze mi do ucha:

– Zwróciłem uwagę na pani szyję. A tak się złożyło, że był na niej naszyjnik. Dość niezwykły.

– Należał do mojej mamy – odpowiadam zarumieniona z powodu śmiałego komplementu. – Dostała go od jakiejś wieśniaczki w Indiach. To amulet ochronny. Obawiam się, że w jej przypadku nie zadziałał.

– Może jego zadaniem nie jest ochrona – sugeruje Simon.

Nigdy nie przyszło mi to na myśl.

– Nie wyobrażam sobie, do czego jeszcze mógłby służyć.

– Jaki jest pani ulubiony kolor? – Simon zmienia temat.

– Fioletowy – odpowiadam. – Czemu pan pyta?

– Bez powodu – mówi z uśmiechem. – Może zaproszę pani brata do mojego klubu. Wydaje się interesującym towarzyszem.

Ha!

– Na pewno się ucieszy.

Tom gotów byłby skakać przez płonące obręcze za szansę dostania się do klubu Simona. To najlepszy klub w mieście.

Simon przygląda mi się przez chwilę.

– Nie jest pani taka jak inne młode damy, z którymi mama mnie poznaje.

– Nie? – mówię i lekko się krzywię. Rozpaczliwie pragnę dowiedzieć się, czym też się od nich różnię.

– Jest w pani jakaś awanturnicza żyłka. Czuję, że ukrywa pani wiele tajemnic, które chciałbym poznać.

Lady Denby zauważa, że stoimy zbyt blisko siebie. Udaję zainteresowanie oprawnym w skórę egzemplarzem *Moby Dicka*, który leży na podręcznym stoliczku. Gdy otwieram książkę, grzbiet trzeszczy, jakby nikt nigdy do niej nie zaglądał.

– Może wcale nie chciałby pan ich znać – mówię.

– Skąd pani wie? – pyta Simon, ustawiając równo dwa ceramiczne amorki. – Proszę mnie sprawdzić.

Co mogę powiedzieć? Że cierpię na takie same urojenia jak biedna Nell Hawkins, ale że to wcale nie są urojenia? Że obawiam się, iż ja sama jestem o krok od wariatkowa? Chciałabym zaufać Simonowi i usłyszeć: „Widzisz, wcale nie było tak źle, prawda? Nie jesteś szalona. Wierzę ci. Jestem z tobą".

Pozwalam, by właściwy moment minął.

– Mam trzecie oko – wyznaję beztrosko. – Jestem potomkinią Atalanty. A przy stole zachowuję się wprost niewybaczalnie.

Simon kiwa głową.

– Tak przypuszczałem. Dlatego na wszelki wypadek zamierzamy poprosić panią, aby od teraz jadała w stajni. Nie ma pani nic przeciwko temu, prawda?

– Ależ skąd. – Zamykam książkę i odwracam się. – A pan jakie potworne tajemnice ukrywa, panie Middleton?

– Prócz hazardu, hulanek i złodziejstwa? – Dogania mnie. – Chce pani znać prawdę?

Moje serce gubi rytm.

– Tak – odpowiadam, w końcu odwracając się do niego. – Chcę znać prawdę.

Wpatruje się prosto w moje oczy.

– Jestem przeraźliwie nudny.

– To nie jest prawda – protestuję; ruszam dalej, by podziwiać ogromne regały.

– Obawiam się, że jednak jest. Mam sobie znaleźć odpowiednią żonę z odpowiednim posagiem i zapewnić kontynuację rodowemu nazwisku. Tego wszyscy ode mnie oczekują. Moje marzenia nie mają z tym nic wspólnego. Przepraszam. To było z mojej strony o wiele zbyt bezpośrednie. Nie musi pani wysłuchiwać biadolenia.

– Nic nie szkodzi. Cieszę się, że pan mi o tym opowiada. – O dziwo, tym razem nie skłamałam.

– Przejdźmy do salonu – proponuje lady Denby. Gdy panie opuszczają bibliotekę, pokojówka z westchnieniem wraca do szorowania. Powoli podążamy za nimi.

– Kwiat zaraz wypadnie, panno Doyle. – Wpięta we włosy róża zsunęła się na szyję. Sięgam po nią w tej samej chwili co on. Nasze palce stykają się na moment, po czym szybko się odwracam.

– Dziękuję – mówię spłoszona.

– Mogę? – Z wielką delikatnością Simon wsuwa kwiat za moje ucho. Powinnam go powstrzymać, bo jeszcze sobie pomyśli, że jestem zbyt uległa. Ale nie wiem, co powiedzieć. Przypomina mi się, że on ma dziewiętnaście lat, o trzy więcej niż ja. Wie o sprawach, o których ja nie mam pojęcia.

Od strony okna rozlega się stuknięcie, a po nim kolejne, na tyle głośne, że podskakuję ze strachu.

– Ktoś rzuca kamieniami. – Simon wygląda w mglistą ciemność. Otwiera okno. Do środka wpada zimne powietrze, wywołując gęsią skórkę na moich ramionach. Na dole nie widać nikogo.

– Powinnam dołączyć do pań. Babcia będzie się o mnie martwiła.

Pospiesznie się wycofuję i niemalże potykam się o pokojówkę, która nawet nie podnosi wzroku znad swojej roboty.

❧

Jest już dobrze po północy, kiedy się żegnamy i wychodzimy w noc pełną gwiazd i nadziei. To był bardzo pogmatwany wieczór. Spotkało mnie sporo dobrego – Simon, jego rodzina, ciepło, które mi okazali, powrót mojego ojca. Ale pojawiła się też perspektywa spotkania z Nell Hawkins w Bedlam i możliwość sprawdzenia, czy może mi pomóc znaleźć Świątynię i Kirke. I to dziwne wydarzenie, gdy ktoś rzucał kamieniami w okno…

Stojący przy powozie Kartik wygląda na zdenerwowanego.

– Przyjemny wieczór, panienko?

– Tak, bardzo przyjemny, dziękuję – odpowiadam.

– Zauważyłem – mruczy pod nosem, po czym pomaga mi wsiąść do powozu i rusza, stanowczo zbyt gwałtownie poganiając konie. Co w niego wstąpiło?

Gdy moja rodzina leży już bezpiecznie w łóżkach, narzucam na siebie płaszcz i przemykam przez zimne, twarde podwórko do stajni. Kartik czyta na głos *Odyseję* i popija gorącą herbatę. Nie jest sam. Emily siedzi obok i słucha.

– Dobry wieczór – mówię, zdecydowanym krokiem wchodząc do środka.

– Dobry wieczór – odpowiada Kartik i wstaje.

Emily wygląda na wstrząśniętą.

– Och, panienko... ja... ja tylko...

– Emily, mam do omówienia z panem Kartikiem pewną sprawę, jeśli pozwolisz.

Dziewczyna puszcza się w stronę domu dzikim galopem.

– Co miał oznaczać tamten komentarz koło powozu?

– Po prostu spytałem, czy spędziłaś miły wieczór. Z panem Muddletonem.

– Middletonem – poprawiam go. – To prawdziwy dżentelmen.

– Wygląda jak laluś.

– Byłabym wdzięczna, gdybyś go nie obrażał. Nic o nim nie wiesz.

– Nie podoba mi się sposób, w jaki na ciebie patrzy. Jakbyś była kawałkiem dojrzałego owocu.

– To nieprawda. Chwileczkę, skąd wiesz, jak on na mnie patrzy? Szpiegowałeś mnie?

Speszony Kartik wtyka nos w książkę.

– Patrzył tak na ciebie. W bibliotece.

– To ty rzucałeś kamieniami w okno!

Kartik zrywa się na równe nogi, zapominając o lekturze.

– Pozwoliłaś, żeby dotykał twoich włosów!

To prawda, nie zachowałam się jak dama. Wstydzę się, ale nie zamierzam ustąpić.

– Mam ci coś do powiedzenia. Może posłuchasz, jeśli uda ci się choć na chwilę przestać nad sobą użalać.

Kartik parska pogardliwie.

– Nie użalam się nad sobą.

– Życzę zatem dobrej nocy.

– Czekaj! – Postępuje krok w moją stronę. Napawam się triumfem. Wiem, że to bardzo nieładne z mojej strony, ale cóż. – Przepraszam. Obiecuję zachowywać się najlepiej, jak potrafię – mówi. Teatralnie opada na kolana, podnosi z ziemi żołędzia i przykłada go sobie do gardła. – Błagam, panno Doyle. Powiedz mi albo będę zmuszony zabić się tą potężną bronią.

– Och, wstawaj – odpowiadam, śmiejąc się wbrew własnej woli. – Tom ma pacjentkę w Bethlem, Nell Hawkins. Mój brat twierdzi, że dziewczyna cierpi na urojenia.

– To by wyjaśniało, dlaczego jest zamknięta w Bethlem. – Uśmiecha się do mnie z satysfakcją. Nie odwzajemniam uśmiechu, więc dodaje ze skruchą: – Przepraszam. Mów dalej.

– Dziewczyna utrzymuje, że jest członkinią Zakonu i że poszukuje jej kobieta o imieniu Kirke. Twierdzi, że sama się wpędziła w szaleństwo, żeby utrudnić Kirke dostęp do swoich myśli.

Cwany uśmieszek znika.

– Musisz natychmiast zobaczyć się z Nell Hawkins.

– Tak, już to załatwiłam. Jutro około południa będę czytała jej poezję i dowiem się, co wie na temat Świątyni. Naprawdę patrzył na mnie w taki sposób?

– W jaki sposób?

– Jakbym była dojrzałym owocem?

– Lepiej miej się przy nim na baczności – ostrzega Kartik.

Jest zazdrosny! Kartik jest zazdrosny i uważa mnie za... smakowitą? Jestem trochę oszołomiona. I zmieszana. Ale nie, przede wszystkim oszołomiona.

– Potrafię o siebie zadbać – odpowiadam. Energicznie obracam się na pięcie i uderzam czołem prosto w ścianę, nabijając sobie guza, który prawdopodobnie już nigdy nie zniknie.

ROZDZIAŁ DWUDZIESTY DRUGI

Następnego popołudnia odwiedzam Toma w Królewskim Szpitalu Bethlem ubrana w szary flanelowy kostium i filcowy kapelusz. Budynek wygląda imponująco. Od frontu ma portyk wsparty na sześciu białych kolumnach. Nad nim wznosi się nadbudówka z kopułą przypominającą kształtem czapkę policjanta. Mam tylko nadzieję, że brat nie słyszy, jak głośno bije mi serce. Przy odrobinie szczęścia panna Hawkins rozwikła dla mnie tajemnicę Świątyni.

– Wyglądasz bardzo atrakcyjnie, Gemmo, poza tym siniakiem na czole – stwierdza Tom, przyglądając mi się. – Skąd go masz?

– To nic takiego – odpowiadam i nasuwam kapelusz niżej na czoło.

– Nieważne. Będziesz najładniejszą dziewczyną w Bethlem – komplementuje mnie Tom.

Ach, cudownie wiedzieć, że będę ładniejsza niż ci wszyscy szaleńcy. Przynajmniej tyle. Biedny Tom. Chce dobrze. Zrobił się dla mnie o wiele milszy, od kiedy Simon tak wyraźnie okazuje mi względy. Jakbym niemalże stała się człowiekiem w jego oczach. Precz z tą myślą.

Postanawiam ulitować się nad nim i odpowiadam zupełnie grzecznie:

– Dziękuję ci. Nie mogę się doczekać, kiedy poznam pannę Hawkins.

– Nie spodziewaj się zbyt wiele, Gemmo. Jej umysł jest umęczony. Czasami robi i mówi skandaliczne rzeczy. Nie przywykłaś do takich widoków. Musisz się opancerzyć.

Widziałam rzeczy, które nie zmieściłyby ci się w głowie, drogi bracie.

– Dobrze, dziękuję. Wezmę sobie twoją radę do serca.

Idziemy długim korytarzem. Po jego prawej stronie znajdują się okna, a po lewej drzwi. Z sufitu zwieszają się paprocie w koszykach, dzięki czemu wnętrze wygląda pogodnie. Nie wiem, jak sobie wyobrażałam szpital dla psychicznie chorych, ale nie spodziewałam się czegoś takiego. Gdybym nie wiedziała, gdzie się znajduję, mogłabym przysiąc, że wchodzę do jednego z ekskluzywnych londyńskich klubów. Mijające nas pielęgniarki bez słowa kiwają głowami, a przycupnięte na nich sztywne białe czepki wyglądają jak wyschnięte bezy.

Tom wprowadza mnie do wyłożonego boazerią saloniku, w którym kilka kobiet zajmuje się szyciem. Starsza pani, nieco potargana, całą swoją uwagę koncentruje na grze na pianinie, wystukując na klawiszach dziecinną melodyjkę i śpiewając miękkim, drżącym vibrato. W rogu pokoju stoi klatka z piękną papugą. Ptak skrzeczy:

– Jak się czujemy? Jak się czujemy?

– Mają papugę? – pytam szeptem. Staram się być opanowana i sprawiać wrażenie, jakbym codziennie odwiedzała takie miejsca.

– Tak. Nazywa się Kasandra. Niezła z niej gaduła. Podchwytuje różne zwroty od naszych pacjentów. Z zakresu botaniki, nawigacji, nonsensowna mieszanka. Niedługo ją też będziemy musieli leczyć.

Jakby na dany znak Kasandra oświadcza:

– Jestem wielkim poetą. Jestem wielkim poetą.

Tom kiwa głową.

– Jeden z naszych pacjentów, pan Osborne, uważa się za wybitnego poetę. Czuje się urażony naszymi wysiłkami, żeby go tu zatrzymać i codziennie pisze listy do wydawcy i do księcia Walii.

Starsza kobieta przy pianinie nagle przerywa grę. Niezwykle poruszona podchodzi do Toma, wykręcając ręce.

– Czy to wszystko sen? Wie pan może? – pyta z przejęciem.

– Zapewniam, że to wszystko jest jak najbardziej rzeczywiste, pani Sommers.

– Czy oni mnie skrzywdzą? Czy byłam niegrzeczna? – Szarpie się za rzęsy. Kilka zostaje jej w dłoni.

Natychmiast podchodzi pielęgniarka w wykrochmalonym białym fartuchu i powstrzymuje ją.

– Zapomniałyśmy o naszej ślicznej melodii, proszę pani? Wrócimy do pianina, dobrze?

Dłoń w pobliżu rzęs kobiety trzepocze się jak ranny ptak, aż w końcu opada do jej boku.

– Sen, sen. Wszystko sen.

– Właśnie poznałaś panią Sommers.

– Zauważyłam.

Podchodzi do nas wysoki, chudy mężczyzna o schludnie przyciętej brodzie i wąsach. Ubrania ma trochę pomięte, a włosy lekko nastroszone, ale poza tym wydaje się zupełnie normalny.

– Ach, pan Snow. Jak się dzisiaj czujemy? – pyta Tom.

– Dobrze, dobrze – odpowiada mężczyzna. – Wysłałem list do doktora Smitha. Wkrótce zajmie się moją sprawą, moją sprawą, moją sprawą. Pójdę na tańce. Na tańce. Na tańce, sir.

– Zobaczymy, proszę pana. Pozostaje jeszcze kwestia pańskiego zachowania na poprzednich tańcach. Swobodnie pan sobie poczynał wobec dam. Nie były zachwycone.

– Kłamstwa, kłamstwa, wszystko kłamstwa. Mój prawnik się tym zajmie, sir, co? Kłamstwa, powiadam panu.

– Porozmawiamy o tym jeszcze. Życzę miłego dnia.

– Doktor Smith otrzyma mój list! On oczyści moje imię!

– Pan Snow – wyjaśnia Tom, gdy przechodzimy przez salon. – Podczas tańców jego ręce dość swobodnie wędrują po ciałach partnerek.

– Och – odpowiadam. Będę unikała tańców z panem Snowem. Idziemy dalej, a Tom grzecznie wita się ze wszystkimi napotkanymi osobami. Zważywszy, jaką bestią potrafi być w domu, zaskakuje mnie jego uprzejmość i opanowanie. Jestem z niego dumna. Trudno mi w to uwierzyć, ale to prawda.

Przy oknie siedzi maleńka osóbka. Jest taka drobniutka. Twarz ma mizerną, ale widać, że kiedyś była ładną dziewczyną. Pod brązowymi oczami widnieją ciemne sińce. Chudymi palcami przeczesuje włosy związane w węzeł na karku. Kosmyki sterczą na boki, sprawiając, że wygląda trochę jak papuga Kasandra.

– Dzień dobry, panno Hawkins – wita ją wesoło Tom.

Dziewczyna nie odpowiada.

– Panno Hawkins, przedstawiam pani moją siostrę, Gemmę Doyle. Bardzo chciała panią poznać. Przyniosła ze sobą tomik poezji. Możecie sobie miło pogawędzić.

Znów cisza. Nell przesuwa językiem po spierzchniętych wargach. Tom patrzy na mnie, jakby chciał spytać: „Jesteś pewna?". Potakuję.

– No dobrze, zostawię was, żebyście się poznały, a sam pójdę na obchód, hę?

– Miło mi cię poznać – mówię, siadając na krześle naprzeciwko. Nell Hawkins nadal przeczesuje włosy palcami. – Słyszałam, że byłaś w szkole z internatem. – Cisza. – Ja też jestem w szkole. W Akademii Spence. Może o niej słyszałaś? – W drugiej części pokoju pani Sommers ciągle molestuje pianino. – Poczytać ci wiersze Browninga? Moim zdaniem są bardzo kojące.

Papuga skrzeczy:

– Trzymaj się ścieżki! Trzymaj się ścieżki!

Ostentacyjnie otwieram dzieła Browninga i zaczynam czytać.

Tom wychodzi z pokoju, a ja zamykam książkę.

– Nie uważam cię za szaloną. Wiem o Zakonie i o Kirke. Wierzę ci.

Jej dłoń zatrzymuje się na chwilę. Drży.

– Nie musisz się mnie bać. Chcę powstrzymać Kirke, ale potrzebuję twojej pomocy.

Po raz pierwszy wydaje się, że Nell Hawkins mnie zauważa. Głos ma wysoki i piszczący, jak dźwięk, który wydaje targana wiatrem gałąź trąca po okiennej szybie.

– Wiem, kim jesteś.

Ptak skrzeczy:

– Wiem, kim jesteś. Wiem, kim jesteś.

Zimny dreszcz przebiega mi po plecach.

– Wiesz?

– Szukają cię. Słyszę ich w mojej głowie. Potwory.

Znów zaczyna szarpać włosy, a przy tym cichutko śpiewa.

– Kto mnie szuka?

– Ma domek z piernika, żeby zwabić cię w pułapkę. Ma swoich szpiegów – szepcze w taki sposób, że moja skóra robi się lodowata.

Nie wiem, co o tym sądzić.

– Nell, proszę, rozmawiaj ze mną otwarcie. Naprawdę możesz mi zaufać. Ale muszę wiedzieć, gdzie znaleźć Świątynię. Jeśli wiesz, gdzie ona jest, to najważniejsze...

Nell zwraca ku mnie szeroko otwarte oczy.

– Podążaj ścieżką. Trzymaj się ścieżki.

– Ścieżką? Jaką ścieżką?

Dziewczyna błyskawicznym ruchem zrywa amulet z mojej szyi tak gwałtownie, że pali mnie skóra. Zanim udaje mi się zaprotestować, odwraca go, kołysząc w obu dłoniach. Przesuwa go w przód i w tył, jakby próbowała przeczytać coś na odwrocie.

– Prawdziwą ścieżką.

– Podążaj prawdziwą ścieżką! Podążaj prawdziwą ścieżką! – skrzeczy Kasandra.

– O jakiej ścieżce mówisz? Czy ona znajduje się w ogrodzie? Czy chodzi ci może o rzekę? – dopytuję się.

– Nie. Nie. Nie – mamrocze Nell, gwałtownie się kołysząc. Z siłą, której się po niej nie spodziewam, uderza amuletem o moje krzesło i wygina oko.

– Przestań – mówię, wyrywając jej naszyjnik. Oko patrzy teraz pod dziwnym kątem.

– Zostań na ścieżce – powtarza Nell. – Będą próbowali zwieść cię na manowce. Będą pokazywali ci rzeczy, którym nie możesz ufać. Nikomu nie ufaj. Strzeż się Makowych Wojowników.

W głowie mi się kręci od dziwnych wynurzeń Nell.

– Proszę, panno Hawkins. Jak mogę znaleźć tę ścieżkę? Czy ona zaprowadzi mnie do Świątyni? – pytam, ale Nell jest już poza moim zasięgiem, mruczy coś cichutko i uderza swoją kruchą głową w ścianę w rozpaczliwym akompaniamencie. Podchodzi do niej pielęgniarka.

– No, już, już, panno Hawkins. Co by powiedział pan doktor, gdyby widział, że się pani tak zachowuje? Zajmiemy się haftem, dobrze? Mam śliczną nową nić.

Pielęgniarka odprowadza pacjentkę. Kosmyki włosów wystające z jej koka podskakują i kołyszą się.

– Świątynia ukrywa się na widoku – mówi jeszcze dziewczyna. – Podążaj ścieżką.

Siostra sadowi Nell na krześle i przytrzymując jej dłoń, pomaga wyszywać delikatne ściegi. Jestem kompletnie zbita z tropu. Zaglądam do klatki Kasandry.

– Rozumiesz coś z tego?

Ptak mruga raz za razem – a maleńka ciemna kropka jego źrenicy znika w pianie białych piór, po czym znów robi się czarna jak w sprytnej sztuczce iluzjonisty.

– Nie, chyba raczej nie – wzdycham.

Pytam jedną z sióstr, gdzie mogę znaleźć Toma, a ona radzi, żebym spróbowała na oddziale męskim. Proponuje, że mnie odprowadzi, i choć wiem, że tak właśnie powinnyśmy postąpić, zapewniam ją, że po prostu poczekam na brata. Potem wymykam się z pokoju i ruszam w stronę oddziału męskiego. Mijają mnie lekarze głęboko pogrążeni w rozmowach. Uprzejmie kiwają głowami, a ja w odpowiedzi uśmiecham się zdawkowo. Ich oczy zatrzymują się na mnie chwilę dłużej, a ja szybko odwracam wzrok. To dziwne uczucie być zauważaną w taki sposób. Zarazem chcę tego i się boję. W tych przelotnych spojrzeniach jest wielka moc, ale nie wiem, co się kryje po ich drugiej stronie, i to mnie trochę przeraża. Jak to możliwe, że czuję się naraz gotowa i niegotowa na ten nowy świat mężczyzn?

Z przeciwka zbliża się pan Snow o swobodnie wędrujących rękach. Daję nura w boczny korytarz, żeby poczekać, aż sobie pójdzie. Siedzi tam mężczyzna, który tępo wpatruje się przed siebie i bezustannie nerwowo pociera palce. Proszę, panie Snow. Niech pan sobie idzie, żebym mogła wrócić na korytarz nietknięta.

– Mam dla ciebie wiadomość – odzywa się mężczyzna.

Nie ma tu nikogo oprócz nas dwojga.

– Słucham?

Powoli odwraca twarz w moją stronę.

– Duchy łączą swoje siły. Idą po ciebie.

Robi mi się gorąco i ogarnia mnie panika.

– Co pan powiedział?

Szczerzy zęby w uśmiechu i odchyla głowę, patrząc na mnie spod półprzymkniętych powiek. Wydaje się zupełnie inną osobą. To wrażenie mrozi mi krew w żyłach.

– Idziemy po ciebie, panienko. Wszyscy po ciebie idziemy.

Kłapie na mnie zębami i warczy jak wściekły pies.

Zmykaj, Gemmo. Biorę głęboki oddech i uciekam przed nim. Skręcam szybko za róg, gdzie wpadam prosto na mojego zaskoczonego brata.

– Gemmo! Co ty tu, na Boga, robisz bez opieki?

– Ja... ja... ja... szukałam ciebie! Ten człowiek... – mówię, wskazując do tyłu.

Tom mija zakręt, a ja za nim. Stary mężczyzna siedzi, znowu patrząc prosto przed siebie.

– To pan Carey. Biedaczysko, zupełnie nie ma z nim kontaktu. Obawiam się, że niedługo trzeba będzie go przenieść do okręgowego szpitala dla psychicznie chorych.

– On... on się do mnie odezwał – wyznaję z wysiłkiem.

Tom wygląda na zbitego z tropu.

– Pan Carey odezwał się do ciebie? To niemożliwe. On nigdy nic nie mówi. Jest niemy. A co według ciebie powiedział?

– Idziemy po ciebie – powtarzam, a wtedy uświadamiam sobie, że nie mówił tego pan Carey, ale ktoś inny.

Ktoś z międzyświata.

❧

– Co się przydarzyło Nell Hawkins? – pytam, gdy wsiadamy do powozu, żeby pojechać na spotkanie z Felicity i Ann przy Regent Street.

– Tajemnica lekarska – odpowiada mój brat, pociągając nosem.

– Daj spokój, Tom, przecież nikomu jej nie przekażę – kłamię.

Tom kręci głową.

– Nie ma mowy. To potworna i szokująca historia, nie nadaje się dla uszu młodej damy. Poza tym i tak masz żywą wyobraźnię. Nie będę pogłębiał twoich koszmarów.

– Jak chcesz – obrażam się. – Czy ma szanse wyzdrowieć?

– Trudno powiedzieć. Pracuję nad tym, choć wątpię, by kiedykolwiek wróciła do Świętej Wiktorii. Ja z pewnością bym to odradzał.

Napinam się jak struna, moje nerwy ogarnia pożar.

– Co powiedziałeś?– Powiedziałem, że bym to odradzał.

– Nie, przedtem.

– Szkoła dla Panien imienia Świętej Wiktorii. Chyba w Swansea. Podobno bardzo dobra, ale ja mam pewne wątpliwości. Czemu pytasz?

Czuję łaskotanie w brzuchu, mam złe przeczucia. Wężowy pierścień. Kobieta w zieleni. Nie ufaj jej...

– Wydaje mi się, że jedna z nauczycielek przyszła do nas ze Świętej Wiktorii.

– Cóż, mam nadzieję, że w Spence lepiej pilnują swojej trzódki niż tam. To wszystko, co mogę powiedzieć o tej sprawie – ponuro obwieszcza Tom.

Nie da się wyrazić, jaka jestem skołowana. Czy panna McCleethy pracowała w Świętej Wiktorii, gdy Nell Hawkins była tam uczennicą? Co jest zbyt „szokujące", żeby Tom mógł o tym mówić? Co takiego przydarzyło się Nell Hawkins, że popadła w szaleństwo?

Cokolwiek to było, modlę się, żeby mnie nie spotkał podobny los.

– Masz adres do Świętej Wiktorii?

– Tak, a dlaczego pytasz? – Tom jest podejrzliwy.

Patrzę na wystawy sklepowe pełne świątecznych dóbr.

– Nasza dyrektorka kazała mi... nam... zrobić dobry uczynek podczas ferii. Pomyślałam, że może napiszę do nich i zawiadomię, że pewna uczennica spędza czas z panną Hawkins, przypominając jej o szczęśliwszych chwilach.

– Godne pochwały. W takim razie dam ci ten adres. O, dojechaliśmy.

ROZDZIAŁ DWUDZIESTY TRZECI

Powóz zatrzymuje się przed sklepem papierniczym przy Regent Street. Felicity i Ann wychodzą nam na spotkanie, a za nimi podąża jak zawsze czujna Franny. Okropnie chciałabym powiedzieć im, czego się dowiedziałam o Nell Hawkins, ale nie mam pojęcia, jak to teraz zrobię.

Tom uchyla kapelusza przed moimi przyjaciółkami, po czym wszyscy przystępują do wymiany uprzejmości.

– Jak się pani podoba Londyn, panno Bradshaw? – pyta mój brat.

– Ogromnie – odpowiada Ann i posyła mu niedorzecznie skromny uśmiech.

– Bardzo elegancki kapelusz. Do twarzy w nim pani.

– Dziękuję – mamrocze Ann, nieśmiało spuszczając wzrok. Za chwilę rzucę się pod przejeżdżającą dwukółkę.

– Czy mogę panie odprowadzić do sklepu?

Felicity uśmiecha się ze zniecierpliwieniem.

– Bardzo jesteśmy wdzięczne, ale proszę się nie kłopotać. Do widzenia panu.

– To nie było zbyt uprzejme z twojej strony – gdy już znajdujemy się w sklepie, Ann karci ją na tyle, na ile Ann potrafi kogoś skarcić.

– Mogłam mu powiedzieć, że ten „bardzo elegancki kapelusz" należy do mnie – grozi Felicity.

– Mam nowiny – wtrącam, zanim Ann zdąży dać ripostę. Teraz całą uwagę skupiają na mnie.

– O co chodzi? – pyta Ann.

Franny kręci się w pobliżu ze wzrokiem obojętnie utkwionym w oddali i uszami wychwytującymi każde słowo z reporterską dokładnością.

– Nic nie zdołamy zrobić, jeśli będzie nam tak siedziała na ogonie – z rozgoryczeniem szepcze Felicity, kiedy udajemy, że oglądamy pliki grubego kremowego papieru przewiązane kolorowymi wstążkami. – Śledzi każdy nasz krok, jakby była samą panią Nightwing. Trudno uwierzyć, że mamy więcej swobody w Spence, ale taka jest prawda.

Wychodzimy ze sklepu papierniczego, mijamy modystkę, sukiennika, sklep z zabawkami i w końcu trafikę, w której dżentelmeni siedzą i palą cygara. Ulice pełne są ludzi polujących na odpowiednie rękawiczki dla ciotki Prudence i idealny bębenek dla małego Johnny'ego. Niestety, Franny nadal podąża za nami i Felicity jest już bliska wybuchu.

– Mama chyba myśli, że może uciec do Francji, potem wrócić i mnie tyranizować, a ja przyjmę to z uśmiechem. No cóż, nic z tego. Zamierzam prysnąć Franny – buntuje się Felicity, wydymając usta.

– Proszę, nie – jęczy Ann. – Nie chcę wywołać żadnego skandalu.

– Zostaniemy zamknięte na klucz w pokojach na resztę ferii – zgadzam się z nią.

Docieramy do cukierni, a tam zza szyby nęcą nas smakowite ciasta i owoce w galaretce. Nagle młody mężczyzna, który zamiata chodnik, wykrzykuje śmiało:

– Franny! Chodź no tu i daj mi buziaka!

Dziewczyna blednie i odwraca wzrok.

– Pan się musiał pomylić, sir – mówi.

Felicity spada na chłopaka jak jastrząb.

– Sir, czy dobrze pan zna moją pokojówkę?

Młodzieniec nie wie, co zrobić ani co odpowiedzieć. To jasne, że zna Franny, i to dobrze, ale rozumie, że może jej przysporzyć kłopotów. Dla służącej choćby cień podejrzenia o niestosowne zachowanie może stanowić podstawę zwolnienia.

– Moja mama będzie bardzo zainteresowana opowieścią o tym, jak jej własna pokojówka w biały dzień całowała mężczyznę w obecności swoich wrażliwych podopiecznych – mówi Felicity.

– Ale ja niczego takiego nie zrobiłam! – protestuje Franny.

– Twoje słowo przeciwko naszemu – stwierdza Felicity, robiąc z nas swoje wspólniczki, czy tego chcemy, czy nie.

Franny zaciska dłonie w pięści.

– Bóg widzi tę niegodziwość, panienko. Zapisze panience wielki minus w swojej księdze.

– Myślę, że możemy dojść do porozumienia. – Felicity wyciąga z portmonetki szylinga. – Masz, chodź i weź go. Weź go i kup sobie ciastko. Pewna jestem, że ten młodzieniec z radością będzie ci towarzyszył. Spotkamy się tu ponownie, powiedzmy, o, piątej?

Szyling lśni w obciągniętej rękawiczką dłoni. Jeśli Franny go weźmie, będzie mogła zjeść ciastko i spędzić popołudnie z przyjacielem. Ale też na zawsze wyląduje w kieszeni Felicity.

Franny kręci głową.

– Och, nie, panienko. Niech mi panienka nie każe kłamać pani Worthington. Kłamstwo to grzech. Nie mogłabym, panienko. Chciałaby panienka, żebym ryzykowała posadę i duszę nieśmiertelną tylko za jednego szylinga?

To, że dziewczynie udaje się wygłosić tę przemowę szantażystki z kamienną twarzą, wydaje mi się sporym wyczynem. Nabieram do niej prawdziwego szacunku.

– I tak mam ochotę powiedzieć o tym mamie – odwarkuje Felicity. To groźba bez pokrycia, wszystkie o tym wiemy. Felicity może zdobyć wolność, której tak łaknie. Wręcza Franny funta, cenę milczenia. Franny szybko chwyta monetę i ściska ją mocno w ręce. Jednak nasza przyjaciółka nie zamierza ryzykować. – Gdyby kiedykolwiek przyszło ci do głowy zwierzyć się mojej matce, będziemy twierdziły, że to ty nas zostawiłaś, by się spotkać z przyjacielem. Biedne dziewczątka, zagubione i same bez przyzwoitki na okrutnych londyńskich ulicach, a do tego zginął nam funt. To bardzo ciekawy zbieg okoliczności.

Franny, jeszcze przed chwilą taka triumfująca, robi się czerwona i zaciska wąskie usta w ponurym grymasie.

– Tak, panienko. O piątej.

Gdy ruszamy za Felicity, odwracam się jeszcze do pokojówki, nie bardzo wiedząc, co powiedzieć.

– Dziękuję, Franny. Cóż, hm, okazałaś się bardzo porządną dziewczyną.

I w ten sposób zyskujemy swobodę.

Wolność ma smak ptysia z bitą śmietaną kupionego przy Regent Street. Słodkie płatki ciasta rozpuszczają się na moim języku, podczas gdy powozy i omnibusy jeżdżą w górę i w dół ulicy, rozbryzgując kołami błotnistą breję wymieszaną z brudnym śniegiem. Ludzie spieszą to tu, to tam, uzbrojeni w poczucie celu. A my chodzimy między nimi bez skrępowania – maleńka cząstka bezimiennego tłumu zderzająca się z przypadkiem, z przeznaczeniem.

Docieramy do Picadilly i wchodzimy pod dach wspaniałej galerii Burlington, mijając strażników we frakach, którzy pilnują porządku za pomocą twardego spojrzenia i ciężkich pałek w dłoniach. Są tu stoiska z najróżniejszymi artykułami – partyturami, rękawiczkami, wyrobami pończoszniczymi, ozdobami z rżniętego szkła i tak dalej – więc znów ogarnia mnie bolesna tęsknota za Indiami, za bazarami i gorączkowym rozgardiaszem na targowiskach.

– To prawie tak miłe jak pobyt w międzyświecie – uznaje Ann, z zadowoleniem pochłaniając swoje ciastko.

– Jakie masz nowiny? – pyta Felicity.

– Mój brat ma pacjentkę w Bethlem, która nazywa się Nell Hawkins. Niezwykle ciekawy przypadek...

– To takie szlachetne ze strony Toma, że troszczy się o tych nieszczęśników – komentuje Ann, oblizując usta z kremu. – Narzeczona musi uważać, że jest wspaniały.

– Narzeczona? Toma? – dziwię się, zirytowana, że mi przerwała. Po niewczasie przypominam sobie swoje kłamstwo. – A. Tak, hm, chodzi ci o pannę Richardson. Oczywiście, jaka ja niemądra.

– Mówiłaś, że nazywa się Dalton. I że jest piękna.

– Ja... – Nic mi nie przychodzi do głowy. Naprawdę ugrzęzłam. – Zerwali ze sobą.

– Taaak? – W Ann wyraźnie wstępuje nowa nadzieja.

– Pozwolisz jej opowiadać dalej? – karci ją Felicity.

– Nell Hawkins nie uważa się za Joannę d'Arc ani za królową Saby. Uroiła sobie natomiast, że jest członkinią Zakonu i że szuka jej kobieta o imieniu Kirke.

Felicity wstrzymuje oddech.

– Aż dostałam gęsiej skórki.

Ann jest zbita z tropu.

– Chyba mówiłaś, że ona przebywa w Bethlem.

– No tak – przyznaję, uświadamiając sobie, jak niedorzecznie to wszystko musi brzmieć. Nagabują nas przechodzący obok gazeciarze, ale nie zwracamy na nich uwagi.

– Jednak ty nie uważasz, że jest szalona. Sądzisz, iż tylko udaje, żeby się chronić? – podpowiada Felicity.

Dotarłyśmy do stoiska z bardzo wymyślnymi tabakierami. Oglądam jedną, inkrustowaną macicą perłową. Jest droga, ale nie mam jeszcze nic dla taty, więc polecam sprzedawczyni, żeby ją dla mnie zapakowała.

– Prawdę mówiąc, odwiedziłam ją dzisiaj. I naprawdę jest szalona. Popatrzcie, co zrobiła – mówię, pokazując im uszkodzony amulet.

– O mój Boże! – denerwuje się Felicity.

– Nie rozumiem więc, jak mogłaby nam pomóc – zastanawia się Ann.

– Widziała Kirke, jestem tego pewna. I cały czas wspominała o jakiejś ścieżce. Powtórzyła to kilka razy: „Trzymaj się ścieżki".

– Jak myślisz, co to znaczy? – pyta Felicity. Wychodzimy z pasażu handlowego na Bond Street i zatrzymujemy się przed lśniącą witryną sklepową. Ciemnoczerwony jedwab spływa kaskadami z milczącego woskowego manekina kobiety. Każda fałdka mieni się jak wino w świetle księżyca. Nie potrafimy się opanować i wpatrujemy się weń tęsknym wzrokiem.

– Nie wiem, co to znaczy. Ale wiem, że Nell Hawkins była uczennicą w Świętej Wiktorii w Walii.

– Czy nie tam właśnie pracowała panna McCleethy, zanim przeniosła się do Spence? – pyta Ann.

– Tak. Ale nie mam pojęcia, czy była nauczycielką Nell. Napiszę list do tamtejszej dyrektorki z pytaniem, kiedy panna McCleethy była u nich zatrudniona. Myślę, że istnieje jakiś okropny związek pomiędzy tym, co się przydarzyło Nell Hawkins, a panną McCleethy, i że wiąże się to z międzyświatem. Jeżeli uda nam się rozwiązać tę zagadkę, to możliwe, że zaprowadzi nas ona do Świątyni.

– Nie rozumiem jak – nadal marudzi Ann.

– Ja również, ale w tej chwili to moja jedyna nadzieja.

Jedwab kusi nas zza szyby. Ann wzdycha.

– Czyż nie byłoby wspaniale mieć suknię z tego materiału? Wszyscy by się za nią oglądali.

– Mama sprowadza moją suknię z Paryża – oświadcza Felicity, jakby robiła zdawkową uwagę o pogodzie.

Ann przykłada dłoń do szyby.

– Chciałabym...

Nie potrafi nawet dokończyć zdania. Takie życzenie to zbyt wiele.

W witrynie pojawia się sprzedawczyni, a łuk szyldu „Castle i Synowie, Krawiectwo" dzieli ją idealnie na dwie części. Kobieta zabiera oszałamiająco piękny materiał. Manekin chwilę się chwieje, a potem staje prosto, lecz odarty z wytwornej tkaniny jest już tylko skorupą w cielistym kolorze.

Wędrując dalej, trafiamy na wąską boczną uliczkę. Aż mi zapiera dech ze zdumienia na widok ukrytego pod markizą maleńkiego sklepu o nazwie Złoty Świt.

– O co chodzi? – pyta Felicity.

– O ten sklep. Panna McCleethy miała w swojej walizce jego ulotkę. To była jedna z niewielu rzeczy, jakie tam były, więc musi być ważna – odpowiadam.

– Księgarnia? – dziwi się Ann, marszcząc nos.

– Przekonajmy się same, o co tu chodzi – proponuje Felicity.

Zanurzamy się w ciemnej jaskini sklepu. W smugach bladego światła wiruje kurz. Nie jest to zbyt zadbana księgarnia i dziwię się, czemu panna McCleethy się nią interesuje.

Z ciemności dobiega nas głos:

– Mogę w czymś pomóc? – Głos przybiera postać przygarbionego mężczyzny w wieku około siedemdziesięciu lat. Staruszek kuśtyka w naszą stronę, opierając się na lasce, a jego kolana aż trzeszczą z wysiłku. – Witam panie. Jestem Theodore Day, właściciel Złotego Świtu, księgarz od anno regni Reginae tysiąc osiemset sześćdziesiątego pierwszego.

– Bardzo nam miło – mruczymy unisono.

– Czego panie szukają? Ach, proszę poczekać! Proszę nie mówić. Mam coś odpowiedniego. – Laska go prowadzi, a księgarz pośpiesznie chroma za nią w stronę wysokiej biblioteczki pełnej książek. – Może coś o księżniczkach? Och, nie... Nawiedzone zamki i dziewice w niebezpieczeństwie? – Jego brwi, dwie tłuste białe gąsienice nad ramkami okularów, podrygują w wyraźnym zachwycie.

– Jeśli można... – zaczynam.

Pan Day grozi mi palcem.

– Nie, nie, nie, proszę nie psuć zabawy. Znajdę to, czego panie szukają. – Podążamy za panem Dayem, który przegląda wszystkie półki, przesuwając kościstym palcem po skórzanych grzbietach i mamrocząc pod nosem tytuły książek. – *Wichrowe Wzgórza... Jane Eyre... Zamczysko w Otranto...* O, to świetna książka, słowo daję.

– Jeśli można, sir – odzywam się, trochę podnosząc głos – miałyśmy raczej nadzieję, że znajdziemy jakieś dzieło o Zakonie. Czy ma pan coś takiego?

Wprawiłam pana Daya w zakłopotanie. Gąsienicowe brwi zderzają się u nasady nosa.

– Jejku, jejku... Chyba nigdy nie słyszałem... Jak brzmi tytuł, proszę powtórzyć?

– To nie jest tytuł – mówi Felicity tak zniecierpliwionym tonem, że niemalże słyszę niewypowiedziane „ty zgrzybiały idioto".

– To jest temat – podpowiada uprzejmie Ann, ratując sytuację. – Zakon. Grupa kobiet, które rządziły międzyświatem za pomocą magii...

– Oczywiście nieprawdziwych kobiet! – przerywam. – To w końcu tylko opowieść.

– Zatem interesują się panie powieściami? – domyśla się pan Day, drapiąc się po łysych plackach między niesfornymi kosmykami siwych włosów.

To chyba się nie uda.

– Raczej mitami – sugeruję po chwili namysłu.

Twarz księgarza rozjaśnia się.

– Ach! Mam kilka wspaniałych wydawnictw o mitach. Proszę tędy.

Prowadzi nas do regału na tyłach sklepu.

– Greckie, rzymskie, celtyckie, skandynawskie... Och, uwielbiam mity skandynawskie. Oto one.

Felicity patrzy na mnie z rozpaczą. Nie tego szukamy, ale możemy tylko podziękować i przynajmniej porozglądać się przed wyjściem. Dzwonek przy drzwiach oznajmia przybycie następnego klienta, więc pan Day nas zostawia. Słyszymy, jak radośnie pyta, w czym może pomóc. Klientka, bo jest to kobieta, odpowiada. Znam ten głos o dziwnym akcencie. Należy do panny McCleethy.

Wyglądam zza regału, żeby się upewnić.

– Popatrzcie – nakazuję przyjaciółkom.

– Na co? – Ann bezmyślnie wychodzi zza osłony półek. Mocnym szarpnięciem cofam ją tam, gdzie była.

– Spójrz tędy – proponuję. Wyjmuję dwie książki i robię dziurę, przez którą można patrzeć.

– To panna McCleethy! – odkrywa Ann.

– Co ona tu robi? – szepcze Felicity.

– Nie wiem – odpowiadam szeptem. – Nie słyszę, co mówi.

– Ach, tak, właśnie przyjechała – odpowiada pan Day na niedosłyszane przez nas pytanie panny McCleethy.

– Co właśnie przyjechało? – dopytuje się Ann. Felicity i ja uciszamy ją, zasłaniając jej usta dłońmi.

– Zaraz wrócę. Proszę się rozejrzeć, jeśli ma pani ochotę. – Pan Day znika za aksamitną kotarą. Światło dnia wpada przez brudne okna, kąpiąc pannę McCleethy w mgiełce kurzu. Nauczycielka zdejmuje rękawiczkę z prawej dłoni, żeby łatwiej jej było kartkować powieści leżące w stercie na stole. Wężowy pierścień odbija światło, oślepiając mnie swoim blaskiem. Panna McCleethy odchodzi od stolika i zbliża się do naszej kryjówki.

W panice kucamy na podłodze, gdy wyjmuje książki z wyższych półek. Gdyby spojrzała na niższe...

– Proszę bardzo – mówi pan Day, wyłaniając się zza aksamitnej zasłony. Podaje klientce tajemniczą książkę, owiniętą w papier i przewiązaną wstążką. Po chwili dźwięk dzwonka obwieszcza, że panna McCleethy wyszła. Przez lukę w rzędzie książek sprawdzamy, czy rzeczywiście jej nie ma, po czym podchodzimy do pana Daya.

– Przepraszam pana, ale wydaje mi się, że była tu przed chwilą najlepsza przyjaciółka mojej mamy. Czy mógłby pan mi zdradzić, jaką książkę kupiła? Bardzo podziwiam jej gust w tych kwestiach – mówię najsłodszym tonem, na jaki mnie stać.

Kątem oka widzę, że Felicity szeroko otwiera usta z podziwu i zdumienia. Nie tylko ona potrafi zmyślać.

– Tak, to była *Historia tajemnych stowarzyszeń* pióra panny Wilhelminy Wyatt. Nie czytałem jej.

– A ma pan może jeszcze jeden egzemplarz? – pytam.

– Oczywiście. – Pan Day kuśtyka na zaplecze sklepu i po chwili wraca z książką. – O, proszę bardzo. Czy to nie dziwne? Do tej pory nikt się nie interesował tą pracą, a dzisiaj sprzedaję dwa egzemplarze. Szkoda autorki.

– Co pan ma na myśli? – pyta Felicity.

– Podobno umarła wkrótce po publikacji. – Nachyla się do nas i dodaje szeptem: – Powiadają, że zajmowała się wiedzą tajemną. Straszne sprawy. A teraz zawiążemy ładną wstążeczkę i...

– Nie, dziękuję panu – protestuję, sięgając po książkę, zanim księgarz zdąży ją zapakować. – Obawiam się, że bardzo nam się śpieszy.

– No cóż, to będą cztery szylingi, jeśli panie pozwolą.

– Felicity? – podpowiadam.

– Ja? – szepcze ona. – Dlaczego ja mam za nią płacić?

– Bo ty ją kupujesz – odpowiadam, uśmiechając się zimno.

– Na mnie nie patrzcie – odmawia Ann. – Ja nie mam grosza przy duszy.

– To będą cztery szylingi – twardo powtarza pan Day.

W końcu jesteśmy zmuszone się złożyć, żeby kupić złowieszczą książkę panny Wyatt.

– Przejrzę ją jako pierwsza. W końcu dałam trzy szylingi na twojego jednego – wypomina mi Felicity, gdy wychodzimy w światło londyńskiego dnia.

– Będziemy ją czytać razem – protestuję, walcząc o swój interes.

– Tam jest! – ostrzega nas Ann. Panna McCleethy idzie przed nami. – Co robimy?

– Śledzimy ją – odpowiada Felicity. I natychmiast rusza naprzód.

– Poczekaj chwilę – mówię, doganiając przyjaciółkę. Staram się nie spuszczać wzroku z panny McCleethy, która zbliża się do rogu. – Nie wiem, czy to rozsądne.

Ann oczywiście staje po stronie Felicity.

– W ten sposób możemy się czegoś dowiedzieć.

Z dwiema naraz nie wygram. Panna McCleethy staje i odwraca się. Ze zbiorowym westchnieniem zatrzymujemy się przed człowiekiem, który ostrzy noże. Nauczycielka po chwili rusza dalej.

– No i? – mówi Felicity. Brzmi to bardziej jak wyzwanie niż pytanie.

Krzyk mężczyzny – „Noże! Ostrzę noże!" – wznosi się ponad uliczny hałas. Nauczycielka niemalże zniknęła nam już z oczu.

– Chodźmy – decyduję.

ROZDZIAŁ DWUDZIESTY CZWARTY

Idziemy za panną McCleethy. Mijamy sprzedawców w zarękawkach pakujących paczki do czekających powozów oraz kobietę w surowej czerni, która błaga nas, abyśmy w Boże Narodzenie pamiętały o tych, którym się nie poszczęściło. Nie zwracamy na nikogo uwagi. Liczy się tylko pościg.

Przy Charing Cross panna McCleethy zaskakuje nas, schodząc do stacji metra.

– I co teraz? – pyta Felicity.

Biorę głęboki wdech.

– Przypuszczam, że pojedziemy metrem.

– Jeszcze nigdy nie jechałam metrem – mówi niepewnie Ann.

– Ja też nie – wyznaje Felicity.

– No to najwyższy czas – oświadczam, choć na samą myśl o tym przedsięwzięciu mam wrażenie, że mój oddech przylepia się do żeber. Regionalna Kolej Miejska. To tylko podziemny pociąg, Gemmo. Szykuje się przygoda, a ja mam w sobie awanturniczą żyłkę. Simon tak powiedział.

– No już, nie bój się, Ann. Daj mi rękę – proponuję.

– Nie boję się – zaprzecza, po czym przepycha się obok mnie i jakby nigdy nic rusza w dół po schodach prowadzących do tuneli, które biegną pod ruchliwymi londyńskimi ulicami. Jedyne, co mogę zrobić, to pójść za nią. Oddycham głęboko i ruszam naprzód. W połowie drogi odwracam się. Pełna wątpliwości Felicity nadal stoi u szczytu schodów. Patrzy na mnie, jakbym była Eurydyką na powrót znikającą w podziemnym świecie.

– Gemmo, czekaj! – woła i w końcu decyduje się, żeby do mnie dołączyć.

U dołu schodów znajduje się oświetlony gazowymi lampami peron. Nad nami majaczy przepiękny rzeźbiony sufit tunelu. Panna McCleethy stoi na drugim końcu pomieszczenia. Kryjemy się poza zasięgiem jej wzroku, dopóki na stację z szumem nie wjeżdża pociąg. Nauczycielka wsiada do niego, a my szybko wchodzimy do następnego wagonu. Trudno powiedzieć, co jest bardziej ekscytujące: możliwość, że panna McCleethy nas zauważy, czy to, że pierwszy raz podróżujemy metrem. W nieprzystający damom sposób po kolei zaglądamy do drugiego wagonu, żeby szpiegować pannę McCleethy. Nauczycielka z zadowoloną miną czyta książkę panny Wyatt o sekretnych stowarzyszeniach. Ogromnie chciałabym się dowiedzieć, co takiego odkryła, ale nie śmiem zaglądać do naszego egzemplarza ze strachu, że w tym czasie stracę ją z oczu.

Konduktor ostrzega, że ruszamy. Z ostrym szarpnięciem pociąg zagłębia się w tunel, a Felicity kurczowo chwyta mnie za rękę. To dziwne uczucie, kiedy tak suniemy ciemną trasą, a słabe światło gazowych lamp migocze na naszych zdziwionych twarzach niczym blask spadających gwiazd.

Na każdym przystanku konduktor wychodzi na peron i podaje jego nazwę. Panna McCleethy nie podnosi wzroku znad lektury. Dopiero kiedy dojeżdżamy do Westminster Bridge, zamyka książkę i opuszcza wagon, a nasza trójka podąża za nią w bezpiecznej odległości. Wychodzimy na ulicę, mrużąc oczy przed jasnym światłem.

– Wsiada do tramwaju konnego! – woła Felicity.

– To klapa – stwierdzam. – Nie możemy jechać z nią. Zauważy nas.

Ann łapie mnie za rękę.

– Możemy. Popatrz, tam jest tłok. Ukryjemy się, a jeśli nas zauważy, powiemy, że po prostu zwiedzamy miasto.

To bardzo śmiały plan. Panna McCleethy przechodzi na tył zatłoczonego tramwaju. My stajemy z przodu, starając się, by oddzielało nas od niej jak najwięcej osób. Przy Westminster Bridge Road nauczycielka wysiada, a my niemalże tratujemy się nawzajem, próbując za nią nadążyć. Wiem, gdzie jesteśmy. Byłam tu niedawno. Znajdujemy się w Lambeth, bardzo blisko Królewskiego Szpitala Bethlem. I w rzeczy samej nasza nauczycielka żwawym krokiem kieruje się właśnie w tamtą stronę. Po paru minutach przechodzi przez żelazną bramę, a potem ścieżką zmierza w stronę wejścia z okazałym portykiem. Ukrywamy się za krzakami przy ścieżce i kucamy.

– Czego ona szuka w Bedlam? – dziwi się Felicity.

Po moich plecach przebiega zimny dreszcz.

– Przebywa tam Nell Hawkins.

– Chyba nie sądzisz, że panna McCleethy może ją skrzywdzić, prawda? – pyta Ann niestosownie podekscytowanym tonem, który sugeruje, że myśl ta wcale nie jest dla niej absolutnie odrażająca, jeśli sprawi, iż popołudnie nabierze rumieńców.

– Nie wiem – odpowiadam. – Ale z pewnością oznacza to, że się znają, najprawdopodobniej ze Świętej Wiktorii.

Przez jakiś czas czekamy na zimnie, ale panna McCleethy nie wraca, a nam grozi, że przegapimy umówione spotkanie z Franny. W końcu z wielką niechęcią odchodzimy, a w mojej głowie kłębi się jeszcze więcej pytań niż do tej pory. Czego szuka panna McCleethy w Bedlam? O co jej chodzi? Czuję pewność, że jest jakoś powiązana z Nell Hawkins. Nie wiem tylko jak ani dlaczego.

ROZDZIAŁ DWUDZIESTY PIĄTY

Felicity zaprasza nas do swojego domu na bardzo późny podwieczorek. Przygoda zaostrzyła nam apetyt, więc każda z nas bez pardonu pochłania kilka wykwintnych kanapek.

– No i co na to powiecie? Panna McCleethy w Bedlam? – pyta Felicity między kolejnymi kęsami.

– Może ma tam szalonego krewnego? – sugeruje Ann. – Takiego, którego cała rodzina się wstydzi.

– Albo może poszła odwiedzić Nell Hawkins – podpowiadam ja.

– Teraz nie znajdziemy na to odpowiedzi. Sprawdźmy, co ją tak zainteresowało w dziele panny Wyatt – decyduje Felicity, rekwirując książkę, tak jak się spodziewałam. – Templariusze, masoni, Klub Ognia Piekielnego, asasyni... Już sam spis treści to niezła lektura. O, jest. Strona dwieście pięćdziesiąta piąta. Zakon.

Otwiera książkę w odpowiednim miejscu i czyta na głos.

Młode dziewczęta z każdego pokolenia były starannie przygotowywane do objęcia funkcji w najwyższych kręgach Zakonu. Gdy kończyły szesnasty rok życia, obserwowano je bacznie, aby sprawdzić, która spośród nich została wybrana przez międzyświat, by prawdziwie władać magią, a której moc była ledwie drżącym płomieniem, szybko obracającym się w popiół. Te, które nie zostały wybrane, odprawiano, by zajęły się ogniskiem domowym i już nigdy nie stykały się z potężnymi czarodziejkami. Inne poświęcały życie służbie, a Zakon wzywał je w ten lub inny sposób, gdy nadchodził czas.

Niektórzy twierdzą, że Zakon nigdy nie istniał i jest tylko historią podobną bajkom o wróżkach, goblinach, wiedźmach, księżniczkach albo nieśmiertelnych bogach Olimpu zaludniających literatu-

rę tak cenioną przez wrażliwe dziewczęta, które chcą wierzyć w podobne fantazje. Inni powiadają, że kobiety te były celtyckimi pogankami, które rozpłynęły się w mgłach czasu, tak jak Merlin, Artur i jego rycerze. Jeszcze inni szeptem przekazują mroczniejszą opowieść: że któraś z członkiń Zakonu zdradziła, składając w ofierze ludzkie życie...

Felicity wpatruje się w stronę i czyta po cichu.

– Masz czytać na głos! – oburzam się.

– Wszystko to już i tak wiemy – odpowiada.

– Daj, ja poczytam – mówię, zabierając jej książkę.

Obłąkani, uzależnieni od narkotyków lub alkoholu, biedni albo głodujący – te nieszczęśliwe dusze potrzebowały opieki Zakonu, gdyż ich umysły były zbyt niespokojne i słabe, żeby skutecznie opierać się głosom mrocznych duchów, które mogły do nich przemawiać w dowolnej chwili...

Uzależnieni od alkoholu. Od narkotyków. Martwię się o ojca. Ale nie, uratowałam go. Jest bezpieczny.

– Jeżeli duchy mogą nawiedzać umysły osób obłąkanych, to jak możemy ufać Nell Hawkins? – odzywa się Ann. – A jeśli już ją wykorzystują w złych celach?

Felicity zgadza się z nią.

– To przygnębiająca myśl.

Przypomina mi się pan Carey, który przekazał mi przerażające ostrzeżenie. Jednak Nell nie budziła we mnie strachu. Sama była wystraszona. Kręcę głową.

– Nell ciężko walczy, aby duchy nie mogły jej wykorzystać. Dlatego tak trudno do niej dotrzeć.

– Jak długo jeszcze będzie mogła stawiać im opór? – pyta Ann. Nie znam odpowiedzi.

– Teraz ja poczytam – proponuje Felicity, biorąc ode mnie książkę.

Czyta na głos:

To pewnik – choć niektórzy kwestionują to i uważają za czyste szaleństwo – że Zakon nadal istnieje, ale jego członkinie ukrywa-

ją się. Identyfikują się poprzez różne tylko im znane symbole. Należą do nich księżycowe oko, podwójny kwiat lotosu, róża, dwa splecione węże...

– Takie jak na pierścionku panny McCleethy! Panna Moore mówiła, że to symbol – dodaję. – I taki sam pierścionek widziałam w wizji z trzema dziewczynkami.

Ann szeroko otwiera oczy.

– Tak?

Lecz to nie wszystko – kontynuuje głośno Felicity. Niezależnie od powodu nie lubi, gdy się jej przerywa. – *Kapłanki Zakonu wykorzystywały również anagramy. Ten zabieg szczególnie skutecznie pomagał im ukrywać tożsamość przed prześladowcami. W ten sposób Jane Snow mogła się stać Jean Wons i nikt prócz jej sióstr nic o tym nie wiedział.*

Felicity chwyta kartkę papieru.

– Zróbmy własne anagramy. Chcę wiedzieć, jak by brzmiało moje tajemne imię. – Tutaj na osobności zachowuje się beztrosko i w ogóle nie jest snobką. Nie boi się, że jej entuzjazm będzie wyglądał głupio.

– Dobrze – zgadzam się.

Felicity pisze swoje nazwisko na górze strony: Felicity Worthington. Wpatrujemy się w litery, czekając, aż objawią nam nowe, tajemne imię.

Ann bazgroli:

– Felicity Worthington można przerobić na City Worth Gin If Lento.

Felicity krzywi się.

– A cóż to jest za nazwisko?

– Zabawne – odpowiadam.

– Spróbuj jeszcze raz, Ann – żąda Fee.

Ann przykłada pióro do kartki, koncentrując się, jakby była chirurgiem przed operacją.

– Wont Left In City Grohi? – proponuje.

– To nie ma sensu – narzeka Felicity.

– Robię, co w mojej mocy.

Ja wcale nie radzę sobie lepiej. Przestawiam i mieszam litery Gemmy Doyle, ale mam tylko jeden pomysł.

– A jak u ciebie, Gemmo? – pyta Felicity.

– Nic godnego uwagi – odpowiadam, zgniatając kartkę.

Felicity wyrywa mi ją z ręki i odczytuje imię:

– Dog Mealy Em!

Dziewczyny wybuchają niepohamowanym śmiechem, a ja od razu żałuję, że to zapisałam.

– Och, doskonałe – stwierdza rozbawiona Felicity. – Od dziś znana będziesz w naszym Zakonie pod swym sekretnym imieniem: Dog Mealy Em.

Cudownie.

– Spróbuję wymyślić coś jeszcze – mówię.

– Jeśli chcesz – odpowiada, uśmiechając się niczym kot, który zapędził swoją ofiarę w kozi róg. – Lecz ja na pewno będę się do ciebie zwracała Dog Mealy Em.

Ann parska śmiechem, od którego zaczyna jej ciec z nosa. Wyciera go, mamrocząc do siebie: „Dog Mealy Em", czym doprowadza Felicity do kolejnego paroksyzmu śmiechu. Bardzo mnie irytuje, że jestem szczęśliwą adresatką ich kpinek.

– A jak brzmi twoje sekretne nazwisko, Ann? – pytam prowokacyjnym tonem.

Ann pisze w poprzek strony schludnymi, drobnymi literami.

– Nan Washbrad.

– To niesprawiedliwe! – oburzam się. – Brzmi zupełnie jak normalne nazwisko.

Ann wzrusza ramionami.

– Podejrzane nazwisko na nic się nie przyda, prawda? – Uśmiecha się triumfalnie, a ja w ciszy słyszę to, czego nie mówi na głos: „Dog Mealy Em".

Felicity, koncentrując się, postukuje piórem w kartkę. Sfrustrowana jęczy pod nosem.

– Nic nie mogę z tego wykrzesać. Nic nie przychodzi mi do głowy.

– Masz drugie imię? – pyta Ann. – Mogłoby pomóc. Byłoby więcej liter.

– To nic nie da – odpowiada pospiesznie nasza przyjaciółka.

– Dlaczego nie? – dziwi się Ann.

– Bo nie. – Felicity rumieni się. To do niej zupełnie niepodobne.

– Dobrze, od dziś znana będziesz jako City Worth Gin If Lento – oświadczam, bardzo się ciesząc z jej zakłopotania.

– Skoro musicie wiedzieć, na drugie mam Mildrade. – Felicity spogląda na swoją kartkę, jakby wcale nie została obarczona najgorszym drugim imieniem w historii.

Ann marszczy nos.

– Mildrade? A cóż to za imię?

– Stare imię rodzinne. – Felicity pogardliwie pociąga nosem. – Jego pochodzenie można prześledzić aż do Sasów.

– O – mówi Ann.

– Urocze – dopowiadam, rozpaczliwie walcząc, żeby się nie uśmiechnąć.

Felicity ukrywa twarz w dłoniach.

– Och, koszmarne, co? Po prostu go nienawidzę.

Nie ma na to uprzejmej odpowiedzi.

– Ależ skąd. – Nie mogę się opanować, by nie wypowiedzieć go na głos: – Mildrade.

Felicity mruży oczy.

– Dog Mealy Em.

Można by tak cały wieczór.

– Rozejm?

Kiwa głową.

– Rozejm.

Ann zaczęła wycinać kwadraty z literami z imienia i nazwiska Felicity, tak że można je przekładać na biurku, aż dadzą jakieś rozsądne rozwiązanie. To żmudna praca i choć po kilku minutach nadal wpatruję się w litery, to rozmyślam głównie nad tym, co miałabym ochotę zjeść na kolację. Felicity oświadcza, że zadanie jest niewykonalne i rzuca się na szezlong, żeby poczytać jeszcze o tajemnych stowarzyszeniach pani Wyatt. Tylko Ann jest zdecydowana rozszyfrować kod nazwiska Felicity. Skupia się na tym bez reszty, przesuwając litery w lewo i w prawo.

– Aha! – krzyczy w końcu.

– Pokaż! – Felicity odrzuca książkę i pędzi do biurka, a ja za nią. Ann dumnym gestem wskazuje blat, na którym nierówne kwadraty utworzyły nowe nazwisko. Felicity odczytuje je na głos:

– Maleficent Oddity Rilingworth. Och, doskonałe!

– Tak – potwierdzam. – Złe i dziwaczne.

– Dog Mealy Em – warczy Felicity.

Będę musiała koniecznie popracować nad anagramem. W rogu kartki Ann kilka razy nagryzmoliła zwrot „Pani Thomasowa Doyle", wypróbowując podpis, którego nigdy nie będzie miała okazji używać. Wstyd mi, że wykreśliłam ją z listy Toma, nie dając jej żadnej szansy. Naprawię to. Ann spogląda na mnie.

– O co chodzi? – pytam.

– Sprawdzam nazwisko panny McCleethy – wyjaśnia.

Stajemy nad nią.

– I co masz?

Ann pokazuje rezultaty.

„Claire McCleethy Let Her Claim CeCy I'm Clear Celt Hey C Ye Thrice Calm Cel The Mal Cire Leccy".

Felicity śmieje się.

– To nie ma żadnego sensu. Let Her Claim CeCy? Mal Cire?

– „Cire" to rodzaj błyszczącej tkaniny. „Mal" znaczy zły – z dumą wyjaśnia Ann.

Nie mogę oderwać wzroku od kartki. Jest w tych słowach coś dziwnie znajomego, coś, co powoduje, że jeżą mi się włosy na karku.

Ann dopisuje kolejne „c". Powstaje „Circe".

– Spróbuj zrobić całe nazwisko – mówię.

Ann znów wypisuje litery i wycina małe kwadraty, które można przesuwać. Wypróbowuje kilka kombinacji – Circe Lamcleethy, Circe the Lamcley, Circe the Mal Cley, Circe the Ye Call M.

– Wstaw „y" po „the" – instruuję ją.

Circe They E Call M.

Ann przenosi litery, aż układają się w zdanie: „They Call Me Circe*".

Patrzymy na nie w zdumieniu.

– Claire McCleethy to anagram – szepcze Ann.

Ciałem Felicity wstrząsa dreszcz.

– Kirke wróciła do Spence.

– Musimy znaleźć Świątynię – mówię. – I to szybko.

Kiedy przybywamy do międzyświata, Pippa siedzi obok gorgony.

– Patrzcie, zrobiłam korony dla wszystkich! To moje prezenty świąteczne dla was! – Z jej ramion zwieszają się kwietne wianki, które wkłada nam na głowy. – Ślicznie!

– Och, są przepiękne – rozczula się Felicity.

– I przechowałam bezpiecznie twoje zaczarowane strzały – dodaje Pip, wkładając kołczan na plecy przyjaciółki. – Popłyniemy znów rzeką?

– Nie, chyba nie – odpowiadam. Gorgona zwraca zieloną twarz w moją stronę.

– Nie popływamy, Wasza Wysokość? – syczy.

– Nie, dziękuję – mówię. Pamiętam naszą ostatnią wyprawę i tę chwilę wahania. Nie wiem, czy mogę ufać wielkiej bestii, która niegdyś poprowadziła bunt przeciwko Zakonowi. Musiał istnieć powód, dla którego została uwięziona.

Kiwam ręką na przyjaciółki, żeby poszły za mną do ogrodu. Muchomory znacznie urosły. Niektóre wyglądają, jakby miały zaraz pęknąć.

– I odkryłyśmy, że nazwisko nauczycielki stanowi anagram dla „They Call Me Circe" – Felicity kończy relację z wydarzeń minionego dnia.

* Ang. – „Zwą mnie Kirke". (przyp. tłum.)

– Jakież to ekscytujące! – emocjonuje się Pippa. – Szkoda, że nie mogłam jej śledzić. To było bardzo odważne z waszej strony.

– Sądzicie, że pani Nightwing też jest podejrzana? – pyta Felicity. – W końcu się przyjaźnią.

– Nie zastanawiałam się nad tym – odpowiadam z zakłopotaniem.

– Nie chciała, żebyśmy cokolwiek wiedziały na temat Zakonu! Dlatego zwolniła pannę Moore – zauważa Pippa. – Może pani Nightwing ma coś do ukrycia.

– Albo może nic o tym nie wie – dodaje Ann. Pani Nightwing jest jedyną matką, jaką miała. Wiem, co znaczy stracić zaufanie do kogoś, kogo się kocha.

– Pani Nightwing uczyła w Spence, kiedy Sara i Mary tam przebywały. A jeśli pomagała Sarze przez cały czas? I tylko czekała, kiedy przyjaciółka będzie mogła wrócić? – sugeruje Felicity.

– Nie p-podoba mi się ta rozmowa – Ann zaczyna się jąkać.

– A jeśli...

– Fee – przerywam jej szybko, zerkając na Ann. – Myślę, że teraz przede wszystkim powinnyśmy poszukać Świątyni. Nell Hawkins powiedziała, żeby znaleźć ścieżkę. Widziałaś tu jakąś ścieżkę, Pip?

Przyjaciółka patrzy na mnie pytająco.

– Kto to jest Nell Hawkins?

– Wariatka z Bedlam – odpowiada Ann. – Gemma uważa, że ona wie, gdzie można znaleźć Świątynię.

Pippa wybucha śmiechem.

– Żartujecie sobie!

– Nie – odpowiadam, rumieniąc się. – Widziałaś jakąś ścieżkę?

– Setki. A jakiej ścieżki szukacie?

– Nie wiem. Prawdziwej ścieżki. Tylko tyle powiedziała.

– Niewiele nam to daje – odpowiada Pip z westchnieniem. – Jest jedna taka w ogrodzie, nigdy jeszcze nią nie szłam.

– Pokaż – mówię.

Zbuntowane anioły

❧

Wspomniana dróżka to wąziutka ścieżynka, która zdaje się znikać w ścianie zieleni. Idzie się nią powoli i z trudem. Przy każdym kroku musimy odsuwać na bok wielkie liście i tłuste beżowe łodygi, zostawiające cienkie smugi soku na naszych dłoniach, które w końcu lepią się jak syrop.

– Co za męka – jęczy Pippa. – Mam nadzieję, że to właściwa droga. Przeraża mnie myśl, że robimy to na darmo.

Łodyga uderza mnie prosto w twarz.

– Co mówiłaś? – pyta Felicity.

– Ja? Nic nie mówiłam – odpowiadam.

– Słyszałam głosy.

Zatrzymujemy się. Ja też je słyszę. Coś porusza się w zaroślach. Nagle dochodzę do wniosku, że to był kiepski pomysł iść tą drogą, nic o niej nie wiedząc. Wyciągam rękę, żeby zatrzymać przyjaciółki. Felicity sięga po strzałę. Jesteśmy napięte jak struny w fortepianie.

Między liśćmi palmy pojawia się dwoje oczu.

– Halo? Kim jesteś? – odzywam się.

– Przyszłyście nam pomóc? – pyta cichy głos.

Zza drzewa wychodzi młoda kobieta, na której widok głośno wciągamy powietrze. Prawą stronę ciała ma potwornie oparzoną, a rękę spaloną do kości. Na widok naszych wstrząśniętych min próbuje się okryć tym, co zostało z jej szala.

– W fabryce wybuchł pożar, panienko. Spłonęła w mgnieniu oka i nie zdążyłyśmy się wydostać – wyjaśnia.

– My? – pytam, gdy udaje mi się odzyskać głos.

W gęstwinie za nią stoi około tuzina dziewcząt, wiele z nich jest poparzonych, a wszystkie martwe.

– Te, które się nie wydostały. Część z nas zginęła w ogniu, inne zabiły się, skacząc z okien – wyjaśnia rzeczowo.

– Od jak dawna tu jesteście? – pytam.

– Nie potrafię określić tego dokładnie – mówi. – Zdaje się, że od zawsze.

– A kiedy doszło do pożaru? – wtrąca się Pippa.

– Trzeciego grudnia 1895 roku, panienko. Mocno wiało tego dnia, jak pamiętam. – Są tu mniej więcej dwa tygodnie, krócej niż nasza przyjaciółka. – Widziałam panienkę wcześniej – dodaje, kiwając głową do Pippy. – Panienkę i pani dżentelmena.

Pippa szeroko otwiera usta.

– Ja cię nie widziałam nigdy w życiu. Nie mam pojęcia, o czym mówisz.

– Bez urazy, panienko. Nie chciałam powiedzieć nic złego.

Nie wiem, dlaczego Pippa jest taka nieuprzejma. Bynajmniej nie pomaga w ten sposób.

Dziewczyna ciągnie mnie za rękaw i muszę zdławić krzyk, gdy widzę tę dłoń dotykającą mojego ramienia.

– Czy to jest niebo, czy piekło, panienko?

– Ani jedno, ani drugie – odpowiadam, cofając się o krok. – Jak się nazywasz?

– Mae. Mae Sutter.

– Mae – szepczę – czy któraś z twoich towarzyszek zachowuje się dziwnie?

Zastanawia się przez chwilę.

– Bessie Timmons – odpowiada, wskazując na inną poparzoną dziewczynę z paskudnie złamanym ramieniem. – Ale po prawdzie to ona zawsze była dziwna. Rozmawia sama ze sobą, a potem mówi nam, że musimy iść za nią do miejsca zwanego Krainą Zimy, bo tam nam pomogą.

– Posłuchaj mnie uważnie, Mae. Nie wolno wam iść do Krainy Zimy. Wkrótce wszystko ułoży się, jak należy, a ty i twoje przyjaciółki przejdziecie przez rzekę i znajdziecie się tam, gdzie powinnyście.

Mae spogląda na mnie z przestrachem:

– Czyli gdzie?

– No... Nie wiem dokładnie – odpowiadam, nie oferując jej żadnej pociechy. – Ale tymczasem nie wolno wam ufać nikomu, kogo tu spotkacie. Rozumiesz?

Patrzy na mnie hardo.

– Więc czemu mam ufać panience?

Wraca do swoich przyjaciółek, a ja słyszę, jak mówi:

– Nie mogą nam pomóc. Jesteśmy zdane na siebie.

– Wszystkie te duchy czekają, żeby przejść przez rzekę... – odzywa się Felicity.

– Czekają, aż ktoś je zdeprawuje – dodaje Ann.

– Nie wiadomo – wtrąca Pippa.

Milkniemy.

– Chodźmy dalej – mówię. – Może Świątynia jest w pobliżu.

– Nie chcę iść dalej – oznajmia Pippa. – Nie chcę oglądać więcej potworności. Wracam do ogrodu. Ktoś idzie ze mną?

Spoglądam na zieloną dżunglę przed nami. Ścieżka niknie pod gęstą zasłoną liści, ale wydaje mi się, że widzę wśród nich przebłysk upiornej, lśniącej bieli przemykającej przez zarośla.

Bessie Timmons wychodzi na ścieżkę. W jej oczach widać stalowe błyski.

– Skoro nie możecie nam pomóc, to może byście się tak stąd zmyły? No już, zmiatajcie. Bo jak nie...

Nie wyjaśnia, co będzie „bo jak nie". Kilka dziewcząt podchodzi i staje za nią, zwierając szeregi. Nie chcą nas tutaj. Nie ma sensu z nimi walczyć, nie teraz.

– Chodźcie – zwracam się do przyjaciółek. – Wracajmy.

Ruszamy z powrotem wąską ścieżką. Bessie Timmons woła za nami:

– Nie macie co się tak wywyższać! Wkrótce wszystkie będziecie takie jak my. Po nas przyjdą przyjaciele. Wyleczą nas! Uczynią z nas królowe! A wy będziecie tylko prochem.

Spacer powrotny do ogrodu przebiega spokojnie. Jesteśmy zmęczone, lepkie i ponure, zwłaszcza Pippa.

– Czy teraz moglibyśmy się trochę rozerwać? – pyta z rozdrażnieniem, gdy wracamy do miejsca, w którym niegdyś stały runy. – Szukanie Świątyni jest takie przygnębiające.

– Znam odpowiednie miejsce na zabawę, pani.

Zza drzewa wyłania się rycerz, zaskakując nas wszystkie. W ręce niesie zawinięty w szmatę pakunek. Opada na jedno kolano.

– Przestraszyłem panie? – pyta, przechylając głowę na bok, tak że pasmo złotych jak słoma włosów czarująco opada mu na twarz.

Pippa spogląda na niego ze złością.

– Nikt cię nie wzywał.

– Przepraszam – odpowiada, ale jego głos nie brzmi pokornie. Brzmi, jakby się dobrze bawił naszym kosztem. – Jak mam zapłacić za swój błąd, pani? Co każesz mi zrobić? – Przykłada sztylet do gardła. – Czy żądasz mojej krwi, pani?

Pippa jest dziwnie oziębła.

– Skoro tego chcesz.

– A jakie jest twoje życzenie, pani?

Pippa odwraca się, a długie czarne loki opadają jej na plecy.

– Życzę sobie, żebyś zostawił mnie w spokoju.

– Proszę bardzo, pani – odpowiada rycerz. – Ale zostawię ci też prezent.

Rzuca zawiniątko na ziemię, po czym znika w zaroślach.

– Wydawało mi się, że się go pozbyłaś – zauważa Felicity.

– Tak. Mnie też się tak wydawało – odpowiada Pippa.

– Co ci przyniósł? – interesuje się Ann. Rozwija pakunek i opada na trawę z cichym okrzykiem.

– Co to jest? – pytamy obie z Felicity, podchodząc bliżej.

To głowa kozła, pokryta muchami i zaschniętą krwią.

– Potworność! – mówi Ann, przykładając dłoń do ust.

– Jeśli ten człowiek wróci, będę miała mu coś do powiedzenia – odgraża się Felicity, której policzki wyraźnie poróżowiały.

To naprawdę potworny gest i dziwi mnie, że rycerz, obiekt marzeń przywołany przez tęsknotę Pippy – czyli stworzenie związane z nią przez magię – mógł stać się taki okrutny. Pippa uważnie wpatruje się w głowę. Przyciska dłoń do brzucha i początkowo wydaje mi się, że albo się pochoruje, albo rozpłacze. Ale wtedy lekko oblizuje usta, a jej oczy nabierają tęsknego wyrazu.

Zauważa, że się jej przyglądam.

– Później urządzę mu odpowiedni pogrzeb – mówi, biorąc mnie pod ramię.

– Tak, przydałoby się – odpowiadam i odsuwam się.

– Wróćcie jutro! – woła za nami. – Spróbujemy pójść inną ścieżką. Jestem pewna, że jutro ją znajdziemy!

Ozdobny zegar z kukułką na kominku Felicity odzywa się z nadejściem pełnej godziny. Mam wrażenie, że nie było nas bardzo długo, ale według czasu londyńskiego minęła nieledwie sekunda. Nadal jestem podenerwowana wydarzeniami tego dnia: wizytą panny McCleethy w Bedlam, anagramem, spotkaniem z Mae Sutter i jej przyjaciółkami. Oraz Pippą. Tak, przede wszystkim Pippą.

– Zabawimy się? – proponuje Felicity, po czym biegnie do drzwi frontowych, a my za nią.

Kamerdyner Shames natychmiast pojawia się jak spod ziemi.

– Panienko? Czy coś się stało?

Felicity zamyka oczy i wyciąga rękę.

– Nie widzisz mnie, Shames. Nadal siedzimy w salonie i pijemy herbatę.

Shames bez słowa potrząsa głową, jakby nie rozumiał, czemu drzwi są otwarte. Zamyka je za nami, a my jesteśmy wolne.

Londyńska mgła skrywa gwiazdy. Połyskują to tu, to tam, ale nie mogą się przebić przez zawiesiste chmury.

– Co będziemy teraz robić? – pyta Ann.

Felicity uśmiecha się szeroko.

– Wszystko.

Magiczny lot nad Londynem w zimowy wieczór to coś wspaniałego. Widzimy, jak dżentelmeni wychodzą z klubów, a na ich spotkanie podjeżdża długi szereg powozów. Ulicznicy – biedne, zaniedbane dzieciaki – włóczą się po brudnych nabrzeżach Tamizy w poszukiwaniu kilku monet i odrobiny szczęścia. Musimy tylko nieco obniżyć lot i możemy dotknąć kominów teatrów na West Endzie czy przytknąć palce do wspaniałych gotyckich iglic na budynku Parlamentu. Ann siada na dachu obok wysokiej wieży Big Bena.

– Popatrzcie – mówi ze śmiechem. – Zasiadam w Parlamencie.

– Możemy zrobić wszystko! Zakraść się do pałacu Buckingham i założyć klejnoty koronne – rzuca przykład Felicity, przechodząc na paluszkach nad spiczastymi wieżami.

– N-nie z-robisz t-tego, p-prawda? – pyta przerażona Ann.

– Nie, nie zrobi – odpowiadam zdecydowanie.

Taka wolność budzi w człowieku wielką radość. Lecimy leniwie nad rzeką, zatrzymując się na odpoczynek pod mostem Waterloo. Pod nami przepływa łódź, a stojąca na niej latarnia walczy z mgłą i przegrywa. To dziwne, ale słyszę myśli starszego pana w łódce, tak jak słyszałam myśli upadłych kobiet na Haymarket i dandysów jeżdżących po Hyde Parku w ekstrawaganckich powozach, gdy nad nim przelatywałyśmy. Są niewyraźne, jakbym podsłuchiwała rozmowę w pokoju obok, niemniej dociera do mnie, co ci ludzie czują.

Starszy mężczyzna wkłada kamienie do kieszeni i wiem, jakie ma zamiary.

– Musimy powstrzymać tego człowieka w łodzi – zwracam się do dziewczyn.

– Przed czym? – pyta Ann, wirując w powietrzu.

– Nie słyszysz go?

– Nie – odpowiada Ann. Felicity kręci głową, lecąc na plecach jak pływak.

– Zamierza się zabić.

– Skąd to wiesz? – dziwi się Fee.

– Słyszę jego myśli – wyjaśniam.

Mimo wątpliwości przyjaciółki podążają za mną w gęstą mgłę. Mężczyzna śpiewa posępną pieśń o utraconym na zawsze ślicznym dziewczęciu, wkłada ostatni kamień do kieszeni i staje przy burcie rozkołysanej łódki.

– Miałaś rację! – zdumiewa się Ann.

– Jest tam kto? – woła mężczyzna.

– Mam pomysł – szepczę do przyjaciółek. – Chodźcie za mną.

Wyłaniamy się z mgły, a mężczyzna niemalże przewraca się na plecy na widok lecących ku niemu trzech dziewczyn.

– Nie wolno ci popełniać tego rozpaczliwego czynu – przemawiam drżącym głosem, który w założeniu ma brzmieć nieziemsko.

Mężczyzna opada na kolana z wybałuszonymi oczyma.

– K-kim jesteście?

– Jesteśmy duchami świąt Bożego Narodzenia i biada każdemu, kto nie wysłucha naszego ostrzeżenia – zawodzę.

Felicity jęczy, a do tego wywija koziołka. Ann wpatruje się w nią z otwartymi ustami, ale ja, prawdę mówiąc, jestem pod wrażeniem refleksu przyjaciółki oraz jej umiejętności akrobatycznych.

– Przed czym chcecie mnie ostrzec? – skrzeczącym głosem pyta staruszek.

– Jeśli nadal będziesz obstawał przy tym strasznym zamiarze, potworna klątwa spadnie na ciebie – obwieszczam.

– I na członków twojej rodziny – intonuje Felicity.

– I na członków ich rodzin – dodaje Ann. To trochę zbyt wiele moim zdaniem, ale nie da się już tego cofnąć.

Podziałało. Mężczyzna wyrzuca kamienie z kieszeni tak szybko, że obawiam się, iż przewróci łódź.

– Dziękuję! – mówi. – Tak, dziękuję wam serdecznie.

Śmiejąc się z naszej pomysłowości, zadowolone kierujemy się do domu. Jesteśmy naprawdę bardzo uradowane, że uratowałyśmy życie człowiekowi. Gdy przelatujemy nad elegancką dzielnicą Mayfair, korci mnie, żeby zbliżyć się do domu Simona. Byłoby łatwo przemknąć tuż obok i może usłyszeć jego myśli. Przez chwilę dryfuję w powietrzu w jego stronę, ale w ostatniej chwili zmieniam kurs i lecę za przyjaciółkami do salonu Worthingtonów, gdzie stoi zimna już herbata.

– To było niesamowite! – oświadcza Felicity, zajmując miejsce.

– Tak – potwierdza Ann. – Ciekawe, dlaczego Fee i ja nie słyszałyśmy jego myśli.

– Nie wiem – odpowiadam.

Do pokoju wślizguje się malutka dziewczynka w nieskazitelnie czystej sukience i fartuszku. Nie może sobie liczyć więcej niż osiem lat. Jasne włosy, zaplecione w koronę, są ozdobione grubą białą wstążką. Oczy ma w takim samym szaroniebieskim kolorze jak Felicity. Prawdę mówiąc, w ogóle jest do niej bardzo podobna.

– Czego chcesz? – warczy moja przyjaciółka.

W drzwiach staje guwernantka.

– Przepraszam, ale panienka Polly chyba zgubiła swoją lalkę. Mówiłam jej, że musi bardziej uważać na swoje rzeczy.

A zatem to jest mała Polly. Współczuję jej, że musi mieszkać z Felicity.

– Jest tutaj – mówi Felicity i wyciąga lalkę spod perskiego dywanu. – Poczekaj, sprawdzę, czy wszystko z nią w porządku.

Felicity robi przedstawienie, udając, że jest pielęgniarką, która zajmuje się lalką, czym doprowadza Polly do śmiechu, ale kiedy zamyka oczy i kładzie ręce na zabawce, czuję przypływ magii przyniesionej z międzyświata.

– Felicity! – wołam, żeby zdekoncentrować przyjaciółkę.

Podaje lalkę dziewczynce.

– Proszę, Polly. Już lepiej. Teraz masz kogoś, kto się tobą zaopiekuje.

– Co zrobiłaś? – pytam, gdy mała wychodzi do pokoju dziecinnego z guwernantką.

– Och, nie patrz na mnie w ten sposób! Lalka miała złamaną rękę, więc ją naprawiłam – prycha Felicity.

– Nie mogłabyś chyba skrzywdzić małej, prawda?

– Nie – odpowiada chłodno. – Nie mogłabym.

ROZDZIAŁ DWUDZIESTY SZÓSTY

Zaraz po przebudzeniu kreślę list do dyrektorki Szkoły dla Panien imienia Świętej Wiktorii z pytaniem, kiedy była u nich zatrudniona panna McCleethy. Daję go Emily do wysłania, jeszcze zanim atrament zdążył całkiem wyschnąć.

Ponieważ jest czwartek, panna Moore, tak jak obiecała, zabiera nas do galerii. Jedziemy omnibusem przez Londyn. Wspaniale jest siedzieć na samej górze, gdzie wiatr wieje w twarz, zerkać w dół na ludzi spieszących po ulicach i na konie ciągnące wozy wypełnione różnymi towarami. Do Bożego Narodzenia został niecały tydzień i zrobiło się już dużo chłodniej. Chmury nad naszymi głowami są ciężkie od śniegu. Ich białe brzuchy opierają się na szczytach kominów i pochłaniają je, po czym przesuwają się do kolejnych i kolejnych, za każdym razem odpoczywając, jakby miały bardzo długą drogę do pokonania.

– Nasz przystanek jest tuż-tuż, drogie panie – panna Moore przekrzykuje uliczny hałas. Wiatr się wzmógł, więc jedną ręką musi przytrzymywać kapelusz.

Ostrożnie schodzimy na niższe piętro omnibusu, gdzie elegancko ubrany konduktor bierze każdą z nas za rękę i pomaga wysiąść.

– Boże drogi – wzdycha panna Moore, poprawiając włosy pod kapeluszem. – Myślałam już, że zupełnie mnie wywieje.

Galeria mieści się w dawnym klubie dla dżentelmenów. Przyszło dziś mnóstwo ludzi. Chodzimy z piętra na piętro, tłocząc się wraz z innymi i oglądając wszystkie znakomite obrazy. Panna Moore prowadzi nas do sali poświęconej dziełom mniej znanych artystów. Są tam spokojne portrety zadumanych panien, ogniste sceny batalii morskich, sielankowe pejzaże, które budzą we mnie ochotę, by pobiegać po nich na bosaka.

Coś jednak ciągnie mnie do dużego obrazu w rogu. Widać na nim armię aniołów toczących bitwę. Pod nimi znajduje się bujny ogród z samotnym drzewem oraz mnóstwo odrzuconych ludzi, którzy rozpaczają. Pod spodem widnieje wielkie pustkowie z czarnych skał skąpanych w ognistej pomarańczowej poświacie. Wysoko w górze na chmurach spoczywa złociste miasto. W samym jego środku walczą ze sobą dwa anioły, które mają tak splecione ramiona, że nie potrafię powiedzieć, gdzie się kończy jeden, a zaczyna drugi. Wydaje się, że gdyby nie utrzymywał ich w górze ferwor walki, oba spadłyby w otchłań.

– Podoba się pani ten obraz? – pyta panna Moore, nagle materializując się u mojego boku.

– Nie wiem – odpowiadam. – Jest... niepokojący.

– W wypadku dobrej sztuki często tak się dzieje. A co dokładnie niepokoi panią w tym obrazie?

Przyglądam się wyrazistym kolorom farb olejnych, czerwieniom i oranżom ognia, bielom i jasnym szarościom anielskich skrzydeł, różnym odcieniom barwy cielistej, dzięki którym ożywają mięśnie walczących o zwycięstwo.

– Ich walka wydaje się rozpaczliwa, jakby stawka była zbyt wysoka.

Panna Moore pochyla się, żeby przeczytać mosiężną tabliczkę pod obrazem.

– Artysta nieznany. Około 1801. *Zastęp zbuntowanych aniołów*. – Cytuje coś, co brzmi jak poezja. – „Sądzę, że warto władać w piekle, bowiem lepiej być władcą w piekle niż sługą w Niebiosach". John Milton. *Raj utracony*, Księga Pierwsza. Czytała to pani?

– Nie – odpowiadam, rumieniąc się.

– A pani, panno Worthington? Panno Bradshaw? – pyta nauczycielka. Dziewczęta kręcą głowami. – Boże mój, co się stanie z Imperium, skoro nie czytujemy najlepszych angielskich poetów? John Milton, urodzony w 1608, zmarły w 1674. Jego poemat epicki, *Raj utracony*, to opowieść o Lucyferze. – Wskazuje na ciemnowłosego anioła w centrum obrazu. – Najmądrzejszy i najbardziej uwielbiany anioł, który został wygnany za wszczęcie buntu przeciwko Bogu. Utraciwszy miejsce w niebie, Lucyfer i jego zbuntowane anioły poprzysięgli kontynuować walkę tutaj na ziemi.

Ann subtelnie siąka w chusteczkę.

– Nie rozumiem, czemu musiał walczyć. Przecież był już w niebie.

– To prawda. Ale służba go nie zadowalała. Chciał czegoś więcej.

– Lecz przecież miał wszystko, o co można prosić, czyż nie? – dopytuje się Ann.

– No właśnie – zgadza się panna Moore. – Musiał prosić. Był zależny od czyjegoś kaprysu. To potworne nie mieć władzy. Zostać wykluczonym.

Felicity i Ann spoglądają w moją stronę, a mnie ogarnia poczucie winy. Ja mam władzę. One nie. Czy nienawidzą mnie za to?

– Biedny Lucyfer – mruczy pod nosem Felicity.

Panna Moore śmieje się.

– To bardzo niezwykła refleksja, panno Worthington. Ale nie jest pani osamotniona. Zdaje się, że sam Milton mu współczuł. Podobnie jak ten malarz. Widzicie, jakim pięknym uczynił tego mrocznego anioła?

Nasza trójka patrzy na silne, idealne plecy aniołów. Wyglądają niemalże jak kochankowie, niepomni istnienia czegokolwiek innego. Liczy się tylko walka.

– Tak się zastanawiam... – mówi panna Moore.

– Tak, proszę pani? – zachęca ją Ann.

– A jeśli zło tak naprawdę nie istnieje? Jeśli zostało wymyślone przez nas i w rzeczywistości musimy walczyć tylko z własnymi ograniczeniami? Jeśli to jest tylko ciągła bitwa między naszą wolą, pragnieniami i decyzjami?

– Ale prawdziwe zło istnieje – oponuję, myśląc o Kirke.

Panna Moore spogląda na mnie z zaciekawieniem.

– Skąd pani wie?

– Widziałyśmy je – wypala Ann. Felicity kaszle i daje przyjaciółce niedelikatnego kuksańca pod żebra.

Panna Moore nachyla się do nas.

– Ma pani rację. Zło rzeczywiście istnieje. – Moje serce przyspiesza. Czy to już ten moment? Czy wyzna nam coś tu i teraz? – Nazywa się szkołą dla dziewcząt. – Otrząsa się żartobliwie, a my wesoło chichoczemy. W tym momencie mija nas ponura, szara para, która patrzy na nas z dezaprobatą.

Felicity wpatruje się w obraz, jakby chciała go dotknąć.

– Czy to możliwe... że niektórzy ludzie w pewnym sensie są nie całkiem w porządku? Że jest w nich zło, które skłania innych do...

– Do czego? – denerwuje się Ann.

– Do robienia różnych rzeczy.

Nie wiem, o co jej chodzi.

Panna Moore nie spuszcza wzroku z malowidła.

– Wszyscy jesteśmy odpowiedzialni za własne czyny, panno Worthington, jeśli o to pani pyta.

Fee nie daje po sobie poznać, czy rzeczywiście o to pytała. Nie wiem więc, czy uzyskała odpowiedź na swoje pytanie.

– Pójdziemy dalej, drogie panie? Musimy jeszcze zobaczyć romantyków.

Panna Moore zdecydowanym krokiem zmierza do innej części galerii. Ann idzie za nią, ale Felicity nie rusza się z miejsca. Ten obraz wyraźnie ją fascynuje.

– Nie wykluczyłabyś mnie, prawda? – zadaje pytanie.

– Z czego? – nie rozumiem.

– Z międzyświata. Z Zakonu. Ze wszystkiego.

– Oczywiście, że nie.

Przechyla głowę na bok.

– Myślisz, że okrutnie za nim tęsknili, kiedy został wygnany? Ciekawe, czy Bóg płakał po swoim upadłym aniele.

– Nie wiem – odpowiadam.

Felicity wsuwa rękę pod moje ramię i ruszamy za naszymi towarzyszkami, porzucając anioły i ich wieczną walkę.

– Niemożliwe! Czy to ty, Ann? Ależ to nasza Annie!

Podchodzi do nas kobieta. Jest przesadnie wystrojona w sznury pereł oraz diamentowe kolczyki, zdecydowanie odpowiedniejsze na wieczór. Najwyraźniej ma pieniądze i chce, aby wszyscy o tym wiedzieli. Wstydzę się za nią. Jej mąż, mężczyzna o schludnie przystrzyżonym wąsiku, kłania się nam czarnym cylindrem. Dla lepszego efektu nosi ozdobną laskę.

Kobieta energicznie przytula Ann.

– Co za niespodzianka! Ale czemu nie jesteś w szkole?

– J-j-ja... – jąka się Ann. – Chciałabym p-przedstawić moją kuzynkę, panią Wharton.

My również się przedstawiamy, uświadamiając sobie, że pani Wharton jest tą daleką krewną, która pomaga Ann zdobyć wykształcenie, żeby mogła za rok zostać guwernantką jej dzieci.

– Mam głęboką nadzieję, że wystawa jest obyczajna – wyznaje pani Wharton, marszcząc nos. – Byliśmy w Paryżu na wystawie, która okazała się po prostu nieprzyzwoita, przykro mi to mówić. Obrazy dzikusów bez ani skrawka ubrania.

– Ale za to były drogie – zauważa pan Wharton ze śmiechem, choć rozmowa o pieniądzach jest w bardzo złym guście.

Stojąca obok mnie panna Moore sztywnieje.

– Ach. Prawdziwi znawcy sztuki, jak rozumiem. Koniecznie musicie państwo zobaczyć dzieło Morettiego – dodaje, mając na myśli obraz przedstawiający nagą Wenus, boginię miłości, którego śmiałość wywołała rumieńce na mojej twarzy. Z pewnością zada cios przyzwoitości Whartonów, przypuszczam, że panna Moore zrobiła to celowo.

– Chętnie go zobaczymy, dziękuję pani – szczebiocze pani Wharton. – To doprawdy szczęście, że nasze ścieżki się skrzyżowały, Annie, ponieważ wygląda na to, że nasza guwernantka Elsa odejdzie wcześniej, niż się spodziewaliśmy. Opuszcza nas w maju i chcielibyśmy, żebyś zaczęła pracę od razu. Wiem, że Charlotte i Caroline będą się cieszyły, mając kuzynkę za guwernantkę, choć przypuszczam, że Charlotte chciałaby mieć kogoś, kto będzie się do niej zwracał „panienko", teraz, gdy skończyła osiem lat. Nie możesz jej pozwolić, żeby za bardzo się rządziła. – Śmieje się z tej uwagi nieświadoma cierpienia Ann.

– Powinniśmy iść dalej, żono – odzywa się pan Wharton, podstawiając ramię. Już się nami znudził.

– Tak, mężu. Napiszę do pani Nightingale – odpowiada żona, przekręcając nazwisko. – Miło mi było panie poznać – dodaje, pozwalając się odprowadzić jak dziecko.

❧

Udajemy się na podwieczorek do mrocznej, przytulnej herbaciarni. Nie przypomina ona klubów czy salonów, które zazwyczaj odwiedzamy, pełnych kwiatów i sztywnych rozmów. To tętniący życiem lokal dla pracujących kobiet. Ja i Felicity jesteśmy natchnione mocą sztuki. Dyskutujemy o obrazach, które podobały nam się najbardziej, a panna Moore opowiada, co wie o samych artystach, dzięki czemu czujemy się bardzo wyrafinowane, jakbyśmy były bywalczyniami słynnego paryskiego salonu. Tylko Ann milczy. Pije herbatę i pochłania dwie wielkie porcje ciasta, jedną po drugiej.

– Jak będziesz tak jeść, to nie zmieścisz się w suknię na bal bożonarodzeniowy – karci ją Felicity.

– Jakie to ma znaczenie? – odpowiada Ann. – Słyszałaś moją kuzynkę. W maju odchodzę.

– Proszę przestać, panno Bradshaw. Zawsze jest jakieś wyjście – odzywa się oschle panna Moore. – Decyzja dotycząca pani przyszłości jeszcze nie zapadła.

– Owszem, zapadła. Oni pomogli zapłacić za moją naukę w Spence. Jestem ich dłużniczką.

– A jeśli pani im odmówi i zaproponuje, że spłaci dług po znalezieniu sobie innej pracy? – sugeruje panna Moore.

– Nigdy nie dałabym rady spłacić tego długu.

– Dałaby pani, po pewnym czasie. Nie byłoby łatwo, ale udałoby się.

– Ale oni byliby na mnie bardzo źli – opiera się Ann.

– Tak, najprawdopodobniej, ale wszyscy by to przeżyli.

– Nie zniosłabym, gdyby ktoś miał o mnie takie złe zdanie.

– A woli pani spędzić życie na łasce pani Wharton oraz panienek Charlotte i Caroline?

Ann wpatruje się w okruszki na swoim talerzu. To smutne, ale znam odpowiedź. Brzmi ona: „Tak". Ann uśmiecha się słabo.

– Może będę jak jedna z bohaterek powieści dla pensjonarek i ktoś po mnie przyjedzie, na przykład bogaty wuj. A może spodobam się jakiemuś porządnemu mężczyźnie, który zechce mnie na swoją żonę. – Wypowiadając ostatnie zdanie zerka nerwowo na mnie, więc wiem, że ma na myśli Toma.

– To dość niepewne perspektywy – zauważa panna Moore. Ann pociąga nosem. Wielkie łzy wpadają jej do herbaty.

– No, już – mówi nauczycielka, poklepując ją po dłoni. – Jest jeszcze czas. Co możemy zrobić, żeby panią rozweselić? Może chciałybyście opowiedzieć mi coś więcej o tych wspaniałych rzeczach, które robicie w międzyświecie?

– Jestem tam piękna – wyznaje Ann, głosem nabrzmiałym od wstrzymywanych łez.

– Bardzo piękna – potwierdzam. – Opowiedz, jak przegoniłyśmy wodne nimfy!

Przez chwilę na ustach Ann igra uśmiech.

– Pokazałyśmy im, co?

Panna Moore udaje, że się niecierpliwi.

– Nie trzymajcie mnie dłużej w niepewności. Opowiedzcie o wodnych nimfach.

Ze szczegółami opisujemy naszą przygodę, a panna Moore słucha uważnie.

– Ach, widzę, że jednak trochę czytałyście. To się zgadza z greckimi mitami o nimfach i syrenach, które swoim śpiewem wabiły żeglarzy na śmierć. A czy udało się wam znaleźć Świątynię?

– Jeszcze nie. Ale odwiedziłyśmy Złoty Świt, księgarnię niedaleko Bond Street, i znalazłyśmy książkę pióra panny Wilhelminy Wyatt na temat tajnych stowarzyszeń – mówi Ann.

– Złoty Świt... – powtarza panna Moore, odgryzając kęs ciasta. – Chyba jej nie znam.

– Panna McCleethy miała ulotkę z tego sklepu w swojej walizce – udaje się palnąć Ann. – Gemma ją widziała.

– Walizka była otwarta – wyjaśniam z rumieńcem. – Nie mogłam jej nie zobaczyć.

– I panna McCleethy też była w tym sklepie. Poprosiła o tę książkę, więc my też ją wzięłyśmy. Są tam informacje na temat Zakonu! – wyjawia Felicity.

– Czy wie pani, że członkinie Zakonu używały anagramów, żeby w razie potrzeby ukryć swoją prawdziwą tożsamość? – pytam.

Panna Moore dolewa nam herbaty.

– Naprawdę?

Ann włącza się w opowieść.

– Tak, a kiedy zrobiłyśmy anagram panny McCleethy wyszło nam „They Call Me Circe". To jest dowód.

– Dowód czego? – pyta nauczycielka, rozlewając odrobinę herbaty, którą musi wytrzeć chusteczką.

– Że panna McCleethy to Kirke, oczywiście. I że przybyła do Spence w jakimś niecnym celu – wyjaśnia Felicity.

– Co oznacza naukę rysunku lub łaciny? – pyta panna Moore z krzywym uśmiechem.

– To poważna sprawa, proszę pani – upiera się Felicity.

Panna Moore pochyla się w naszą stronę z surową miną.

– Podobnie jak oskarżanie kogoś o czarną magię, dlatego że odwiedził księgarnię.

Słusznie zganione pijemy herbatę.

– Śledziłyśmy ją – odzywa się cicho Ann. – Poszła do Bedlam, gdzie przebywa Nell Hawkins.

Panna Moore odsuwa filiżankę od ust.

– Nell Hawkins. A któż to jest?

– To dziewczyna, która wierzy w Zakon. Mówi, że Kirke próbuje ją dosięgnąć. Dlatego oszalała – opowiada Ann z lubością. Rzeczywiście ma zamiłowanie do makabry.

– Mój brat, Tom, pracuje jako lekarz w Bethlem. Nell Hawkins jest jego pacjentką – wyjaśniam.

– Ciekawe. I rozmawiała pani z tą osobą?

– Tak – odpowiadam.

– Wspomniała, że zna pannę McCleethy?

– Nie – odpowiadam nieco speszona. – Ona jest szalona i trudno zrozumieć jej wypowiedzi. Ale przebywała w Szkole dla Panien imienia Świętej Wiktorii, kiedy spotkało ją to koszmarne nieszczęście, a mamy powód wierzyć, że panna McCleethy była tam zatrudniona w tym samym czasie.

– To ciekawe – stwierdza panna Moore, dolewając mleka do swojej herbaty, aż ta nabiera chmurnej beżowej barwy. – Czy to sprawdzone?

– Nie – przyznaję. – Lecz wysłałam list z pytaniem do tamtejszej dyrektorki. Wkrótce będę wiedziała.

– Czyli tak naprawdę nic nie wiecie – podsumowuje panna Moore, wygładzając serwetkę na kolanach. – Dopóki się nie dowiecie, radzę być ostrożnym w rzucaniu oskarżeń. Mogą one mieć nieprzewidziane konsekwencje.

Spoglądamy na siebie z minami winowajczyń.

– Dobrze, proszę pani.

– Ann, co tam masz? – pyta panna Moore.

Ann nabazgroliła coś na skrawku papieru, a teraz próbuje zakryć go dłonią.

– N-nic takiego.

Tyle tylko trzeba, żeby Felicity zabrała jej karteluszek.

– Oddaj to! – protestuje Ann, bez powodzenia próbując odebrać notatkę.

Felicity czyta na głos.

– Hester Moore. Room She Reet.

– To anagramy pani imienia i nazwiska. Niezbyt dobre – wyjaśnia z rozpaczą Ann. – Fee, proszę cię!

Niezrażona Felicity czyta dalej.

– O, Set Her More. Set More Hero. – Jej oczy rozbłyskują, a na ustach pojawia się złowróżbny uśmiech. – Er Tom? Eros He.

Nieważne, że to nie ma żadnego sensu. Wystarczy, że Tom i Eros zostali wymienieni obok siebie, by dogłębnie upokorzyć Ann. Wyrywa karteczkę z dłoni Felicity. Pozostali goście herbaciarni zauważają nasze dziecinne zachowanie, więc czuję się potężnie zawstydzona, że wspólna wyprawa kończy się takim akcentem. Panna Moore z pewnością nigdy nas już nigdzie nie zaprosi.

I rzeczywiście sprawdza godzinę na swoim kieszonkowym zegarku.

– Powinnam was odwieźć do domu, dziewczęta.

❧

W powozie panna Moore mówi:

– Mam nadzieję, że nie będziecie zawierały bliższej znajomości z wodnymi nimfami. Uważam, że są bardzo przerażające.

– To jest nas już dwie – stwierdza Ann, wzdragając się.

– Może mogłybyście mnie włączyć do opowieści. Chyba chętnie powalczyłabym z nimfami. – Panna Moore przyjmuje kpiąco bohaterski wyraz twarzy. Rozśmiesza nas tym, a mnie ogarnia ulga. Bardzo mi się podobał ten dzień i zmartwiłaby mnie myśl, że nie będzie już drugiego takiego.

Gdy Ann i Felicity docierają bezpiecznie do domu, przejeżdżamy jeszcze krótki odcinek na Belgrave Square. Panna Moore przygląda się uroczemu budynkowi.

– Czy zechce pani wejść i poznać babcię? – pytam.

– Może innym razem. – Wygląda na trochę zmartwioną. – Gemmo, naprawdę nie ufasz pannie McCleethy?

– Jest w niej coś niepokojącego – przyznaję. – Nie potrafię sprecyzować, co to takiego.

Panna Moore kiwa głową.

– Dobrze. Popytam tu i tam. Może to nic wielkiego i będziemy się śmiały, że byłyśmy takie niemądre. Tymczasem lepiej by było, żebyś zachowała wobec niej ostrożność.

– Dziękuję pani – mówię. – Dziękuję za wszystko.

ROZDZIAŁ DWUDZIESTY SIÓDMY

Tuż za progiem spotykam panią Jones.

– Babcia czeka na panienkę w salonie. Poleciła, żeby panienka do niej przyszła natychmiast po powrocie.

Głos gospodyni brzmi tak złowieszczo, że ogarnia mnie lęk, iż coś złego mogło się przytrafić tacie lub Tomowi. Wpadam do salonu, a tam moim oczom ukazuje się babcia, która konwersuje z lady Denby i Simonem. Czuję, że zaraz zacznie mi ciec z nosa z powodu nagłej zmiany temperatury. Bardzo chciałabym tego uniknąć.

– Lady Denby i pan Middleton złożyli nam wizytę, Gemmo – wyjaśnia babcia z nerwowym uśmiechem. Najwyraźniej wyglądam tak, że wpadła w popłoch. – Poczekamy, aż się przebierzesz, żebyś mogła przyjąć gości.

To nie jest prośba.

Gdy już prezentuję się w miarę przyzwoicie, wyruszamy na spacer po Hyde Parku. Lady Denby wraz z babcią kroczą za nami, dając nam szansę na rozmowę, a jednocześnie nie spuszczając nas z oczu.

– Uroczy dzień na spacer – mówię, choć właśnie kilka krnąbrnych płatków śniegu wylądowało na rękawie mojego płaszcza.

– Tak – Simon lituje się nade mną. – Nieco rześki, ale uroczy.

Cisza naciąga się między nami jak elastyczna podwiązka, która zaraz pęknie.

– Czy pan...

– Czy...

– Proszę wybaczyć – mówię.

– To moja wina. Proszę kontynuować – ustępuje Simon, przyprawiając mnie o szybsze bicie serca.

– Po prostu zastanawiałam się... – Nad czym? Nie mam nic do powiedzenia. Chciałam tylko rozpocząć rozmowę i okazać się dowcipną, zabawną i rozsądną dziewczyną, bez której wprost nie można sobie wyobrazić życia. Trudność oczywiście polega na tym, że obecnie nie posiadam żadnej z tych cech. To byłby cud, gdyby udało mi się wymyślić jakiś komentarz na temat stanu brukowanej nawierzchni ulicy. – Jeśli... to znaczy... ja... Czyż drzewa nie wyglądają ślicznie o tej porze roku?

Drzewa, kompletnie pozbawione liści i brzydkie jak nie wiadomo co, krzywią się w odpowiedzi.

– Można uznać, że mają w sobie pewną elegancję – odpowiada Simon.

Wcale nie idzie dobrze.

– Nie chciałabym sprawiać kłopotu, panie Middleton – zagaja babcia – ale obawiam się, że wilgoć nie służy moim kościom. – Dla lepszego efektu zaczyna utykać.

Simon chwyta przynętę i proponuje jej ramię.

– Ależ to żaden kłopot, proszę pani.

Nigdy w życiu nie byłam nikomu tak wdzięczna za interwencję. A babcia znalazła się w raju, ponieważ spaceruje po Hyde Parku pod ramię z synem wicehrabiego, a wszyscy mogą ją zazdrośnie obserwować z okien. Gdy zalewa nas potokiem słów na temat swoich kłopotów ze zdrowiem, problemów ze służbą w dzisiejszych czasach i innych kwestii, przez które wydaje mi się, że zaraz stracę rozum, Simon zerka na mnie wymownie, a ja odpowiadam mu szerokim uśmiechem. Potrafi nawet spacer z babcią zamienić w przygodę.

– Lubi pani operę, pani Doyle? – zadaje pytanie lady Denby.

– Byle nie włoską. Za to uwielbiam Gilberta i Sullivana. Są rozkoszni.

Zawstydza mnie jej brak gustu.

– Co za szczęśliwy zbieg okoliczności. W sobotę wieczorem Opera Królewska wystawia *Mikado*. Mamy tam lożę. Może zechcą panie do nas dołączyć?

Babcia milknie. W pierwszej chwili boję się, że popadła w katatonię. Ale potem uświadamiam sobie, że jest po prostu podekscytowana. Szczęśliwa. To doprawdy rzadki wypadek, by coś ją aż tak poruszyło.

– Cóż, byłybyśmy zachwycone! – odpowiada w końcu.

Opera! Nigdy nie byłam w operze. Hej, przepięknie brzydkie drzewa! Słyszałyście? Wybieram się do opery z Simonem Middletonem. Wiatr porusza nagimi gałęziami, co brzmi jak odległy szum braw. Suche szkielety liści przesuwają się po ścieżce i przyklejają się do mokrego bruku.

Powoli zbliża się błyszczący czarny powóz ciągniony przez dwa potężne rumaki, które lśnią jak wypolerowane. Woźnica ma cylinder nasunięty nisko na czoło. Gdy powóz zrównuje się z nami, pasażer wychyla się z mroku. Jego lewy policzek przecina głęboka blizna. To mężczyzna, którego widziałam na dworcu kolejowym pierwszego dnia w Londynie, ten, który mnie śledził. Nie mam co do tego wątpliwości. Mijając mnie, z podłym uśmiechem uchyla kapelusza. Nagle powóz wpada w dziurę i podskakuje na wielkich kołach. Damska dłoń w rękawiczce przytrzymuje się krawędzi drzwi. Nie widzę twarzy kobiety, ale rękaw jej płaszcza powiewa na wietrze, trzepocząc ostrzegawczo; ma barwę głębokiej, ciemnej zieleni.

– Panno Doyle? – To Simon.

– Tak? – odpowiadam, gdy udaje mi się odzyskać głos.

– Nic pani nie jest? Przez chwilę wydawała się pani niezdrowa.

– Obawiam się, że panna Doyle mogła się zaziębić. Powinna wrócić do domu i posiedzieć przy ogniu – oznajmia matka Simona.

Na drodze panuje cisza. Nawet wiatr przestał hałasować. Za to moje serce łomocze tak głośno, że dziwię się, iż wszyscy go nie słyszą. Ów zielony płaszcz bardzo przypominał ten z moich wizji – z całą pewnością należący do Kirke. A teraz pojawił się w oknie powozu członka stowarzyszenia Rakshana.

Gdy goście nas opuszczają, babcia każe Emily przygotować dla mnie gorącą kąpiel. Zanurzam się w głębokiej wannie, a woda chlupocze po bokach, po czym delikatnymi falami obmywa mi podbródek. Cudownie. Zamykam oczy i pozwalam ramionom unosić się na powierzchni.

Ostry ból pojawia się nagle, przez co prawie się topię. Moje ciało sztywnieje i przestaję nad nim panować. Woda wlewa mi się do ust, zaczynam kaszleć i parskać. W panice chwytam się kurczowo krawędzi wanny, próbując się z niej wydostać. Słyszę znienawidzony szept, który przywodzi na myśl szum roju owadów.

– Chodź z nami...

Ból słabnie i moje ciało robi się lekkie niczym płatek śniegu, jak we śnie. Nie chcę otwierać oczu, nie chcę ich widzieć. Ale one mogą znać odpowiedzi na moje pytania, więc powoli odwracam głowę. Są tu, upiorne i straszliwe, w postrzępionych białych sukienkach i z ciemnymi kręgami wokół bezdusznych oczu.

– Czego chcecie? – pytam, nadal kaszląc wodą.

– Chodź z nami – odpowiadają i przenikają przez zamknięte drzwi, jakby nie stanowiły dla nich żadnej przeszkody.

W pośpiechu sięgam po podomkę i wychodzę z łazienki, rozglądając się za nimi. Unoszą się przed moją sypialnią, rzucając fałszywe światło na końcu ciemnego korytarza. Kiwają na mnie i wślizgują się do pokoju.

Jestem mokra i cała się trzęsę, ale idę za nimi i w końcu zdobywam się na odwagę, żeby zapytać.

– Kim jesteście? Możecie mi powiedzieć coś o Świątyni?

Nie odpowiadają. Zamiast tego podpływają do szafy i czekają.

– Moja szafa? Nic tam nie ma. Tylko ubrania i buty.

Kręcą bladymi głowami.

– Tam jest odpowiedź, której szukasz. W szafie? Są równie obłąkane jak Nell Hawkins. Bardzo ostrożnie mijam je, po czym zaczynam rozsuwać suknie i płaszcze, przedzierać się przez pudła na kapelusze i buty, szukając tego, co powinnam znaleźć, choć nie potrafię sobie wyobrazić, co to może być. W końcu wybucham złością.

– Mówiłam wam, że nic tu nie ma!

Potworny dźwięk spiczastych bucików skrobiących po podłodze każe mi się szybko cofnąć. O Boże, zrobiłam to, rozzłościłam je! Zbliżają się z wyciągniętymi ramionami, idą po mnie. Nie mogę odsunąć się dalej, drogę blokuje mi łóżko.

– Nie, proszę – szepczę, kuląc się i mocno zaciskając powieki.

Lodowate palce dotykają mojego ramienia i oto nadchodzi wizja tak gwałtowna, że z ledwością mogę oddychać, a co dopiero wołać o ratunek. Widzę stare kamienne ruiny, przed nimi zieloną łąkę, która ciągnie się aż doi klifów nad morzem. Dziewczęta w białych sukienkach biegają i śmieją się. Jedna ściąga drugiej wstążkę z włosów.

– Czy ona da nam dzisiaj moc? – pyta ta z wstążką. – I zobaczymy w końcu ten piękny międzyświat?

– Mam nadzieję, bo chciałabym pobawić się magią – odpowiada ta trzecia.

Dziewczyna, której włosów nie przytrzymuje już wstążka, woła:

– Eleanor, czy ona obiecała, że to będzie dzisiaj?

– Tak – potwierdza jej przyjaciółka zdecydowanym, wysokim głosem. – Przyjdzie niedługo. Wejdziemy do międzyświata i będziemy miały wszystko, czego kiedykolwiek pragnęłyśmy.

– I ona uważa, że tym razem będziesz mogła nas zabrać?

– Tak mówi.

– Och, Nell, to cudowne.

Eleanor. N e l l. Czuję, że brakuje mi powietrza w płucach. Po raz pierwszy ją widzę. Idzie w stronę pozostałych. Jest pulchniejsza, włosy ma kręcone i lśniące, twarz spokojną, ale natychmiast ją rozpoznaję: to Nell Hawkins, zanim popadła w obłęd.

Tuż obok mojego ucha rozlega się drażniący szelest owadzich skrzydeł.

– Patrz...

Czuję się, jakbym pędziła pociągiem, wszystko tak błyskawicznie przesuwa się za oknami moich oczu. Nie widzę twarzy kobiety w zieleni, która bierze Nell za rękę. Dziewczęta na skałach. Morze wznoszące się jak panika w ich oczach.

Koniec. Leżę na podłodze, z trudem łapiąc oddech. Zjawy wskazują na szafę. O co może chodzić? Przeszukałam wszystko i nic nie znalazłam... Czerwony dziennik mojej mamy wystaje z kieszeni płaszcza. Sięgam po niego.

– To? – pytam, ale one już rozwiewają się jak mgła i po chwili zupełnie znikają. Pokój znów wygląda zwyczajnie. Wizja się skończyła. Nie mam pojęcia, co mogły mieć na myśli. Wiele razy przeglądałam ten dziennik w poszukiwaniu wskazówek i nic nie znalazłam. Przewracam stronę po stronie, aż docieram do miejsca, w które włożyłam pogniecione wycinki prasowe zebrane przez mamę. Tym razem gdy czytam pierwszą linijkę, nie wydaje mi się źle opisaną melodramatyczną historią. Nie, tym razem przejmuje mnie chłodem do szpiku kości.

W Walii trzy dziewczęta wyszły na spacer i wszelki słuch o nich zaginął...

Czytam dalej, czując, jak krew coraz szybciej krąży mi w żyłach.

Młode damy, chluba Szkoły dla Panien imienia Świętej Wiktorii... śliczne, przykładne córy Korony... uwielbiane przez wszystkich... wybrały się na beztroski spacer po klifach, nie spodziewając się tego, jaki czeka je los... jedyna, która przeżyła... popadła w obłęd... podobieństwo do historii ślicznej uczennicy ze Szkoły dla Dziewcząt MacKenzie... Szkocja... tragiczne samobójstwo... twierdziła, że miewa wizje, co przerażało inne dziewczęta... śmiertelny upadek... inne niepokojące opowieści... Akademia dla Dziewcząt panny Farrow... Kolegium Królewskie w Bath...

Nazwy tych szkół brzmią znajomo. Pamiętam je. Gdzie ja je wcześniej widziałam? Kiedy sobie przypominam, przeszywa mnie zimny dreszcz: panna McCleethy. Widziałam je na liście, którą trzymała w walizce pod łóżkiem. Wykreśliła je wszystkie. Pozostało tylko Spence.

ROZDZIAŁ DWUDZIESTY ÓSMY

Nell Hawkins i ja snujemy się po smutnym, wietrznym dziedzińcu Bethlem. Dzień jest chłodny, ale jeśli ona chce spacerować, to będę spacerowała z nią. Zrobię wszystko, żeby rozwikłać tajemnicę, gdyż jestem pewna, że gdzieś w umęczonym umyśle Nell znajdują się odpowiedzi, których potrzebuję.

Tylko kilka najodważniejszych osób wyszło dzisiaj na dwór. Nell odmawia włożenia rękawiczek. Jej drobne dłonie robią się fioletowe z zimna, ale to zdaje się jej nie przeszkadzać. Gdy znajdujemy się w bezpiecznej odległości od drzwi szpitala, podaję Nell wycinek z gazety.

Trzyma go w drżących dłoniach.

– Święta Wiktoria...

– Byłaś tam, prawda?

Opada na ławkę jak przekłuty balon.

– Tak – odpowiada, jakby coś sobie przypominała. – Byłam.

– Co się stało tego dnia nad morzem?

Zbolałe oczy Nell odnajdują moje, jakby szukała w nich odpowiedzi. Dziewczyna mocno zaciska powieki.

– Mika i Mik na górę myk po zimnej wody łyk – mówi. – Mik wpadł w beczkę i zgubił czapeczkę, a... – Milknie sfrustrowana. – Mika i Mik na górę myk po zimnej wody łyk. Mik wpadł w beczkę i zgubił czapeczkę, a...

Powtarza coraz szybciej:

– MikaiMiknagóręmykpozimnejwodyłykMikwpadłwbeczkęizgubiłczapeczkę a... a...

Nie mogę tego znieść.

– A Mika za nim fik – kończę.

Znów otwiera oczy, które łzawią od mrozu.

– Tak. Tak. Ale ja nie zrobiłam fik.

– O czym ty mówisz? Nie rozumiem.

– Poszłyśmy na górę... na górę... – Kołysze się. – Po zimnej wody łyk. Z wody. To przyszło z wody. Ona to przyzwała.

– Kirke? – szepczę.

– Ona buduje domek z piernika i wabi nas w pułapkę.

Dziwna pani Sommers przechadza się w pobliżu, wyrywając sobie brwi, gdy nikt jej nie obserwuje. Podchodzi coraz bliżej i bliżej, żeby podsłuchać.

– Czego Kirke chciała od ciebie? Czego szukała?

– Dostępu. – Nell chichocze w taki sposób, że moje plecy pokrywają się gęsią skórką. Zerka na lewo i na prawo jak dziecko ukrywające jakiś paskudny sekret. – Chciała się tam dostać. Chciała. Chciała. Mówiła, że stworzy z nas swój nowy Zakon. Królowe. Królowe w koronach, królowe w czapeczkach. Mik wpadł w beczkę, zgubił czapeczkę...

– Proszę, spójrz na mnie. Czy możesz mi opowiedzieć, co się wydarzyło?

Wydaje się taka smutna, taka daleka.

– Jednak nie mogłam jej wprowadzić. Nie mogłam wejść. Nie do końca. Tylko tutaj. – Wskazuje na swoją głowę. – Widziałam różne rzeczy. Mówiłam jej różne rzeczy. Ale to było za mało. Chciała tam wejść sama. Znużyła się nami. Ona... – Pani Sommers podchodzi bliżej. Nell nagle odwraca się i wrzeszczy na nią, dopóki pokonana kobieta nie ucieka. Moje serce łomocze, przerażone tym nagłym wybuchem.

– Ona szuka kogoś, kto będzie mógł przywrócić magii pełną chwałę. Kogoś z wystarczającą mocą, żeby ją tam zabrać, żeby zaprowadzić ją do Świątyni. Tego zawsze chciała – szepcze. – Nie, nie, nie, nie! – krzyczy w powietrze.

– Panno Hawkins – odzywam się, żeby naprowadzić ją z powrotem na temat – czy to jest panna McCleethy? Czy ona tam była? Czy to ona jest Kirke? Możesz mi powiedzieć.

Nell kładzie na moim karku drobną rękę, która wydaje się zaskakująco silna, i pochyla moją głowę w stronę swojej, dopóki nie stykamy się czołami. Skórę dłoni ma szorstką niczym jutowy worek.

– Nie wpuść jej tam, pani Nadziejo. – Czy to ma być odpowiedź? Nell mówi dalej ściszonym głosem: – Mroczne istoty zrobią wszystko, żeby przejąć nad tobą kontrolę. Sprawią, że będziesz widziała różne rzeczy. Słyszała różne rzeczy. Musisz trzymać się od nich z dala.

Chcę się uwolnić od tej drobnej dłoni, która przeraża mnie swoją ukrytą siłą, ale boję się poruszyć.

– Proszę, powiedz, czy wiesz, gdzie mogę znaleźć Świątynię?

– Musisz podążać prawdziwą ścieżką.

I znów to samo.

– Są setki ścieżek. Nie wiem, o którą ci chodzi.

– Jest tam, gdzie się jej najmniej spodziewasz. Ukrywa się na widoku. Musisz patrzeć, a zobaczysz, może zobaczysz, może, morze, to przyszło z morza, z morza. – Szeroko otwiera oczy. – Widziałam cię! Przepraszam, przepraszam, przepraszam!

Znów ją tracę.

– Co się stało z pozostałymi dziewczętami, Nell?

Zaczyna skamleć jak ranne zwierzę.

– To nie była moja wina! To nie była moja wina!

– Panno Hawkins… Nell, wszystko w porządku. Widziałam je w swoich wizjach. Widziałam twoje przyjaciółki…

Warczy na mnie z taką furią, że boję się, czy mnie nie zabije.

– To nie są moje przyjaciółki! To nie moje przyjaciółki!

– Ale one próbują pomóc.

Cofa się przed mną, krzycząc.

– Coś ty zrobiła? Co zrobiłaś?

Zaniepokojona pielęgniarka opuszcza posterunek przy drzwiach i zmierza w naszą stronę.

– Panno Hawkins, proszę… Nie chciałam…

– Ciii! Podsłuchują przez dziurki od klucza! Usłyszą nas! – ostrzega Nell, biegając tam i z powrotem z rękoma założonymi na piersi.

– Nie ma tu nikogo. Tylko ty i ja...

Wraca i kuli się u moich kolan jak dzikie zwierzątko.

– Zajrzą do mojego umysłu!

– P-panno Hawkins... N-Nell... – jąkam się. Ale ona jest już dla mnie stracona.

– Siedzi baba na cmentarzu, trzyma nogi w kałamarzu! – pokrzykuje, rozglądając się wokół, jakby przemawiała do niewidzialnej publiczności zgromadzonej na dziedzińcu. – Przyszedł duch, babę – buch, baba – fik, a duch znikł!

Z tymi słowami zrywa się i biegnie do pielęgniarki, która wprowadza ją do szpitala, zostawiając mnie samą na chłodzie z jeszcze większą liczbą pytań niż przedtem. Zachowanie Nell, nagłe poczucie zagrożenia, które ją ogarnęło, bardzo mnie wzburzyło. Nie wiem, o co jej chodzi ani co ją tak zdenerwowało. Miałam nadzieję, że podzieli się ze mną wiedzą na temat Kirke i Świątyni, ale Nell Hawkins, o czym muszę pamiętać, jest pacjentką w Bedlam. To dziewczyna, której umysł został uszkodzony w wyniku jakiegoś urazu i poczucia winy. Nie wiem już, komu ani w co mam wierzyć.

Pani Sommers wraca i siada obok mnie na ławce, uśmiechając się na swój niepewny sposób. W miejscach pomiędzy jej rzadkimi brwiami łysa skóra połyskuje na czerwono.

– Czy to wszystko sen? – pyta mnie.

– Nie, pani Sommers – odpowiadam, zbierając swoje rzeczy.

– Ona kłamie, wie pani.

– Co pani ma na myśli? – pytam.

Te wyskubane brwi nadają jej niepokojący wygląd – przypomina demona, który uciekł ze średniowiecznego malowidła.

– Słyszę ich. Odzywają się do mnie, mówią mi różne rzeczy.

– Pani Sommers, kto się do pani odzywa i mówi różne rzeczy?

– O n i – odpowiada, jakby uważała, że powinnam to rozumieć. – Powiedzieli mi. Ona nie jest tym, kim się wydaje. Dopuściła się takich podłych czynów! Jest w zmowie ze złymi, panienko. Słyszę, co robi w pokoju nocami. Takie podłe, podłe czyny. Niech panienka na siebie uważa. Oni idą po panienkę. Oni wszyscy idą po panienkę.

Pani Sommers uśmiecha się, pokazując zęby zbyt drobne na jej usta.

Wrzucam wycinki prasowe do torebki, wstaję i czmycham do środka. Szybkim krokiem idę korytarzem, mijając kółko hafciarskie, rozstrojone pianino oraz skrzeczącą Kasandrę. Idę coraz prędzej, aż prawie biegnę. Zanim docieram do powozu i Kartika, zupełnie brak mi tchu.

– Co się dzieje? Gdzie twój brat? – pyta, nerwowo rozglądając się wokół.

– Chce... żebyś... wrócił... po niego – odpowiadam z trudem.

– Co się stało? Masz rumieńce. Odwiozę cię do domu.

– Nie, nie do domu. Muszę z tobą porozmawiać. Na osobności.

Kartik zauważa, że z trudem łapię oddech i jestem głęboko wstrząśnięta.

– Znam takie miejsce. Nigdy nie sprowadzałem tam młodych dam, ale to najlepsze, co mi przychodzi do głowy. Ufasz mi?

– Tak – odpowiadam. Podaje mi dłoń, a ja wdrapuję się do powozu, pozwalając, by Kartik wziął lejce i mój los w swoje ręce.

Przez most Blackfriars wjeżdżamy do ponurego, ciemnego serca wschodniego Londynu. Zaczynam się zastanawiać, czy słusznie postąpiłam, zgadzając się, żeby Kartik mnie tu przywiózł. Ulice są wąskie i wyboiste. Sprzedawcy warzyw i rzeźnicy krzykiem nawołują ze swoich wozów:

– Ziemniaki, marchew, groch!

– Piękna jagnięcina, prawie bez kości!

Wokół nas tłoczą się dzieci, błagając o cokolwiek – pieniądze, jedzenie, ochłapy, pracę. Walczą o moją uwagę.

– Panienko! Panienko! – wołają, proponując „pomoc" wszelkiego rodzaju za pensa lub dwa. Kartik zatrzymuje powóz w alejce za sklepem rzeźniczym. Dzieci otaczają mnie i ciągną za płaszcz.

– Bujać się! – krzyczy Kartik z londyńskim akcentem, którego nigdy u niego nie słyszałam. – Kumacie, brachy, co to czacha i miecz?

Dzieci robią wielkie oczy na wzmiankę o Rakshanach.

– Git – mówi dalej Kartik – więc lepiej spadówa, jak czaicie, o czym mowa.

Dzieci momentalnie znikają. Zostaje tylko jeden malec, któremu Kartik rzuca szylinga.

– Pilnuj wózka, chłopie – mówi.

– Się robi! – odpowiada malec, wciskając monetę do kieszeni.

– To było niezłe – zauważam, gdy odchodzimy obskurną uliczką.

Kartik pozwala sobie na zdawkowy, triumfalny uśmiech.

– Wszystko, żeby przeżyć.

Wyprzedza mnie o krok. Porusza się jak myśliwy: idzie ostrożnie, z lekko pochylonymi ramionami. Przemierzamy jedną krętą uliczkę z rozpadającymi się domami, a potem drugą. W końcu docieramy do krótkiej alejki i zatrzymujemy się przed niewielką karczmą wciśniętą pomiędzy dwa budynki, które wyglądają, jakby zamierzały ją przydusić. Podchodzimy do ciężkich drewnianych drzwi. Kartik puka w umówiony sposób. Krzywo wycięty wizjer w drzwiach otwiera się od drugiej strony i ukazuje się w nim oko. Wizjer zamyka się, po czym zostajemy wpuszczeni do środka. W gospodzie jest ciemno i przepysznie pachnie curry oraz kadzidłem. Potężni mężczyźni siedzą przy stołach pochyleni nad talerzami z parującym jedzeniem, brudnymi dłońmi obejmując kufle piwa, jakby to była jedyna własność warta pilnowania. Rozumiem już, czemu Kartik nigdy nie przyprowadził tu damy. Z tego, co widzę, jestem tu jedyną kobietą.

– Czy coś mi tu grozi? – pytam przez zaciśnięte zęby.

– Nie bardziej niż mnie. Zajmuj się swoimi sprawami, na nikogo nie patrz, a nic ci się nie stanie.

Dlaczego mam uczucie, że to odpowiedź guwernantki, która opowiada swoim podopiecznym makabryczne historie na dobranoc i liczy na to, że dzieci będą spały spokojnie?

Prowadzi mnie do stołu na tyłach lokalu, gdzie belkowany sufit schodzi jeszcze niżej. Całe to miejsce sprawia wrażenie, jakby znajdowało się pod ziemią, niczym królicza nora.

– Dokąd idziesz? – pytam w panice, gdy Kartik oddala się od stołu.

– Ciii! – uspokaja mnie, przykładając palec do ust. – Zrobię ci niespodziankę.

Tego się właśnie obawiam. Składam ręce na szorstkim drewnianym stole i próbuję zniknąć. Po chwili Kartik wraca z talerzem jedzenia, które stawia przede mną i uśmiecha się. Dosa! Nie jadłam tych cieniutkich, pikantnych naleśników, od kiedy opuściłam Bombaj i kuchnię Sarity. Jeden kęs budzi we mnie tęsknotę za jej serdecznością i za krajem, który z całego serca pragnęłam porzucić i którego być może już nigdy nie zobaczę.

– Przepyszne – mówię, odgryzając kolejny kęs. – Jak się dowiedziałeś o tym miejscu?

– Amar mi powiedział. Właściciel pochodzi z Kalkuty. Widzisz tę zasłonę? – Wskazuje na gobelin wiszący na ścianie. – Za nią znajdują się drzwi do ukrytego pokoju. Gdybyś mnie kiedyś potrzebowała...

Uświadamiam sobie, że zdradza mi sekret. To miłe uczucie, kiedy ktoś darzy nas zaufaniem.

– Dziękuję – odpowiadam. – Tęsknisz za Indiami?

Wzrusza ramionami.

– Moją rodziną są Rakshana. Oni nie pochwalają oddania konkretnemu krajowi czy zwyczajom.

– I nie pamiętasz, jak pięknie wyglądały brzegi rzeki o zmierzchu albo jak wieńce z kwiatów pływały po wodzie?

– Mówisz jak Amar – zauważa, wgryzając się w gorący naleśnik.

– Co masz na myśli?

– On czasami tęsknił za Indiami. Żartował sobie ze mnie. Mawiał: „Braciszku, przejdę na emeryturę w Waranasi, będę miał grubą żonę i dwanaścioro dzieci na głowie. A jak umrę, możesz wrzucić moje prochy do Gangesu, żebym już tu nie wrócił".

Jeszcze nigdy Kartik nie powiedział tak wiele o swoim bracie. Wiem, że mamy do omówienia pilne sprawy, ale chcę się dowiedzieć czegoś więcej o nim.

– I... ożenił się?

– Nie. Rakshanom nie wolno się żenić. To by nam przeszkadzało w wypełnianiu obowiązków.

– No tak.

Kartik bierze kolejną dosę i kroi ją na schludne, równe kawałeczki.

– Gdy już się złoży przysięgę, to jest zobowiązanie na całe życie. Nie można odejść. Amar o tym wiedział. Szanował swój obowiązek.

– Czy zajmował wysokie stanowisko?

Spokojna zazwyczaj twarz Kartika posępnieje.

– Nie. Ale mógłby, gdyby...

Gdyby żył. Gdyby nie zginął, próbując chronić moją mamę, próbując chronić mnie.

Kartik odsuwa talerz. Znów jest bardzo rzeczowy.

– Co takiego chciałaś mi powiedzieć?

– Myślę, że panna McCleethy to Kirke – wyjawiam. Mówię mu o anagramie i o tym, jak ją śledziłyśmy do Bedlam, o wycinkach prasowych i o dziwnej wizycie u Nell. – Panna Hawkins powiedziała, że Kirke próbowała poprzez nią dostać się do międzyświata, ale im się nie udało. Nell miała do niego dostęp tylko w wyobraźni. A kiedy zawiodła...

– Co wtedy?

– Nie wiem. W wizjach widziałam tylko fragmenty wydarzeń – odpowiadam. Kartik posyła mi ostrzegawcze spojrzenie, tak jak się spodziewałam. – Wiem, co zamierzasz powiedzieć, ale widuję te trzy dziewczyny w bieli, przyjaciółki panny Hawkins. To ta sama wizja, lecz za każdym razem nieco wyraźniejsza. Dziewczęta, morze, kobieta w zielonym płaszczu. Kirke. I wtedy... Nie wiem. Dzieje się coś potwornego, ale tej części nigdy nie widzę.

Kartik cicho bębni kciukami po stole.

– Powiedziała ci, gdzie szukać Świątyni?

– Nie – zaprzeczam. – Ciągle powtarza coś o podążaniu właściwą ścieżką.

– Wiem, że lubisz pannę Hawkins, ale musisz pamiętać, że nie można polegać na jej umyśle.

– Tak jak na magii i międzyświecie – mówię, bawiąc się rękawiczkami. – Nie wiem, od czego zacząć. To mnie przerasta. Mam odnaleźć coś, co wydaje się nie istnieć, a najlepsza wskazówka, jaką mam, to słowa wariatki z Bedlam, która powtarza tylko: „Trzymaj się ścieżki, idź ścieżką". Z radością trzymałabym się tej cholernej ścieżki, gdybym wiedziała, gdzie ona jest.

Kartik szeroko otwiera usta ze zdumienia. Za późno uświadamiam sobie, że przeklęłam.

– Yyy, bardzo przepraszam – mówię przerażona.

– I cholernie słusznie – odpowiada Kartik. Wybucha gromkim śmiechem. Uciszam go, lecz po chwili oboje chichoczemy jak hieny. Starszy człowiek przy stoliku obok kręci głową, pewien, że oszaleliśmy.

– Przepraszam – powtarzam. – Po prostu jestem bardzo zdenerwowana.

– Widzę. – Kartik wskazuje na mój amulet. – Co się z nim stało?

– Och – wzdycham, zdejmując naszyjnik. – To nie ja, tylko panna Hawkins. Podczas pierwszej wizyty zerwała mi go z szyi. Myślałam, że chce mnie zabić, ale ona tylko tak dziwnie go trzymała – odpowiadam.

Kartik marszczy czoło.

– Jak broń?

Bierze ode mnie amulet i przecina nim powietrze, jakby to był sztylet. W bursztynowym świetle lamp metal nabiera ciepłego, złotego odcienia.

– Nie. Ujęła go w dłonie w taki sposób. – Zabieram amulet i poruszam nim tak, jak to robiła Nell. – Przyglądała się mu, jakby czegoś szukała.

Kartik siada prosto.

– Zrób to jeszcze raz.

Ponownie poruszam medalionem w przód i w tył.

– Co? O co chodzi?

Kartik znów pochyla się na krześle.

– Nie wiem, ale to, co robiłaś, przywiodło mi na myśl kompas.

Kompas! Stawiam bliżej latarnię i trzymam amulet tuż obok jej migoczącego płomienia.

– Widzisz coś? – pyta Kartik, przysuwając krzesło tak blisko, że czuję jego ciepło, zapach powietrza – mieszanina dymu z komina i przypraw – w jego włosach. To dobry zapach, daje poczucie bezpieczeństwa.

– Nic – odpowiadam. Nie zauważam żadnych znaków, żadnych wskazówek.

Kartik odchyla się do tyłu.

– No cóż, to była dobra myśl.

– Czekaj – przerywam mu, ciągle wpatrując się w amulet. – A jeśli to widać tylko w międzyświecie?

– Możesz to sprawdzić?

– Najszybciej, jak się da – potwierdzam.

– Dobra robota, panno Doyle – mówi Kartik, uśmiechając się szeroko. – Odwieźmy cię do domu, zanim wyrzucą mnie z pracy.

Wychodzimy z gospody i idziemy krętymi uliczkami do miejsca, w którym zostawiliśmy powóz. Ale kiedy tam docieramy, chłopaka już nie ma. Zamiast niego są trzej mężczyźni w identycznych czarnych garniturach. Dwaj mają laski, za pomocą których mogliby nam zrobić sporą krzywdę. Trzeci siedzi w powozie, trzymając przed twarzą otwartą gazetę. Ulica, na której zaledwie pół godziny temu roiło się od ludzi, zupełnie opustoszała.

Kartik daje mi ręką znak, żebym zwolniła, ale mężczyźni zauważają nas i gwiżdżą przeciągle. Człowiek w powozie starannie składa gazetę. To mężczyzna z blizną, który mnie śledzi, od kiedy przyjechałam do Londynu.

– Gwiazdę Wschodu trudno odnaleźć – odzywa się. – Bardzo trudno. – W klapie jego marynarki dostrzegam szpilkę z mieczem i czaszką. Pozostali takich nie mają.

– Cześć, kolego – mówi jeden z osiłków, podchodząc bliżej. Z głośnym plaśnięciem uderza gałką laski o dłoń. – Pamiętasz mnie?

Kartik z roztargnieniem pociera czoło, a ja zastanawiam się, o czym u licha mówią.

– Pan Fowlson życzy sobie odbyć naradę roboczą w powozie panienki. – Brutalnie szarpie Kartika, podczas gdy drugi mięśniak eskortuje mnie.

– Fowlson – mówię. – A więc ma pan nazwisko.

Mężczyzna spogląda gniewnie na osiłka.

– Nie ma potrzeby udawać. Wiem, że jesteście Rakshanami. I będę wdzięczna, jak przestaniecie się za mną włóczyć.

Mężczyzna odpowiada opanowanym tonem, doskonale nadającym się do tego, by łagodnie strofować krnąbrne dziecko.

– A ja wiem, że jesteś impertynencką dziewczyną i zapominasz o powadze zadania, które masz wykonać, gdyż inaczej byłabyś już w międzyświecie i szukała Świątyni, zamiast figlować w podłych dzielnicach Londynu. Tutaj z pewnością nie ma Świątyni. Czy może jest? Powiedz, gdzie się z nim włóczyłaś?

Nie wie o kryjówce Kartika. Czuję, jak stojący obok chłopak wstrzymuje oddech.

– Zwiedzaliśmy miasto – odpowiadam, stając o rzut kamieniem od rzeźni. – Chciałam zobaczyć te slumsy na własne oczy.

Wielki mężczyzna z laską parska szyderczo.

– Zapewniam, sir, że poważnie podchodzę do swoich obowiązków – zwracam się do Fowlsona.

– Naprawdę, laleczko? Zadanie jest proste: znajdź Świątynię i poskrom magię.

– Skoro to taka prosta sprawa, to czemu pan się tym nie zajmie? – odpowiadam zapalczywie. – Ale nie, pan nie może. Będzie więc pan musiał polegać na mnie, „impertynenckiej dziewczynie", prawda?

Fowlson wygląda, jakby chciał mnie uderzyć.

– Niestety, chwilowo istnieje taka konieczność. – Uśmiecha się chłodno do Kartika. – A ty nie zapomnij o swoim zadaniu, nowicjuszu.

Wysiada z powozu, wtyka gazetę pod ramię i gestem przywołuje swoich ludzi. Wszyscy w trójkę oddalają się powoli, by w końcu zniknąć za rogiem. Kartik rusza do akcji, właściwie wpychając mnie do powozu.

– Co on miał na myśli, mówiąc, żebyś nie zapomniał o swoim zadaniu? – pytam.

– Mówiłem ci – odpowiada, wyprowadzając Ginger na ulicę. – Moim zadaniem jest pomóc ci znaleźć Świątynię, to wszystko. A co ty miałaś na myśli, kiedy poprosiłaś, żeby Fowlson przestał się za tobą włóczyć?

– Bo się za mną włóczy! Był na dworcu tego dnia, kiedy przyjechałam do Londynu. A potem, kiedy byłam w Hyde Parku na spacerze z babcią – dodaję, celowo przemilczając obecność Simona – przejechał obok powozem. I widziałam z nim kobietę w zielonym płaszczu, Kartiku. W zielonym płaszczu!

– Jest mnóstwo zielonych płaszczy w Londynie – odpowiada. – Nie wszystkie należą do Kirke.

– Nie. Ale jeden należy. Pytam jedynie, czy jesteś pewien, że Fowlsonowi można wierzyć?

– To Rakshana, należy do mojego bractwa – odpowiada. – Tak, jestem pewien.

Nie patrzy na mnie, kiedy to mówi, i obawiam się, że to zaufanie, które zaczęło się między nami rodzić, zostało podkopane przez moje ostatnie pytanie. Kartik siada na ławeczce i chwyta lejce. Ruszamy z szarpnięciem, klapki na oczach klaczy czynią ją uległą, ale jej kopyta gniewnie wzbijają tumany kurzu z kocich łbów.

Wieczorem babcia i ja siadamy z robótkami przy kominku. Za każdym razem, gdy przed domem przejeżdża jakiś pojazd, babcia się prostuje. W końcu uświadamiam sobie, że nasłuchuje naszego powozu i powrotu ojca z klubu. Tata spędza tam mnóstwo czasu, zwłaszcza wieczorami. W niektóre noce słyszę, jak wraca dopiero przed wschodem słońca.

Dzisiaj babci jest szczególnie trudno to znieść. Ojciec opuścił dom w fatalnym humorze, po tym, jak oskarżył panią Jones o zgubienie jego rękawiczek i niemal zdemolował bibliotekę podczas poszukiwań, zanim babcia znalazła je w kieszeni jego płaszcza, gdzie oczywiście były przez cały czas. Wyszedł bez słowa przeprosin.

– Na pewno niedługo wróci – pocieszam ją, kiedy kolejny powóz z terkotem mija nasz dom.

– Tak. Tak, na pewno – potwierdza babcia z roztargnieniem. – Pewnie nie zwraca uwagi na upływ czasu. On bardzo lubi przebywać między ludźmi, prawda?

– Tak – odpowiadam zdziwiona, że tak się przejmuje losem swojego syna. Ta świadomość sprawia, że trudniej jest czuć do niej niechęć.

– Kocha cię bardziej niż Toma, wiesz?

Jestem tak zaskoczona, że kłuję się igłą. Na opuszce palca pojawia się maleńka banieczka krwi.

– Właśnie tak. No, oczywiście troszczy się o Toma, ale dla mężczyzn synowie to inna sprawa, budzą w nich przede wszystkim poczucie obowiązku, a nie czułość. Ty jesteś jego aniołem. Nie złam mu nigdy serca, Gemmo. I tak już zbyt wiele wycierpiał. To by go zabiło.

Próbuję się nie rozpłakać z powodu bólu i niechcianej wiedzy.

– Dobrze – obiecuję.

– Twój haft wygląda bardzo ładnie, moja droga. Ale moim zdaniem przydałby się krótszy ścieg na brzegu – stwierdza babcia, jakbyśmy o niczym innym nie rozmawiały.

Wchodzi pani Jones.

– Proszę o wybaczenie, ale ta przesyłka przyszła do panienki dziś po południu. Emily wzięła ją i zapomniała mnie powiadomić. – Choć to ja jestem adresatką, gospodyni podaje babci pudełko pięknie ozdobione różową jedwabną kokardą.

Babcia czyta bilecik.

– Od Simona Middletona.

Prezent od Simona? Jestem zaintrygowana. W pudełku znajduje się śliczny, delikatny naszyjnik z małych ametystów, zwieszających się wachlarzem z łańcuszka. Są fioletowe, w moim ulubionym kolorze. Dołączył do niego bilecik z notatką: *Klejnoty dla naszej Gemmy*.

– Jaki piękny! – zachwyca się babcia, unosząc naszyjnik do światła. – Simon Middleton musi być tobą oczarowany!

Rzeczywiście wisiorek jest piękny, to chyba najpiękniejsza rzecz, jaką kiedykolwiek od kogokolwiek dostałam.

– Pomożesz mi? – pytam.

Zdejmuję amulet, a babcia pomaga mi zapiąć mój nowy naszyjnik. Biegnę do lustra, żeby się przejrzeć. Klejnoty idealnie układają się na moim dekolcie.

– Musisz go założyć jutro wieczorem do opery – radzi babcia.

– Tak zrobię – odpowiadam, obserwując, jak kamienie łapią światło. Iskrzą i lśnią, aż w całym tym blasku z trudem rozpoznaję samą siebie.

Na poduszce znajduję liścik od Kartika: *Muszę ci coś powiedzieć. Będę w stajni*. Nie podoba mi się, że wchodzi do mojego pokoju, kiedy tylko zechce. Powiem mu to. Nie podoba mi się, że ma przede mną tajemnice. To też mu powiem. Ale nie teraz. Teraz chodzę w nowym naszyjniku od Simona. Od pięknego Simona, który nie uważa mnie po prostu za kogoś, kto mu pomoże awansować w szeregach Rakshana, ale za dziewczynę godną klejnotów.

Ostrożnie podnoszę kartkę z poduszki i wiruję po pokoju, trzymając ją rozpostartą w palcach. Naszyjnik dotyka mojej szyi jak dłoń w uspokajającym geście. *Klejnoty dla naszej Gemmy*.

Wrzucam liścik od Kartika do ognia. Krawędzie kartki zwijają się i czernieją, a po chwili papier zamienia się w popiół.

ROZDZIAŁ DWUDZIESTY DZIEWIĄTY

Jeżeli można powiedzieć, że ja niecierpliwie czekam na wieczór w operze, to babcia po prostu wychodzi z siebie.

– Mam nadzieję, że te rękawiczki będą pasowały – cmoka z zaniepokojeniem, gdy szwaczka robi ostatnie poprawki przy sukni z jedwabnej satyny w białym kolorze, odpowiedniej dla młodej damy wybierającej się do opery. Babcia zamówiła moje pierwsze operowe rękawiczki i kazała je dostarczyć z domu towarowego Whiteley. Szwaczka przekłada perłowe guziczki przez pętelki na nadgarstku, ukrywając moje nagie przedramiona pod drogą koźlęcą skórką. Pokojówka pomysłowo sczesała mi włosy z twarzy i upięła w kok ozdobiony kwiatami. I oczywiście założyłam śliczny naszyjnik od Simona. Patrząc na swoje odbicie w lustrze, muszę przyznać, że wyglądam całkiem uroczo, jak prawdziwa, układna dama.

Nawet Tom wstaje z miejsca, gdy wchodzę do salonu, zaskoczony moją przemianą. Ojciec ujmuje moją dłoń i składa na niej pocałunek. Jego ręka nieco drży. Wiem, że był poza domem do świtu, a potem spał cały dzień i mam nadzieję, że się nie rozchoruje. Ociera spocone czoło chusteczką, ale głos ma całkiem pogodny.

– Wyglądasz jak królowa, moja maleńka. Prawda, Thomas?

– Na pewno nie przyniesiesz nam wstydu – odpowiada brat. Jak na imbecyla wygląda całkiem elegancko we fraku.

– Tylko na tyle cię stać? – karci go ojciec.

Tom wzdycha.

– Wyglądasz bardzo przyzwoicie, Gemmo. Pamiętaj, żeby nie chrapać w operze. Ludzie krzywo na to patrzą.

– Skoro udaje mi się nie zasnąć, kiedy ty coś opowiadasz, Tom, to w operze z pewnością zachowam przytomność.

– Powóz podjechał, sir – oznajmia Davis, kamerdyner, ratując nas wszystkich przed koniecznością prowadzenia dalszej rozmowy.

Gdy wychodzimy przed dom, zauważam minę Kartika, który wpatruje się we mnie otwarcie, jakbym była zjawą, kimś, kogo nie zna. Daje mi to dziwną satysfakcję. Tak, niech zobaczy, że nie jestem tylko jakąś tam „impertynencką dziewczyną", jak to ujął pachołek Rakshanów.

– Drzwi, Kartik, jeśli można prosić – odzywa się oschle Tom. Kartik, jak wyrwany ze snu, szybko otwiera drzwi do powozu. – Doprawdy, ojcze – marudzi mój brat, gdy ruszamy – bardzo bym chciał, żebyś ponownie przemyślał tę kwestię. Nie dalej jak wczoraj Sims polecił mi woźnicę...

– Sprawa jest zamknięta. Pan Kartik wozi mnie tam, gdzie chcę – sztywno odpowiada ojciec.

– Tego się właśnie obawiam – mruczy Tom pod nosem, tak że tylko ja go słyszę.

– No już, już – mówi babcia, poklepując ojca po kolanie. – Zachowajmy dobry nastrój, dobrze? Przecież to już prawie Boże Narodzenie.

Gdy otwierają się przed nami drzwi do budynku Opery Królewskiej, przeżywam napad paniki. A jeśli wyglądam śmiesznie, a nie elegancko? A jeśli coś – moja fryzura, suknia, postawa – okaże się nieodpowiednie? Jestem taka wysoka. Chciałabym być niższa. Delikatniejsza. Mieć ciemne włosy. Nie mieć piegów. Być austriacką księżniczką. Czy jest już za późno, żeby pobiec do domu i się schować?

– Ach, tutaj są – mówi babcia. Dostrzegam Simona, który wygląda bardzo przystojnie w białym krawacie i czarnym fraku.

– Dobry wieczór – odzywam się, dygając.

– Dobry wieczór – odpowiada. Posyła mi delikatny uśmiech i dzięki temu uśmiechowi ogarnia mnie taka ulga i szczęście, że gotowa jestem obejrzeć dziesięć spektakli.

Dostajemy programy i mieszamy się z tłumem. Ojciec, Tom i Simon pogrążają się w rozmowie z jakimś mężczyzną, korpulentnym, łysiejącym panem z monoklem na łańcuszku, a babcia, lady Denby i ja przechadzamy się powoli, kiwając głowami i wymieniając powitania z paniami z towarzystwa. Ta parada jest niezbędna w celu zaprezentowania stroju. Nagle słyszę, że ktoś woła mnie po imieniu. To Felicity i Ann, obie w eleganckich białych sukniach. Felicity ma kolczyki z granatami, które lśnią na tle jej srebrzystych włosów. Różowa kamea spoczywa w zagłębieniu szyi Ann.

– Mój Boże – wzdycha lady Denby. – To ta koszmarna Worthingtonowa.

Jej komentarz budzi czujność babci.

– Pani Worthington? Żona admirała? Czyżby zdarzył się jakiś skandal?

– Nie wie pani? Trzy lata temu wyjechała do Paryża, podobno dla zdrowia, a młodą pannę Worthington odesłała do szkoły. Lecz wiem z wiarygodnego źródła, że wzięła sobie kochanka, Francuza, który teraz ją porzucił, a ona wróciła do admirała, udając, że nic takiego nigdy się nie wydarzyło. Oczywiście, nie jest przyjmowana w najlepszych domach. Wszyscy chodzą do nich na proszone kolacje i bale ze względu na sympatię do admirała, który cieszy się ogólnym poważaniem. Ciii, zbliżają się.

Podchodzi do nas pani Worthington, a za nią dziewczęta. Mam nadzieję, że rumieniec na policzkach nie zdradzi moich odczuć, gdyż bardzo mi się nie podoba snobizm matki Simona.

– Dobry wieczór, lady Denby – odzywa się pani Worthington, uśmiechając się promiennie.

Lady Denby, zamiast podać jej dłoń, otwiera wachlarz.

– Dobry wieczór, pani Worthington.

Felicity prezentuje oszałamiający uśmiech. Gdybym nie znała jej lepiej, nie zauważyłabym w nim lodu.

– O mój Boże, Ann, chyba zgubiłaś bransoletkę!

– Jaką bransoletkę? – dziwi się Ann.

– Tę, którą książę przysłał ci z Sankt Petersburga. Może zostawiłaś ją w gotowalni? Musimy jej poszukać. Gemmo, pomożesz nam?

– Tak, oczywiście – odpowiadam.

– Pospieszcie się. Opera niedługo się zacznie – ostrzega babcia.

Umykamy do gotowalni, gdzie kilka dam ogląda się w lustrach, poprawiając szale i biżuterię.

– Ann, kiedy mówię, że zgubiłaś bransoletkę, musisz podjąć grę – upomina przyjaciółkę Felicity.

– Przepraszam – odpowiada Ann.

– Nie cierpię lady Denby. Potworne babsko – mruczy Felicity.

– Nieprawda – protestuję.

– Mówisz to, bo ogłupiałaś na punkcie jej syna.

– Nie ogłupiałam. On tylko zaprosił moją rodzinę do opery.

Felicity uniesieniem brwi daje do zrozumienia, że mi nie wierzy.

– Może chciałybyście się dowiedzieć, że odkryłam coś w związku z moim amuletem? – zmieniam temat.

– Co takiego? – pyta Ann, zdejmując rękawiczki, żeby poprawić włosy.

– Księżycowe oko to coś w rodzaju kompasu. To właśnie próbowała mi przekazać Nell Hawkins. Myślę, że amulet może nas zaprowadzić do Świątyni.

Oczy Felicity lśnią.

– Kompas! Musimy go wypróbować dzisiaj wieczorem.

– Dzisiaj? – piszczę. – Tutaj? Przy tych wszystkich ludziach? – Niemalże wymyka mi się: „Przy Simonie?" – To niemożliwe.

– Oczywiście, że możliwe – szepcze Felicity. – Tuż przed antraktem powiedz babci, że musisz na chwilę wyjść do gotowalni. Ann i ja zrobimy to samo. Spotkamy się w hallu i znajdziemy miejsce, z którego będziemy mogły przenieść się do międzyświata.

– To nie takie proste. Babcia nie puści mnie samej.

– Wymyśl jakiś pretekst – nalega Felicity.

– Ale to nie będzie właściwe!

– Boisz się, co Simon sobie pomyśli? Nie jesteście jeszcze zaręczeni! – niecierpliwi się Felicity.

Komentarz spada na mnie jak cios pięścią.

– Nigdy niczego takiego nie sugerowałam.

Fee uśmiecha się. Wie, że wygrała.

– A zatem postanowione. Tuż przed antraktem. Nie spóźnij się.

Opracowawszy plan, przenosimy uwagę na lustra i poprawiamy grzebienie we włosach oraz wygładzamy suknie.

– Próbował cię pocałować? – pyta Felicity bezceremonialnie.

– Nie, oczywiście, że nie – odpowiadam zażenowana. Mam nadzieję, że nikt tego nie słyszał.

– Byłabym ostrożna na twoim miejscu – dodaje moja przyjaciółka. – Simon cieszy się reputacją kobieciarza.

– W stosunku do mnie zachowuje się jak prawdziwy dżentelmen – protestuję.

– Hmmm – mruczy Felicity, wpatrując się w swoje odbicie, które wygląda jak zawsze ujmująco.

Ann na próżno szczypie się w policzki, w nadziei, że nabiorą trochę koloru.

– Może poznam dzisiaj kogoś. Kogoś dobrego i szlachetnego. Takiego, który lubi pomagać innym. Takiego jak Tom.

Dwie wściekle czerwone pręgi krzyżują się na jej nadgarstku. Szramy są świeże, powstały może kilka godzin temu. Znów się pocięła. Ann widzi moje spojrzenie i jej świeżo zaróżowione policzki bledną. Szybko naciąga rękawiczki, żeby ukryć rany.

Felicity pierwsza rusza do wyjścia, lecz przy drzwiach spotyka znajomą mamy, z którą musi się przywitać. Chwytam Ann za nadgarstek tak mocno, że przyjaciółka aż się krzywi.

– Obiecałaś mi, że przestaniesz – robię jej wyrzuty.

– O co ci chodzi?

– Doskonale wiesz o co – mówię ostrzegawczym tonem.

Spogląda mi w oczy i uśmiecha się smutno.

– Lepiej, żebym sama się krzywdziła, niż żeby oni mnie krzywdzili. Mniej boli.

– Nie rozumiem.

– Ty i Fee jesteście w zupełnie innej sytuacji – wyjaśnia Ann bliska łez. – Nie rozumiesz? Ja nie mam przyszłości. Nic mnie nie czeka. Nigdy nie będę wielką damą ani nie poślubię kogoś takiego jak Tom. Mogę tylko udawać. Jest mi z tym bardzo ciężko, Gemmo.

– Nie wiesz, co się stanie w przyszłości – odpowiadam, próbując ją uspokoić. – Nikt tego nie wie.

Felicity dostrzega, że nie poszłyśmy za nią, więc wraca po nas.

– O co chodzi?

– O nic – odpowiadam zdecydowanie. – Już idziemy. – Biorę Ann za rękę. – Wszystko może się zmienić. Powtórz.

– Wszystko może się zmienić – spokojnie powtarza za mną.

– Wierzysz w to?

Kręci głową, a ciche łzy toczą się po jej okrągłych policzkach.

– Coś wymyślimy. Obiecuję. Ale najpierw musisz mi przysiąc, że przestaniesz. Proszę.

– Spróbuję – odpowiada, dłonią w rękawiczce ocierając wilgotną twarz i zmuszając się do uśmiechu.

– Będą kłopoty – ostrzega Felicity, gdy dołączamy do tłumu w foyer. Natychmiast zauważam, co ma na myśli. Cecily Temple stoi u boku swojej matki, wykręcając szyję i rozglądając się wokół w nadziei, że wypatrzy kogoś interesującego.

Ann wpada w panikę.

– Zdemaskują mnie! Zostanę zrujnowana! To mój koniec.

– Przestań – warczy Felicity. Ale Ann oczywiście ma rację. Cecily może zdmuchnąć historyjkę o jej rosyjskim szlachectwie i dalekich krewnych jak domek z kart.

– Będziemy jej unikały – proponuje Felicity. – Chodźcie za mną, pójdziemy drugimi schodami. Gemmo, tuż przed antraktem, nie zapomnij.

– Obiecuję po raz trzeci – odpowiadam ze złością.

Światła przygasają, co oznacza, że spektakl niedługo się rozpocznie.

– Tutaj pani jest! – woła Simon. Czekał na mnie. Czuję łaskotanie w żołądku. – Znalazłyście bransoletkę panny Bradshaw?

– Nie. Przypomniała sobie, że jednak zostawiła ją w szkatułce na biżuterię – kłamię.

Rodzina Simona ma prywatną, dość wysoko położoną lożę, dzięki czemu czuję się jak królowa górująca nad poddanymi. Zajmujemy miejsca i udajemy, że czytamy program, choć tak naprawdę nikt nie zwraca uwagi na *Mikado*. Lornetek teatralnych używa się, żeby potajemnie szpiegować kochanków i przyjaciół lub żeby sprawdzić, kto co ma na sobie i kto z kim przyszedł. Na widowni jest znacznie więcej potencjalnych skandali i dramatów, niż mogłoby się zmieścić na scenie. W końcu światła gasną, a kurtyna idzie w górę, ukazując małą japońską wioskę. Trio sopranów w egzotycznych strojach i czarnych lakierowanych perukach śpiewa o tym, że są trzema panienkami w szkole. Jestem w operze pierwszy raz w życiu i wszystko wydaje mi się zachwycające. W pewnym momencie przyłapuję Simona na tym, że mi się przygląda. Zamiast odwrócić wzrok, posyła mi niezwykle radosny uśmiech, a ja nie potrafię sobie wyobrazić, jak to wszystko zostawię, żeby wybrać się do międzyświata. To też jest magia i nic nie poradzę na to, że nie chcę stąd iść.

Tuż przed antraktem udaje mi się wyśledzić przez lornetkę Felicity. Patrzy na mnie z niecierpliwością. Szepczę babci do ucha, że muszę na chwilę udać się do gotowalni. Zanim zdąży zaprotestować, wymykam się na korytarz, na którym spotykam przyjaciółki.

– Piętro wyżej widziałam nieużywaną lożę – mówi Felicity, biorąc mnie za rękę. Tęskna aria płynie przez budynek, gdy w milczeniu idziemy na górę. Pochylamy się nisko, rozsuwamy ciężkie zasłony i siadamy na podłodze w loży. Biorę przyjaciółki za ręce. Zamykamy oczy, koncentrujemy się i przywołujemy drzwi ze światła.

ROZDZIAŁ TRZYDZIESTY

W ogrodzie wita nas słodki zapach bzu, ale wszystko wygląda inaczej niż przedtem. Drzewa i trawa są nieco dziksze, jakby się rozrosły. Muchomory rozsiały się jeszcze bardziej. Na naszych twarzach kładą się długie cienie.

– Rety, wyglądacie ślicznie! – woła Pippa z ławeczki nad rzeką. Rusza biegiem w naszą stronę, a obdarty rąbek jej spódnicy powiewa na wietrze. Kwiaty w wianku zrobiły się suche i łamliwe. – Jak pięknie! Gdzie byłyście w tych wspaniałych strojach?

– W operze – odpowiada Ann, okręcając się wokół własnej osi. – Grają *Mikado*. Wymknęłyśmy się stamtąd!

– W operze... – wzdycha Pippa. – Czy jest tam szaleńczo elegancko? Musicie mi wszystko opowiedzieć!

– Jest oszałamiająco, Pip. Kobiety są wprost obwieszone klejnotami. A jeden mężczyzna do mnie mrugnął.

– Kiedy? – pyta pełnym niedowierzania tonem Felicity.

– Naprawdę! Jak wchodziłyśmy po schodach. Och, a Gemma przyszła z Simonem Middletonem i jego rodziną. Siedzi z nimi w loży – relacjonuje bez tchu Ann.

– Och, Gemmo! Tak się cieszę! – mówi Pippa i całuje mnie. Wszelkie wątpliwości, jakie miałam w stosunku do niej, właśnie się rozwiały.

– Dziękuję – odpowiadam, oddając pocałunek.

– To brzmi wprost bosko. Opowiedzcie mi więcej. – Pippa opiera się o drzewo.

– Podoba ci się moja suknia? – pyta Ann, znów wirując, żeby dokładniej się zaprezentować.

Pip ujmuje Ann za ręce i tańczy z nią.

– Jest piękna! Ty jesteś piękna!

Nagle Pippa zatrzymuje się. Wygląda, jakby miała się rozpłakać.

– Nigdy nie byłam w operze i chyba już nigdy nie będę. Tak bardzo bym chciała pójść z wami.

– Byłabyś tam najpiękniejszą dziewczyną – mówi Felicity, a Pip znowu się uśmiecha.

Ann podbiega do mnie.

– Gemmo, wypróbuj amulet.

– O co chodzi? – pyta Pippa.

– Gemma uważa, że jej amulet to coś w rodzaju kompasu – wyjaśnia Felicity.

– Sądzisz, że wskaże nam drogę do Świątyni? – dziwi się Pippa.

– Zaraz się dowiemy – odpowiadam. Wyjmuję amulet z torebki i kładę płasko na dłoni. Początkowo widać tylko zimną twardą powierzchnię metalu odbijającą zniekształcony obraz mojej twarzy. Ale potem coś się zmienia. Powierzchnia mętnieje. Obracam się powoli. Kiedy staję twarzą do dwóch prostych rzędów drzew oliwnych, księżycowe oko rozbłyskuje jasno, oświetlając słabo widoczną alejkę.

– Podążaj ścieżką – mamroczę pod nosem słowa Nell. – Myślę, że znalazłyśmy drogę do Świątyni.

– Och, pokaż mi! – Pippa bierze w dłonie amulet, który świeci w stronę oliwek. – Wspaniale!

– Byłaś już tam? – pytam.

Przyjaciółka kręci głową. Wiatr niesie ścieżką garść liści i zapach bzu. Z blaskiem amuletu za przewodnika nurkujemy pod osłonę drzew.

Wędrujemy, zdawałoby się, ponad kilometr, mijając dziwne totemy o głowach słoni, węży i ptaków. Docieramy do wzgórza z tunelem. Amulet lśni.

– Tędy? – pyta zasapana Ann.

– Obawiam się, że tak – potwierdzam.

Korytarz jest ciasny i niewysoki. Nawet Ann, najniższa z nas, musi się pochylić, żeby wejść. Miękkie podłoże ustępuje skalistemu. Z drugiej strony wzgórza wychodzimy na ścieżkę z obu stron ograniczoną polami wysokich czerwonopomarańczowych kwiatów, które kołyszą się hipnotycznie. Gdy idziemy, wiatr pochyla je, tak że delikatnie muskają nas po twarzach i ramionach. Pachną świeżymi letnimi owocami. Pippa zrywa jeden i wtyka go w swoją więdnącą koronę.

Coś śmiga po mojej prawej stronie.

– Co to było? – pyta Ann, przysuwając się do mnie.

– Nie wiem – odpowiadam. Widzę tylko kwiaty falujące na wietrze.

– Chodźmy dalej – radzi Pippa.

Idziemy za jasnym blaskiem amuletu. Nagle nasza ścieżka kończy się przed ogromnym kamiennym murem, który jest wysoki jak góra i wydaje się ciągnąć w nieskończoność. Nie ma szans na to, żeby go obejść.

– I co teraz? – pyta Felicity.

– Musi być jakaś droga – sugeruję, choć nie mam pojęcia gdzie. – Szukajcie przejścia.

Próbujemy poluzować kamienie, aż zupełnie opadamy z sił.

– Nic z tego – sapie Pippa. – To lita skała.

Niemożliwe, żebyśmy całą tę drogę pokonały na darmo. Musi być jakieś przejście. Idę wzdłuż muru, poruszając amuletem w różne strony. Nagle rozbłyskuje na krótko.

– Co to było? – pytam.

Znów powoli go obracam, a on zaczyna jasno lśnić. Przyglądam się uważnie skale i zauważam delikatny zarys drzwi.

– Wy też to widzicie? – pytam w nadziei, że to nie tylko moja wyobraźnia.

– Tak! – woła Felicity. – To drzwi!

Wyciągam rękę i wyczuwam zimną stal klamki w skale. Biorę głęboki oddech i ciągnę. Wygląda, jakby wielka, czarna dziura otworzyła się w ziemi. Amulet świeci coraz mocniej.

– Zdaje się, że ścieżka prowadzi tędy – oznajmiam, choć prawdę mówiąc, nie mam najmniejszej ochoty zagłębiać się w ten mroczny tunel.

Felicity nerwowo oblizuje wargi.

– No to idź, my pójdziemy za tobą.

– Wcale mnie to nie pociesza – odpowiadam. Właściwie spodziewam się, że skała po prostu połknie mnie bez przeżuwania. Z walącym sercem wchodzę do środka i czekam, aż mój wzrok przyzwyczai się do półmroku. Panuje tu przejmująca wilgoć i pachnie świeżo skopanym ogródkiem. Na kamiennych ścianach wiszą papierowe latarnie w kolorze złotym i różanym, rzucając słabe światło na wylepioną gliną podłogę. Trudno dojrzeć cokolwiek dalej niż kilka metrów do przodu, ale czuję, że się wspinamy – idziemy w górę i w koło. Oddycham coraz ciężej, a moje nogi drżą z wysiłku. W końcu docieramy do kolejnych drzwi. Obracam gałkę i wychodzimy w fioletowy i czerwony dym, który kłębi się wokół nas jak chmury. Powiew wiatru rozprasza go i naszym oczom ukazuje się wspaniały widok. Znajdujemy się wysoko nad rzeką, a w dole pod nami łódź z gorgoną cicho sunie po błękitnej wodzie.

– Jak to się stało, że wyszłyśmy tak wysoko? – pyta Felicity, próbując złapać oddech.

– Nie wiem – wyznaję.

Ann wykręca szyję.

– Mój Boże!

Wpatruje się z otwartymi ustami w zmysłowe boginie wycięte w skale, w krzywizny ich bioder i ust, dołeczki w kolanach, w elegancką miękkość zaokrąglonych podbródków. Kamienne kobiety spoglądają na nas z wysoka, zupełnie się nami nie przejmując.

– Pamiętam to miejsce – mówię. – Znajduje się w pobliżu Grot Westchnień, prawda?

Pippa zatrzymuje się.

– Nie powinnyśmy tu przychodzić. Mieszkają tu Niedotykalni. To zabronione.

– No to wracajmy – proponuje Ann.

Ale okazuje się, że drzwi w skale zniknęły. Tą drogą nie da się wrócić.

– Co zrobimy teraz? – pyta Ann.

– Szkoda, że nie wzięłam strzał – stwierdza cicho Felicity.

Ktoś się do nas zbliża. Z gęstego dymu wyłania się postać – drobna kobieta o zniszczonej skórze koloru beczki po winie. Dłonie i twarz ma pomalowane w wyszukany deseń, ale jej ramiona i nogi wyglądają koszmarnie! Całe są pokryte obrzydliwymi wrzodami. Jedna noga jest tak opuchnięta, że wydaje się gruba jak pień drzewa. Nie możemy znieść tego widoku i ze wstrętem odwracamy wzrok.

– Witajcie – odzywa się. – Jestem Asha. Chodźcie za mną.

– Właśnie wychodziłyśmy – szybko odpowiada Felicity.

Asha śmieje się.

– A dokąd zamierzałyście pójść? Jedyna droga wyjścia prowadzi naprzód.

Ponieważ nie możemy wrócić tędy, którędy przyszłyśmy, ruszamy za nią. Po ścieżce kręci się tłum ludzi. Wszyscy są zdeformowani, powyginani, poznaczeni bliznami.

– Nie gap się – cicho napominam Ann. – Patrz pod nogi.

Asha prowadzi nas wokół klifu, przez łukowato sklepiony tunel wsparty na filarach. Na ścianach znajdują się malowidła przedstawiające niesamowite sceny batalistyczne: odcięcie głowy gorgony, przegnanie węży, pochód rycerzy w tunikach pomalowanych w czerwone maki. Widzę Las Świateł, centaura grającego na dudach, wodne nimfy, Runy Wyroczni. Przypomina to trochę gobelin z mnóstwem scen.

Tunel otwiera się na kolejny wspaniały widok. Znalazłyśmy się całkiem wysoko. Naczynia z kadzidłem stoją wzdłuż wąskiej ścieżki. Kłęby karmazynowego, turkusowego i żółtego dymu łaskoczą mnie w nos i w oczy.

Asha zatrzymuje się przy wejściu do jaskini. Okala je surowa płaskorzeźba przedstawiająca wijące się węże. Bardziej niż rzeźbę przypomina coś, co powstało z samej ziemi.

– Groty Westchnień.

– Zdaje się, że miałaś nas zaprowadzić do wyjścia – wyrażam wątpliwość.

– I tak jest. – Asha wchodzi do środka i stapia się z ciemnością. Za naszymi plecami pozostali utworzyli mur szeroki na pięć i długi na dziesięć osób. Nie ma odwrotu.

– Nie podoba mi się to – wyznaje Pippa.

– Mnie też, ale jaki mamy wybór? – pytam, wchodząc do jaskini.

Gdy znajduję się w środku, pojmuję, skąd jaskinie wzięły swoją nazwę. Wydaje się, że ściany wzdychają tu z rozkoszy niesionej setkami tysięcy pocałunków.

– Jaka piękna – mówi Ann przed płaskorzeźbą twarzy o długim, płaskim nosie i pełnych ustach. Palcami przesuwa po wygięciu górnej wargi, a mnie natychmiast przychodzi na myśl Kartik. Pippa dołącza do niej i delikatnie gładzi kamień.

– Proszę mi wybaczyć, ale wędrowałyśmy ścieżką, która zniknęła. Czy może nam pani wskazać drogę powrotną? Bardzo nam się spieszy – słodko prosi Felicity.

– Szukacie Świątyni? – pyta Asha.

Przyciągnęła naszą uwagę.

– Tak – odpowiadam. – Czy pani wie, gdzie ona jest?

– A co mi ofiarujecie? – Asha wyciąga ręce.

Mam jej coś dać? Nic nie mam. Nie mogłabym się rozstać z naszyjnikiem od Simona ani z amuletem.

– Przykro mi – mówię – ale nic ze sobą nie przyniosłam.

Jej oczy zdradzają rozczarowanie, ale nie przestaje się uśmiechać.

– Czasami czegoś szukamy, ale nie jesteśmy gotowi, by to znaleźć. Trudno jest podążać prawdziwą ścieżką. Aby ją zobaczyć, musisz chcieć zrzucić skórę jak wąż. Musisz być gotowa zrezygnować z tego, co jest dla ciebie cenne. – Mówiąc to, zerka na Pippę.

– Powinnyśmy już iść – przerywa jej nasza przyjaciółka.

Być może ma rację.

– Obawiam się, że rzeczywiście musimy już wracać.

Asha kłania się.

– Jak sobie życzycie. Mogę was wprowadzić na ścieżkę, ale będziecie potrzebowały pomocy.

Kobieta o twarzy pomalowanej na jaskrawoczerwony kolor z zielonymi prążkami wlewa rzadką glinkę do długiej tuby z dziurką na końcu.

– Po co to? – pyta Felicity.

– Żeby was pomalować – odpowiada Asha.

– Pomalować? – Ann niemalże piszczy.

– To zapewnia ochronę – wyjaśnia Asha.

– Ochronę przed czym? – pytam ostrożnie.

– Przed wszystkim, co was szuka w międzyświecie. Dzięki temu ukryje się to, co ma pozostać ukryte, a ujawni to, co musi być widzialne. – I znów posyła to dziwne spojrzenie Pippie.

– Wcale mi się to nie podoba – oświadcza Pip.

– Mnie również – wtóruje jej Ann.

– A jeśli to pułapka? – szepcze Felicity. – Jeśli ta farba jest trująca?

Kobieta o czerwonym obliczu prosi, żebyśmy usiadły i położyły dłonie na dużym głazie.

– Dlaczego mamy wam ufać? – pytam.

– Wybór należy do was. Możecie odmówić – odpowiada Asha.

Kobieta z farbą czeka cierpliwie. Czy mam zaufać Ashy, Niedotykalnej, czy ryzykować podróż przez międzyświat bez ochrony?

Podaję dłonie kobiecie o pomalowanej twarzy.

– Widzę, że jesteś odważna – stwierdza Asha. Kiwa głową do kobiety, a ta wyciska miksturę na moje ręce. Maź jest chłodna. Czy trucizna już przesącza się do mojej krwi? Mogę tylko zamknąć oczy i czekać.

– Och, patrzcie! – woła Ann.

Obawiając się najgorszego, otwieram oczy. Moje dłonie! Tam, gdzie gliniana mikstura wyschła, pojawiły się wzory bardziej wyszukane niż pajęcza sieć, we wspaniałym ceglastym odcieniu. Przypominają mi się panny młode w Indiach, którym dłonie barwi się henną na cześć mężów.

– Ja następna – oświadcza Felicity, pospiesznie zdejmując rękawiczki. Nie boi się już, że zostanie otruta, lecz że zostanie pominięta.

W głębokiej niszy w jaskini zauważam taflę wody gładką jak szkło, która zdaje się jednocześnie podnosić i opadać. Jej falowanie sprawia, że robię się śpiąca. To ostatnia rzecz, jaką widzę, zanim zapadam w sen.

❧

Stoję przed wielką studnią. Powierzchnia wody porusza się, ukazując mi różne rzeczy. Róże szybko rozkwitające na grubych zielonych pędach. Katedrę dryfującą na wyspie. Czarną skałę skąpaną we mgle. Jadącego na dzikim koniu wojownika w hełmie z rogami. Wygięte drzewo na tle nieba czerwonego jak krew. Pomalowane dłonie Ashy. Nell Hawkins. Zielony płaszcz. Nagle coś porusza się w cieniu i zbliża się. Boję się. To twarz.

Budzę się gwałtownie. Felicity śmieje się wesoło, pokazując dłonie ozdobione przepięknymi zawijasami. Porównuje je z wyszukanymi wzorami na rękach Ann i Pippy. Asha siedzi naprzeciwko mnie, skrzyżowawszy grube nogi pokryte łuszczącą się skórą.

– Co widziałaś we śnie? – pyta.

Co widziałam? Nic, co miałoby dla mnie jakiekolwiek znaczenie.

– Nic – odpowiadam.

Znów dostrzegam rozczarowanie w jej oczach.

– Czas się zbierać.

Prowadzi nas do wyjścia z jaskini. Niebo nie jest już błękitne, zapadła głęboka, atramentowoczarna noc. Aż tak długo tu byłyśmy? Z naczyń z kadzidłem buchają kolorowe tęcze. Pochodnie oświetlają ścieżkę. Niedotykalni stoją obok nich i kłaniają się, gdy przechodzimy.

Kiedy znów docieramy do skały, pojawiają się drzwi.

– Przecież powiedziałaś, że jedyna możliwość wyjścia stąd to iść naprzód – mówię.

– Tak, to prawda.

– Ale przecież tędy przyszłyśmy!

– Naprawdę? – pyta. – Uważajcie na ścieżce. Idźcie szybko i cicho. Farba osłoni was przed wrogimi oczami. – Asha składa razem dłonie i kłania się. – Ruszajcie.

Nic z tego nie rozumiem, ale zmarnowałyśmy już dość czasu i nie mogę zadawać kolejnych pytań. Musimy wrócić do ogrodu. W blasku padającym z amuletu widzę delikatne linie na moich dłoniach. Wydają mi się lichą ochroną przed tym, co może nas szukać, ale pozostaje mi tylko mieć nadzieję, że Asha się nie myli.

ROZDZIAŁ TRZYDZIESTY PIERWSZY

Podążając za blaskiem księżycowego oka, oddalamy się od skał, aż trafiamy na zupełnie obcy teren. Niebo nie wydaje się tu aż takie ciemne. Jest skąpane w świetle ciemnoczerwonego księżyca. Otaczają nas sękate sylwetki gigantycznych drzew. Ich konary wyginają się wysoko nad naszymi głowami, łącząc się w upiornym uścisku nagimi poskręcanymi palcami z kory. Efekt jest taki, jakbyśmy maszerowały wewnątrz długiej klatki.

– Szłyśmy tędy wcześniej? – pyta Felicity.

– Gdzie jesteśmy? – chce wiedzieć Pippa.

– Nie wiem – odpowiadam.

– Koszmarne miejsce – oznajmia Ann.

– Wiedziałam, że nie powinnyśmy im ufać. Brudna hołota! – wścieka się Pippa.

– Cicho! – rozkazuję. Blask amuletu w mojej dłoni zmienił się w bladą poświatę, a potem zgasł jak zdmuchnięta świeca. – Przestał działać.

– No to pięknie! I jak teraz wrócimy? – niepokoi się Ann.

Czerwony księżyc krwawi przez wiotkie, obdarte z liści gałęzie, rzucając długie cienie.

– Wykorzystamy światło księżyca. Nie zatrzymujcie się – wydaję polecenie. Dlaczego amulet zgasł?

– Mój Boże, co to za zapach? – pyta Felicity.

Wiatr się zmienia i ja też to czuję. Jakby odór choroby i brudu. Smród śmierci. Podmuch przeciska się korytarzem drzew za nami, poruszając satyną i jedwabiem naszych sukien. To coś konkretniejszego niż powiew wiatru. To zapowiedź. Coś się zbliża.

Ann przykłada dłoń do nosa i ust.

– Och, co za ohyda.

– Ciii! – mówię.

– Co? – pyta Pippa.

– Słyszycie?

Jeźdźcy. Zbliżają się szybko. Już widać chmurę pyłu. Lada chwila nas dogonią. Korytarz przed nami wydaje się mieć jeszcze co najmniej półtora kilometra. Czy uda nam się wcisnąć między drzewa? W szczelinach widać ledwie smużki światła, są zbyt wąskie, żeby któraś z nas dała radę przejść.

– Gdzie się podziałyście? – pyta Pippa, rozglądając się wokół.

– O co ci chodzi? Przecież jesteśmy tutaj – odpowiada Felicity.

– Nie widzę was!

Farba! Jakimś cudem nas ukrywa.

– Chroni nas farba. Stałyśmy się niewidzialne.

– A co ze mną? – dopytuje się Pippa, przyglądając się swoim doskonale widocznym dłoniom. – O Boże! – W jej głosie brzmi rozpacz, a ja nie wiem, co zrobić, żeby jej pomóc. Jeźdźcy pojawiają się w zasięgu wzroku – szkieletowe widma, w których trudno dostrzec dawne ludzkie kształty. Za nimi majaczy coś absolutnie przerażającego – odrażające monstrum o gigantycznych wystrzępionych skrzydłach i paszczy pełnej długich, ostrych zębów, do których gdzieniegdzie przywarły strzępki mięsa. Potwór nie ma oczu. Węszy w powietrzu, szukając nas. Wiem, co to jest, gdyż już raz spotkałam podobną maszkarę. To tropiciel z rodzaju tych wykorzystywanych przez Kirke.

Zwraca się w naszą stronę. Sam jego zapach wystarczy, by mnie zemdliło. Próbuję powstrzymać torsje.

– Ty tam! – ryczy mroczny duch i przez chwilę wydaje mi się, że nas znalazł. – Nie przeszłaś na drugą stronę, duchu?

– J-ja? – pyta Pippa. – J-ja…

Z paszczy stwora zwisają długie, lepkie wstęgi śliny. Och, Pip! Chcę ją uratować, ale jestem przerażona i nie potrafię porzucić bezpiecznej kryjówki swojej niewidzialności. Ohydna istota wciąga powietrze nosem.

– A, czuję je! Żywe stworzenia. Była tu kapłanka. Widziałaś ją?

Pippa drży.

– N-nie – szepcze.

Bestia zbliża się do niej. Jej głos przypomina warkot przepleciony z wyciem rozpaczy tysiąca dusz.

– Nie okłamałabyś nas, co?

Pippa otwiera usta, ale nie dobywają się z nich żadne słowa.

– Nieważne. W końcu i tak ją znajdziemy. Moja pani tego dopilnuje. A kiedy zdobędzie Świątynię, cała władza przypadnie Krainie Zimy. – Podchodzi do Pippy jeszcze bliżej, ukazując przeraźliwy uśmiech. – Jedź z nami. Będziesz miała udział w naszym zwycięstwie. Wszystko, czego zapragniesz, będzie należało do ciebie. Śliczne maleństwo. Jedź z nami.

Ta parszywa morda znajduje się tak blisko gładkiego policzka Pippy. Pod podeszwą buta wyczuwam kamień. Ostrożnie sięgam po niego i ciskam wzdłuż alei. Ciężka głowa tropiciela odwraca się w tamtym kierunku. Widma wyją i wrzeszczą.

– Nadal są w pobliżu. Chroni je jakaś magia. Czuję to. Na pewno się jeszcze spotkamy, ślicznotko. Jazda! – Na te słowa upiory z wrzaskiem puszczają się galopem. Stoimy milczące i nieruchome, dopóki ziemia nie przestanie drżeć i nie ucichnie wiatr.

– Nic ci nie jest, Pip? – woła Felicity.

– N-nie. Chyba – odpowiada nasza przyjaciółka. – Nadal was nie widzę. Zastanawiam się, dlaczego na mnie to nie podziałało?

Tak, ja też się zastanawiam. Ukryje to, co ma pozostać ukryte, a ujawni to, co musi być widzialne. Czy Pippa nie musi się ukrywać, bo ma już zapewnioną ochronę w międzyświecie? Nie, Pippa taka nie jest. To podpowiada mi rozum, ale w sercu pojawia się inna, paskudna myśl: „Może wkrótce taka będzie".

– Chcę natychmiast opuścić to miejsce – nalega Ann.

Idziemy szybko i cicho zgodnie z radą Ashy. Gdy docieramy do końca korytarza, amulet znów ożywa w moich dłoniach.

– Działa! – mówię. Poruszam nim w koło. Świeci silniej po mojej lewej stronie. – Tędy!

Po niedługim czasie zauważamy wystrzępioną krawędź złotego zachodu słońca, co oznacza, że zbliżamy się do ogrodu. Zanim docieramy do srebrnego łuku rzeki, znów robimy się widzialne.

Pippa cała drży.

– To monstrum... było potworne.

– Jesteś pewna, że nic ci nie jest?

Kiwa głową.

– Gemmo – mówi i przygryza wargę – co się stanie, kiedy już znajdziesz Świątynię?

– Wiesz, co się stanie. Muszę poskromić magię.

– Ale co się stanie ze mną? Czy będę musiała odejść? – szepcze.

Właśnie to pytanie cały czas od siebie odpycham. Ale dzisiaj zaczęłam sobie uświadamiać, że taka sytuacja może nie trwać wiecznie, że jeśli Pippa nie przejdzie na drugą stronę, może sama stać się jednym z tych mrocznych duchów. Nie potrafię się zmusić, żeby powiedzieć to na głos. Zbieram trochę rosy z ziemi. Kropelki przemieniają się w srebrzystą sieć, która skleja moje palce.

– Gemmo... – błaga Pippa.

– Oczywiście, że nie będziesz musiała odejść – zapewnia Felicity, gromiąc mnie wzrokiem. – Znajdziemy sposób, żeby wszystko zmienić za pomocą magii. Zakon nam pomoże.

– Nie mamy pewności – protestuję łagodnie.

– Ale to jest możliwe, prawda? – pyta Pippa, a nadzieja znów rozświetla jej oczy. – Pomyślcie tylko! Mogłabym zostać. Bylibyśmy razem na zawsze.

– Tak, oczywiście. Znajdziemy jakiś sposób. Obiecuję – zapewnia ją Felicity.

Posyłam jej ostrzegawcze spojrzenie, ale Pippa, objąwszy przyjaciółkę, płacze już z radości i kołysze ją w ramionach.

– Fee, dziękuję. Tak bardzo cię kocham.

Farba na naszych dłoniach zbladła i wygląda ledwie jak cień linii i zawijasów. Ukrywamy ręce pod cienkim białym kłamstwem rękawiczek.

– Nie możecie jeszcze iść – błaga Pippa. – Chcę udawać, że ja też jestem w operze. A potem będzie bal! Chodźcie, zatańczcie ze mną!

Wybiega na trawę, zamiatając suknią na boki i wysoko wyrzucając obcasy. Ann z chichotem puszcza się za nią. Odciągam Felicity na bok.

– Nie powinnaś obiecywać Pippie takich rzeczy.

Oczy Fee błyszczą.

– A dlaczego nie? Gemmo, straciłyśmy ją, a potem odzyskałyśmy. Musi istnieć jakaś przyczyna, prawda?

Myślę o odejściu mojej mamy, o tym jak przejmująca jest nadal rozpacz po jej stracie, niczym rana, która pozornie się zagoiła, dopóki znów się jej nie urazi i nie odnowi bólu. To okropne. A jednak... Magia Ashy nie podziałała na Pip i mroczne duchy ją widziały. O jej względy zabiegały, a na nas polowały.

– Nie wiem, kogo odzyskałyśmy, ale to nie jest Pippa. Przynajmniej nie nasza Pippa.

Felicity wyrywa mi się.

– Nie stracę jej po raz drugi. Widzisz przecież, że się nie zmieniła. Nadal jest naszą Pippą, uroczą jak zawsze.

– Ale ona zjadła jagody. Umarła. Widziałam, jak została pochowana.

Felicity nie chce tego słuchać.

– Magia wszystko zmieni.

– Nie taki jest jej cel – odpowiadam miękko. – Pip jest teraz istotą z międzyświata i musi odejść, zanim zostanie zdeprawowana.

Felicity spogląda na Pippę i Ann, które tańczą na świeżej trawie, wirując jak baletnice.

– To wcale nie jest pewne.

– Fee...

– To wcale nie jest pewne! – Rusza biegiem.

– Zatańcz ze mną, Fee! – woła Pippa z promiennym uśmiechem. Ujmuje przyjaciółkę za ręce. Istnieje między nimi coś nieokreślonego. Czułość. Poczucie wspólnoty. Jakbyśmy znajdowały się w sali balowej w Spence, Felicity kładzie dłoń na talii Pippy i rusza z nią w rytm walca. Kręcą się w tańcu, a loki Pippy unoszą się na wietrze, wolne i nieokiełznane.

– Och, Fee, tak bardzo mi ciebie brakuje. – Obejmuje ramieniem talię przyjaciółki, która odpowiada takim samym gestem. Mogłyby być bliźniaczkami syjamskimi. Pippa szepcze coś Felicity do ucha, a ona wybucha śmiechem.

– Nie zostawiaj mnie – prosi Pippa. – Obiecaj, że wrócicie. Obiecaj mi.

Felicity kładzie ręce na jej dłoniach.

– Obiecuję.

Potrzebuję chwili, żeby się pozbierać. Idę na brzeg rzeki, żeby chwilę posiedzieć w samotności i pomyśleć. Gorgona podpływa do mnie bezgłośnie.

– Czy coś cię niepokoi, Wasza Wysokość? – pyta swoim śliskim głosem.

– Nie – warczę.

– Nie ufasz mi – stwierdza.

– Tego nie powiedziałam.

Obraca swoją ogromna zieloną głowę w stronę ogrodu, gdzie moje przyjaciółki tańczą na zielonej murawie.

– Wszystko się zmienia. Nie można powstrzymać zmian.

– Co masz na myśli?

– Będziesz musiała dokonać wyboru, i to niedługo, obawiam się.

Wstaję, otrzepując spódnicę z trawy.

– Pomogłaś wymordować członkinie Zakonu. Nie ostrzegłaś nas, gdy wodne nimfy znalazły się w pobliżu. A może pochodzisz z Krainy Zimy? Dlaczego mam słuchać twoich rad?

– Zostałam zmuszona magią, żeby zawsze mówić prawdę i nie czynić krzywdy twojemu rodzajowi.

Niegdyś.

Odwracam się, żeby odejść.

– Jak sama powiedziałaś, wszystko się zmienia.

❧

Wracamy do pustej loży w Operze Królewskiej akurat w chwili, gdy kurtyna opada na antrakt. Niosę ze sobą magię. Przylega do mojego ciała, uwrażliwiając mnie na wszystko wokół. Powolny syk lampy gazowej zamocowanej na krawędzi loży odzywa się rykiem w mojej głowie. Światła rażą mnie w oczy. A myśli ludzi przepływają przeze mnie rwącą rzeką, aż mam wrażenie, że zaraz oszaleję.

– Gemmo? Nic ci nie jest? – chce wiedzieć Ann.

– Nie czujecie tego? – jęczę.

– Czego? – pyta zirytowana Felicity.

– Magii. Jest jej zbyt wiele. – Przykładam dłonie do uszu, jakbym w ten sposób mogła to powstrzymać. Ann i Felicity wydają się w ogóle nie przejmować. – Spróbujcie zrobić coś magicznego, stworzyć konika polnego albo rubin.

Felicity zamyka oczy i wyciąga dłoń. Przez chwilę coś na niej migocze, ale potem znika.

– Dlaczego nie mogę tego zrobić?

– Nie wiem – odpowiadam, z trudem oddychając. – Spróbuj ty, Ann.

Ann składa razem dłonie i koncentruje się. Życzy sobie diamentowej korony. Czuję, jak jej życzenie przepływa przeze mnie. Po chwili przestaje próbować.

– Nie rozumiem – mówi.

– Jest tak, jakby cała wasza magia zmagazynowała się we mnie – mówię, drżąc. – Jakbym miała ją potrójnie.

Felicity wygląda ponad balustradą na widownię.

– Wstali z miejsc! Będą nas szukali! Musimy do nich zejść. Gemmo, dasz radę się podnieść?

Nogi mam jak świeżo narodzony źrebak. Felicity i Ann stają po moich bokach i biorą mnie pod ręce. Wychodzimy i idziemy za jakimś mężczyzną i jego żoną. On ma romans z jej siostrą. Planuje się z nią spotkać dzisiaj po przedstawieniu. Jego sekrety płyną moimi żyłami jak trucizna.

– Och – jęczę, potrząsając głową, żeby pozbyć się jego myśli. – To okropne. Słyszę i czuję wszystko. Nie mogę tego powstrzymać. Jak ja przetrwam ten wieczór?

Felicity sprowadza mnie ze schodów.

– Zaprowadzimy cię do gotowalni i powiemy babci, że jesteś niedysponowana. Zabierze cię do domu.

– Ale przepadnie mi wieczór z Simonem! – lamentuję.

– Chcesz, żeby oglądał cię w takim stanie? – szepcze Felicity.

– N-nie – odpowiadam, a po moich policzkach spływają łzy.

– No to chodź.

Ann nuci coś cichutko. To taki nerwowy nawyk, ale w jakiś sposób kojący. Jeśli wsłuchuję się tylko w jej głos, okazuje się, że mogę iść i wyglądam w miarę zdrowo.

Docieramy do stóp schodów w głównym foyer i zauważamy Toma, który postanowił mnie poszukać. Ann milknie, a mnie ogłusza hałas tajemnic wszystkich zgromadzonych. Skoncentruj się, Gemmo. Wyłącz to. Wybierz jedną osobę.

Ann. Czuję, jak jej serce bije w jednym rytmie z moim. Wyobraża sobie, że tańczy w ramionach Toma, a on patrzy na nią z uwielbieniem. Rozpaczliwie tego pragnie, a mnie jest przykro, że o tym wiem.

Tom nadchodzi wraz z lady Denby. I z Simonem. Wycofuję się z myśli Ann. Znów zalewa mnie hałas. Wpadam w panikę. Mogę marzyć tylko o Simonie, pięknym Simonie w białym krawacie oraz czarnym fraku, i o mnie, pokonanej przez magię. Zbliża się długimi krokami. Na chwilę jego myśli przepychają się przez inne. Ulotne obrazy. Jego usta na mojej szyi. Jego dłoń zdejmująca mi rękawiczkę.

Miękną mi kolana. Felicity szarpie mnie gwałtownie.

– Panno Doyle? – Simon patrzy na mnie pytająco.

– Panna Doyle jest odrobinę niedysponowana – wyjaśnia Felicity ku mojemu wielkiemu zażenowaniu.

– Bardzo mi przykro – wtrąca lady Denby. – Zaraz poślemy po powóz.

– Skoro tak pani uważa – mówi babcia rozczarowana, że wieczór skończy się przedwcześnie.

– Lady Denby! Jak miło panią widzieć! – Matka Cecily Temple maszeruje w naszą stronę z córką u boku. Oczy tej ostatniej robią się wielkie jak spodki, gdy dostrzega Ann.

– Dobry wieczór – mówi. – No proszę, panna Bradshaw. Co za niespodzianka. Dlaczego nie została pani w Spence z Brigid i służbą?

– Spotkało nas szczęście i panna Bradshaw spędza święta z nami, gdyż jej stryjecznego dziadka, księcia Chesterfield, coś zatrzymało w Rosji – informuje ją mama Felicity.

– Księcia Chesterfield? – powtarza Cecily, jakby nie dosłyszała.

Pani Worthington ponownie relacjonuje historię szlachetnego pochodzenia Ann. Cecily ze zdumienia szeroko otwiera usta, ale okrucieństwo wygrywa, wyginając je w złośliwym uśmiechu. Przepływa przeze mnie coś twardego i zimnego. To intencje Cecily. Zamierza to zrobić, zamierza powiedzieć. Nagle atakuje mnie przerażenie Ann, które, mieszając się z podłością Cecily, zupełnie mnie ogłupia. Nie mogę oddychać. Muszę pomyśleć.

Słyszę głos Cecily:

– Ann Bradshaw...

Gwałtownie mrugam oczami. Proszę, przestań.

– ...jest...

Przestań. Proszę.

– ...najbardziej...

Nie potrafię tego znieść, więc krzyczę:

– Stop!

Wypełnia mnie cudowne poczucie ulgi. Zapada absolutna, bezwzględna cisza. Żadnej gonitwy myśli. Żadnych ludzkich głosów. Nie słyszę kakofonii strojonych instrumentów. Właściwie nie słyszę zupełnie nic. Kiedy otwieram oczy, okazuje się dlaczego. Unieruchomiłam wszystko: damy zbierające spódnice i plotkujące, dżentelmenów sprawdzających godzinę na kieszonkowych zegarkach. Wyglądają jak woskowy żywy obraz za ogromną witryną domu towarowego. Nie tego chciałam, ale stało się i muszę to wykorzystać dla naszego dobra. Muszę uratować Ann.

– Cecily – przemawiam, kładąc dłoń na jej sztywnym ramieniu. – Nie powiesz nic złego przeciwko pannie Bradshaw. Uwierzysz we wszystkie nasze słowa, a ponadto będziesz traktowała ją, jakby była królową.

– Ann – mówię, odgarniając włosy z jej zmartwionej twarzy. – Nie musisz się trapić. Zasługujesz na to, żeby tu być. Kochamy cię.

Nieopodal stoi ten mężczyzna, który ma romans z siostrą swojej żony. Nie mogę się oprzeć i wymierzam mu siarczysty policzek. Daje mi to osobliwą satysfakcję.

– A pan jesteś łajdakiem. Natychmiast się pan poprawisz i postarasz się zapewnić szczęście swojej żonie.

Simon. Jak dziwnie jest patrzeć na niego, gdy niebieskie oczy ma otwarte, ale niewidzące. Zdejmuję rękawiczkę i bardzo delikatnie głaszczę go po brodzie. Skórę ma gładką, świeżo ogoloną. Na dłoni zostaje zapach jego kremu do golenia. To będzie moja tajemnica.

Wkładam rękawiczkę i zamykam oczy, życząc sobie, żeby wszystko zadziałało.

– Zaczniemy jeszcze raz – mówię.

Świat wraca do akcji, jakby nie było żadnej przerwy. Mąż czuje pieczenie po moim policzku. Simon przykłada palce do twarzy, jakby wspominał sen. Cwana mina Cecily się nie zmieniła, więc wstrzymuję oddech, kiedy otwiera usta. Pozostaje mi tylko mieć nadzieję, że magia zadziała. „Panna Bradshaw jest najbardziej...”

– ...życzliwą, serdeczną uczennicą w Spence – obwieszcza Cecily. – Skromność nie pozwoliła jej powiadomić nas o królewskiej krwi. Doprawdy spotkało mnie wielkie szczęście, że mogłam poznać tak dobrą osobę.

Nie wiem, która wygląda na bardziej wstrząśniętą – Ann czy Felicity.

– Panno Bradshaw, liczę na to, że będę mogła panią odwiedzić, dopóki przebywa pani w Londynie – prosi Cecily z nowo odkrytą gorliwością.

– Panno Bradshaw – wtrąca Tom – musi mi pani wyświadczyć ten zaszczyt i przyjść na świąteczne tańce do szpitala Bethlem.

Czyżby czar objął swym działaniem wszystkich? Uświadamiam sobie, że nie. Sama sugestia sławy i fortuny rzuca własny blask. To zatrważające, jak szybko ludzie przyjmują czyjąś blagę za prawdę, żeby poprawić sobie samopoczucie. Ale cóż, cieszę się z tej iluzji, bo widzę minę Ann i wiem, co ma w sercu.

– Będę zachwycona – odpowiada wszystkim. Mogłaby wykorzystać sytuację i napawać się swoim tryumfem. Ja bym tak zrobiła, natomiast Ann okazuje się godna królewskiej krwi.

– Powinniśmy posłać po powóz dla panny Doyle – przypomina lady Denby.

Powstrzymuję ją.

– Nie trzeba. Chciałabym zostać do końca przedstawienia.

– Wydawało mi się, że źle się czujesz – wtrąca babcia.

– Już mi przeszło. – To prawda. Użycie magii uspokoiło mnie w jakiś sposób. Nadal słyszę myśli niektórych, ale nie są już tak nachalne.

Felicity pyta mnie szeptem:

– Co się stało?

– Opowiem wam później. To bardzo ciekawa historia.

❧

Gdy kładę się do łóżka, prawie cała magia już mnie opuściła. Czuję się wyczerpana i cała drżę. Przykładam dłoń do czoła – jest gorące. Nie wiem, czy to wpływ magii, czy naprawdę się rozchorowałam. Wiem tylko, że bardzo potrzebuję snu.

Jednak sny, które mnie nawiedzają, nie są spokojne. Kolejne sceny migają jak w kalejdoskopie. Felicity, Ann i ja biegniemy przez oświetlone pochodniami tunele, uciekamy przed śmiercią, na naszych twarzach odbija się trwoga. Widzę Groty Westchnień, potem wirujący amulet. Nagle pojawia się przede mną twarz Nell Hawkins.

– Nie idź za Gwiazdą Wschodu, pani Nadziejo. Oni chcą cię zabić. Takie wyznaczyli mu zadanie.

– Komu? – mamroczę, ale ona znika, a ja śnię o Pippie na tle czerwonego nieba. Jej oczy znowu są dziwne, potwornie błękitnobiałe, z maleńkimi punkcikami czerni w środku. We włosy ma wpięte przekwitłe dzikie kwiaty. Głębokie cienie okalają jej oczy. Uśmiecha się, ukazując ostre, spiczaste zęby, a ja chcę krzyczeć, Boże w niebiesiech, jak ja chcę krzyczeć! Podaje mi coś w obu dłoniach, coś krwawego i ohydnego. To oderwana od ciała głowa kozła.

Grzmot przetacza się po czerwieniejącym niebie.

– Uratowałam ci życie, Gemmo. Pamiętaj o tym…

Posyła mi pocałunek. A potem szybko jak błyskawica chwyta głowę kozła i zatapia w niej zęby.

ROZDZIAŁ TRZYDZIESTY DRUGI

Nasz lekarz, doktor Lewis, orzeka, że cierpię na zwykły katar, a po kilku kichnięciach skłonna jestem przyznać mu rację. Każe mi zostać w łóżku. Pani Jones przynosi gorącą herbatę i bulion na srebrnej tacy, a po południu ojciec spędza ze mną godzinkę, opowiadając sympatyczne historyjki o Indiach.

– No i utknęliśmy, Gupta i ja, w drodze do Kaszmiru z osłem, który nie chciał drgnąć z miejsca nawet za wszystkie skarby Indii. Popatrzył na wąską górską ścieżynę, obnażył zęby i po prostu położył się, odmawiając dalszej wędrówki. Ciągnęliśmy za linę i ciągnęliśmy, a im mocniej to robiliśmy, tym gwałtowniej on się opierał. Myślałem, że już po nas, ale Gupta wpadł na pomysł, który nas ocalił.

– Co zrobił? – pytam, wycierając nos.

– Zdjął kapelusz, ukłonił się przed osłem i powiedział: „Pan pierwszy". Osioł ruszył, a my za nim.

Patrzę na niego, mrużąc oczy.

– Wymyśliłeś tę historię.

Tato teatralnym gestem przykłada dłoń do serca.

– Wątpisz w słowa swego rodziciela? W dyby cię zakuć, niewdzięczne dziecko!

Wybucham śmiechem – i znowu zaczynam kichać. Tato dolewa mi herbaty.

– Wypij, kochanie. Nie chcę, żeby ci przepadły dzisiejsze tańce z szaleńcami u Toma.

– Słyszałam, że pan Snow nadmiernie spoufala się z partnerkami – mówię.

– Szaleniec czy nie, oskalpuję go, jeśli się odważy – zapewnia ojciec, prostując się i wypinając pierś jak jakiś emerytowany oficer marynarki. – Chyba że jest większy ode mnie. Wtedy ty będziesz musiała chronić mnie, moja droga.

Znów się śmieję. Tato ma dziś dobry nastrój, choć wygląda chudo i chwilami drżą mu ręce.

– Twojej mamie ogromnie by się podobał pomysł wieczorku tanecznego w Bedlam. Uwielbiała rzeczy niezwykłe.

Zapada cisza. Ojciec bawi się obrączką ślubną, którą nadal nosi, obracając ją w kółko na palcu. Jestem rozdarta pomiędzy szczerością a chęcią zatrzymania go tutaj. Szczerość wygrywa.

– Tęsknię za nią – mówię.

– Ja też, kotku. – Znów zapada cisza, bo żadne z nas nie wie, co powiedzieć, żeby zasypać przepaść między nami. – Wiem, że byłaby szczęśliwa, że uczysz się w Spence.

– Tak?

– O, tak. To był jej pomysł. Powiedziała mi, że gdyby coś jej się stało, to mam cię tam wysłać. Jak się nad tym zastanowić, to dziwne zachowanie. Tak jakby wiedziała... – Milknie i spogląda przez okno.

Po raz pierwszy słyszę, że mama chciała, abym wyjechała do Spence – szkoły, która prawie ją zniszczyła i w której poznała swoją przyszłą prześladowczynię, Sarę Rees-Toome. Kirke. Zanim mam szansę zapytać ojca o coś więcej, on już wstaje i żegna się ze mną. Miła rozmowa została skalana przez zimną prawdę, a on nie potrafi zostać i oswoić się z nią.

– Znikam, aniele.

– Nie posiedzisz jeszcze trochę? – żebrzę, choć wiem, że nienawidzi, gdy to robię.

– Nie mogę pozwolić, żeby kumple z klubu czekali na mnie.

Dlaczego zawsze jest tak, jakbym miała tylko cień ojca? Przypominam dziecko, które ciągle wiesza się mu na rękawie płaszcza i tęskni.

– Jasne – odpowiadam. Posyłam mu uśmiech i udaję, że jestem jego wesołą, promienną dziewczynką. *Nie łam mu serca, Gemmo.*

– Do zobaczenia na kolacji, maleńka.

Całuje mnie w czoło i wychodzi, ale jakby nic się nie zmieniło. Nawet nie pozostało wgłębienie na łóżku w miejscu, w którym siedział.

Pani Jones pojawia się z kolejną herbatą i popołudniową pocztą.

– Przyniesiono list do panienki.

Nie przychodzi mi do głowy nikt, kto mógłby mi przysłać kartkę na Boże Narodzenie. Zaskoczenie mija, gdy zauważam, że przesyłkę nadano w Walii. Pani Jones przez całą wieczność zbiera naczynia i odsłania zasłony, podczas gdy list spoczywa na moich kolanach i kusi.

– Coś jeszcze, panienko? – pyta gospodyni bez entuzjazmu.

– Nie, dziękuję – odpowiadam z uśmiechem, którego nie odwzajemnia.

W końcu wychodzi, a ja otwieram list. Napisała go dyrektorka Świętej Wiktorii, niejaka pani Morrissey.

Szanowna Panno Doyle!

Dziękuję Pani za list. Dodaje mi otuchy myśl, że nasza Nell znalazła przyjaciółkę w tak życzliwej osobie. Święta Wiktoria rzeczywiście zatrudniała nauczycielkę o nazwisku Claire McCleethy. Pracowała ona u nas od jesieni roku 1894 do wiosny 1895. Była doskonałą nauczycielką sztuki i poezji, bardzo lubianą przez niektóre uczennice, wśród nich Nell Hawkins. Niestety nie posiadam żadnej fotografii panny McCleethy dla panny Hawkins, jak Pani zasugerowała, ani też nie znam jej aktualnego adresu. Po odejściu ze Świętej Wiktorii miała przyjąć posadę w szkole w pobliżu Londynu, w której stanowisko dyrektora piastuje jej siostra. Mam nadzieję, że Pani pomogłam. Łączę życzenia wesołych świąt Bożego Narodzenia.

Z poważaniem

Beatrice Morrissey

A więc była tam! Wiedziałam!

…miała przyjąć posadę w szkole w pobliżu Londynu, w której stanowisko dyrektora piastuje jej siostra…

Szkoła w pobliżu Londynu. Spence? Czy to oznacza, że panna Nightwing jest siostrą panny McCleethy?

Z dołu dobiegają podniesione głosy.

Po chwili w moich drzwiach staje Felicity, a tuż za nią zażenowana Ann oraz wściekła pani Jones.

– Witaj, Gemmo, kochana. Jak się masz? Ann i ja pomyślałyśmy, że wpadniemy z wizytą.

– Doktor powiedział, że panienka powinna odpoczywać – pani Jones przycina końcówki słów jak rozzłoszczony ogrodnik żywopłot.

– Nic nie szkodzi, dziękuję. Sądzę, że wizyta przyjaciółek dobrze mi zrobi.

Felicity uśmiecha się tryumfalnie.

– Jak sobie panienka życzy. Ale to będzie krótka wizyta – podkreśla gospodyni, zdecydowanym gestem zamykając drzwi.

– No i narozrabiałyście. Rozwścieczyłyście Jonesy – drażnię się z nimi.

– To straszne – stwierdza Felicity, przewracając oczami.

Ann ogląda suknię wiszącą na drzwiach szafy.

– Będziesz się czuła na tyle dobrze, żeby pójść dzisiaj na tańce do szpitala, prawda?

– Tak – odpowiadam. – Pójdę. Nie martw się, Tom też pójdzie. On nie jest przeziębiony.

– Miło mi, że cieszy się dobrym zdrowiem – odpowiada Ann, jakby nie o tę informację jej chodziło.

Felicity przygląda mi się uważnie.

– Masz jakąś dziwną minę.

– Bo dostałam ciekawą przesyłkę.

Wręczam im list.

Felicity z Ann siadają na moim łóżku i czytają w milczeniu, a ich oczy robią się coraz okrąglejsze.

– To ona, prawda? – odzywa się w końcu Ann. – Panna McCleethy naprawdę jest Kirke.

– Dopadłyśmy ją – oświadczam.

– „Po odejściu ze Św. Wiktorii miała przyjąć posadę w szkole w pobliżu Londynu, w której stanowisko dyrektora piastuje jej siostra...” – czyta Fee na głos.

– Jeśli to prawda – mówię – to panna Nightwing też jest podejrzana. Nie możemy jej dłużej ufać.

ROZDZIAŁ TRZYDZIESTY TRZECI

Po półgodzinnych rozważaniach postanawiamy wysłać liścik do jedynej osoby, która może nam pomóc, czyli do panny Moore. Z niecierpliwością czekam na powrót posłańca. Odpowiedź nadchodzi tuż przed moim wyjściem na tańce w Bethlem.

Droga Gemmo!

Mnie również bardzo zaniepokoiły te zbiegi okoliczności. Być może istnieje jakieś logiczne wyjaśnienie, ale na razie doradzam zachowanie czujności. Gdyby ta osoba pokazała się w szpitalu Bethlem, zrób, co w Twojej mocy, żeby nie dopuścić jej do Nell Hawkins.

Twoja przyjaciółka
Hester Asa Moore

Ojciec, mimo danej obietnicy, nie wrócił na kolację ani nie przysłał żadnej wiadomości. A także zabrał Kartika z powozem, więc ja i Tom jesteśmy zmuszeni zamówić dorożkę, która zawozi nas do Bethlem. Szpital został ładnie udekorowany bluszczem i ostrokrzewem, a pacjenci włożyli swoje najlepsze stroje i są w wesołych, figlarnych nastrojach.

Przyniosłam bukiecik dla Nell. Pielęgniarka prowadzi mnie na oddział kobiecy, żebym mogła osobiście go jej dać.

– Jakie piękne kwiatki – mówi.

– Dziękuję – odpowiadam cicho.

– Szczęśliwy dzień dla panny Hawkins. Dostaje już drugi bukiet.

– O czym pani mówi?

– Odwiedziła ją dzisiaj pewna kobieta, która dała jej śliczne róże. Obok przepływa pacjentka tańcząca walca z wyimaginowanym partnerem.

– Kobieta? Jak się nazywała? – pytam.

Pielęgniarka zastanawia się, ułożywszy usta w ciup.

– Obawiam się, że nie pamiętam. To był taki zwariowany dzień! Pan Snow był dzisiaj bardzo pobudzony. Doktor Smith powiedział mu, że jeśli się nie uspokoi, nie będzie mógł pójść na tańce. Jesteśmy na miejscu – oznajmia, gdy wchodzimy do małego saloniku.

Tak zaniedbanej Nell jeszcze nigdy nie widziałam. Cienkie włosy, połamane i poplątane, opadają jej w nieładzie na ramiona. Siedzi sama, trzymając na kolanach klatkę z Kasandrą. Ptak skrzeczy do niej, a ona odpowiada mu pieszczotliwie. Na stole obok stoi wazon z czerwonymi różami.

– Panno Hawkins – zwraca się do niej pielęgniarka – przyszła panna Doyle i przyniosła pani śliczny bukiecik do sukni. Nie powie pani „dobry wieczór"?

– Dobry wieczór! Dobry wieczór! – powtarza Kasandra.

– No to zostawiam panie same – mówi pielęgniarka. – Panno Hawkins, niedługo trzeba się będzie przebrać.

– Nell – odzywam się, gdy wychodzi. – Miałaś dzisiaj gościa. Czy to była panna McCleethy?

Słysząc to nazwisko, Nell wzdryga się i tak mocno przytula klatkę, że podenerwowana Kasandra zaczyna ciskać się o pręty.

– Zaprowadziła nas na skały. Obiecała nam władzę, a potem nas zdradziła. To przyszło z morza. Mika i Mik na górę myk...

– Uczyła cię w Świętej Wiktorii, prawda? Co ci zrobiła? Co się stało?

Nell wsuwa swoje drobne palce przez pręty klatki, próbując złapać Kasandrę, która skrzeczy i podskakuje, uciekając.

– Nell! – łapię ją za ręce.

– Och, pani Nadziejo – mówi zrozpaczonym szeptem, a jej oczy wypełniają się łzami. – Znalazła mnie. Znalazła mnie, a mój umysł jest taki niespokojny. Obawiam się, że nie uda mi się ich utrzymać z dala. Nie wybaczą mi.

– Kto ci nie wybaczy? – pytam.

– One! – prawie krzyczy. – Te, z którymi rozmawiasz. One nie są moimi przyjaciółkami, nie są, nie są!

– Ciii, wszystko w porządku, Nell – mruczę. Słyszę w oddali dźwięk strojonych instrumentów. Orkiestra kameralna już przybyła i tańce zaraz się zaczną.

Dziewczyna kołysze się nerwowo.

– Muszę niedługo uciekać. Mika i Mik na górę myk, na górę myk dziś wieczorem. Dziś wieczorem powiem ci, gdzie znaleźć Świątynię.

Zaskakująco sprawnie i gwałtownie Nell łapie Kasandrę za nogę. Ptak próbuje się wyrwać. Ale Nell jest zdeterminowana, a jej usta wykrzywia dziwny półuśmiech.

– Nell! Nell! Puść ją – proszę, próbując rozgiąć jej palce, ale dziewczyna gryzie mnie w dłoń. Wąski, nierówny półksiężyc krwi przesącza się przez materiał rękawiczki.

– No już, co to za zamieszanie? – Do pokoju wkracza pielęgniarka, będąca uosobieniem rzeczowości. Jeśli zobaczy krew, Nell nie będzie mogła pójść na dzisiejsze tańce, a ja nigdy się nie dowiem, gdzie leży Świątynia.

– Ptak mnie dziobnął – wyjaśniam – i przestraszyłam się.

– Kasandro, niegrzeczna z ciebie panienka, no naprawdę! – Pielęgniarka cmoka z dezaprobatą, siłą wyrywając klatkę z rąk Nell.

– Niegrzeczna panienka, niegrzeczna panienka! – skrzeczy papuga.

– Dziś wieczorem – powtarza Nell schrypniętym głosem. – Musisz słuchać. Musisz patrzeć. To nasza ostatnia szansa.

Ręka boli mnie koszmarnie. Co gorsza, na korytarzu czeka pan Snow, który pożądliwie łypie na mnie okiem. Nie powinien przebywać na oddziale kobiecym. Ciekawe, jak się tu dostał. Nie ma co się nad tym zastanawiać, bo i tak będę musiała go minąć, jeśli mam pójść na tańce. Uzbroiwszy się w odwagę, prostuję ramiona i przechodzę obok dumnym krokiem, jakby szpital Bethlem należał do mnie. Pan Snow rusza za mną.

– Niezła z ciebie lalunia.

Maszeruję dalej, nie reagując na zaczepkę. Pan Snow wyskakuje przede mnie i idzie tyłem. Rozglądam się za jakąś pomocą, ale wszyscy są już w sali balowej.

– Przepuści mnie pan, sir?

– Jak dasz mi buziaka. Buziaka na pamiątkę.

– Panie Snow, proszę się nie zapominać – mityguję go. Staram się, by zabrzmiało to stanowczo, ale mój głos drży.

– Mam ci przekazać wiadomość od nich – szepcze.

– Od nich?

– Od dziewcząt w bieli. – Przysuwa twarz tak blisko, że czuję jego kwaśny oddech. – Ona sprzymierzyła się z istotami mroku. Z tą, która nadchodzi. Ona poprowadzi cię na manowce. Nie ufaj jej – szepcze, nadal patrząc na mnie pożądliwie.

– Próbuje mnie pan przestraszyć? – pytam.

Pan Snow opiera dłonie o ścianę po obu stronach mojej głowy.

– Nie, panienko. My tylko próbujemy cię ostrzec.

– Panie Snow! Dość tego! – Nareszcie pojawia się pielęgniarka, a pan Snow oddala się korytarzem, ale przedtem jeszcze woła natarczywie:

– Ostrożnie, panienko! Szkoda by było tej ślicznej, kształtnej główki!

Dopiero gdy czuję się bezpieczna z dala od niego, zdejmuję rękawiczkę i przyglądam się ranie na dłoni. Wcale nie wygląda źle, przypomina głębokie zadrapanie. Ale po raz pierwszy budzą się we mnie wątpliwości co do Nell Hawkins.

Po raz pierwszy boję się jej.

ROZDZIAŁ TRZYDZIESTY CZWARTY

Tańce w Bethlem to bardzo popularne wydarzenie towarzyskie. Do szpitala tłumnie przybyły osoby, które otrzymały zaproszenie albo kupiły bilet wstępu. Niektórzy przyszli dla muzyki i tańców lub kierowani miłosierdziem. Innych przygnała ciekawość, jak też wyglądają szaleńcy z Bedlam dygający i kłaniający się sobie nawzajem, a także nadzieja, że wydarzy się coś dziwnego i skandalicznego, o czym będą mogli rozprawiać na przyjęciach. W rzeczy samej dwie damy dyskretnie obserwują, jak pielęgniarka usiłuje odebrać pacjentce sfatygowaną lalkę, przekonując starszą panią, że jej „córeczce" najbardziej potrzebny jest spokojny sen w „pokoju dziecinnym".

– Biedactwo – mruczą damy. – Serce się kraje.

Ale widzę po błysku w ich oczach, że otrzymały przedsmak tego, po co przyszły – zajrzały za kurtynę, by popatrzeć na rozpacz, lęk i beznadzieję, a teraz mogą z zadowoleniem znów ją zasłonić i pozostawić to wszystko z dala od bezpiecznych granic swojego uporządkowanego życia. Życzę im długiego tańca z panem Snowem.

Bal trwa już dobrą chwilę, gdy dostrzegam Felicity i Ann, przeciskające się przez tłum w moją stronę. Pani Worthington przyjechała z nimi w roli przyzwoitki, ale jest teraz zajęta rozmową z ordynatorem szpitala, doktorem Percym Smithem.

– Gemmo! Och, co się stało? – pyta Felicity na widok poplamionej krwią rękawiczki.

– Nell Hawkins mnie ugryzła.

– To straszne! – oburza się Ann.

– Panna McCleethy już tu dzisiaj była, Nell jest bardzo nieszczęśliwa. Ale wie, gdzie znaleźć Świątynię i dzisiaj nam to ujawni.

– Jeśli można jej wierzyć – podkreśla Ann.

– Tak – zgadzam się. – Jeśli.

Nagle u mojego boku pojawia się Tom; nerwowo bawi się krawatem.

– Wydaje mi się, że idzie całkiem dobrze, jak panie sądzą?

– To najlepszy wieczorek taneczny, na jakim byłam – odpowiada Ann. To jedyny wieczorek taneczny, na jakim była, ale chwila chyba nie jest odpowiednia, żeby o tym wspominać.

– Mam nadzieję, że dzisiejsze występy okażą się interesujące – ciągnie Tom, patrząc w kierunku doktora Smitha. – Poprosiłem kilku pacjentów, żeby przygotowali program rozrywkowy.

– Pewna jestem, że wszyscy będą zachwyceni – uspokaja go Ann, jakby to była sprawa najwyższej wagi.

– Dziękuję, panno Bradshaw, jest pani niezwykle uprzejma. – Tom uśmiecha się szczerze.

– Ależ skąd – oponuje Ann, a potem rzuca tęskne spojrzenie na parkiet do tańca.

Felicity lekko mnie szczypie. Kaszle cicho, osłaniając usta chusteczką, ale ja wiem, że z całej siły stara się nie śmiać z tej rozpaczliwej wymiany zdań. *No dalej, Tom* – błagam go w duchu – *Poproś ją do tańca.*

Tom kłania się przed Ann.

– Ufam, że spędzą panie przyjemny wieczór – mówi, po czym odchodzi.

Na twarzy Ann pojawia się rozczarowanie, które nagle przeradza się w osłupienie.

– Ona tu jest! – szepcze.

– Kto?

Ann otwiera wachlarz i pod jego osłoną wskazuje na drugi koniec pokoju. Najpierw zauważam tylko pana Snowa tańczącego walca z roześmianą panią Sommers, ale potem moje oczy rejestrują kogoś znajomego. Nie rozpoznaję jej od razu w jasnej lawendowej sukni i z obnażoną szyją.

To panna McCleethy. A więc przyszła.

– Co mamy robić? – pyta Felicity.

Mając w pamięci list od panny Moore, odpowiadam:

– Za wszelką cenę musimy trzymać ją z dala od Nell.

Orkiestra przestała grać, przygaszone lampy rzucają wokół przyjazny blask. Ludzie parami opuszczają parkiet i rozchodzą się po kątach. Tom staje na środku. Nerwowo przeczesuje włosy palcami, a potem, przypomniawszy sobie o rękawiczkach i pomadzie, opuszcza ręce wzdłuż ciała. Chrząka zdecydowanie za głośno. Zaczynam się o niego niepokoić. W końcu odzyskuje głos.

– Panie i panowie, proszę o uwagę. Dziękuję, że zechcieli państwo do nas przyjść w tę chłodną noc. W dowód wdzięczności aktorzy ze Szpitala Królewskiego Bethlem przygotowali krótki program rozrywkowy. A zatem... przedstawiam państwu artystów z Bethlem.

Po tym popisie Tom schodzi z parkietu żegnany uprzejmymi oklaskami. Uświadamiam sobie, że straciłam z oczu pannę McCleethy. Zimny strach pełznie powoli wzdłuż mojego kręgosłupa.

– Zgubiłam pannę McCleethy – szepczę do Felicity. – Widzisz ją?

Felicity rozgląda się wokół.

– Nie. Dokąd się wybierasz?

– Poszukać jej – odpowiadam i wślizguję się między ludzi.

Gdy pani Sommers wystukuje melodię na pianinie, ja wędruję przez pokój cicho jak mgła, szukając panny McCleethy. Gra pani Sommers jest nieco bolesna dla uszu, ale tłum i tak nagradza ją oklaskami. Artystka wstaje niepewnie, uśmiecha się i kłania, zasłaniając ręką usta. Gdy zaczyna rwać sobie włosy, Tom łagodnie bierze ją pod ramię i odprowadza na miejsce. Upiorny pan Snow recytuje monolog z *Zimowej opowieści* Szekspira. Ma dobry sceniczny głos i zrobiłby na mnie wrażenie, gdybym potrafiła zapomnieć o jego wcześniejszym prywatnym występie przede mną.

Przeszłam już połowę sali, ale nadal nie zauważyłam panny McCleethy.

Na scenę zostaje wprowadzona Nell Hawkins. Ubrana w swoją najlepszą suknię, z włosami schludnie zebranymi na karku, przypomina filigranową laleczkę. Jest śliczna, jak ta roześmiana dziewczyna, którą widziałam w swojej wizji. Bukiecik, który ma przypięty do sukienki, niemalże wydaje się większy od niej.

Nell stoi, wpatrując się w tłum, aż ludzie zaczynają szeptać z konsternacją: „Co ona robi? Czy to część przedstawienia?".

Rozlega się jej niesamowity zdarty głos jak z płyty gramofonowej:

– Mika i Mik na górę myk po zimnej wody łyk. Mik wpadł w beczkę i zgubił czapeczkę, a Mika za nim fik.

W sali rozlegają się ciche, uprzejme śmiechy, ale ja mam wrażenie, że się zaraz rozpłaczę. Obiecała mi. A teraz wiem, że ta obietnica była tylko kolejną iluzją zrodzoną w jej zamroczonym umyśle. Nie wie, gdzie znaleźć Świątynię. Jest biedną, szaloną dziewczyną, a ja mam ochotę płakać nad nami obiema.

Nagle Nell ożywia się, roznamiętnia; staje się zupełnie inną osobą.

– Dokąd się udamy, dziewczęta? Dokąd się udamy? Musicie opuścić ogród, zostawić go po smutnym pożegnaniu. W dół rzeki na łasce gorgony, mimo podstępnych, oślizgłych nimf. Przez złotą mgłę magii. Spotkacie mieszkańców pięknego Lasu Świateł. Strzały, strzały, użyjcie ich mądrze i dobrze. Ale jedną oszczędźcie. Zostawcie ją dla mnie, gdyż będę jej bardzo potrzebowała.

Stojąca obok mnie dama zwraca się do swojego męża:

– Czy to z *Pinafore*? – pyta zaskoczona, mając na myśli operetkę Gilberta i Sullivana.

Płonie we mnie ogień. Ona wie! Wpadła na nietypowy pomysł, jak przekazać nam informacje o położeniu Świątyni. Kto bowiem prócz nas może zrozumieć ten bełkot? Panna McCleethy wysuwa się zza kolumny, tak że widać tylko część jej postaci, reszta jest pogrążona w cieniu. Ona też słucha uważnie.

– Ofiarujcie nadzieję Niedotykalnym, gdyż nadzieja jest im niezbędna. Wędrujcie dalej, daleko za pole kwiatów lotosu. Idźcie ścieżką. Tak, trzymajcie się ścieżki, dziewczęta, ponieważ one fałszywymi obietnicami mogą was zwieść na manowce, na bezdroża. Strzeżcie się Makowych Wojowników. Makowi Wojownicy ukradną waszą siłę. Pochłoną was w całości. Pochłoną, pochłoną!

To rozśmiesza wszystkich. Kilku pacjentów jak papugi powtarza: „Pochłoną w całości", dopóki pielęgniarki ich znowu nie uciszają. Jeżą mi się włoski na karku. Wygląda na to, że Nell odgrywa przedstawienie na mój użytek, mówiąc szyfrem, który muszę zrozumieć – albo też popadła w zupełny obłęd.

– Nie schodźcie ze ścieżki, bo potem ciężko na nią wrócić. Przywiążą pieśń do skały. Nie pozwólcie, żeby pieśń umarła. Uważajcie na piękno. Piękno musi odejść. Istnieją mroczne cienie duchów. Tuż za Krainą Graniczną, gdzie stoi samotne drzewo, a niebo zamienia się w krew...

Kilka dam, zaniepokojonych wzmianką o krwi, zaczyna poruszać wachlarzami.

– ...w Krainie Zimy spiskują i knują z Kirke. Nie spoczną, dopóki nie zbierze się armia, a one nie będą rządzić międzyświatem.

Tłum zaczyna się niepokoić tym przydługim wystąpieniem. Tom przepycha się wśród gości. Nie! Najpierw niech mi powie, jak znaleźć Świątynię! Lecz mój brat już stoi obok niej.

– Dziękujemy, panno Hawkins. A teraz...

Nell nie chce siąść. Jest coraz bardziej poruszona.

– Ona chce się tam dostać! Znalazła mnie, a ja nie mogę jej zatrzymać!

– Siostro, bardzo proszę... – woła Tom.

– Idź tam, gdzie nikt nie chce, gdzie nie wolno, daj nadzieję. Mika i Mik na górę myk, morze, morze, przyszło z morza... Wejdź tam, gdzie ciemność skrywa zwierciadło wody. Stań twarzą w twarz ze swoim strachem i zwiąż magię ze sobą!

– Chodźmy, panno Hawkins – odzywa się siostra, chwytając ją mocno. Nell nie chce ruszyć się z miejsca. Z dziką gwałtownością walczy z pielęgniarką. Koszula rozdziera się na szwie na ramieniu, tak że rękaw zostaje w dłoni siostry. Tłum wstrzymuje oddech. Nell zupełnie traci panowanie nad sobą.

– Ona chce mnie wykorzystać, żeby znaleźć dostęp, pani Nadziejo! Wykorzysta nas obie, a ja będę zgubiona, zgubiona na zawsze! Nie pozwól, żeby mnie zabrała! Nie wahaj się! Uwolnij mnie, pani Nadziejo! Wyzwól mnie!

Pojawia się dwóch krzepkich pielęgniarzy z kaftanem bezpieczeństwa.

– Prosimy z nami, panienko. Nie rób kłopotów.

Nell krzyczy i kopie, znów wykazując się zaskakującą siłą, ale nie ma z nimi żadnych szans. Jeden unieruchamia jej szczupłą szyję w zagięciu muskularnego ramienia, a drugi wpycha jej ramiona do rękawów kaftana, po czym związuje je na plecach. Ciało Nell wiotczeje, a mężczyźni pół niosą, pół ciągną bezwładną dziewczynę. Słychać tylko ciche skomlenie i głuchy stukot jej pięt o podłogę.

Wśród wstrząśniętych tym przedstawieniem ludzi wybucha wrzawa. Tom prosi orkiestrę, żeby znów zagrała. Muzyka uspokaja nastroje i wkrótce co odważniejsi znów ruszają w tany. Cała się trzęsę. Nell grozi niebezpieczeństwo, a ja muszę ją uratować.

Przepycham się do Felicity i Ann.

– Zamierzam się wymknąć i odnaleźć Nell – mówię.

– O co jej chodziło z tym: „Strzeżcie się Makowych Wojowników”? – dziwi się Ann.

– To brzmiało jak czyste szaleństwo – dodaje Felicity. – Zrozumiałaś z tego cokolwiek?

– Myślę, że to były zaszyfrowane wskazówki, jak znaleźć Świątynię – odpowiadam. – Jestem pewna, że panna McCleethy też tego słuchała.

Felicity rozgląda się po sali.

– Gdzie ona jest?

Nauczycielka zniknęła ze swojego miejsca obok kolumny. Nie ma jej też wśród tancerzy. Przepadła.

Felicity spogląda na mnie oczami rozszerzonymi lękiem.

– Natychmiast do niej idź!

Wymykam się z pokoju najszybciej jak to możliwe i biegnę na oddział kobiecy. Muszę tam dotrzeć przed panną McCleethy. Znalazła mnie! Dobra. Nie pozwolę, żeby cię zabrała, Nell. Nie martw się.

Po korytarzu kręcą się pielęgniarki. Kiedy ostatnia wychodzi, podkasuję spódnicę i najszybciej, jak umiem, pędzę do pokoju Nell.

Dziewczyna siedzi w kącie. Zdjęli jej kaftan. Z pięknego bukiecika prawie nic nie zostało, płatki kwiatów są poszarpane i zgniecione. Nell kołysze się w przód i w tył, za każdym razem lekko uderzając głową w ścianę. Ujmuję jej ręce w swoje.

– To ja, Gemma Doyle. Nell, nie mamy zbyt wiele czasu. Muszę znać położenie Świątyni. Miałaś właśnie je zdradzić, kiedy cię zabrali. Teraz jest już bezpiecznie, możesz mi powiedzieć.

Z kącika jej ust ścieka strużka śliny. W słabym oddechu dziewczyny czuć zapach jakby przejrzałych owoców. Podali jej coś na uspokojenie.

– Nell, jeśli mi nie powiesz, jak znaleźć Świątynię, to przegramy. Kirke dotrze do niej pierwsza, a wtedy trudno przewidzieć, co się stanie. Może zyska władzę nad międzyświatem. Będzie mogła krzywdzić kolejne dziewczęta.

Gdzieś daleko pod nami muzyka zmienia tempo i zaczyna się następny taniec. Nie wiem, jak długo mogę tu zostać, zanim zaczną mnie szukać.

– Ona nigdy nie zrezygnuje. – Chrapliwy głos Nell zgrzyta w ciszy. – Nigdy. Nigdy. Nigdy.

– Musimy więc ją powstrzymać – odpowiadam. – Proszę. Proszę, pomóż mi.

– To ciebie chce, ciebie zawsze chciała – mamrocze. – Zmusi mnie, żebym jej powiedziała, jak znaleźć Świątynię, tak jak zmusiła mnie, żebym jej powiedziała, jak znaleźć ciebie.

– Co masz na myśli?

Słyszę kroki. Podbiegam do drzwi i wyglądam na korytarz. Ktoś idzie. Ktoś w ciemnozielonym płaszczu. Zatrzymuje się i zagląda kolejno do wszystkich pokoi. Cicho zamykam drzwi.

– Nell – mówię, a moje serce bije głośno – musimy się ukryć.

– Siedzi baba na cmentarzu… a duch znikł, a duch znikł.

– Ciii, musisz być cicho. Szybko, wchodź pod łóżko.

Nell to drobna dziewczyna, ale oszołomiona przez narkotyk porusza się bardzo ciężko. Wywracamy się razem na podłogę. Z pewnym wysiłkiem udaje mi się wepchnąć ją pod łóżko, a potem idę w jej ślady. Kroki zatrzymują się przed pokojem Nell. Zakrywam dłonią jej usta, gdy drzwi się otwierają. Nie wiem, czego boję się bardziej – tego, że Nell się nagle odezwie i ujawni naszą kryjówkę, czy tego, że zdradzi nas łomot mojego serca.

W ciemności rozlega się szept:

– Nell?

Dziewczyna obok mnie sztywnieje.

Znów słychać szept:

– Nell, kochanie, jesteś tu?

Kątem oka dostrzegam rąbek zielonego płaszcza. Pod nim widzę wypolerowane, błyszczące buciki z cienkimi sznurówkami. Mogłabym przysiąc, że w lśniącym licu skóry zauważam odbicie mojej twarzy. Buty zbliżają się. Wstrzymuję oddech. Nie cofam ręki z otwartych ust dziewczyny, choć jej ślina moczy wnętrze mojej dłoni.

Nell jest tak cicho, że zaczynam wątpić, czy żyje. Buty odwracają się od nas, a potem drzwi zamykają się z cichym stuknięciem. Wytaczam się spod łóżka i wyciągam dziewczynę, która wpija palce w mój nadgarstek. Jej powieki trzepoczą, a usta zaciskają się mocno po wypowiedzeniu tych pięciu słów:

– Zobacz to, co ja widzę.

Porywa nas ostra, szybka wizja, ale nie moja. Ta wizja należy do Nell. Widzę to, co ona widzi, czuję to, co ona czuje. Biegniemy przez międzyświat, trawa liże nas po kostkach. Lecz wszystko zaczyna dziać się zbyt szybko. W umyśle Nell panuje kompletny mętlik, więc nie bardzo rozumiem, co widzę. Róże przebijające się przez ścianę. Czerwona glina na niebie. Kobieta w zieleni mocno trzymająca Nell za rękę obok głębokiej studni z czystą wodą.

Wpadam do niej tyłem.

Nie mogę oddychać. Dławię się. Wydostaję się z wizji i odkrywam, że Nell zaciska dłoń na mojej szyi. Oczy ma zamknięte. Nie widzi mnie, chyba nie wie, co robi. Z rozpaczą szarpię ją za rękę, ale ona ani drgnie.

– Nell – chrypię. – Nell... proszę.

W końcu wypuszcza mnie, a ja padam na podłogę, z trudem łapiąc oddech. Czuję nieznośny ból głowy po tym brutalnym ataku. Nell znów odpłynęła w szaleństwo, ale twarz ma śliską od łez.

– Nie wahaj się, pani Nadziejo. Wyzwól mnie.

ROZDZIAŁ TRZYDZIESTY PIĄTY

Dzisiaj jest Wigilia. Ulice i sklepy Londynu pełne są rozradowanych ludzi, którzy niosą do domu wonne drzewko albo wybierają dorodną gęś na kolację. Powinien przepełniać mnie świąteczny nastrój i chęć czynienia dobra bliźnim, lecz zamiast tego zaprząta mnie wyłącznie łamigłówka, którą przekazała mi Nell Hawkins.

Idź tam, gdzie nikt nie chce, gdzie nie wolno, daj nadzieję. Wejdź tam, gdzie ciemność skrywa zwierciadło wody. Stań twarzą w twarz ze swoim strachem i zwiąż magię ze sobą. To nie ma sensu. *Trzymajcie się ścieżki. Zwiodą was na manowce fałszywymi obietnicami.* Kto? Jakimi fałszywymi obietnicami? To zagadka ukryta w zagadce, schowanej w kolejnej zagadce. Mam amulet, który mnie poprowadzi. Lecz nie wiem, gdzie szukać Świątyni, a bez tego nie mam nic. Biedzę się nad tym tak długo, aż w końcu mam ochotę porwać miednicę i cisnąć nią na drugi koniec pokoju.

Jakby tego było mało, ojciec nie wrócił do domu. Nie przyszedł z klubu wczoraj wieczorem, ale najwyraźniej tylko ja się tym martwię. Babcię pochłania wydawanie służbie poleceń dotyczących świątecznej kolacji. W kuchni roi się od kucharzy przygotowujących puddingi, sosy i bażanta z jabłkami.

– Nie wrócił na śniadanie? – pytam.

– Nie – odpowiada babcia, przepychając się obok mnie, żeby wrzasnąć na kucharza. – Myślę, że zrezygnujemy z zupy. I tak nikt nigdy jej nie je.

– A jeśli coś mu się stało? – pytam dalej.

– Gemmo, proszę, przestań! Pani Jones, wydaje mi się, że czerwony jedwab wystarczy.

❧

Kolacja wigilijna nadchodzi i mija, a po ojcu nadal nie ma śladu. Siedzimy w trójkę w salonie i otwieramy prezenty, udając, że wszystko jest w porządku.

– Ach – wzdycha Tom, odpakowując długi wełniany szalik. – Idealny. Dziękuję, babciu.

– Cieszę się, że ci się podoba. Gemmo, może też rozpakujesz swój prezent?

Zajmuję się pudełkiem od babci. Może to para pięknych rękawiczek albo bransoletka? W środku znajduję komplet chusteczek z moimi inicjałami. Są całkiem ładne.

– Dziękuję – mówię.

– Uważam, że praktyczne prezenty są zawsze najlepsze – oświadcza babcia, pociągając nosem.

Po kilku minutach kończymy otwieranie prezentów. Prócz chusteczek dostałam ręczne lusterko oraz puszkę czekoladek od babci, a Tom podarował mi zabawnego jaskrawoczerwonego dziadka do orzechów. Ja babci dałam szal, a Tomowi czaszkę, którą pewnego dnia będzie mógł wyeksponować w swoim gabinecie.

– Nazwę go Jorik – postanawia mój zachwycony brat, a ja cieszę się, że go uszczęśliwiłam. Prezenty od ojca nadal leżą pod choinką.

– Thomasie – mówi babcia – może powinieneś pójść do klubu i wypytać o niego. Dyskretnie się czegoś dowiedzieć.

– Mam dziś wieczór iść do Ateneum jako gość Simona Middletona – protestuje Tom.

– Ojciec zaginął – podkreślam powagę sytuacji.

– Nie zaginął. Jestem pewien, że lada moment wróci do domu, pewnie objuczony prezentami, po które gdzieś się wybrał dla kaprysu. Pamiętasz, jak kiedyś w bożonarodzeniowy poranek przyjechał na słoniu obładowany niczym święty Mikołaj?

– Tak – odpowiadam, uśmiechając się na to wspomnienie. Przywiózł mi moje pierwsze sari, a potem Tom i ja piliśmy mleko kokosowe, chłepcząc je z miseczek jak tygrysy.

– Wróci do domu, wspomnicie moje słowa. Przecież zawsze wraca.

– Oczywiście, masz rację – mówię, ponieważ rozpaczliwie chcę mu wierzyć.

❧

Dom wypełnia trzask dogasającego ognia i monotonne tykanie zegarów. Pokojówki przykręciły lampy, które wcześniej jaśniały mocno, a teraz jarzą się, cicho mrucząc. Jest już po jedenastej i służba udała się do swoich pokoi. Babcia umościła się w łóżku, przekonana, że jej wnuczka też leży bezpiecznie pod kołdrą. Ale ja nie mogę spać. Nie wtedy, gdy ojca nie ma w domu. Chcę, żeby wrócił, ze słoniem lub bez niego, więc siedzę w salonie i czekam.

Nagle do pokoju wślizguje się Kartik w płaszczu i wysokich butach. Z trudem łapie oddech. Wydaje się bardzo poruszony.

– Kartik! Gdzieś ty był? Co się dzieje?

– Czy twój brat jest w domu?

– Nie, wyszedł. Dlaczego pytasz?

– Muszę koniecznie z nim porozmawiać.

Wstaję i prostuję się.

– Powiedziałam ci, że nie ma go w domu. Możesz przekazać wiadomość mnie.

Bierze pogrzebacz i poprawia rozpadające się kłody, które na nowo wybuchają płomieniem. Nic nie mówi, a mnie przychodzi na myśl najgorsze.

– Och, nie! Chodzi o ojca? Wiesz, gdzie on jest? – Kartik kiwa głową. – Gdzie?

Nie potrafi spojrzeć mi w oczy.

– W Bluegate Fields.

– Bluegate Fields? – powtarzam. – Gdzie to jest?

– To dzielnica slumsów, przykro mi to mówić, ale mieszkają tam tylko złodzieje, narkomani, mordercy i im podobni.

– A mój ojciec... jak się tam znalazł?

Kartik znów unika mojego wzroku.

– Jest uzależniony od opium. Przebywa w Chin-Chin, melinie dla opiumistów.

To nieprawda, to nie może być prawda. Wyleczyłam ojca. Lepiej się czuł, od kiedy napełniłam go magią. Nie poprosił nawet o kroplę laudanum.

– Skąd to wiesz?

– Ponieważ wczoraj zmusił mnie, żebym go zawiózł i jeszcze stamtąd nie wyszedł.

Na te słowa serce ucieka mi w pięty.

– Mój brat jest w klubie z panem Middletonem.

– Musimy po niego posłać.

– Nie! Wybuchnie skandal. Tom będzie upokorzony.

– Oczywiście, nie należy denerwować wielce czcigodnego Simona Middletona.

– Masz zdecydowanie za dużo tupetu – strofuję go.

– A ty kłamiesz, że chodzi ci o Toma. Chcesz oszczędzić siebie.

Boli mnie twarda prawda tego stwierdzenia i trochę go nienawidzę za to, że to powiedział.

– Możemy tylko czekać, aż twój brat wróci – podsumowuje Kartik.

– Zamierzasz zostawić mojego ojca w takim miejscu?

– Nie ma innego wyjścia.

– Tylko on mi pozostał. Zabierz mnie do niego – proszę.

Kartik kręci głową.

– To wykluczone. Bluegate Fields nie jest miejscem dla damy.

– Pojadę tam, z tobą czy bez ciebie.

Szybko ruszam w stronę drzwi. Kartik chwyta mnie za ramię.

– Wiesz, co ci tam mogą zrobić?

– Będę musiała zaryzykować. – Stoimy naprzeciwko siebie. – Nie mogę go zostawić, Kartiku.

– Dobrze – poddaje się. Śmiało obrzuca wzrokiem moją sylwetkę. – Musisz pożyczyć ubrania swojego brata.

– Co masz na myśli?

– Jeśli już masz tam jechać, to tylko w przebraniu mężczyzny.

Jak najszybciej pędzę na górę po schodach w nadziei, że nie obudzę babci ani służby. Garderoba Toma stanowi dla mnie tajemnicę. Nie bez kłopotu udaje mi się rozebrać i zdjąć z siebie rozliczne warstwy ubrań oraz gorset. Gdy się w końcu z niego uwalniam, oddycham z ulgą. Naciągam spodnie Toma na wełniane pończochy, dobieram koszulę oraz płaszcz, który wydaje się nieco na mnie przyciasny. Jestem wysoka, ale nie tak smukła jak brat. Trudno, nie ma wyjścia. Natomiast ukrycie włosów pod jego kapeluszem stanowi niezłe wyzwanie. Wygląda, jakby miał zaraz zeskoczyć mi z głowy. Żeby włożyć buty Toma, muszę wypchać palce chusteczkami, jako że stopy ma dobre cztery centymetry większe od moich. Poruszam się przez to jak pijana.

– Jak wyglądam? – pytam, schodząc po schodach.

Kartik prycha pogardliwie.

– Jak ktoś, kogo będą zaczepiać wszyscy chuligani ze wschodniego Londynu. To niedorzeczny pomysł. Poczekajmy, aż wróci twój brat.

– Nie zostawię ojca na śmierć w palarni opium – odpowiadam. – Przyprowadź powóz.

❧

Zaczyna padać lekki śnieg. Pokrywa grzywę Ginger cienką warstwą szarego puchu, gdy powoli wjeżdżamy do slumsów we wschodnim Londynie. Noc jest cicha i zimna. Każdy oddech sprawia ból. Wąskie, brudne aleje wiją się między zdewastowanymi budynkami, które stoją pochylone jak żebracy. Rozpadające się kominy sterczą z nasiąkniętych wodą dachów, wyciągając wygięte metalowe ramiona po jałmużnę do nieba, po nadzieję, po zapewnienie, że istnieje coś więcej niż takie życie.

– Naciągnij kapelusz niżej na twarz – przykazuje Kartik. Mimo że jest tak późno i zimno, na ulicach roi się od ludzi – pijanych, hałaśliwych, przeklinających. Trójka mężczyzn w otwartych drzwiach baru przygląda się moim eleganckim ubraniom i Kartikowi u mojego boku.

– Nie patrz na nich – ostrzega mnie Kartik. – Nie odzywaj się do nikogo.

Otacza nas żebrząca grupa ulicznych łobuziaków. Ten ma chorą siostrę w domu, tamten proponuje, że za szylinga wypoleruje mi buty. Kolejny chłopak, najwyżej jedenastoletni, zna miejsce, w które możemy pójść, a on będzie „miły dla mnie", jak długo sobie zażyczę. Mówiąc to, nie uśmiecha się i nie zdradza żadnych uczuć. Jest równie rzeczowy jak ten, który proponował mi czyszczenie butów.

Kartik wyciąga sześć monet z kieszeni. Lśnią na tle jego czarnej wełnianej rękawiczki. Oczy uliczników robią się wielkie w ciemności.

– Trzy szylingi dla tego, który przypilnuje powozu i konia – mówi Kartik.

Natychmiast rzuca się na niego trzech chłopców, obiecując skrzywdzić na różne sposoby każdego, kto będzie śmiał się zainteresować powozem takiego eleganckiego dżentelmena.

– I trzy dla tego, który bez przygód zaprowadzi nas do Chin-China – dodaje.

Milkną. Brudny chłopiec w poszarpanych ubraniach i dziurawych butach łapie resztę monet.

– Ja wiem, gdzie to – odzywa się.

Pozostali patrzą na niego z mieszaniną zazdrości i pogardy.

– Panicze pójdą za mną – mówi, po czym prowadzi nas przez labirynt zaułków, w których hula wilgotny wiatr znad pobliskich doków. Tłuste szczury biegają po kocich łbach, szukając Bóg wie czego przy krawężnikach. Mimo przejmującego chłodu i późnej godziny ludzie nie siedzą w domach. Nadal jest Wigilia, więc tłoczą się w barach i na ulicach, niektórzy w stanie takiego upojenia alkoholem, że się wywracają.

– Tutaj – mówi chłopak, gdy docieramy do rudery przy ciasnym podwórku. Przeciska się przez zniszczone drzwi i prowadzi nas po ciemnych, stromych schodach śmierdzących uryną i wilgocią. Nadeptuję na coś i uświadamiam sobie, że to jest ciało.

– To tylko stary Jim – uspokaja mnie chłopak z niezmąconym spokojem. – Zawsze tu kima.

Na drugim piętrze znajdują się kolejne drzwi.

– To tu, Chin-Chin. Postawisz mi kolejkę za wysiłek, szefie? – pyta chłopiec, wyciągając rękę w nadziei na więcej pieniędzy.

Wciskam mu w dłoń kolejne dwa szylingi.

– Wesołych świąt, szefie. – Znika, a ja pukam do pokrytych grubą warstwą brudu drzwi. Otwierają się ze skrzypieniem, ukazując moim oczom stareńkiego Chińczyka. Cienie pod zapadniętymi oczami sprawiają, że przypomina bardziej widmo niż człowieka z krwi i kości, ale potem się uśmiecha, ukazując kilka zębów upstrzonych brązowymi cętkami jak skórka zepsutego owocu. Kiwa na nas, żebyśmy weszli do niskiego, zagraconego pokoju. Wszędzie, gdziekolwiek spojrzę, leżą ludzie. Nie ruszają się, tylko ich powieki trzepoczą. Niektórzy bełkotliwie wypowiadają rozwlekłe zdania bez sensu. Te wystąpienia przerywają długimi pauzami, a od czasu do czasu cichym śmiechem, który ziębi mi duszę swoim chłodem. Żeglarz o skórze koloru czarnego atramentu śpi w kącie, kiwając głową. Obok niego leży człowiek, który wygląda, jakby miał się już nigdy nie obudzić.

Od oparów opium łzawią mi oczy i piecze gardło. Cudem będzie, jeśli wyjdę z tego lokalu, sama nie uzależniając się od narkotyku. Przykładam chusteczkę do ust, żeby ułatwić sobie oddychanie.

– Patrz pod nogi – przestrzega Kartik. Kilku zamożnych dżentelmenów w otępieniu, z otartymi ustami leży pokotem wokół miseczki z opium. Ponad nimi w poprzek pokoju rozciąga się sznur, a na nim wisi gnijąca zasłona z obskurnych szmat, które śmierdzą skwaśniałym mlekiem.

– Z którego jesteś statku, chłopcze? – dobiega głos z ciemności. W blasku świecy pojawia się twarz. Pytający jest Hindusem.

– Nie jestem marynarzem. Ani chłopcem – odpowiada Kartik.

Hinduski żeglarz wybucha śmiechem. Od kącika jego oka przez cały policzek wije się paskudna blizna. Wzdrygam się na myśl o tym, skąd ją ma i co się stało z jego przeciwnikiem. Przesuwa w palcach sztylet, który trzyma w zwieszonej u boku ręce.

– Jesteś tresowanym pieskiem Angoli? – Wskazuje na mnie czubkiem noża. Zaczyna szczekać, a szczekanie po chwili przeradza się w atak kaszlu, po którym na dłoni mężczyzny pozostaje krew.

– Angole. – Spluwa. – To oni zafundowali nam takie życie. Jesteśmy ich psami, ty i ja. Psami. Nie można ufać ich obietnicom. Ale opium z Chin-Chin czyni cały świat słodkim. Zapal, przyjacielu, a zapomnisz, co ci robią. Zapomnisz, że jesteś psem. Że zawsze nim będziesz.

Wskazuje sztyletem na lepką czarną kulę opium, gotów odsunąć od siebie problemy i odpłynąć w zapomnienie, w którym nie jest od nikogo gorszy. Kartik i ja ruszamy dalej przez snujący się wokół dym. Chińczyk prowadzi nas do maleńkiego pokoiku i każe nam chwilę zaczekać, podczas gdy sam znika za szmatą wiszącą na drzwiach. Kartik mocno zaciska zęby.

– To, co ten człowiek powiedział... – milknę, niepewna, jak ująć swoje myśli. – To znaczy, chyba wiesz, że ja tak do tego nie podchodzę.

Rysy chłopaka twardnieją.

– Nie jestem taki jak ci ludzie. Jestem Rakshaną. Należę do wyższej kasty.

– Ale jesteś też Hindusem. To przecież twoi rodacy, czy nie?

Kartik kręci głową.

– Los wybiera dla każdego kastę. Trzeba ją zaakceptować i żyć zgodnie z zasadami.

– Chyba w to nie wierzysz!

– Wierzę. Nieszczęście człowieka wynika z tego, że nie potrafi zaakceptować swojej kasty, swojego losu.

Wiem, że Hindusi noszą swoją kastę jak znak na czole, widoczny dla wszystkich. Wiem też, że w Anglii mamy własny nieoficjalny system kastowy. Robotnik nie może zająć miejsca w Parlamencie, podobnie jak kobieta. Chyba nigdy do tej pory nie kwestionowałam tego porządku.

– A co z wolą człowieka i jego pragnieniami? A gdyby ktoś jednak chciał coś zmienić?

Kartik rozgląda się po pokoju.

– Nie można zmienić kasty. Nie można opierać się losowi.

– Takie myślenie oznacza brak nadziei na lepsze życie. To pułapka.

– Ty tak to widzisz – odpowiada łagodnie.

– Co masz na myśli?

– To może być przyjemne, gdy idziesz ścieżką dla ciebie wytyczoną, znasz swoje miejsce i odgrywasz swoją rolę.

– Ale jak możesz być pewien, że podążasz właściwą drogą? A jeśli nie ma czegoś takiego jak przeznaczenie, jeśli istnieje tylko wolny wybór?

– W takim razie wybieram życie, w którym istnieje przeznaczenie – oświadcza z delikatnym uśmiechem.

Wydaje się zupełnie przekonany do swoich racji, a ja czuję głównie niepewność.

– Czy ty w ogóle miewasz wątpliwości? Na jakikolwiek temat?

Uśmiech znika.

– Tak.

Chciałabym się dowiedzieć jakie, ale Chińczyk wraca, przerywając naszą dyskusję. Wychodzimy za nim, odsuwając na bok cuchnącą szmatę. Wskazuje na tłustego Anglika o ramionach grubych jak słoniowe nogi.

– Szukamy pana Chin-China – odzywa się Kartik.

– To będę ja – odpowiada Anglik. – Trzy lata mijają, jak to kupiłem. Jedni wołają mnie Chin, inni wujek Billy. Przyszliście posmakować szczęścia?

Na niskim stoliku stoi naczynie z opium. Chin miesza gęstą czarną maź. Wyciąga lepką, smolistą kulkę opium i wkłada ją do drewnianej fajki. Z przerażeniem zauważam, że na sznurku na jego szyi wisi obrączka mojego ojca.

– Skąd pan ma tę obrączkę? – pytam szorstkim szeptem, który mam nadzieję brzmi jak głos młodzieńca.

– Śliczności, co? Jeden szefunio mi ją dał. To dobra cena za moje opium.

– Czy on tu nadal jest? Ten mężczyzna?

– Nie wiem. To nie pensjonat, kolego.

– Chin... – Głos, naglący, choć schrypnięty, dobiega z drugiej strony postrzępionej kotary, po czym wyłania się spod niej ręka. Drży, szukając fajki. Z chudych palców zwisa misterny złoty łańcuszek do zegarka. – Chin, weź to... I daj mi więcej...

Ojciec.

Odsuwam brudną zasłonę. Mój tato leży na poplamionym, podartym materacu w samych spodniach i koszuli. Surdut i płaszcz okrywają kobietę, która śpi na jego piersi, lekko pochrapując. Elegancki krawat i buty zniknęły – ukradzione albo przehandlowane, nie wiem. Smród uryny jest nie do zniesienia i muszę się bardzo starać, żeby nie zwymiotować.

– Ojcze.

Wysila wzrok, żeby w przyćmionym świetle dostrzec, kto mówi. Oczy ma przekrwione, źrenice jak szkliste punkciki.

– Cześć – mówi, uśmiechając się sennie.

Gardło mnie piecze od powstrzymywanych emocji.

– Ojcze, czas wracać do domu.

– Jeszcze tylko jeden raz. Jasne jak słońce. Wtedy pojedziemy...

Chin bierze łańcuszek do zegarka i chowa go do kieszeni. Podaje fajkę ojcu.

– Proszę mu więcej nie dawać – błagam.

Próbuję odebrać fajkę, ale tato wyrywa mi ją z ręki, przy okazji mocno mnie odpychając. Kartik podtrzymuje mnie, żebym nie upadła.

– Chin, podaj ogień. Dobry człowiek...

Chin przysuwa świecę do fajki. Mój ojciec zaciąga się dymem. Gwałtownie trzepocze powiekami, spod których wymykają się łzy, powoli znacząc ślad na jego nieogolonych policzkach.

– Zostaw mnie, kotku.

Nie zniosę tego ani chwili dłużej. Zbieram wszystkie siły, spycham kobietę z ojca i stawiam go na nogi. Zataczamy się oboje w tył. Chin śmieje się z nas, jakby to były walki kogutów czy jakaś inna rozrywka. Kartik bierze ojca pod drugie ramię i razem prowadzimy go między leżącymi pokotem opiumistami. Bardzo się wstydzę, że widzi go w takim stanie. Chce mi się płakać, ale boję się, że jak zacznę, to już nie będę mogła przestać.

Potykamy się na schodach, lecz jakoś udaje nam się dotrzeć do powozu bez kolejnych incydentów. Chłopcy dotrzymali słowa. Tłumek liczy już może dwadzieścioro dzieci, które obsiadły powóz i grzbiet Ginger. Zimne nocne powietrze, przedtem nieprzyjemne, wydaje się balsamiczne po potwornych oparach opium. Wdycham je chciwie, gdy wraz z Kartikiem pomagamy ojcu wsiąść do powozu. Spodnie Toma zahaczają o drzwi i drą się wzdłuż szwu. I w tym momencie we mnie też coś pęka. Wszystko, z czym walczyłam – rozczarowanie, samotność, strach i przytłaczający smutek – wylewa się ze mnie powodzią łez.

– Gemmo?

– Nie... patrz... na... mnie – łkam, odwracając twarz do zimnej ściany powozu. – To... wszystko... zbyt... potworne... i to moja... wina.

– To nie jest twoja wina.

– Tak, tak, jest! Gdybym nie była tym, kim jestem, mama by nie zginęła. A on nigdy nie stałby się taki! Zniszczyłam jego szczęście. I... – Milknę.

– I...?

– Próbowałam wyleczyć go magią. – Boję się, że Kartik się rozzłości, ale on nic nie mówi. – Nie potrafiłam znieść tego, że tak cierpiał. Jaki ma sens cała ta moc, jeśli nie mogę z nią nic zrobić?

To wywołuje nową falę łez. Ku mojemu wielkiemu zaskoczeniu Kartik wyciera je dłonią.

– *Meraa mitra yahaan aaiye* – mruczy.

Znam hindi tylko trochę, ale wystarcza, bym zrozumiała: „Spokojnie, przyjaciółko".

– Nigdy nie spotkałem odważniejszej dziewczyny – dodaje.

Pozwala mi przez chwilę stać i opierać się o powóz, aż łzy przestaną płynąć, a ja poczuję się tak jak zawsze po porządnym płaczu – spokojna i oczyszczona. Po drugiej stronie Tamizy Big Ben dźwięcznie wybija godzinę drugą w nocy.

Kartik pomaga mi usiąść obok śpiącego ojca.

– Wesołych świąt, panno Doyle.

❧

Kiedy docieramy do domu, palą się lampy – to zły znak. Tom czeka w salonie. Nie da się przed nim ukryć, co się stało.

– Gemmo, gdzie ty byłaś o tej porze? Dlaczego masz na sobie moje ubrania? I co zrobiłaś z moimi najlepszymi spodniami?

Kartik wchodzi za mną do pokoju, z trudem prowadząc ojca.

– Ojcze! – woła Tom, gdy spostrzega, że tato jest na wpół rozebrany i otumaniony narkotykiem. – Co się stało?

Słowa wylewają się ze mnie strumieniem.

– Znaleźliśmy go w palarni opium. Był tam od dwóch dni. Kartik zamierzał cię zawiadomić, ale ja nie chciałam wywołać skandalu w klubie, więc... więc...

Pani Jones, którą obudziły hałasy, wchodzi do salonu, nadal w nocnym czepku na głowie.

– Czy coś się stało, sir? – pyta.

– Pan Doyle zachorował – odpowiada Tom.

Oczy pani Jones zdradzają, iż wie, że to kłamstwo, ale natychmiast rusza do akcji.

– Zaraz przyniosę herbatę, sir. Czy mam posłać po doktora?

– Nie! Wystarczy herbata, dziękuję – odwarkuje Tom. Spogląda twardo na Kartika. – Z resztą poradzę sobie sam.

– Tak, sir – mówi młodzieniec. Przez chwilę nie wiem, czy iść za Kartikiem, czy zostać. W końcu pomagam Tomowi i pani Jones zapakować ojca do łóżka. Zdejmuję ubrania brata, zmywam z siebie brud wschodniego Londynu i wkładam własną koszulę nocną. Tom siedzi w bawialni wpatrzony w ogień. Bierze gałązki zbyt małe, by się do czegokolwiek nadawały, łamie je w pół i metodycznie karmi nimi rozzłoszczone płomienie.

– Przepraszam, Tom. Nie wiedziałam, jak postąpić – mówię. Czekam, aż mi powie, że przyniosłam wstyd rodzinie i że nigdy więcej nie będę mogła opuścić tego domu.

Kolejna gałązka płonie. Krzyczy w ogniu i z sykiem obraca się w popiół. Nie mam pojęcia, co jeszcze mogę powiedzieć.

– Nie potrafię go wyleczyć – odzywa się Tom tak cicho, że muszę nadstawiać uszu, żeby coś usłyszeć. – Student medycyny jest człowiekiem nauki. Powinien znać odpowiedzi na różne pytania, a ja nawet własnemu ojcu nie potrafię pomóc w pokonaniu jego demonów.

Opieram głowę o drewnianą framugę drzwi, gdyż potrzebuję wsparcia czegoś solidnego na wypadek, gdybym miała wypaść poza granice tego świata.

– Znajdziesz sposób, z czasem. – Chcę, by to zabrzmiało uspokajająco, ale nie udaje mi się.

– Nie. W moich oczach nauka jest nic niewarta. Nic niewarta. – Ukrywa twarz w dłoniach. Rozlega się stłumiony dźwięk. Tom próbuje powstrzymać płacz, ale jest zupełnie bezradny. Chciałabym przebiec przez pokój i mocno go przytulić, nawet ryzykując jego pogardę.

Zamiast tego cicho przekręcam gałkę i wychodzę, pozwalając mu zachować twarz i nienawidząc się za to.

ROZDZIAŁ TRZYDZIESTY SZÓSTY

Budzi mnie odległy dźwięk kościelnych dzwonów. Nadszedł świąteczny poranek. W domu panuje cisza jak w kostnicy. Ojciec i Tom nadal śpią po długiej nocy, babcia też postanowiła zostać w łóżku. Wstaliśmy tylko ja i służba.

Ubieram się szybko i cicho, po czym idę do powozowni. Nad Kartikiem nadal w słodki, czarujący sposób unosi się aura snu.

– Przyszłam przeprosić za ostatni wieczór. I podziękować za to, że pomogłeś ojcu – mówię.

– Każdy czasami potrzebuje pomocy – odpowiada.

– Prócz ciebie.

Nic nie mówi. Zamiast tego wręcza mi coś niezdarnie zapakowanego w skrawek materiału.

– Wesołych świąt.

Jestem zaskoczona.

– Co to takiego?

– Zobacz.

W środku znajduje się nożyk o ostrzu długości męskiego kciuka. Na rączce widnieje mały, prymitywnie wyryty totem przedstawiający wielorękiego człowieka o głowie byka.

– Megh Sambara – wyjaśnia Kartik. – Hindusi wierzą, że chroni przed wrogami.

– Wydawało mi się, że nie uznajesz żadnych wierzeń poza zasadami bractwa Rakshana.

Zażenowany Kartik wtyka dłonie do kieszeni i kołysze się na obcasach.

– Należał do Amara.

– Nie powinieneś więc go oddawać – mówię, próbując zwrócić mu nożyk.

Kartik odskakuje przed ostrzem.

– Ostrożnie. Jest mały, ale ostry. I może ci się przydać.

Złości mnie, że akurat teraz przypomina mi o zadaniu.

– Będę nosiła go przy sobie. Dziękuję ci.

Zauważam drugie zawiniątko. Bardzo bym chciała spytać, czy to dla Emily, ale nie potrafię się do tego zmusić.

– Dzisiaj jest bal u panny Worthington, tak? – upewnia się Kartik, przeczesując palcami gęstwinę loków.

– Tak – potwierdzam.

– Co się robi na tych balach? – pyta nieśmiało.

– Och – wzdycham. – Dużo się uśmiecha, rozmawia się o pogodzie i o tym, jak ślicznie wszyscy wyglądają. Jest lekka kolacja i napoje. No i oczywiście są tańce.

– Nigdy nie byłem na balu. Nie wiem, jak się tańczy.

– Mężczyźnie nie jest trudno się tego nauczyć. A kobieta musi wykonywać odwrotne kroki bez deptania mu po stopach.

Kartik unosi ręce, jakby trzymał wyimaginowaną partnerkę.

– W ten sposób? – Zaczyna kręcić się dokoła.

– Trochę wolniej. Teraz dobrze – pouczam go.

Kartik przybiera afektowany ton.

– Zatem, lady Takaiowaka, czy miała pani wielu gości od przyjazdu do Londynu?

– Och, lordzie Bufon – odpowiadam, przybierając podobny ton. – Otrzymuję tyle kart wizytowych od najważniejszych osób, że musiałam wystawić w hallu aż dwie porcelanowe misy.

– Dwie misy, powiada pani?

– Dwie.

– Cóż za niedogodność dla pani i jej kolekcji porcelany – mówi Kartik ze śmiechem. Jest taki uroczy, kiedy się śmieje.

– Chciałabym cię zobaczyć w czarnym fraku i białym krawacie.

Kartik zatrzymuje się.

– Myślisz, że wyglądałbym jak szlachetny dżentelmen?

– Tak.

Kłania się przede mną.

– Czy mogę prosić o taniec, panno Doyle?

Dygam.

– Ależ oczywiście, lordzie Bufon.

– Nie – zaprzecza łagodnie. – Czy j a mogę prosić o taniec?

Kartik prosi mnie do tańca. Rozglądam się wokół. Dom nadal jest pogrążony we śnie. Nawet słońce chowa się pod pościelą szarych chmur. Nikogo nie ma w pobliżu, ale przecież ktoś może się pojawić lada moment. W mojej głowie rozbrzmiewają gorączkowe ostrzeżenia: *Nie wolno. To niewłaściwe. Złe. A jeśli ktoś nas zobaczy? A jeśli Simon…*

Ale ręka podejmuje decyzję za mnie, sunąc przez rześkie poranne powietrze na spotkanie z jego dłonią.

– Yyy, a drugą dłonią powinieneś objąć mnie w talii – wyjaśniam, wlepiając wzrok w nasze stopy.

– Tutaj? – pyta, kładąc rękę na moim biodrze.

– Wyżej – chrypię. Jego dłoń odnajduje moją talię. – Może być.

– Co teraz?

– No, tańczymy – odpowiadam, a mój oddech tworzy małe obłoczki pary.

Początkowo prowadzi mnie powoli i niezdarnie. Zachowujemy taki dystans, że spokojnie zmieściłaby się między nami jeszcze jedna osoba. Nie spuszczam wzroku z naszych stóp, stających blisko siebie i zostawiających ślady w cienkiej warstwie trocin.

– Chyba byłoby łatwiej, gdybyś się tak bardzo nie odchylała – zauważa.

– Tak właśnie należy – odpowiadam.

Przyciąga mnie bliżej, o wiele bliżej niż wypada. Jego tors od moich piersi dzieli minimalna odległość. Odruchowo rozglądam się wokół, ale nie widzę nikogo prócz koni. Ręka Kartika przesuwa się z talii ku nasadzie pleców, a mnie zapiera dech w piersi. Wirujemy; on jedną dłonią przyciąga mnie do siebie, a drugą trzyma moją rękę, aż od tego wszystkiego nagle kręci mi się w głowie.

– Gemmo – mówi, więc spoglądam w te cudowne brązowe oczy. – Muszę ci coś powiedzieć...

Nie wolno mu tego mówić, tylko wszystko zniszczy. Wyrywam mu się i przykładam dłoń do brzucha, żeby się trochę uspokoić.

– Dobrze się czujesz? – pyta Kartik.

Uśmiecham się słabo i kiwam głową.

– To przeziębienie – wyjaśniam. – Chyba powinnam już wracać.

– Ale najpierw muszę ci powiedzieć...

– Jest tyle do zrobienia – przerywam mu.

– Dobrze więc – odpowiada, a w jego głosie brzmi uraza. – Nie zapomnij o swoim prezencie.

Podaje mi nożyk-amulet. Nasze palce się stykają i przez chwilę jest tak, jakby świat wstrzymał oddech, a potem usta Kartika, ciepłe i miękkie, dotykają moich. Czuję się, jakby nagle złapała nas ulewa.

Gdy odsuwam się od Kartika, w żołądku mam takie uczucie, jakby stado ptaków zerwało się do lotu.

– Proszę, nie.

– To dlatego, że jestem Hindusem, tak? – pyta.

– Oczywiście, że nie – odpowiadam. – W ogóle nie myślę o tobie jako o Hindusie.

Kartik wygląda, jakbym zdzieliła go pięścią w twarz. A potem odrzuca głowę do tyłu i wybucha śmiechem. Nie wiem, co było w tym takiego zabawnego. Po chwili spogląda na mnie tak twardo, że obawiam się, iż moje serce pęknie.

– Nawet nie myślisz o mnie jako o Hindusie. No cóż, to wielka ulga.

– Nie... wcale nie o to mi chodziło.

– Jak wszystkim Anglikom. – Wraca do stajni, a ja depczę mu po piętach.

Nigdy nie przyszło mi na myśl, że to może zabrzmieć tak obraźliwie. Ale teraz – zbyt późno – uświadamiam sobie, że on ma rację; że w głębi serca zakładałam, iż mogę z nim być szczera, mogę być... sobą, ponieważ on jest Hindusem i nigdy nic nie będzie nas łączyło. Cokolwiek bym teraz powiedziała, byłoby kłamstwem. Ale narobiłam bałaganu.

Kartik pakuje swój skromny dobytek do plecaka.

– Dokąd się wybierasz?

– Do Rakshanów. Czas, abym zajął należne mi miejsce, abym rozpoczął szkolenie i awansował.

– Proszę, nie odchodź, Kartiku. Nie chcę, żebyś odchodził. – To najprawdziwsze zdanie, jakie dzisiaj powiedziałam.

– Współczuję ci więc.

Stajnie budzą się do życia. Służący podejmują swoje obowiązki jak małe mechaniczne postacie w zegarze z kukułką.

– Lepiej już idź. Czy możesz być tak miła i przekazać Emily coś ode mnie? – pyta lodowatym tonem. Podaje mi drugi prezent, a papier rozchyla się na tyle, bym zobaczyła, że to *Odyseja*. – Powiedz jej, że przykro mi, iż nie mogę dalej jej uczyć czytania. Będzie musiała znaleźć kogoś innego.

– Kartiku... – zaczynam. Zauważam, że prezent, który mu dałam kilka miesięcy temu, zostawił oparty o ścianę. – Nie chcesz zabrać kija do krykieta?

– Krykiet to taka angielska gra – odpowiada. – Do widzenia, panno Doyle. – Zarzuca plecak na ramię i wychodzi, zanurzając się w pierwsze słabe światło poranka.

ROZDZIAŁ TRZYDZIESTY SIÓDMY

W południe nad londyńskimi ulicami rozlega się koncert na dzwony, które wzywają wszystkich bez wyjątku do kościoła. Babcia, Tom i ja siedzimy na twardej drewnianej ławce, pozwalając, by słowa wielebnego spływały po nas.

– A wtedy Herod przywołał potajemnie Mędrców i wypytał ich dokładnie o czas ukazania się gwiazdy. A kierując ich do Betlejem, rzekł: „Udajcie się tam i wypytujcie starannie o Dziecię, a gdy Je znajdziecie, donieście mi, abym i ja mógł pójść i oddać Mu pokłon”...

Rozglądam się po wnętrzu kościoła. Wszyscy wokół pochylają głowy w modlitwie i wydają się zadowoleni. Szczęśliwi. W końcu przecież są święta.

Upstrzony plamkami światła witraż ukazuje Zwiastowanie. U stóp anioła klęczy Maryja, z drżeniem i lękiem przyjmując przesłanie od niebiańskiego gościa. Jest wstrząśnięta na wieść o darze, o który nie prosiła, ale którego brzemię, tak czy siak, będzie musiała dźwigać. A ja zastanawiam się, czemu żaden fragment Biblii nie opisuje jej poważnych wątpliwości.

– Wtedy Herod wiedząc, że go Mędrcy zwiedli, wpadł w straszny gniew. Posłał oprawców do Betlejem i całej okolicy i kazał pozabijać wszystkich chłopców do lat dwóch...

Dlaczego nie powstał obraz ukazujący kobietę, która mówi: „Przykro mi, ale nie. Nie chcę tego daru. Możecie go sobie zabrać z powrotem. Muszę zająć się owcami oraz upiec chleb i wcale nie pragnę być świętym posłańcem”.

Taki witraż chciałabym zobaczyć.

Promień światła pada na szkło i przez chwilę anioł wydaje się świecić jak samo słońce.

❧

Dostaję pozwolenie na popołudnie z Ann i Felicity, by babcia i Tom mogli zaopiekować się tatą. Pani Worthington zajmuje się kompletowaniem garderoby małej Polly, co wprawia Felicity w nastrój równie paskudny jak mój. Tylko Ann cieszy się z tego dnia. To jej pierwsze Boże Narodzenie spędzone w prawdziwym domu, a do tego zakończone balem, więc jest oszołomiona i zasypuje nas pytaniami.

– Czy mam wpiąć we włosy kwiaty i perły? Czy to zbyt krzykliwe?

– Zbyt krzykliwe – gasi ją Felicity. – Nie rozumiem, dlaczego musimy brać pod nasz dach akurat ją. Jest wielu krewnych nadających się do tego o wiele bardziej.

Siedzę przy jej toaletce, czesząc włosy i licząc pociągnięcia szczotką, a przy każdym ruchu na nowo widzę urazę w oczach Kartika.

– Sześćdziesiąt cztery, sześćdziesiąt pięć, sześćdziesiąt sześć...

– Nadskakują jej i płaszczą się przed nią, jakby była co najmniej księżniczką – narzeka Fee.

– To bardzo ładna dziewczynka – mówi bezmyślnie Ann. – Zastanawiałam się, czy nie użyć jakiegoś pachnidła. Gemmo, czy Tom uważa dziewczęta, które skrapiają się perfumami, za zbyt śmiałe?

– Pociąga go zapach nawozu – odpowiada Felicity. – Mogłabyś się wytarzać w stajniach, żeby kwiat jego miłości rozkwitł w pełni.

– Świetny masz humor – kwituje Ann.

Nie powinnam była z nim tańczyć. Nie powinnam była pozwolić, żeby mnie pocałował. Ale chciałam, żeby to zrobił. A potem go jeszcze obraziłam.

– Och, zawracanie głowy – mamrocze Felicity pod nosem, gdy idzie w stronę łóżka zasłanego porozrzucanymi pończochami, halkami i jedwabiami. Wydaje się, że zawartość wszystkich szaf Felicity została wybebeszona i wywleczona na widok publiczny. A mimo to dziewczyna nie może znaleźć dla siebie nic odpowiedniego.

– Nie idę – oświadcza zdecydowanym tonem. Nadąsana opada na szezlong w garderobie, a wełniane pończochy zwijają jej się wokół kostek. Porzuciła już wszelkie pozory skromności.

– To bal twojej matki – przypominam jej. – Musisz iść. Sześćdziesiąt siedem, sześćdziesiąt osiem...

– Nie mam co na siebie włożyć!

Szerokim gestem wskazuję łóżko i kontynuuję liczenie.

– Może jedną z tych sukienek, które mama sprowadziła dla ciebie z Paryża? – sugeruje Ann. Przykłada sukienkę do siebie i okręca się na boki, po czym lekko dyga przed wyimaginowanym towarzyszem.

– Są takie *bourgeois* – prycha pogardliwie Felicity.

Ann muska palcami błękitny jak woda jedwab i koralikowy haft wokół subtelnego dekoltu.

– Uważam, że ta jest prześliczna.

– To ją włóż.

Ann cofa palce, jakby materiał ją poparzył.

– Nawet bym się w nią nie zmieściła.

Felicity parska.

– Zmieściłabyś się, gdybyś zrezygnowała z tych wszystkich rogalików co rano.

– Żadna różnica. I tak stanowiłabym afront dla tej sukni.

Felicity zrywa się z miejsca z westchnieniem niebezpiecznie przypominającym warknięcie.

– Dlaczego to robisz?

– Co? – pyta Ann.

– Umniejszasz swoją wartość przy każdej sposobności.

– Tylko sobie żartowałam.

– Nie żartowałaś. Prawda, Gemmo?

– Osiemdziesiąt siedem, osiemdziesiąt osiem, osiemdziesiąt dziewięć... – odpowiadam głośno.

– Ann, jeśli ciągle będziesz powtarzała, jak niewiele jesteś warta, ludzie zaczną w to wierzyć.

Ann wzrusza ramionami, odkładając suknię na stertę na łóżku.

– Wierzą w to, co widzą.
– To zmień to, co widzą.
– Jak?
– Włóż tę sukienkę. Możemy ją trochę poszerzyć po bokach.
– Sto. – Odwracam się w ich stronę. – No tak, ale wtedy nie będzie już pasowała na ciebie.
Felicity uśmiecha się szeroko.
– No właśnie.
– Naprawdę sądzisz, że to dobry pomysł? – upewniam się. Suknia musiała być dosyć droga i wykonano ją w Paryżu na miarę.
– Twoja mama się nie pogniewa? – pyta Ann.
– Będzie tak zajęta swoimi gośćmi, że nawet nie zauważy, co na siebie włożymy. Obchodzi ją tylko to, co ona nosi i czy wygląda w tym młodziej.
Wydaje mi się, że to kiepski pomysł, ale Ann znowu głaszcze suknię, jakby to był jej ukochany kotek, a ja nie chcę sprawić jej przykrości.
Felicity zrywa się z miejsca.
– Poproszę Franny. Jest bardzo męcząca, ale to doskonała szwaczka.
Franny przychodzi na wezwanie. Kiedy Felicity wyjaśnia jej, czego sobie życzy, dziewczyna szeroko otwiera oczy w wyrazie niedowierzania.
– Czy mam najpierw spytać panią?
– Nie, Franny. To ma być niespodzianka dla mojej mamy. Będzie bardzo szczęśliwa, widząc pannę Bradshaw tak elegancko ubraną.
– Oczywiście, panienko.
Franny bierze miarę z Ann.
– To będzie trudne, panienko. Nie wiem, czy wystarczy materiału.
Ann oblewa się rumieńcem.
– Och, proszę, dajmy temu spokój. Włożę to, co miałam na sobie w operze.

– Franny – mówi Felicity, przemieniając jej imię w słodką kołysankę – tak wspaniale obchodzisz się z igłą, na pewno zdołasz sobie z tym poradzić.

– Ale kiedy już przerobię tę suknię, panienko, nie uda mi się przywrócić jej do poprzedniego stanu – ostrzega pokojówka.

– Nie przejmuj się – odpowiada Felicity, wypychając ją za drzwi z suknią w ramionach. – A teraz zrobimy ci talię.

Ann opiera się oburącz o ścianę. Zaczyna się odwracać, żeby coś do mnie powiedzieć, ale Felicity znów popycha jej głowę w dół.

– Nie zgnieciecie mnie za bardzo, prawda?

– Zgnieciemy – odpowiadam rzeczowo. – Nie ruszaj się. – Z całej siły zaciągam sznurowadła gorsetu, ściskając Ann w talii najmocniej, jak potrafię.

– B-b-boże – sapie.

– Jeszcze raz – zarządza Felicity.

Ciągnę mocno, Ann prostuje się, żeby złapać oddech, a w jej oczach błyszczą łzy.

– Za ciasno – skrzeczy.

– Chcesz włożyć tę suknię? – dręczy ją Felicity.

– Tak... ale nie chcę umrzeć.

– No dobra, nie ma sensu, żeby nam tu zemdlała. – Odrobinę rozluźniam sznurowadła, a na twarz Ann powracają kolory. – Usiądź – mówię, prowadząc ją w stronę szezlonga. Nie ma wyjścia i musi siedzieć wyprostowana jak dzwonnica.

– Wcale nie jest tak źle, kiedy już człowiek się do tego przyzwyczai – szepcze po chwili, uśmiechając się słabo i oddychając ciężko jak zagoniony koń.

Felicity znów kładzie się na szezlongu.

– Kłamczucha.

– Zrozumiałyście coś z przedstawienia Nell Hawkins? Dla mnie to był czysty nonsens – mówi dalej Ann, walcząc o oddech. – Za to Tom wyglądał bardzo przystojnie moim zdaniem. Jest taki miły.

– Ja też niewiele z tego zrozumiałam – przyznaję. – „Dajcie nadzieję Niedotykalnym. Nie pozwólcie, żeby pieśń umarła. Uważajcie na piękno. Piękno musi odejść".

– „Nie schodźcie ze ścieżki". Co to mogło znaczyć? – zastanawia się na głos Ann.

– A co powiecie na „podstępne, oślizgłe nimfy"? – pyta Felicity z rozbawieniem. – Albo na: „Strzeżcie się Makowych Wojowników! Pochłoną was w całości. Pochłoną, pochłoną!".

Ann zaczyna chichotać, ale gorset szybko dławi jej rozbawienie. Może tylko uśmiechać się i sapać.

– Próbowała nam coś powiedzieć, jestem tego pewna. – Zamierzam bronić tego stanowiska.

– Daj spokój, Gemmo. To był nonsensowny poemat. Biedna Nell Hawkins jest kompletnie obłąkana.

– To skąd wiedziała o gorgonie i o Lesie Świateł? Albo o złotej mgle?

– Może ty jej o tym powiedziałaś.

– Nie!

– Gdzieś to wyczytała?

– Nie – oponuję. – Uważam, że zwracała się do nas szyfrem, i jeśli go rozgryziemy, rozwiążemy tajemnicę położenia Świątyni.

– Gemmo, wiem, że chcesz wierzyć, iż Nell stanowi klucz do całej sprawy, ale po tym, jak ją zobaczyłam, zrozumiałam, że się mylisz.

– Mówisz jak Kartik. – Natychmiast żałuję, że o nim wspomniałam.

– O co chodzi, Gemmo? Czemu zmarszczyłaś brwi? – dopytuje się Ann.

– O Kartika. Odszedł.

– Odszedł? Dokąd? – pyta Felicity, podciągając pończochę i sprawdzając, jak się układa na krzywiźnie łydki.

– Wrócił do Rakshanów. Obraziłam go, a on odszedł.

– Co powiedziałaś? – chce wiedzieć Fee.

– Że nawet nie uważam go za Hindusa.

– A co w tym jest obraźliwego? – dziwi się, nie rozumiejąc. Zdejmuje pończochę i rzuca ją na podłogę. – Gemmo, wybierzemy się dziś do międzyświata? Chcę pokazać Pip moją nową suknię i złożyć jej życzenia świąteczne.

– Będzie trudno się wymknąć – zauważam.

– Nonsens. Zawsze można uciec przyzwoitkom. Robiłam to już wcześniej.

– Chciałabym się dobrze bawić na balu – wyznaję.

Felicity przyszpila mnie kpiącym uśmiechem.

– Chcesz się dobrze bawić z Simonem Middletonem.

– A ja miałam nadzieję, że zatańczę z Tomem – zwierza się Ann.

– Pójdziemy jutro – Rzucam w ten sposób kość Felicity.

– Nienawidzę, kiedy się tak zachowujesz. Pewnego dnia sama będę miała moc i wtedy będę wchodziła do międzyświata, kiedy tylko zechcę – wścieka się Fee.

– Nie złość się – prosi Ann. – To tylko jedna noc. Jutro. Jutro znów wybierzemy się do międzyświata.

Przyjaciółka wychodzi, ignorując nas ostentacyjnie.

– Tęsknię za Pippą. Z nią zawsze była dobra zabawa.

❧

Po niegrzecznym wyjściu Felicity ja oraz Ann rozmawiamy i zabijamy czas, bawiąc się wstążkami. A potem, jakby nigdy nic, Felicity znów wpada do pokoju, a za nią podąża Franny z błękitną jedwabną suknią w ramionach.

– Obejrzyjmy ją, dobrze? – proponuje Fee.

Ann wsuwa się w chmurę materiału, wężowym ruchem przekładając ramiona przez rękawy. Franny zapina maleńkie perłowe guziczki na plecach. Nasza przyjaciółka wygląda uroczo. Obraca się, jakby nie mogła uwierzyć, że zjawisko w lustrze to jej własne odbicie.

– I co o tym sądzisz? – pytam, unosząc jej włosy dla lepszego efektu.

Kiwa głową.

– Tak. Podoba mi się. Dziękuję, Felicity.

– Nie musisz mi dziękować. Wystarczającą przyjemność sprawi mi, gdy zobaczę, jak rzednie mina mojej matce.

– Co masz na myśli? – pyta Ann. – Mówiłaś przecież, że nawet tego nie zauważy.

– Naprawdę? – odpowiada Felicity, udając zdumienie.

Posyłam jej ostrzegawcze spojrzenie. Nie zwraca na mnie uwagi i ze sterty na łóżku wyciąga aksamitną suknię w kolorze burgunda.

– Franny, jesteś taką zdolną krawcową, że maleńka poprawka tej sukni na pewno nie sprawi ci kłopotu. Nie zajmie ci to więcej niż godzinkę.

Franny rumieni się.

– Tak, panienko?

– Chodzi o to, że dekolt jest o wiele zbyt grzeczny dla młodej damy, która wybiera się na taki wspaniały bal. Zgadzasz się ze mną?

Franny ogląda stanik sukienki.

– Chyba mogłabym go odrobinę pogłębić, panienko.

– Och, tak, proszę! Zrób to natychmiast – poleca Felicity, wypychając pokojówkę za drzwi. Zajmuje moje miejsce przy toaletce i uśmiecha się wrednie. – To powinno być całkiem zabawne.

– Dlaczego tak jej nienawidzisz? – pytam.

– Prawdę mówiąc, zaczynam darzyć Franny pewną sympatią.

– Mówię o twojej matce.

Felicity unosi do światła kolczyki z granatami i przygląda im się badawczo.

– Nie obchodzi mnie jej gust w kwestii sukien.

– Jeśli nie chcesz o tym rozmawiać...

– Nie, nie chcę – przerywa mi.

Czasami Felicity stanowi dla mnie równie wielką tajemnicę jak Świątynia. W jednej chwili jest złośliwa i dziecinna, a w następnej wesoła i pełna werwy. Raz jest dziewczyną tak dobrą, że zaprasza

Ann do domu na święta, a raz tak małostkową, by uważać Kartika za osobę gorszą od siebie.

– Wydała mi się całkiem miła – wtrąca Ann.

Felicity wpatruje się w sufit.

– Wkłada wiele starań w to, by wydawać się miłą. Beztroską i zabawną. To dla niej ważne. Ale nie popełnij błędu i nie próbuj z nią poruszać żadnych istotnych problemów.

Coś mrocznego i bezwzględnego przemyka przez twarz Felicity.

– Co masz na myśli? – pytam.

– Nic – odpowiada pod nosem, a tajemnica, którą jest Felicity Worthington, pogłębia się.

Dla zabawy wkładam jedną z jej sukien, z satyny w głębokim zielonym kolorze. Ann pomaga mi zapiąć haftki. Zaskakuje mnie mój wygląd – zgrabna talia i półksiężyce białych piersi wyeksponowane nad masą jedwabiu i kwiatów. Czy to jest ta dziewczyna, którą wszyscy widzą?

Dla Felicity i Ann jestem dostępem do międzyświata.

Dla babci jestem czymś, co należy uformować.

Dla Toma jestem siostrą, której obecność trzeba znosić.

Dla ojca – dobrą córeczką, zawsze o krok od tego, by go rozczarować.

Dla Simona – tajemnicą.

Dla Kartika – zadaniem do wykonania.

Odbicie w lustrze odwzajemnia moje spojrzenie, czekając, aż dokonam prezentacji. *Cześć, dziewczyno w lustrze. Nazywasz się Gemma Doyle. I nie mam pojęcia, kim naprawdę jesteś.*

ROZDZIAŁ TRZYDZIESTY ÓSMY

We wspaniałej rezydencji Worthingtonów przy Park Lane palą się wszystkie światła. Pod dom, lśniący w miękko padającym śniegu, długim czarnym sznurem zajeżdżają powozy. Lokaje pomagają paniom, które z gracją stają na chodniku, biorą swoich dżentelmenów pod ramię i suną do frontowych drzwi z wysoko uniesionymi głowami, prezentując klejnoty oraz eleganckie nakrycia głów.

Nasz nowy woźnica, pan Jackson, przygląda się, jak lokaj pomaga babci wysiąść z powozu.

– Uwaga na kałużę, psze pani – mówi, zauważywszy podejrzaną mokrą plamę na ulicy.

– Porządny z ciebie człowiek, Jackson – odzywa się Tom. – To doprawdy szczęście, że do nas trafiłeś, kiedy pan Kartik zniknął bez śladu. Z pewnością nie wystawię mu dobrych referencji, jeśli jego przyszły pracodawca skontaktuje się ze mną.

Krzywię się, słysząc to. Czy jeszcze kiedykolwiek zobaczę Kartika?

Pan Jackson uchyla przede mną kapelusza. Jest wysokim, mrukliwym mężczyzną o pociągłej, szczupłej twarzy. Ma też wąsy w kształcie kierownicy roweru, przez które kojarzy mi się z morsem. Ale może jestem uprzedzona, bo brakuje mi Kartika.

– Gdzie znalazłeś pana Jacksona? – pytam, gdy dołączamy do innych dobrze ubranych par zmierzających na bal.

– Och, to on znalazł nas. Przyszedł z pytaniem, czy nie potrzebujemy woźnicy.

– W Boże Narodzenie? Dziwny zbieg okoliczności – zauważam.

– Ale szczęśliwy – replikuje Tom. – Pamiętaj, ojciec źle się poczuł i nie mógł przyjść na bal, lecz prosił, żebyśmy przekazali gospodarzom w jego imieniu serdeczne przeprosiny.

Kiedy nic nie mówię, babcia bierze mnie pod ramię, cały czas uśmiechając się i kiwając głową innym zaproszonym.

– Gemmo?

– Tak – odpowiadam z westchnieniem. – Będę pamiętała.

Witają nas Felicity i jej mama. Suknia mojej przyjaciółki, przerobiona przez Franny, odważnie odsłania spory fragment dekoltu, co nie pozostaje niezauważone przez gości, którzy patrzą na nią z prawdziwą zgrozą. Wymuszony uśmiech pani Worthington zdradza jej uczucia, ale też mówi, że nie może zrobić nic poza zachowaniem dobrej miny, tak jakby córka nie przyniosła rodzinie wstydu na balu we własnym domu. Nie rozumiem, dlaczego Felicity tak bardzo dręczy swoją matkę ani dlaczego ona znosi to bez słowa, co najwyżej wzdychając jak cierpiętnica.

– Bardzo mi miło – mamroczę do Felicity, gdy wymieniamy ukłony.

– Cieszę się, że przyszłaś – odpowiada. Zachowujemy się tak oficjalnie, że muszę powstrzymać chichot. Felicity wskazuje mężczyznę po swojej lewej stronie. – Chyba nie poznałaś jeszcze mojego ojca. Pozwól, to sir George Worthington.

– Miło mi pana poznać, sir – mówię, dygając.

Ojciec Fee jest przystojnym mężczyzną o przejrzystych szarych oczach i jasnych włosach, których kolor już nieco zmętniał. Ma tego rodzaju mocny profil, który łatwo sobie wyobrazić na tle morza. Widzę go oczyma wyobraźni, jak założywszy ręce za plecami, tak jak w tej chwili, wykrzykuje rozkazy do swoich ludzi. I tak jak córka ma charyzmatyczny uśmiech, który pojawia się, gdy mała Polly w niebieskiej aksamitnej sukni z włosami skręconymi w loki wchodzi do pokoju.

– Mogę zostać na tańcach, wujku? – pyta cicho.

– Powinna pójść do pokoju dziecinnego – odpowiada matka Felicity.

– Zaraz, zaraz, jest Boże Narodzenie. Nasza Polly chce tańców i będzie je miała – oznajmia admirał. – Obawiam się, że robi się ze mnie stary głupiec, gdy w grę wchodzą marzenia młodych dam.

Goście śmieją się rozbawieni jego słowami, zachwyceni poczuciem humoru gospodarza. Gdy ruszamy dalej, słyszę jeszcze, jak wita kogoś niezwykle serdecznie i z wielkim wdziękiem.

– ...tak, jadę jutro do Greenwich odwiedzić starych marynarzy w szpitalu królewskim. Myślicie, że znajdą dla mnie jakieś łóżko? Stevens, jak tam twoja noga? To dobrze, to dobrze...

Na bocznym stoliku leżą śliczne karneciki. Są ozdobione złotą wstążką i mają przyczepiony maleńki ołówek, tak że można wpisać imię partnera obok nazwy tańca – walc, kadryl, galop, polka – o który poprosi. Choć chciałabym wszędzie wpisać imię Simona, wiem, że z jednym dżentelmenem mogę zatańczyć najwyżej trzykrotnie. I raz będę musiała zatańczyć z bratem.

Karnecik pozostanie cudowną pamiątką po moim pierwszym balu, choć prawdę mówiąc, nie „wyszłam jeszcze z sali lekcyjnej", bo nie miałam debiutu i pierwszego sezonu. Ale to jest przyjęcie rodzinne i jako takie daje mi wszystkie przywileje młodej damy w wieku siedemnastu lub osiemnastu lat.

Babcia mnóstwo czasu poświęca na chodzenie od jednej grupy dam do drugiej, a ja zmuszona jestem snuć się za nią, uśmiechając się, dygając i na ogół nic nie mówiąc, chyba że ktoś mnie o coś zapyta. Poznaję mnóstwo przyzwoitek – wszystko to znudzone niezamężne ciotki – a jakaś pani Bowles obiecuje babci, że będzie mnie pilnowała, jakbym była jej własną córką, gdy babcia pójdzie pograć w karty. Po drugiej stronie pokoju dostrzegam Simona, który właśnie przyszedł wraz ze swoją rodziną, i czuję łaskotanie w brzuchu. Jestem tak zaabsorbowana jego przybyciem, że nie słyszę pytania, które kieruje do mnie lady Jakaśtam. Wszystkie panie wpatrują się we mnie, czekając na odpowiedź. Zawstydzona babcia na chwilę przymyka oczy.

– Tak, dziękuję – mówię, uznając to za najbezpieczniejszą odpowiedź.

Lady Jakaśtam uśmiecha się i porusza wachlarzem z kości słoniowej.

– To cudownie! Zaraz rozpocznie się następny taniec. A oto i mój Percival.

U jej boku pojawia się młody mężczyzna. Czubkiem głowy sięga mojego podbródka i wygląda, biedak, jak wielka ryba, z wyłupiastymi oczami i wyjątkowo szerokimi ustami. A ja właśnie zgodziłam się z nim zatańczyć.

Podczas polki dochodzę do dwóch wniosków. Po pierwsze – ten taniec polega wyłącznie na nieustających podskokach. Po drugie – Percival Jakiśtam dlatego ma tak wyjątkowo szerokie usta, że ich nadużywa. Gada przez cały czas, przerywając tylko po to, żeby zadawać mi pytania, na które potem sam odpowiada. Przypomina mi się opowieść o pewnym dzielnym człowieku, który wpadłszy w pułapkę na jakieś zwierzę, był zmuszony amputować sobie kończynę, żeby z niej uciec. Obawiam się, że jeżeli orkiestra nie przestanie grać, będę musiała podjąć równie drastyczne kroki. Szczęśliwie muzyka w końcu milknie, a ja uciekam, „z żalem" informując Percivala, że nie mam już ani jednego wolnego tańca w karneciku.

Gdy schodzę z parkietu i wracam do pani Bowles oraz przyzwoitek, zauważam, że Ann rusza w tany z moim bratem. Wygląda na bardzo szczęśliwą, a Tom zdaje się zauroczony jej towarzystwem. Gdy widzę ich razem, ogarnia mnie ciepło.

– Czy mogę prosić o ten taniec, panno Doyle? – To Simon, który lekko się przede mną kłania.

– Będę zachwycona.

– Widziałem, że lady Faber podstępem skłoniła panią do tańca z jej synem Percivalem – mówi Simon, delikatnie wirując ze mną w rytm walca. Jego dłoń obleczona rękawiczką spoczywa miękko na moich plecach, z łatwością prowadząc mnie po parkiecie.

– To niezwykle uważny tancerz – odpowiadam, starając się zachować uprzejmie.

Simon uśmiecha się.

– Tak pani sądzi? Ja myślę, że to prawdziwa sztuka, gdy ktoś potrafi równocześnie tańczyć polkę i ani na chwilę nie przestać mówić.

Nie mogę powstrzymać uśmiechu.

– Proszę spojrzeć tam – dodaje Simon. – To panna Weston i pan Sharpe. – Wskazuje na młodą damę o ponurej minie, która siedzi samotnie na krześle i trzyma karnecik w dłoni. Rzuca szybkie spojrzenia w kierunku wysokiego mężczyzny o ciemnych włosach. Dżentelmen gawędzi z inną młodą damą i jej guwernantką, stojąc tyłem do panny Weston.

– Powszechnie wiadomo, że pan Sharpe podoba się pannie Weston. Wiadomo również powszechnie, że pan Sharpe nie ma nawet pojęcia o istnieniu panny Weston. Widzi pani, jak ona pragnie, żeby poprosił ją do tańca? Założę się, że cały karnecik ma pusty na wypadek, gdyby zechciał ją zauważyć.

Pan Sharpe rusza w kierunku panny Weston.

– Proszę spojrzeć – mówię. – Może ją poprosi.

Panna Weston siedzi prosto z pełnym nadziei uśmiechem na wąskiej jak igła twarzy. Pan Sharpe mija ją, a ona ostentacyjnie odwraca wzrok, jakby to odrzucenie w najmniejszym stopniu jej nie dotknęło. Jakie to okrutne.

– Ech, chyba nie – stwierdza Simon, po czym wygłasza kolejne zwięzłe komentarze na temat obecnych osób. – Panu Kingsleyowi zależy na pokaźnym funduszu powierniczym wdowy Marsh. Panna Byrne wygląda na o wiele większą niż podczas sezonu w maju. Publicznie je niczym ptaszek, ale słyszałem, że w domu potrafi w mgnieniu oka opróżnić całą spiżarnię. Podobno sir Braxton ma romans z guwernantką. No i jeszcze sprawa naszych gospodarzy, Worthingtonów.

– Co pan ma na myśli?

– Ledwie się nawzajem tolerują. Widzi pani, jak ona go unika? – Matka Felicity przechodzi od gościa do gościa, poświęcając im całą uwagę, ale na męża nawet nie spojrzy.

– Jest gospodynią przyjęcia – protestuję, gdyż ogarnia mnie potrzeba, by ją bronić.

– Wszyscy wiedzą, że żyła w Paryżu ze swoim kochankiem, francuskim malarzem. A młoda panna Worthington pokazuje dziś wieczór zdecydowanie zbyt wiele ciała. Już się o tym plotkuje. Prawdopodobnie będzie musiała poślubić jakiegoś aroganckiego Amerykanina. Szkoda. Królowa nadała szlachectwo jej ojcu, został Kawalerem Krzyża Komandorskiego Orderu Bath za niezwykłe zasługi dla marynarki. A teraz wziął pod opiekę młodą krewną, osieroconą córkę dalekiego kuzyna. To dobry człowiek, lecz córka zaczyna być skazą na jego reputacji.

To, co Simon mówi o Felicity, jest prawdą, ale nie podoba mi się, że w ten sposób wyraża się o mojej przyjaciółce. Od tej strony jeszcze nie miałam okazji go poznać.

– Ona ma po prostu żywe usposobienie – protestuję.

– Rozgniewałem panią – zauważa Simon.

– Nie, skądże – kłamię, choć zupełnie nie wiem, dlaczego udaję, że nie jestem zła.

– Tak. To było z mojej strony bardzo niedżentelmeńskie zachowanie. Gdyby była pani mężczyzną, dałbym pani pistolet, żeby mogła pani bronić jej honoru – mówi z tym swoim diabolicznym półuśmiechem.

– Gdybym była mężczyzną, przyjęłabym go – odpowiadam. – Ale postarałabym się nie trafić.

Simon śmieje się.

– Panno Doyle, dzięki pani Londyn stał się o wiele ciekawszym miejscem.

Taniec dobiega końca, a Simon odprowadza mnie na miejsce, obiecując poprosić o kolejny, jeśli mój karnet na to pozwoli. Obok mnie pojawiają się Ann oraz Felicity i nalegają, bym poszła z nimi do pokoju obok na lemoniadę. Za nami podąża pani Bowles, a my idziemy, trzymając się pod ręce i szybko wymieniając uwagi ściszonymi głosami.

– ...i wtedy powiedziała, że jestem o wiele zbyt młoda, żeby nosić tak głęboko wyciętą suknię i że w ogóle nie zgodziłaby się na moją obecność, gdyby wiedziała, że tak ją publicznie zawstydzę, i że niebieska jedwabna suknia została zniszczona... – paple Felicity.

– Ale nie jest na mnie zła, prawda? – dopytuje się Ann ze zmartwioną miną. – Powiedziałaś jej, że próbowałam cię powstrzymać?

– Nie masz się o co martwić. Twoja reputacja jest nieposzlakowana. Poza tym ojciec stanął w mojej obronie i matka natychmiast się wycofała. Zawsze unika konfrontacji...

Sala balowa otwiera się na pokój, w którym przygotowano poczęstunek. Lemoniada przyjemnie nas chłodzi. Mimo zimowej aury jesteśmy rozgrzane tańcami i podnieceniem. Ann niespokojnie rozgląda się po sali balowej. Gdy znów rozbrzmiewa muzyka, podskakuje nerwowo, szukając swojego karnetu.

– Czy to kadryl?

– Nie – zaprzeczam. – To chyba kolejny walc.

– Och, dzięki Bogu. Tom poprosił mnie o kadryla. Nie chciałabym, żeby przepadł mi taniec z nim.

Felicity przez chwilę jest ogłuszona.

– Tom?

Ann promienieje.

– Tak. Powiedział, że chciałby usłyszeć wszystko o moim wuju i o tym, jak zostałam damą. Ach, Gemmo, myślisz, że mu się podobam?

I co ja narobiłam? Co się stanie, gdy podstęp się wyda? Mam niedobre przeczucia.

– A on tobie się podoba?

– Bardzo. Ja go... bardzo szanuję.

Dławię się lemoniadą.

– A tobie jak się układa z panem Middletonem? – pyta Felicity.

– Jest znakomitym tancerzem – odpowiadam. Oczywiście, muszę je podręczyć.

Fee żartobliwie uderza mnie karnetem.

– To wszystko, co masz do powiedzenia? Jest znakomitym tancerzem?

– No, mów – nalega Ann. Pani Bowles dogoniła nas. Kręci się teraz w pobliżu z nadzieją, że podsłucha fragment rozmowy i wyłowi jakiś skandal.

– O Boże, rozdarłam sobie spódnicę – jęczę.

Ann pochyla się sztywno, żeby popatrzeć na moją suknię.

– Gdzie? Nie widzę.

Felicity podejmuje grę.

– Och, rzeczywiście. Musimy natychmiast iść do garderoby. Pokojówka się tym zajmie. Proszę się o nas nie martwić, pani Bowles!

Zanim naszej przyzwoitce udaje się wykrztusić choćby słowo, Felicity ciągnie nas w dół schodami do małej oranżerii.

– No i?

– Jest cudowny. Czuję się, jakbym go znała całe życie – wyznaję.

– Niestety, za mną nie przepada – stwierdza Fee.

Czy ona wie, co powiedział na jej temat? Rumienię się na myśl o tym, że tak niemrawo jej broniłam.

– Dlaczego tak mówisz?

– Zamierzał o mnie zabiegać. Odmówiłam mu w zeszłym roku, a on mi tego nie wybaczył.

Czuję się, jakbym otrzymała potężnego kopniaka.

– Wydawało mi się, że Simon cię nie interesuje?

– Ależ oczywiście, ja do niego nic nie czuję. Natomiast nie pytałaś, czy on czuje coś do mnie.

Moje dobre samopoczucie opada na dno żołądka jak confetti zaściełające parkiet po balu. Czy Simon przez cały czas zwracał na mnie uwagę po to, by prowokować Felicity? Czy naprawdę mu na mnie zależy?

– Myślę, że powinnyśmy wracać na bal – mówię, po czym kieruję się na pierwsze piętro i idę nieco szybciej, niż to konieczne, żeby znaleźć się dalej od Felicity. W tej chwili nie mam ochoty na to, by przebywać wśród rozbawionych gości. Muszę się pozbierać. Na drugim końcu pokoju znajdują się przeszklone drzwi, które prowadzą na niewielki balkon. Wymykam się na zewnątrz i patrzę na rozległą przestrzeń Hyde Parku. W kształtach nagich drzew widzę kusicielską Felicity w mocno wyciętej sukni oraz siebie – wysoką, nadmiernie wystrojoną istotę. Dziewczynę dręczoną przez wizje. Felicity i Simon. Mogli wieść razem nieskomplikowane życie. Byliby parą urodziwą, modną, obytą w świecie. Czy ona rozumiałaby jego inteligentne dowcipy? Czy on w ogóle by z nią żartował? Może zamieniłaby jego życie w koszmar. Może.

Zimne powietrze pomaga mi. Z każdym orzeźwiającym oddechem przejaśnia mi się w głowie nieco bardziej. Wkrótce dochodzę do siebie na tyle, by znów nad sobą panować. Woźnice i lokaje zebrali się wokół straganu z kawą przy ulicy. Tulą w dłoniach gorące kubki, chodząc tam i z powrotem w śniegu, żeby się trochę rozgrzać. Te bale muszą być dla nich przykrym przeżyciem. Przez chwilę wydaje mi się, że widzę Kartika. Ale potem przypominam sobie, że przecież odszedł.

Wieczór upływa na tańcach i szeptach, uśmiechach i obietnicach. Szampan płynie bez ograniczeń, a ludzie śmieją się wesoło, zapominając o troskach. Po pewnym czasie przyzwoitki tracą zainteresowanie podopiecznymi, same oddając się tańcom czy grze w wista lub w coś innego. Kiedy Simon w końcu wraca do sali balowej z pokoju karcianego piętro niżej, jestem kłębkiem nerwów.

– Znalazłem panią – odzywa się z uśmiechem. – Czy zachowała pani dla mnie jeszcze jeden taniec?

Nie mogę się powstrzymać.

– Myślałam, że może będzie pan chciał zatańczyć z panną Worthington.

Marszczy czoło.

– Tańczyć z drapieżną Felicity? Dlaczego? Czy pożarła już wszystkich innych dostępnych dżentelmenów?

Ogarnia mnie taka ulga, że śmieję się, nie bacząc na moją przyjaźń z Felicity.

– Nie powinnam się śmiać. Jest pan okropny.

– Tak – potwierdza Simon, unosząc brew. – Bycie okropnym to moja specjalność. Czy chce się pani o tym przekonać?

– Co ma pan na myśli?

– Przejdziemy się?

– Och – odpowiadam, a mój lęk miesza się z podnieceniem. – Powiadomię tylko pannę Bowles.

Simon uśmiecha się.

– Chodzi mi jedynie o przechadzkę. I proszę zobaczyć, jak dobrze jej się tańczy. Czy powinniśmy psuć jej zabawę?

Nie chcę, żeby Simon się zdenerwował i pomyślał, że jestem nudziarą, ale też nie powinnam wychodzić z nim sama. Nie wiem, co robić.

– Naprawdę powinnam uprzedzić pannę Bowles...

– No cóż – poddaje się Simon, po czym z uśmiechem przeprasza mnie i odchodzi. Zrobiłam to. Odtrąciłam go. Ale chwilę później wraca, prowadząc Felicity i Ann. – Teraz jesteśmy bezpieczni. A przynajmniej reputacja pań jest bezpieczna. Nie wiem, jak będzie z moją.

– O co tu chodzi? – chce wiedzieć Felicity.

– Gdyby zechciały panie udać się za mną do pokoju bilardowego, to wkrótce wszystko się wyjaśni – odpowiada Simon, wychodząc.

Odczekujemy odpowiednio długą chwilę, a potem idziemy na piętro do pokoju bilardowego Worthingtonów. Jeżeli czułam się niespokojna, będąc sam na sam z Simonem, to obecność Felicity w dwójnasób potęguje to uczucie.

– Co planujesz, Simonie? – pyta ona. Swoboda, z jaką wymawia jego imię, przyprawia mnie o mdłości.

Simon podchodzi do biblioteczki i zdejmuje jakiś tom z półki.

– Zamierzasz nam poczytać? – Fee marszczy nosek. Popycha białą bilę po zielonym suknie, trafiając w starannie ułożony trójkąt z kul na środku. Bile rozsypują się i uderzają w bandy stołu.

Simon sięga w głąb półki i wydobywa butelkę gęstej szmaragdowozielonej cieczy, która nie przypomina żadnego znanego mi napoju.

– Co to jest? – pytam, choć zupełnie zaschło mi w gardle.

Jego usta układają się w szelmowski uśmiech.

– Pewna zielona wróżka. Jest bardzo sympatyczną towarzyszką, jak się zaraz dowiecie.

Nadal nie rozumiem.

– Absynt. Napój artystów i szaleńców. Powiadają, że w szklance absyntu mieszka zielona wróżka, która prowadzi gości do swojej siedziby, gdzie mogą wydarzyć się piękne i przedziwne rzeczy. Chciałybyście sprawdzić, jak to jest żyć w dwóch światach naraz?

Nie wiem, czy mam się śmiać czy płakać.

– Ojej. – Ann jest strapiona. – Chyba powinnyśmy wracać. Na pewno już zauważono naszą nieobecność.

– Powiemy, że poszłyśmy do garderoby, żeby zaszyć rozdarcie w twojej sukni – decyduje Felicity. – Chcę spróbować absyntu.

A ja n i e c h c ę próbować absyntu. No, może troszeczkę – choć wolałabym wiedzieć, jak na mnie wpłynie. Boję się zostać, ale nie chcę teraz wychodzić ani pozwolić, by Felicity samotnie dzieliła to doświadczenie z Simonem.

– Ja też chcę spróbować – mówię schrypniętym głosem.

– Duch przygody – stwierdza Simon, uśmiechając się do mnie. – To lubię.

Znów sięga na półkę i wyjmuje płaską, ażurową łyżkę. Nalewa pół szklanki wody z karafki. Stawia szklankę na stole i umieszcza dziwną łyżkę nad nią. Pełnym wdzięku ruchem sięga do kieszeni i wyjmuje kostkę cukru, którą kładzie na łyżce.

– Po co to? – pytam.

– Żeby przytłumić gorycz piołunu.

Gęsty jak żywica i zielony jak letnia trawa absynt wsiąka w cukier, bezlitośnie go rozpuszczając. W szklance odbywa się piękny pokaz alchemiczny. Zieleń, wirując, przemienia się w mleczną biel. Niezwykły widok.

– Jak to się dzieje? – pytam.

Simon wyjmuje z kieszeni monetę, zamyka dłoń, a kiedy ją otwiera, jest pusta. Moneta zniknęła.

– Magia.

– Sprawdźmy, czy rzeczywiście – odpowiada Felicity, sięgając po szklankę. Simon odsuwa ją i podaje mi.

– Damy pierwsze – mówi.

Felicity wygląda, jakby była gotowa napluć mu w twarz. To okrutne, że tak ją dręczy, ale sama chyba też jestem okrutna, bo odczuwam satysfakcję, że to mnie wybrał. Moja dłoń drży, gdy ujmuję szklankę. Chyba częściowo spodziewam się, że ten dziwny trunek zamieni mnie w żabę. Nawet zapach jest upajający, kojarzy się z lukrecją doprawioną gałką muszkatołową. Upijam łyk, który wypala mi gardło. Felicity natychmiast wyrywa mi szklankę i pije. Potem przekazuje ją Ann, która ledwo moczy usta w trunku. W końcu napój trafia do Simona, a on znów podaje go mnie. Kieliszek robi jeszcze trzy rundy, zanim osuszamy go do dna.

Simon wyciera resztki absyntu chusteczką i chowa wszystko za książką, żeby było gotowe na następną okazję, po czym podchodzi do mnie. Felicity natychmiast staje między nami i chwyta mnie za nadgarstek.

– Dziękujemy, Simonie. A teraz najlepiej będzie, jak udamy się do garderoby, żeby uwiarygodnić naszą historię – mówi z pełnym satysfakcji błyskiem w oku.

Widzę, że Simon nie jest szczęśliwy, ale kłania się i pozwala nam odejść.

– Nie czuję się wcale inaczej – stwierdza Ann, gdy stoimy w garderobie, wachlując się i pozwalając, żeby pokojówki szukały wyimaginowanych rozdarć na naszych sukniach.

– To dlatego, że nie upiłaś nawet łyka – wyjaśnia Felicity. – Ja czuję się całkiem przyjemnie.

Moją głowę ogarnia słodkie ciepło i lekkość, która sprawia, że wydaje się, iż wszystko jest w porządku i nie może mi się stać żadna krzywda. Uśmiecham się do Felicity, już zupełnie spokojna, ciesząc się, że mamy wspólną tajemnicę. Dlaczego niektóre sekrety są przekleństwem, a inne budują między ludźmi bliskość, której za nic nie chciałoby się stracić?

– Wyglądasz pięknie – mówi Fee, a źrenice ma wielkie jak księżyce w pełni.

– Ty też – odpowiadam. Nie mogę przestać się uśmiechać.

– A ja też? – dopytuje się Ann.

– Tak – mówię, z każdą sekundą czując się coraz bardziej beztrosko. – Tom nie będzie mógł ci się oprzeć. Jesteś księżniczką, Ann. – Na te słowa pokojówka oglądająca moją suknię na chwilę unosi wzrok, ale zaraz wraca do swojego zajęcia.

Gdy znów wchodzimy na salę balową, wydaje się przemieniona. Kolory są głębsze, światła bardziej zamglone. Zielona wróżka roztapia się w ciekły ogień, który gna moimi żyłami szybko jak plotka, jak skrzydła tysięcy aniołów, jak szept zdradzający najrozkoszniejszy sekret, jaki kiedykolwiek miałam. Pokój wokół mnie zwolnił, rozmazując się w cudowny melanż kolorów, dźwięków i ruchu. Szelest sztywnych spódnic rozpływa się w zieleni i błękicie, srebrze i purpurze ozdobionych klejnotami sylwetek dam. Kołyszą się i przechylają w stronę dżentelmenów, razem przypominają lustrzane odbicia, które całują się i odsuwają, całują i odsuwają.

Czuję, że oczy mam wilgotne i piękne, a usta nabrzmiałe jak letni owoc i mogę jedynie się uśmiechać, jakbym wiedziała wszystko, co należy wiedzieć, ale żadnej myśli nie mogła zatrzymać. Odnajduje mnie Simon. Słyszę, że zgadzam się na taniec z nim. Dołączamy do wirującego tłumu. Unoszę się nad ziemią. Simon Middleton jest najbardziej pociągającym mężczyzną, jakiego znam. Chcę mu o tym powiedzieć, ale z moich ust nie wydobywają się żadne słowa. Mój rozmazany wzrok przekształcił salę balową w święty taniec wirujących derwiszy. Białe sutanny unoszą się jak pierwszy zimowy śnieg, a wysokie fioletowe czapki przeczą prawom grawitacji, utrzymując się na czubkach ich kręcących się głów. Ale wiem, że nie mogę tego widzieć.

Z pewnym wysiłkiem zamykam oczy, żeby pozbyć się tej sceny, a kiedy je otwieram, widzę damy i dżentelmenów, trzymających się za ręce w walcu. Panie komunikują się, posyłając sobie ponad białymi, miękkimi ramionami subtelne skinienia głową i milczące spojrzenia – „Dziewczyna Thetfordów i chłopak Robertsów, bardzo dobrana para, zgodzi się pani?" – dzięki którym losy zostają przypieczętowane, a przyszłość ustalona, wszystko w rytmie na trzy czwarte. Nad tańczącymi wisi lśniący żyrandol, mistrz tworzenia iluzji, i rzuca twarde jak diament błyski światła, nadając otoczeniu pozór zimnego piękna.

Taniec dobiega końca, po czym Simon odprowadza mnie z parkietu. Kręci mi się w głowie i potykam się lekko. Sięgam ręką, poszukując jakiegoś solidnego oparcia, i trafiam na szeroką pierś Simona. Moje palce zamykają się na białych płatkach róży w jego butonierce.

– Spokojnie, panno Doyle. Dobrze się pani czuje?

Uśmiecham się. *O, tak, bardzo dobrze. Nie mogę mówić i nie czuję ciała, ale jest mi cudownie – proszę mnie tu zostawić*. Uśmiecham się. Płatki opadają na podłogę, wirując powoli we własnym tańcu derwiszy. Na mojej rękawiczce zostaje plama z lepkiej pozostałości po róży. Zupełnie nie potrafię się domyślić, jak się tam znalazła ani co z nią zrobić. Wydaje mi się to nieznośnie zabawne i odkrywam, że się śmieję.

– Spokojnie... – mówi Simon, lekko ściskając mnie za nadgarstek. Ból odrobinę mnie otrzeźwia. Simon prowadzi mnie obok wielkich paproci w donicach przy drzwiach, a potem za ozdobny parawan. W szczelinach między panelami widzę fragmenty sali balowej, które wirują obok. Schowaliśmy się, ale w każdej chwili możemy zostać nakryci. Powinnam być zaniepokojona, ale nie jestem. Nie robi to na mnie najmniejszego wrażenia.

– Gemmo – mówi Simon. Muska mnie ustami tuż za uchem. Potem przesuwa wargi łukiem do wgłębienia w szyi. Głowę mam ciepłą i ciężką. Wszystko we mnie wydaje się jędrne i dojrzałe. Pokój nadal wiruje tańcem świateł, ale dźwięki przyjęcia wydają się stłumione i odległe. Tylko głos Simona przepływa przez moje wnętrze.

– Gemmo, Gemmo, jesteś jak eliksir.

Przytula się do mnie. Nie wiem, czy to absynt, czy coś głębszego – coś, czego nie potrafię opisać, ale zapadam się w siebie i wcale nie chcę tego powstrzymać.

– Chodź ze mną – szepcze. Ten szept odbija się echem w mojej głowie. Bierze mnie pod ramię i prowadzi jak do tańca. Lecz zamiast do tańca, zabiera mnie z sali balowej i prowadzi na górę, z dala od przyjęcia. Idzie ze mną do małego pokoju na poddaszu, to chyba pokój jakiejś służącej. Panuje w nim prawie zupełna ciemność, pali się tylko jedna świeca. Czuję się, jakbym nie miała w ogóle własnej woli. Opadam na łóżko; moje ręce wyglądają w świetle świecy, jakby w ogóle nie należały do mnie. Simon zauważa, że wpatruję się w dłonie, i zaczyna rozpinać moją rękawiczkę. Pochyla się, by pocałować delikatną błękitną żyłkę na nadgarstku.

Chcę mu powiedzieć, żeby przestał. Absyntowa mgła trochę się rozwiewa. Jestem sama z Simonem, a on całuje mój nagi nadgarstek. Nie powinniśmy tu być. Nie powinniśmy.

– Chcę... chcę wracać.

– Ciii, Gemmo. – Zdejmuje rękawiczkę. Naga skóra przekazuje mi dziwne doznania. – Mama cię lubi. Byłaby z nas dobrana para, jak myślisz?

Myślisz? Nie jestem w stanie myśleć. Zaczyna ściągać drugą rękawiczkę. Moje ciało wygina się, sztywnieje. O Boże, nadchodzi. To nadchodzi! Ponad łukiem ramion Simona widzę, że pokój zaczyna migotać, czuję, jak moje ciało napina się przed nadejściem wizji, której nie mogę powstrzymać. Ostatnia rzecz, jaką słyszę, to zatroskany głos mojego towarzysza powtarzający: „Gemmo! Gemmo!", a potem spadam i spadam w czarną dziurę.

Trzy dziewczyny w bieli. Unoszą się tuż za Simonem.

– Znalazłyśmy ją, znalazłyśmy Świątynię. Chodź zobaczyć...

Jesteśmy w międzyświecie. Idę za nimi szybko na szczyt wzgórza. Słyszę krzyki. Szybko, idziemy coraz szybciej. Wzgórze znika i pojawia się najwspanialsza katedra, jaką w życiu widziałam. Migocze jak miraż. To Świątynia.

– Prędko... – szepczą dziewczęta. – Zanim oni ją znajdą.

Nad nimi zbierają się ciemne chmury. Wiatr zwiewa włosy na ich blade, ocienione twarze. Coś się zbliża. Coś wyłania się za ich plecami. Unosi się nad nimi jak ciemny feniks. Wielka czarna istota ze skrzydłami. Dziewczęta nie widzą jej, ale ja widzę. Rozkłada skrzydła szeroko, aż przesłaniają całe niebo, ukazując to coś w środku, to mrowie rozpaczliwie krzyczących twarzy.

I wtedy ja też zaczynam krzyczeć.

– Gemmo! Gemmo! – Simon przyzywa mnie z powrotem. Zasłania mi ręką usta, żeby stłumić moje wrzaski. – Przepraszam! Nie chciałem cię skrzywdzić.

Pospiesznie oddaje mi rękawiczki. Dopiero po chwili powracam do rzeczywistości i uświadamiam sobie, że Simon całował moje nagie ramiona i myśli, że dlatego właśnie krzyczałam. Nadal jestem zamroczona po alkoholu, ale teraz prócz tego robi mi się niedobrze. Wymiotuję do miednicy. Simon szybko podaje mi ręcznik.

Jestem zażenowana i boli mnie głowa. Cała się trzęsę, zarówno z powodu wizji, jak i tego, co wydarzyło się między nami.

– Czy mam po kogoś posłać? – pyta Simon. Stoi w drzwiach i nie podchodzi bliżej.

Kręcę głową.

– Nie, dziękuję. Chcę wrócić na bal.

– Oczywiście, natychmiast – zgadza się, a w jego głosie słychać zarówno lęk, jak i ulgę.

Chciałabym mu wszystko wyjaśnić, ale jak? Schodzimy po schodach w milczeniu. Zostawia mnie na pierwszym piętrze. W tym momencie rozlega się dzwonek wzywający na kolację, a ja po prostu dołączam do innych pań.

Kolacja trwa bardzo długo, więc stopniowo, w miarę upływu czasu i spożywania kolejnych potraw, dochodzę do siebie. Simon nie pojawił się w jadalni i im bardziej przejaśnia mi się w głowie, tym bardziej czuję się zawstydzona. Głupia byłam, że wypiłam absynt i że poszłam z nim sama. A do tego ta koszmarna wizja! Ale za to przez chwilę widziałam Świątynię. Widziałam ją. Znajduje się w naszym zasięgu. Nie jest to wielkie pocieszenie tego wieczoru, ale zawsze to coś, więc zamierzam się tego mocno trzymać.

Pan Worthington wznosi świąteczny toast, po czym przedstawia Ann i prosi, by zaśpiewała. Ann spełnia jego prośbę. Zgromadzeni goście oklaskują ją, a najgłośniej Tom, który woła: „Brawo!". Guwernantka wprowadza zaspaną Polly, która przyciska do siebie lalkę.

Admirał Worthington kiwa dłonią na dziewczynkę.

– Siądź mi na kolanach, dziecko. Kto jest twoim dobrym wujaszkiem?

Polly wspina się na jego kolana i uśmiecha się nieśmiało. Felicity spogląda na nią z zaciętym wyrazem twarzy. Nie mogę uwierzyć, że jest tak dziecinna, żeby czuć zazdrość o małą dziewczynkę. Dlaczego ona się tak zachowuje?

– Proszę? Czy to cała zapłata, jaką w tych czasach otrzymują wujaszkowie? Daj wujowi prawdziwego, gorącego całusa.

Dziecko kręci się niespokojnie i strzela wzrokiem od jednej osoby do drugiej. Wszyscy mają taką samą nieustępliwą minę: „No, już. Dawaj mu całusa". Zrezygnowana Polly pochyla się z zamkniętymi oczami i składa siarczysty pocałunek na policzku admirała. W pokoju rozlegają się pomruki aprobaty: „Dobra robota", „No i proszę", „Widzi pan, admirale, dziecko kocha pana jak własnego ojca", „Taki dobry człowiek".

– Papo – odzywa się Felicity, wstając. – Polly powinna już iść spać. Jest późno.

– Sir? – guwernantka spogląda na Worthingtona, czekając na polecenie.

– Tak, naturalnie. Idź, droga Polly. Później przyjdę oprószyć cię czarodziejskim pyłem, kochanie, żebyś miała piękne sny.

Felicity powstrzymuje guwernantkę.

– Pozwoli pani, chciałabym sama zaprowadzić Polly do łóżka.

Guwernantka lekko kiwa głową.

– Jak sobie panienka życzy.

Nie podoba mi się to. Dlaczego Felicity chce zostać sama z małą? Chyba nie skrzywdziłaby dziecka, prawda? Przepraszam na chwilę i wymykam się z jadalni, żeby pójść za nimi. Felicity prowadzi dziewczynkę na górę, do pokoju dziecinnego. Staję tuż pod drzwiami i obserwuję. Moja przyjaciółka kuca i obejmuje kruche ramiona małej.

– Posłuchaj, Polly, musisz mi coś obiecać. Obiecaj, że zamkniesz drzwi na klucz, zanim pójdziesz spać. Obiecujesz?

– Tak, kuzynko.

– I musisz zamykać je co wieczór. Nie zapominaj o tym, Polly, to bardzo ważne.

– Ale dlaczego, kuzynko?

– Żeby nie wpuszczać do środka potworów, oczywiście.

– Ale jeśli zamknę drzwi, wujek nie będzie mógł mnie oprószyć czarodziejskim pyłem.

– Ja cię oprószę, Polly, ale nie wolno ci wpuszczać wujka.

Nie rozumiem. Dlaczego tak nalega, żeby nie wpuszczać jej własnego ojca? Co takiego mógłby zrobić admirał, co by...

O Boże. Zrozumienie budzi się we mnie jak wielki ptak, powoli rozkładając skrzydła prawdy, które rzucają przeraźliwy cień.

Nie próbuj z nią poruszać żadnych istotnych problemów.

Nie. Żadnych admirałów.

Czy to możliwe, że jest w ludziach zło, które skłania innych do robienia różnych rzeczy?

Gdy Felicity wychodzi z pokoju Polly, chowam się w cieniu. Zatrzymuje się na chwilę i nasłuchuje szczęku zamka. Wydaje się taka maleńka. Gdy dociera do schodów, wychodzę z mroku.

– Gemmo! Przestraszyłaś mnie. Tobie też dzwoni w głowie? Już nigdy więcej nie wypiję absyntu, daję słowo! Dlaczego nie bawisz się na przyjęciu?

– Słyszałam, co powiedziałaś Polly – mówię.

Przyjaciółka patrzy na mnie wyzywająco, ale tym razem się jej nie boję.

– Naprawdę? I co z tego?

– W twoich drzwiach nie było zamka? – pytam.

Felicity gwałtownie wciąga powietrze.

– Nie wiem, co chcesz zasugerować, ale uważam, że powinnaś natychmiast zamilknąć – mówi. Kładę rękę na jej dłoni, ale wyrywa ją. – Przestań! – warczy.

– Och, Fee, tak mi przykro...

Potrząsa głową i odwraca się ode mnie, żebym nie mogła widzieć jej twarzy.

– Nie wiesz, jak to naprawdę jest, Gemmo. To nie jego wina. To ja jestem winna. Ja to w nim wyzwoliłam. Tak powiedział.

– Felicity, to z całą pewnością nie jest twoja wina!

– Wiedziałam, że nie zrozumiesz.

– Rozumiem, że jest twoim ojcem.

Spogląda na mnie, a po jej twarzy spływają łzy.

– Nie chciał tego. On mnie kocha. Tak powiedział.

– Fee...

– To jest już coś, prawda? To już coś. – Przyciskając dłoń do ust, powstrzymuje łkanie, jakby mogła je złapać i wepchnąć z powrotem.

– Ojcowie powinni chronić swoje dzieci.

Jej oczy błyszczą. Ręką wskazuje na mnie.

– Czyżbyś była ekspertem w tej dziedzinie? Powiedz mi, Gemmo, jak twój odurzony laudanum ojciec chroni ciebie?

Jestem zbyt wstrząśnięta, żeby odpowiedzieć.

– To prawdziwy powód, dla którego nie ma go tu dzisiaj, prawda? Nie jest chory. Przestań udawać, że wszystko jest w porządku, skoro wiesz, że tak nie jest!

– To wcale nie to samo!

– Jesteś taka zaślepiona! Widzisz tylko to, co chcesz widzieć. – Wpatruje się we mnie gniewnym wzrokiem. – Wiesz, co to znaczy być bezsilnym? Bezradnym? Nie, oczywiście, że nie. Jesteś wspaniałą Gemmą Doyle. Cała moc należy do ciebie, tak?

Stoimy naprzeciwko siebie, mierząc się pogardliwym wzrokiem i nic nie mówiąc. Nie miała prawa zaatakować mnie w taki sposób, próbowałam tylko pomóc. W tej chwili myślę tylko o tym, że nie chcę nigdy więcej widzieć Felicity.

Bez słowa ruszam schodami na dół.

– Proszę bardzo, idź sobie. Odejdź. Zawsze przychodzisz i odchodzisz. Reszta z nas musi tkwić w miejscu. Myślisz, że nadal by cię kochał, gdyby wiedział, kim jesteś? Tak naprawdę w ogóle o ciebie nie dba, obchodzisz go tylko wtedy, gdy mu to odpowiada.

Przez chwilę nie wiem, czy ma na myśli Simona, czy mojego ojca. Odchodzę, zostawiwszy Felicity w cieniu u szczytu schodów.

Bal dobiega końca. Po podłodze walają się śmieci. Zabierając płaszcze, ziewając i życząc sobie dobrej nocy, balowicze stąpają wśród resztek zalegających na parkiecie – confetti, okruchów, zapomnianych karnecików, zwiędłych kwiatów. Niektórzy dżentelmeni mają czerwone nosy i są na rauszu. Zbyt energicznie ściskają dłoń pani Worthington i mówią zbyt głośno. Żony odciągają ich z uprzejmym, acz zdecydowanym: „Powóz czeka, panie mężu". Inni idą w ich ślady. Część wychodzi z rumieńcem nowej miłości na rozmarzonej twarzy, a część za spuszczonymi powiekami i drżącym uśmiechem skrywa złamane serce i zdeptane nadzieje.

Percival pyta, cze może nas kiedyś odwiedzić. Nie widzę Simona. Najwyraźniej Middletonowie opuścili bal już wcześniej. Wyszedł bez pożegnania.

Zawaliłam sprawę na całym froncie – z Kartikiem, Simonem, Felicity, tatą. Wesołych świąt. Niech nas Bóg błogosławi, wszystkich.

Ale widziałam Świątynię w wizji.

Szkoda tylko, że nie mam komu o tym powiedzieć.

ROZDZIAŁ TRZYDZIESTY DZIEWIĄTY

Mijają dwa nieszczęśliwe, samotne dni, zanim znajduję w sobie dość odwagi, by odwiedzić Felicity pod pretekstem oddania książki.

– Zapytam, czy panienka jest w domu – mówi Shames, kamerdyner, biorąc kartę wizytową mojej babci, na której drobnymi literami dopisuję swoje imię. Po chwili wraca z kartą. Sam. – Przepraszam, panienko. Wygląda na to, że panna Worthington jednak wyszła.

Odchodzę kawałek i odwracam się. Dostrzegam jej twarz w oknie. Natychmiast chowa się za zasłoną. Jest w domu i postanowiła zrobić mi afront.

Ann dogania mnie przy powozie.

– Przepraszam, Gemmo. Jestem pewna, że w głębi serca wcale tego nie chce. Wiesz, jaka potrafi być.

– To jej nie usprawiedliwia – odpowiadam. Ann wydaje się zaniepokojona czymś więcej. – Coś się stało?

– Otrzymałam list od kuzynki. Ktoś sprawdza moje pokrewieństwo z księciem Chesterfield. Zdemaskują mnie, Gemmo.

– Nie zdemaskują.

– Zdemaskują! Kiedy Worthingtonowie dowiedzą się, kim jestem i jak ich oszukałam... Och, Gemmo. To będzie mój koniec.

– Nie mów pani Worthington o liście.

– Jest naprawdę bardzo zagniewana z powodu tamtej sukni. Podsłuchałam, jak mówiła Felicity, że równie dobrze może ją wyrzucić, skoro mi ją pożyczyła. Nie powinnam była dać się na to namówić. A teraz... Zostanę zrujnowana na zawsze, Gemmo. – Ann jest chora ze strachu i zmartwienia.

– Poradzimy sobie z tym – zapewniam ją, choć nie mam pojęcia jak. W oknie znów zauważam Felicity. Z tyloma sprawami trzeba sobie poradzić. – Przekażesz Felicity wiadomość ode mnie?

– Oczywiście – odpowiada Ann płaczliwie. – Jeśli zostanę tu na tyle długo, żeby z nią porozmawiać.

– Powiedz jej, że widziałam Świątynię. Widziałam ją w wizji tej nocy, kiedy był bal.

– Naprawdę?

– Trzy dziewczynki w bieli pokazały mi drogę. Powiedz jej, że pójdziemy tam, gdy będzie gotowa.

– Dobrze – przyrzeka Ann. – Gemmo... – Tylko nie to. Nie mogę jej teraz pomóc. – Nie powiesz nic Tomowi, dobrze?

Jeśli się dowie, nie wiem, kogo będzie bardziej nienawidził za to oszustwo, Ann czy mnie.

– Twoja tajemnica jest bezpieczna.

❧

Powrót do domu jest koszmarem. Ojcu gwałtownie się pogarsza, krzyczy, żeby dać mu laudanum albo fajkę, jakikolwiek opiat, który uśmierzy ból. Tom siedzi pod jego drzwiami, oparłszy ręce na zgiętych kolanach. Jest nieogolony, a pod oczami ma ciemne kręgi.

– Przyniosłam ci herbatę – mówię, podając mu filiżankę. – Jak on się czuje?

Jakby w odpowiedzi ojciec jęczy za drzwiami. Słyszę głośne trzeszczenie łóżka, po którym się rzuca. Płacze cicho. Tom chwyta się za głowę, próbując wycisnąć z niej wszystkie myśli.

– Zawiodłem go, Gemmo.

Tym razem siadam obok brata.

– Wcale nie.

– Może nie powinienem być lekarzem.

– Oczywiście, że powinieneś. Ann uważa, że będziesz jednym z najlepszych lekarzy w Londynie – mówię w nadziei, że poprawię mu humor. Ciężko jest patrzeć na Toma – nieznośnego, aroganckiego, nieugiętego – w tak fatalnym nastroju. Jest jedyną stałą w moim życiu, nawet jeśli ta stała to wieczna irytacja.

Tom uśmiecha się z zakłopotaniem.

– Panna Bradshaw tak powiedziała? Jest bardzo miła. A także bogata. Kiedy prosiłem cię, żebyś znalazła mi odpowiednią partię z mająteczkiem, tylko żartowałem. Ale wzięłaś mnie za słowo, jak widzę.

– No cóż, z tym majątkiem... – zaczynam. Jak mam wyjaśnić Tomowi to kłamstwo? Powinnam mu wszystko powiedzieć, zanim sprawa zabrnie dalej, lecz nie mogę się zmusić do wyznania, że Ann nie jest dziedziczką, tylko dobrą, pełną nadziei istotą, która go uwielbia. – Ona jest bogata pod innymi względami, Tom. Pamiętaj o tym.

Ojciec wydaje głośny jęk, a mój brat wygląda, jakby chciał wyjść z własnej skóry.

– Nie zniosę tego dłużej. Może powinienem mu dać odrobinę czegoś, brandy albo...

– Nie. Wiesz co, wybierz się na spacer albo do klubu. Ja z nim posiedzę.

– Dziękuję, Gemmo. – Pod wpływem impulsu daje mi całusa w czoło. Czuję ciepło w tym miejscu. – Nie ulegaj mu. Wiem, jakie są kobiety: zbyt miękkie na prawdziwych strażników.

– Idź już. Zmykaj stąd! – wyganiam go.

Pokój ojca jest skąpany w fioletowej wieczornej poświacie. Tata jęczy i wije się na łóżku wśród skotłowanej pościeli. Jest zupełnie mokry, prześcieradła kleją się do jego ciała, a w powietrzu czuć zapach potu.

– Cześć, tato – mówię, zaciągając zasłony i zapalając lampę. Nalewam wodę do szklanki i przykładam mu ją do bladych i wyschniętych ust. Pije małymi, niepewnymi łykami.

– Gemmo – odzywa się z trudem. – Gemmo, kochanie. Pomóż mi.

Nie płacz, Gem. Bądź silna.

– Chcesz, żebym ci poczytała?

Chwyta mnie za ramię.

– Mam potworne koszmary. Tak realistyczne, że nie umiem stwierdzić, czy to sen, czy jawa.

Mój żołądek się przewraca.

– Jakie koszmary?

– O dziwnych istotach. Opowiadają mi potworne historie o twojej mamie. Że nie była tą osobą, za którą się podawała. Że była wiedźmą, czarownicą i robiła straszne rzeczy. Moja Virginia... moja żona.

Wybucha łkaniem. Coś się we mnie rozpada. *Tylko nie mój ojciec! Zostawcie w spokoju mojego tatę.*

– Moja żona była szlachetna. Była uczciwą kobietą. Dobrą kobietą. – Spogląda mi w oczy. – Mówią, że to twoja wina, że to wszystko przez ciebie.

Próbuję zaczerpnąć tchu. Wzrok ojca mięknie.

– Ale ty jesteś moim kochaniem, moją grzeczną dziewczynką, prawda, Gemmo?

– Tak – szepczę. – Oczywiście.

Jego uścisk jest mocny.

– Nie zniosę tego już dłużej. Bądź dobrą córką, Gemmo. Znajdź butelkę, zanim te sny wrócą.

Moja wola słabnie. Jestem coraz mniej pewna siebie, a ojciec nalega coraz bardziej, jego przesiąknięty łzami głos zmienia się w błagalny szept.

– Proszę. Proszę. Proszę. Nie zniosę tego. – Mała banieczka śliny pojawia się na popękanych wargach.

Wydaje mi się, że oszaleję. Umysł mojego ojca tak jak Nell Hawkins stał się niezwykle podatny. A teraz te istoty odnalazły go w snach i nie dadzą mu spokoju z mojego powodu. Muszę temu zaradzić. Dziś wyruszę do międzyświata i nie wrócę, dopóki nie znajdę Świątyni.

Ale nie pozwolę ojcu dłużej cierpieć.

– Ciii, tato. Pomogę ci – obiecuję. Nieprzyzwoicie wysoko zakasując spódnicę, pędzę do swojego pokoju, w którym ukryłam buteleczkę. Biegiem wracam do ojca. Zaciska dłonie na prześcieradle, rzuca głową na boki, skręca się i poci.

– Ojcze, proszę. Masz! – Przykładam flaszeczkę do jego ust. Wypija laudanum jak człowiek umierający z pragnienia.

– Jeszcze – błaga.

– Ciii, nie ma więcej.

– To nie wystarczy! – woła. – Za mało!

– Poczekaj chwilę.

– Nie! Odejdź! – krzyczy, uderzając głową o wezgłowie łóżka.

– Ojcze, przestań! – Chwytam go rękami za głowę, żeby nie zrobił sobie krzywdy.

– Jesteś moją grzeczną dziewczynką, Gemmo – szepcze, trzepocząc powiekami. Jego uścisk słabnie. Zapada w narkotyczny sen, a ja mam nadzieję, że postąpiłam słusznie.

W drzwiach stoi pani Jones.

– Czy wszystko w porządku, panienko?

Potykając się, wychodzę na korytarz.

– Tak – mówię, z trudem łapiąc oddech. – Pan Doyle będzie teraz odpoczywał. Przypomniało mi się, że muszę coś zrobić. Czy może pani przy nim posiedzieć? To nie potrwa długo.

– Dobrze, panienko – odpowiada.

❧

Znów zaczęło padać. Nie ma naszego powozu, więc jadę do szpitala Bethlem przywołaną dorożką. Chcę powiedzieć Nell, że widziałam w wizji Świątynię i że niedługo do niej dotrę. Chcę ją też spytać, jak mogę znaleźć pannę McCleethy – Kirke. Jeśli uważa, że może polecić swoim potworom, by dręczyły mojego ojca, to bardzo się myli.

Gdy przybywam na miejsce, zastaję tam prawdziwe pandemonium. Pani Sommers biega po korytarzu, wykręcając sobie ręce. Jest bardzo podekscytowana i jej głos nabiera wyjątkowo wysokich tonów.

– Ona robi podłe rzeczy, panienko. Takie podłe rzeczy!

Kilkoro pacjentów wyszło na korytarz, zaciekawionych przyczyną zamieszania. Pani Sommers szarpie się za włosy.

– Podła, podła dziewczyna!

– No już, Mabel – odzywa się pielęgniarka, powstrzymując panią Sommers. – O co tyle hałasu? I kto niby robi te podłe rzeczy?

– Panna Hawkins. To podła dziewczyna.

Na drugim końcu korytarza rozlega się głośny pisk. Dwie pacjentki zaczynają go naśladować. Dźwięk, nagle wszechobecny, rani moje uszy.

– Dobry Boże! – wykrzykuje jedna z pielęgniarek. – Co to?

Szybko mijamy piszczące kobiety i biegniemy dalej, a nasze kroki odbijają się echem od błyszczących posadzek, aż docieramy do bawialni. Klatka Kasandry jest pusta, drzwiczki szeroko otwarte.

– Panno Hawkins? Co to za hałasy… – Pielęgniarka milknie, kiedy Nell odwraca się do nas, trzymając w drobnych dłoniach papugę. Zielone i czerwone pióra spływają z jej rąk jak barwny wodospad, ale z głową Kasandry jest coś nie tak. Spoczywa pod przedziwnym kątem w stosunku do delikatnego korpusu. Nell skręciła ptakowi kark.

Pielęgniarka jest wstrząśnięta.

– Och, Nell! Co ty zrobiłaś?

Od tyłu napiera na nas tłum gapiów, którzy chcą zobaczyć, co się stało. Pani Sommers miota się od osoby do osoby, szepcząc:

– Podła! Podła! Mówili, że jest podła! Mówili!

– Nikogo nie można zamykać w klatce – odzywa się Nell głosem zupełnie wypranym z wyrazu.

Przerażona pielęgniarka potrafi tylko powtarzać:

– Co ty zrobiłaś?

– Wyzwoliłam ją. – Wydaje się, że Nell mnie zauważyła. Jej uśmiech łamie mi serce. – Ona idzie po mnie, pani Nadziejo. A potem przyjdzie po ciebie.

Pojawia się dwóch krępych mężczyzn z kaftanem. Obchodzą się z nią delikatnie i owijają jak niemowlę. Dziewczyna nie walczy. Wygląda jakby nie była niczego świadoma.

Dopiero kiedy mnie mija, woła:

– Zwiodą cię fałszywymi obietnicami! Nie schodź ze ścieżki!

ROZDZIAŁ CZTERDZIESTY

Późnym popołudniem następnego dnia ciekawość Felicity wygrywa z jej złością na mnie. Przyjaciółki przychodzą z rewizytą. Nasz pobyt w Londynie dobiega końca i już niedługo będziemy musiały wrócić do Spence. Tom ciepło wita się z Ann, a ona promienieje. Przez ostatnie dwa tygodnie spędzone w Londynie nabrała pewności siebie, jakby w końcu uwierzyła, że należy jej się trochę szczęścia, ale ja bardzo się boję, że to się źle skończy.

Felicity wpycha mnie do bawialni.

– O tym, co się wydarzyło na balu, nie wolno już nigdy rozmawiać. – Nawet nie raczy na mnie popatrzeć. – Zresztą to nie tak, jak myślisz. Mój ojciec jest dobrym, troskliwym człowiekiem i dżentelmenem w każdym calu. Nigdy nikogo by nie skrzywdził.

– A co z Polly?

– Co z Polly? – powtarza, nagle mierząc mnie pogardliwym spojrzeniem. Potrafi mieć w oczach prawdziwy lód, jeśli jej na tym zależy. – Ma szczęście, że przyjęliśmy ją pod nasz dach. Dostanie wszystko, czego zechce – najlepsze guwernantki, szkoły, stroje, a na zakończenie piękny debiut. To o wiele lepsze niż sierociniec.

Oto cena jej przyjaźni – moje milczenie.

– Zgoda?

Ann dołącza do nas.

– Coś mi umknęło?

Felicity czeka na moją reakcję.

– Nie – odpowiadam.

Ramiona Fee opadają z ulgą.

– Zapomnijmy o udrękach wakacyjnych wizyt w domu. Gemma wie, gdzie znaleźć Świątynię.

– Wydaje mi się, że ją widziałam.

– To na co czekamy? – pyta Ann. – Ruszajmy.

❧

Z trudem rozpoznaję ogród. Wszędzie rosną chwasty, gęste, suche i wyprostowane jak wartownicy. Truchło małego zwierzęcia, królika albo jeża, leży rozdarte na połamanej trawie. Roją się nad nim muchy, które wydają potworne, głośne bzyczenie.

– Jesteś pewna, że trafiłyśmy do ogrodu? – pyta Ann, rozglądając się wokół.

– Tak – odpowiadam. – Zobacz, tam jest srebrny łuk.

Zmatowiał, ale to z pewnością on.

Felicity znajduje głaz, za którym Pippa ukryła strzały, po czym zakłada kołczan na plecy.

– Gdzie Pip?

Z krzaków wychodzi piękne zwierzę. Wygląda jak skrzyżowanie sarny i kucyka, z długą lśniącą grzywą i bokami w fiołkowe cętki.

– Cześć – mówię do niego.

Stworzenie zbliża się do nas spokojnym krokiem, po czym zatrzymuje się, węsząc w powietrzu. Wtem płoszy się, jakby wyczuło coś niepokojącego. Zrywa się do biegu w tej samej chwili, gdy ktoś skacze na nie z bojowym okrzykiem.

– Odsuńcie się! – wołam, popychając przyjaciółki w gęste zarośla.

Powalone na ziemię zwierzę krzyczy. Rozlega się przyprawiający o mdłości dźwięk łamanych kości, a potem zapada cisza.

– Co to było? – szepcze Ann.

– Nie wiem – odpowiadam.

Felicity chwyta łuk i idzie na skraj zagajnika, a my skradamy się za nią. Ktoś kuca u boku zwierzęcia, w którym zieje otwarta rana.

Fee przygotowuje się do strzału.

– Nie ruszaj się! – woła.

Istota spogląda na nas. To Pippa. Policzki ma pokryte smugami zwierzęcej krwi. Przez chwilę mogłabym przysiąc, że jej oczy robią się błękitnobiałe, a wyraz głodu przemyka przez zazwyczaj uroczą twarz.

– Pippa? – pyta Felicity, opuszczając łuk. – Co ty wyprawiasz?

Nasza przyjaciółka wstaje. Suknię ma w strzępach, na głowie kołtun.

– Musiałam to zrobić. On chciał was skrzywdzić.

– Nie chciał – oponuję.

– Owszem, chciał! – krzyczy. – Nie znacie tych stworzeń. – Rusza w naszą stronę, a ja się odruchowo cofam. Po drodze zrywa mlecz i podaje go Felicity. – Popłyniemy znowu rzeką? Na rzece jest tak ślicznie. Ann, znam miejsce, w którym magia jest bardzo silna. Mogłabyś stać się piękniejsza niż marzenie.

– Chętnie – zgadza się Ann. – Oczywiście gdy już znajdziemy Świątynię.

– Ann – ostrzegam. Nie chciałam tego zrobić, po prostu wymknęło mi się.

Pippa przenosi wzrok z Ann na Felicity, a potem na mnie.

– Wiecie, gdzie ona jest?

– Gemma widziała ją w wi...

Przerywam jej.

– Nie, jeszcze nie.

W oczach Pippy lśnią łzy.

– Wiecie, gdzie to jest! I nie chcecie, żebym z wami poszła.

Ma rację. Boję się Pip i tego, kim się staje.

– Oczywiście, że chcemy, prawda? – Felicity zwraca się do mnie.

Pippa gniecie kwiatek w dłoni, spoglądając na mnie gniewnym wzrokiem.

– Nie, ona nie chce. Ona mnie nie lubi. Nigdy mnie nie lubiła.

– To nieprawda – protestuję.

– Prawda! Zawsze byłaś o mnie zazdrosna. Zazdrosna o moją przyjaźń z Felicity. I byłaś zazdrosna, że ten hinduski chłopak,

Kartik, patrzył na mnie z pożądaniem. Nienawidziłaś mnie za to. Nie próbuj zaprzeczać, bo widziałam twoją minę!

Zraniła mnie prawdą i wie o tym.

– Nie bądź śmieszna – mówię, oddychając ciężko.

Przeszywa mnie spojrzeniem rannego zwierzęcia.

– Nie byłoby mnie tu, gdyby nie ty. – No i mamy to, co do tej pory nie zostało powiedziane.

– Ty… ty sama postanowiłaś zjeść jagody – wyrzucam z siebie. – Postanowiłaś tu zostać.

– To ty mnie zostawiłaś na śmierć w rzece!

– Nie mogłam walczyć z potworem Kirke! Ale wróciłam po ciebie.

– Możesz sobie wmawiać, co chcesz, Gemmo, lecz w głębi serca znasz prawdę. Zostawiłaś mnie tu z tą istotą. A gdyby nie ja, nie wiedziałabyś nawet… – Milknie.

– Czego by nie wiedziała? – pyta Ann.

– Nie wiedziałabyś, że cię szukają! To ja cię ostrzegałam w snach.

– Przecież powiedziałaś, że nie masz o tym pojęcia – wtrąca Felicity z urazą w głosie. – Skłamałaś. Okłamałaś mnie.

– Fee, proszę, nie gniewaj się – błaga Pippa.

– Dlaczego nie przyznałaś się wcześniej? – pytam.

Pip zakłada ramiona na piersi.

– Czemu mam ryzykować i mówić ci wszystko, skoro ty nie chcesz mi niczego obiecać?

Jej logika przypomina mistrzowsko uplecioną sieć i daję się w nią złapać.

– Dobrze, skoro nie można mi ufać – mówi Pippa, odwracając się plecami – szukajcie Świątyni beze mnie. Ale nie proście mnie później o pomoc.

– Pippa! Nie odchodź! – woła za nią Felicity. Nigdy nie widziałam, żeby kogokolwiek o coś błagała. I po raz pierwszy Pippa nie reaguje na jej wołanie. Idzie, dopóki zupełnie nie znika nam z oczu.

– Powinnyśmy pójść za nią? – pyta Ann.

– Nie. Jeśli chce się zachowywać jak zepsuty dzieciak, jej wola. Ja za nią nie będę biegała – odpowiada Felicity, chwytając mocno łuk. – Ruszajmy.

Zgodnie ze wskazaniami amuletu zanurzamy się w lesie i mijamy zagajnik, w którym czekają nieszczęsne kobiety z pożaru w fabryce. Idziemy długą, krętą drogą księżycowego oka, aż docieramy do dziwnych drzwi prowadzących do Grot Westchnień.

– Jak to się stało, że znów tu wylądowałyśmy? – dziwi się Felicity.

Jestem potwornie zmieszana.

– Nie wiem. Obawiam się, że zupełnie się pogubiłam.

Nagle Ann zatrzymuje się, a na jej twarzy maluje się przerażenie.

– Gemmo...

Odwracam się i zauważam unoszące się nad ścieżką zjawy.

Felicity sięga po strzały, lecz natychmiast chwytam ją za rękę.

– W porządku – mówię. – To dziewczęta w bieli.

– Świątynia jest niedaleko – szepczą głosami przypominającymi brzęczenie pszczół. – Idź za nami.

Poruszają się tak szybko, że lada moment znikną nam z pola widzenia. Zielona ścieżka prowadząca przez dżunglę wychodzi na łagodne pagórki, wśród których widać piaszczyste łachy. Gdy zaczynamy schodzić z trzeciego wzgórza, dziewcząt już w ogóle nie widać. Zniknęły.

– Gdzie one są? – pyta Felicity. Zdejmuje kołczan i rozciera ramię.

– Nie widzę ich – odpowiadam zasapana.

Ann siada na głazie.

– Zmęczyłam się. Czuję się, jakbyśmy szły kilka dni.

– Może coś zobaczymy, gdy się wespniemy na kolejne wzgórze – wpada na pomysł Felicity. – Mówiły, że to niedaleko. Chodź, Ann.

Ann wstaje niechętnie i zaczynamy wdrapywać się na skalisty pagórek po naszej prawej stronie.

– Słyszycie to? – pytam.

Nasłuchujemy i po chwili do naszych uszu dociera cichy krzyk.

– Ptaki? – pyta Felicity.

– Mewy – dodaje Ann. – Znajdujemy się blisko wody.

Do szczytu już niedaleko. Podaję Ann dłoń i wciągam ją na górę.

– A niech to – wzdycha, chłonąc widok.

Przed nami na wielkiej wodzie znajduje się mała wysepka. Wznosi się na niej majestatyczna katedra z kopułą pomalowaną na kolor niebieski i złoty. Nad nią krążą mewy, które słyszałyśmy wcześniej.

– To ona. Tak wyglądała w mojej wizji – mówię.

– Znalazłyśmy ją! – krzyczy Felicity. – Znalazłyśmy Świątynię!

W szaleńczym pośpiechu, żeby nadążyć za dziewczętami w bieli, zapomniałam o obserwowaniu amuletu i sprawdzaniu kierunku. Gdy to robię, okazuje się, że księżycowe oko przestało świecić.

– Zeszłyśmy ze ścieżki! – wołam w panice.

– Jakie to ma znaczenie? – lekceważąco pyta Fee. – W końcu znalazłyśmy Świątynię.

– Ale ona nie znajduje się na ścieżce – upieram się. – Nell kazała nam trzymać się ścieżki.

Felicity łatwo się irytuje, kiedy jest wyczerpana.

– Gemmo, ona bredziła. Słuchasz rad zdiagnozowanej wariatki!

Obracam się, opuszczając i unosząc amulet, żeby znaleźć jakikolwiek sygnał. Nie ma nic.

Ann kładzie ręce na moich dłoniach.

– To prawda, Gemmo. Nie mamy pojęcia, czy można wierzyć w cokolwiek, co mówi Nell. W najlepszym wypadku jest szalona. W najgorszym może współpracować z Kirke. Nie wiemy tego.

– Skąd w ogóle wiesz, że można polegać na amulecie? Dokąd on nas właściwie zaprowadził? Do Niedotykalnych? Do tych kobiet w zagajniku? Przez niego niemalże zginęłyśmy z rąk tropicieli tego wieczoru w operze! – oburza się Felicity.

Ann kiwa głową.

– Sama powiedziałaś, że dziewczęta w bieli przyszły do ciebie w wizji. Pokazały ci Świątynię. Oto i ona!

Tak, ale mimo wszystko...

Zboczyłyśmy ze ścieżki. Nell przestrzegała, żebyśmy nie dały się zwieść. Nell, która udusiła papugę w szalonym widzie i która próbowała udusić również mnie.

„Nie ufaj jej" – powiedziały dziewczęta w bieli.

Za to Kartik twierdził, że nie można ufać żadnym istotom z międzyświata.

Nie wiem już, komu wierzyć.

Katedra wygląda na bardzo starą. To musi być Świątynia. Cóż to by mogło być innego? W dole przy brzegu czeka mała łódka wiosłowa, jakby ktoś się nas tutaj spodziewał.

– Gemmo? – ponagla mnie Felicity.

– Tak – zgadzam się w końcu, chowając amulet. – To musi być Świątynia.

Z radosnym okrzykiem Felicity puszcza się biegiem w dół zbocza. Wspaniała katedra przyzywa nas z oddali tysiącem płonących świateł. Odwiązujemy łódkę i odpychamy się od brzegu, po czym wiosłujemy w stronę wyspy.

Wodę zasnuwa mgła i nagle zapada noc. Wokół rozlegają się krzyki mew. Dzieląca nas od Świątyni fosa okazuje się zaskakująco szeroka. Przez moment wydaje mi się, że przez mgłę widzę jedynie ruinę. Żółtawe światło księżyca przecieka przez jedno z wysokich, pustych okien, błyskając na odłamkach szkła, które w nim pozostały, niczym latarnia morska pokazująca drogę zbłąkanemu okrętowi. Zamykam oczy, a kiedy je otwieram, znów widzę majestatyczną i monumentalną budowlę z kamienia, z wieżyczkami i wspaniałymi gotyckimi oknami.

– Chyba jest opustoszała – zauważa Felicity. – Nie wyobrażam sobie, aby ktoś mógł tu mieszkać.

„Albo coś" – chcę dodać.

Wciągamy łódkę na brzeg. Świątynia stoi wysoko na wzgórzu i żeby się do niej dostać, musimy pójść stromymi, wykutymi w skale schodami.

– Jak myślicie, ile ich jest? – zastanawia się Ann, spoglądając w górę.

– Istnieje tylko jeden sposób, żeby się tego dowiedzieć – odpowiadam i zaczynam się wspinać. To ciężka przeprawa. W połowie drogi Ann musi usiąść, żeby odzyskać oddech.

– Nie dam rady – sapie.

– Owszem, dasz – odpowiadam. – Jeszcze tylko kawałek. Zobacz.

– Och! – wzdycha zaskoczona Ann. Wielki czarny ptak przelatuje tuż przed jej twarzą i zasiada na schodach obok nas. To jakiś gatunek kruka. Kracze głośno, przyprawiając mnie o gęsią skórkę na ramionach. Dołącza do niego drugi. Para ptaków wydaje się ponaglać nas do drogi.

– No, chodźcie – mówię. – To tylko ptaki.

Mijamy je i ruszamy. Na górze witają nas ogromne złote drzwi, na których wyrzeźbiono przepiękne kwiaty.

– Jakie śliczne – zachwyca się Ann. Przykłada palce do płatków i drzwi otwierają się. Katedra jest ogromna, a jej sklepienie znajduje się wysoko nad nami. Wszędzie wokół płoną świece i pochodnie.

– Halo? – mówi Ann. Jej głos niesie się echem. *Halo, alo, o.*

Marmurowe płytki na podłodze zostały ułożone we wzór z czerwonych kwiatów. Gdy pochylam nieco głowę, podłoga wydaje się brudna i zniszczona, a płytki połamane. Mrugam, a ona znów jest lśniąca i piękna.

– Widzicie coś ciekawego? – pytam. *Ciekawego, awego, ego.*

– Nie – odpowiada Ann. – Czekajcie, co to jest?

Dotyka ręką ściany. Jej fragment odkrusza się, toczy po podłodze i zatrzymuje pod moimi stopami. To czaszka.

Ann wzdryga się.

– Co to tutaj robiło?

– Nie wiem. – Włoski na moim karku stroszą się ze strachu. Chyba wzrok płata mi figle, ponieważ podłoga znów wydaje się zniszczona. Piękno katedry migocze jak płomień świecy, przechodząc od majestatu do makabry. Przez sekundę widzę inną katedrę – rozpadającą się, zrujnowaną skorupę budynku. Potrzaskane okna nad nami wyglądają upiornie, jak puste oczodoły czaszki.

– Chodźmy stąd – szepczę.

– Gemmo! Ann! – Felicity niemal piszczy. Biegniemy do niej. Trzyma świecę blisko ściany, więc od razu zauważamy, o co jej chodzi. W murze osadzone są kości. Setki kości. Strach krzyczy we mnie.

– To nie jest Świątynia – mówię, wpatrując się w rękę wmurowaną w kruszący się kamień. Ogarnia mnie chłód, gdy uświadamiam sobie prawdę. Trzymajcie się ścieżki. Wywiodły nas na manowce, tak jak przepowiedziała Nell.

Nad nami coś łopocze. Cienie w kopule poruszają się.

Ann chwyta mnie za rękę.

– Co to było?

– Nie wiem.

Wiem, wiem, wiem.

Felicity poklepuje kołczan na plecach. Łopot dobiega z drugiej strony. Wydaje się całkiem blisko.

– Wychodzimy – mówię. – Natychmiast.

Nagle jakby zewsząd otacza nas ruch. Cienie śmigają wewnątrz złotej kopuły jak gigantyczne nietoperze. Znajdujemy się już prawie przy drzwiach, gdy słyszymy wysokie, przeszywające zawodzenie, które mrozi mi krew.

– Biegiem! – krzyczę.

Rzucamy się w stronę drzwi, a nasze obcasy stukają na połamanej mozaikowej podłodze, jednak nie zagłuszają ohydnych pisków, pomruków i ujadania.

– Szybko! – wrzeszczę.

– Uwaga! – woła Felicity.

Ciemność w przedsionku porusza się. To, co było nad nami, dotarło do drzwi szybciej, zamykając nas w pułapce. Zawodzenie przechodzi w cichy, gardłowy śpiew.

– Kruszyny, kruszyny, kruszyny…

Z cienia wychodzi kilku najbardziej groteskowych mężczyzn, jakich widziałam w życiu. Wszyscy bez wyjątku ubrani są w prastare kolczugi, podarte, brudne, białe płaszcze oraz buty z ostrymi, stalowymi szpicami. Niektórzy mają długie, splątane włosy opadające na ramiona. Inni ogolili głowy, a rany na pociętej skórze nadal są świeże i krwawe. Pewien przerażający osobnik ma tylko pojedynczy pas włosów biegnący od czoła do kołnierza. Na rękach nosi mnóstwo bransolet, a na szyi naszyjnik zrobiony z kości palców. On właśnie, przywódca, wychodzi naprzód.

– Cześć, kruszyno – mówi, uśmiechając się odrażająco.

Wyciąga dłoń. Paznokcie ma pomalowane na czarno. Na jego muskularnych przedramionach wytatuowane są głębokie ciemne linie, kolczaste łodygi roniące smoliste łzy. Kończą się nad łokciami, gdzie bujne czerwone kwiaty rozkwitają, obejmując ramię wieńcem. Maki.

W mojej głowie rozbrzmiewają słowa Nell: *Strzeżcie się Makowych Wojowników*.

ROZDZIAŁ CZTERDZIESTY PIERWSZY

Cienie poruszają się. Jest ich więcej, o wiele więcej. Wysoko nad nami przysiadają na balustradach i krokwiach niczym stado gargulców. Jeden kiwa kiścieniem, kołysząc kulą na łańcuchu, jakby to było wahadło. Boję się spojrzeć w twarz człowieka przede mną, ale w końcu to robię. Patrzę w oczy, wokół których czarną kredką narysowano romby. Czuję się, jakbym patrzyła w żywą maskę arlekina.

Zaschło mi w gardle. Z trudnością udaje mi się wydukać powitanie.

– M-miło mi pana poznać.

– A co w tym miłego, kruszyno?

Słysząc to, pozostali wybuchają śmiechem, którego brzmienie wywołuje ciarki.

Podchodzi o krok bliżej. Niesie nagi miecz, na którym wspiera się jak na lasce. Jego dłoń mocno zaciska się na rękojeści, a na każdym palcu połyskuje pierścień.

– Przepraszamy, że przeszkodziłyśmy... – Mam za sucho w ustach i nie udaje mi się powiedzieć nic więcej.

– Zgubiłyśmy się – chrypi Felicity.

– To tak jak my wszyscy, kruszyno, nieprawdaż? Nieprawdaż? Nazywam się Azrael. Jestem rycerzem maku, tak jak i pozostali. Ale, ale, nie przedstawiłyście się nam, piękne panny.

Nadal nic nie mówimy.

Azrael kląska językiem.

– Och, tak nie wypada. Co my tu mamy? Oho, widzę, że się zaprzyjaźniłyście z leśnym ludem. – Zabiera łuk oraz strzały Felicity i kładzie wszystko na podłodze. – Głupia kruszyna. Co też im naobiecywałyście?

– To był prezent – odpowiada Fee.

Tłum skanduje syczącym głosem:

– Fałsz, fałsz, fałsz, fałsz…

Azrael uśmiecha się krzywo.

– Nikt w międzyświecie nie daje prezentów, kruszyno. Wszyscy czegoś oczekują w zamian. Co taka słodka dziewuszka ma zrobić z takim strasznym darem? Powiedzcie mi, kruszyny, czego szukałyście? Myślałyście, że to Świątynia?

– Jaka Świątynia? – pyta Felicity.

Słysząc to, Azrael wybucha śmiechem.

– Co za śmiałość! Niemalże szkoda będzie cię złamać. Niemalże.

– A co jeśli szukamy tej Świątyni? – pytam, a serce mocno bije mi w piersi.

– No cóż, kruszyno, musielibyśmy wam w tym przeszkodzić.

– Co ma pan na myśli?

– Czy zapieczętowałaś magię? Nie, kruszyno. Inaczej nikt by się koło nas nie kręcił i nie byłoby się z kim bawić.

– Nie przyszłyśmy tu, żeby uwięzić magię. Chcemy tego co wy, swojego udziału w niej – kłamię.

– Fałsz, fałsz, fałsz, f a ł s z!

– Ciii – mówi Azrael, wyciągając ręce i przebierając palcami. – Makowi Wojownicy wiedzą, po co przyszłyście. Wiemy, że jedna z was jest najwyższą kapłanką. Wyczuwamy w was magię.

– Ale… – odzywam się, próbując znaleźć jakieś argumenty.

Przykłada palec do moich ust.

– Ciii, żadnych negocjacji. Nie z nami. Gdy już was złamiemy, będziemy mogli do ostatniej kropli wyssać magię z waszych kości. To będzie ofiara, która da nam naprawdę wielką moc.

– Ale to przesądzi o waszym losie – szepcze Ann.

– My już jesteśmy przeklęci, kruszyno. Nie ma co płakać nad rozlaną krwią. No to którą z was poświęcimy pierwszą? – Azrael zatrzymuje się przed Felicity. – Moglibyśmy razem zagrać w świetne gry, kruszyno. – Przeciąga ostrym paznokciem po policzku Fee, zostawiając cienką krwawą linię. – Tak. Byłabyś doskonałą towarzyszką zabawy, moja śliczna. Znaleźliśmy pierwszą ofiarę.

Chwyta Felicity za ramię, a ona pada przerażona na kolana.

– Co możemy wam zaoferować? – wołam.

– Zaoferować nam, kruszyno?

– Czego chcecie?

– No jak to? Oczywiście grać. Nie mamy już żadnych misji, żadnych krucjat. Tylko gry.

Klaszcze, a dwie bestie chwytają Felicity.

– Czekajcie! – krzyczę. – To chyba nie jest zbyt wielkie wyzwanie, co?

Azrael powstrzymuje oprawców.

– Mów dalej – zachęca mnie.

– Chcę zaproponować wam grę.

Azrael uśmiecha się, co nadaje jego twarzy wygląd maski pośmiertnej.

– Zaintrygowałaś mnie, kruszyno. – Wężowym ruchem owija ramię wokół mojej szyi i pieszcząc ją, szepcze mi do ucha: – Powiedz, jakiego rodzaju grę?

– Polowanie – odpowiadam szeptem.

Azrael cofa się o krok.

– Co ty robisz? – pyta przerażona Ann.

Nie spuszczam wzroku z Azraela. Jeśli uda nam się chwycić za ręce, przywołam drzwi ze światła i uciekniemy. Azrael klaszcze w dłonie i wybucha pełnym zachwytu śmiechem. Makowi Wojownicy wtórują mu. Ich głosy brzmią jak krakanie ptaków, które słyszałyśmy podczas przeprawy tutaj.

– Bardzo ciekawa propozycja. Tak, tak, podoba mi się. Przyjmujemy ją, kruszyno. Polowanie zaostrzy nasze apetyty. Widzicie tamte drzwi?

Wskazuje na łukowate żelazne drzwi w odległym końcu katedry.

– Tak – odpowiadam.

– Wiodą do katakumb, z których wychodzi pięć tuneli. Jeden prowadzi na zewnątrz, na wolność. Może go znajdziecie. To by dopiero była prawdziwa magia, kruszyno. Damy wam fory.

– Dobrze, ale potrzebujemy chwili, żeby się naradzić – mówię.

Azrael grozi mi palcem.

– Nie dostaniesz czasu na przywołanie drzwi, kapłanko Zakonu – mówi, jakby czytał w moich myślach. – Tak, wiem wszystko. Strach daje nam dostęp do waszych myśli. – Potrząsa nad nami dłońmi, jakby obsypywał nas czarodziejskim pyłem, a brzęczenie jego bransolet niesie się echem. – Zobaczymy, czy uda wam się znaleźć tunel. Ruszajcie, kruszyny. Dalejdalejdalej – skanduje jak błogosławieństwo. – Dalej. Dalej. Dalej.

Makowi Wojownicy podejmują skandowanie – „Dalej. Dalej. Dalej" – aż odbija się potężnym rykiem od murów katedry.

– Dalejjj! Dalejjj! Dalejjj!

Jak wystrzelone z armaty Ann i ja ruszamy do drzwi.

– Felicity! – wołam.

Zatrzymała się, żeby zabrać łuk i kołczan ze strzałami.

– Sprytnie, kruszyno! – drze się Azrael. – Masz w sobie odwagę!

– Biegiem! – krzyczy Fee, doganiając nas. Nie marnując ani chwili, przeciskamy się przez ciężkie drzwi do długiego korytarza oświetlonego świecami.

– Podajcie mi ręce! – wołam.

– Teraz? – protestuje Felicity. – Są tuż za nami.

– Tym bardziej powinnyśmy natychmiast się stąd zbierać!

Chwytamy się za ręce, a ja próbuję się skoncentrować. Potworne, prymitywne wycie i wrzaski niosą się echem po ogromnej katedrze. Idą za nami. Za kilka sekund przejdą przez drzwi i nie będziemy miały żadnych szans. Całe moje ciało drży z lęku.

– Gemmo, przywołaj drzwi ze światła! Wydostań nas stąd! – wrzeszczy Ann bliska histerii.

Próbuję jeszcze raz. Rozprasza mnie rozdzierający krzyk i znów tracę wątek. Felicity wygląda na bliską szaleństwa ze strachu.

– Gemmo! – woła.

– Nie mogę! Nie potrafię się skupić! – odpowiadam.

Dociera do nas melodyjny głos Azraela:

– Nie będzie tu żadnej magii-agii, kruszyno, bo czekają na nas świetne gry.

– Nie dopuszczają drzwi do nas. Będziemy musiały znaleźć inne wyjście – mówię.

– Nie, nie, nie! – jęczy Felicity.

– Chodźcie! Rozglądajcie się wokół! – wydaję polecenie. Potykając się, ruszamy korytarzem. Opukujemy ściany, szukając jakiegokolwiek wyjścia. To makabryczne zajęcie. Kaleczę dłonie o odłamki kości i zębów. Jakieś włosy wplątują mi się między palce, więc dławię się z odrazy i strachu. Ann krzyczy. Znalazła szkielet przykuty do ściany – ostrzeżenie przed tym, co nas czeka.

– Nadszedł czas, kruszyny, idziemy po was!

O, Boże. Drżącymi palcami trafiam na klamkę. Jest przymocowana do małych drzwi, które niemalże zlewają się ze ścianą.

– Co to? – pytam. Drzwi otwierają się ze skrzypieniem i ukazują strome schody. Wiją się wzdłuż ściany, a kończą daleko w dole, w pomieszczeniu, z którego wychodzi pięć tuneli.

– Tędy! – krzyczę. Przyjaciółki wchodzą za mną i ryglujemy ciężkie drzwi. Pod nosem mamroczę cichą modlitwę, żeby deska, którą je zablokowałyśmy, wytrzymała.

– Idźcie blisko ściany – radzę, zerkając za krawędź. Ann potrąca butem kamyk, który leci w dół. Mija naprawdę sporo czasu, zanim ze stukiem uderza o podłogę katakumb – długi lot. Schodzimy szybko, lecz ostrożnie. Trochę to przypomina zstąpienie do piekła. Pochodnie rzucają upiorny blask na wilgotne kamienne ściany. W końcu docieramy na sam dół. Znajdujemy się w okrągłej sali, z której rozchodzi się pięć tuneli przywodzących na myśl pięcioramienną gwiazdę.

Po twarzy Ann spływają łzy, mieszając się ze śluzem cieknącym jej z nosa. Oczy ma szeroko otwarte i przerażone.

– Co teraz?

Krzyki przebijają się przez szpary w zaryglowanych drzwiach. Makowi Wojownicy atakują je bezlitośnie, a drewno rozszczepia się z ogłuszającym trzaskiem.

– Musimy znaleźć tunel, który prowadzi na zewnątrz.

– Dobrze, ale który to? – denerwuje się Felicity. W oświetlonych przez pochodnie korytarzach migoczą cienie. Pięć tuneli. I nie mamy pojęcia, jak są długie ani co nas czeka na końcu.

– Musimy się rozdzielić. Każda pójdzie innym tunelem.

– N i e! – zawodzi Ann.

– Ciii! To jedyna metoda. Za każdym razem wracamy do środka. Jeśli któraś znajdzie właściwą drogę, niech krzyczy.

– Nie mogę, nie mogę! – płacze Ann.

– Trzymamy się razem, pamiętasz? – mówi Felicity, przywołując słowa wypowiedziane w moim pokoju w Spence. To było raptem dwa tygodnie temu, a wydaje się, że od tamtej pory minęło całe życie.

– No dobrze – ulegam.

Chwytam pochodnię z makabrycznej ściany i zanurzamy się w mrocznym tunelu. Płomień oświetla kilka metrów przed nami i nic więcej. Światło pada na szczury, które pierzchają nam spod nóg, i muszę stłumić rosnący w krtani krzyk. Brniemy dalej, aż docieramy do ślepej ściany.

– Nie tędy – stwierdzam, zawracając.

Wysokie zawodzenie niesie się echem. Odbija się od kości zmarłych nieszczęsnych maskotek Makowych Wojowników. Dałabym wszystko, by nie słyszeć tego potwornego dźwięku. Drzwi nad nami zostały zdewastowane, ale nadal litościwie się trzymają.

Wielkie czarne ptaki, które widziałyśmy na zewnątrz, krążą wokół nas po katakumbach. Niektóre przysiadły na schodach, inne, kracząc, wylądowały na podłodze. Drugi tunel też kończy się ślepo. Ann już nie ukrywa, że płacze, kiedy, potykając się, pokonujemy trzeci korytarz i w słabym świetle pochodni odkrywamy, że też nie ma z niego wyjścia.

Głos Azraela spływa na dół:

– Słyszę cię, złociutka. Wiem, która to z was: ta pulchna. Jak chcecie mi uciec, moje piękne kości?

– Ann, przestań ryczeć! – Felicity potrząsa przyjaciółką, ale to nie przynosi żadnego skutku.

– Jesteśmy w pułapce – łka. – Znajdą nas! Umrzemy tutaj!

Zawodzenie Makowych Wojowników przechodzi w warkot i pisk, niczym w parodii polowania, gdy to zwierzęta okrążają człowieka. Od tego dźwięku dostaję gęsiej skórki.

– Ciii, znajdziemy wyjście – zapewniam, prowadząc przyjaciółki z powrotem do otwartej sali. Przyleciało więcej ptaków. W powietrzu aż się od nich roi.

– Zostały tylko dwa tunele! – woła Azrael. Skąd on to wie? Nie ma go przy drzwiach. Chyba że jest jakieś inne wejście, które znają tylko oni.

Moje serce łomocze dziko i mam wrażenie, że zaraz zemdleję, kiedy Felicity woła:

– Gemmo, twój amulet!

Księżycowe oko lśni blado pod materiałem sukni.

Ann przestaje płakać.

– Na pewno pokazuje nam wyjście.

Dobry Boże, tak, wyjście! Trzęsącymi się palcami wyciągam naszyjnik, który zaplątuje się w wiązania przy sukience. Uwalniam go jednym mocnym szarpnięciem, a on leci łukiem w powietrzu i upada na podłogę, lądując gdzieś w ciemnościach.

– Musimy go znaleźć. Szybko, pomóżcie mi! – krzyczę.

Jaskinia jest ciemna. Opadamy na kolana, rozglądając się za czymś, co by lśniło. Moje serce bije mocno i szybko. Nigdy w życiu nie czułam takiego strachu. *Szybciej, szybciej. Znajdź go, Gemmo. Grzeczna dziewczynka. Nie dopuszczaj lęku do swojego umysłu.*

Coś połyskuje w ciemnościach. Metal. Mój naszyjnik!

Rzucam się w tamto miejsce.

– Znalazłam go! – wołam.

Sięgam w dół, ale nie mogę podnieść amuletu, bo coś przygniata go do podłogi. Wyczuwam kształt buta o stalowych palcach. W moim gardle narasta krzyk. Gdy unoszę wzrok, widzę Azraela w kolczudze połyskującej w świetle pochodni.

– Nie, ślicznotko. To ja znalazłem ciebie.

ROZDZIAŁ CZTERDZIESTY DRUGI

Wielkie ptaki kraczą. Gdy podrywają się do lotu, słychać głośny łopot skrzydeł. Lądując, zmieniają kształt i przeobrażają się w Makowych Wojowników, którzy otaczają nas zewsząd, odcinając drogę ucieczki.

Widząc moją wstrząśniętą minę, Azrael wyjaśnia:

– Tak, Zakon przeklął nas za zamiłowanie do gier. Już od bardzo dawna nie mogliśmy bawić się z takimi ślicznotkami. Od bardzo dawna nie odwiedzaliśmy waszego świata i nie sprowadzaliśmy sobie maskotek. – Przeplata moje włosy między palcami jak wstążki. Pochyla się bliżej i gorącym oddechem muska moje ucho. – Od bardzo, bardzo dawna.

W gardle wyschło mi na wiór i nogi mi się trzęsą jak galareta.

– Nie sądzę, by to ci teraz pomogło – mówi, kładąc pozbawiony życia amulet na mojej dłoni. – No to z którą pobawimy się najpierw? – Azrael zatrzymuje się przed Ann. – Kto by za tobą tęsknił, kotku? Czy ktoś by płakał i wzdychał za kolejną zaginioną panienką? Może gdyby była bajecznie piękna. Lecz to nie bajka, a ty nie jesteś piękna. Wcale, ale to wcale.

Ann jest tak przerażona, że wygląda, jakby była w transie.

– To by był dar losu, gdybyśmy cię zabrali, hmmm? Koniec z tym palącym bólem w środku, gdy inni mają wszystko, czego zapragną, i jeszcze trochę. Koniec z przymusem, żeby się ranić. Koniec z dławieniem krzyku, który narasta w twoim wnętrzu, gdy z ciebie szydzą.

Ann zgodnie kiwa głową. Azrael pochyla się nad nią.

– Tak, możemy z tym wszystkim skończyć.

– Przestań! – nie wytrzymuje Felicity.

Azrael przysuwa się do niej i gładzi ją po karku.

– Co za odwaga, kotku. Jak długo byś wytrwała? Gdybym cię złamał i zranił? Tydzień? Dwa? – Uśmiecha się leniwie. – Czy... umknęłabyś gdzieś do środka tak, jak za każdym razem, kiedy on cię dotykał?

Wstyd Felicity objawia się jako pojedyncza łza spływająca po policzku. Skąd on wie takie rzeczy?

– Milcz – szepcze Fee, ale jej głos zdradza udrękę.

– Pomyśl o wszystkich tych nocach w twoim pokoju. Nie masz dokąd uciec, nie masz komu zaufać, nikt cię nie wysłucha. Wtedy, kotku, znika odwaga.

– Przestań – szepcze Felicity.

Azrael liże ją po policzku.

– Zgadzałaś się na to. A głęboko w środku powtarzałaś sobie: „To moja wina. Ja do tego doprowadziłam...".

Felicity bardzo się boi. Wyczuwam to w niej. Wszyscy wyczuwamy. Co on takiego powiedział? Strach daje nam dostęp do waszych myśli. Czy to nasz strach buduje moc ich magii?

– Fee, nie słuchaj go! – krzyczę.

– Wiesz co, kotku? Myślę, że to ci się nawet podobało. To lepsze, niż gdyby miał cię całkowicie ignorować, prawda? Tego boisz się najbardziej, hmmm? Że mimo wszystko jesteś zupełnie niewarta miłości?

Felicity zanosi się łkaniem i nie jest w stanie odpowiedzieć.

– Wcale nie chcesz dłużej z tym żyć, kruszyno, prawda? Z tym wstydem. Ze złamanym sercem. Z plamą na duszy. Weź nóż i skończ z tym wszystkim.

Felicity wyciąga rękę i bierze sztylet, który jej podaje.

– Nie! – krzyczę, ale powstrzymuje mnie jeden z Makowych Wojowników.

Azrael grucha do niej słodko jak matka do niemowlęcia.

– Bardzo dobrze. Skończ z tym. Z całym tym bólem. Niech zniknie na zawsze.

– Nie dopuszczaj ich do siebie – przemawiam do przyjaciółki. – Wykorzystują twój strach przeciwko tobie. Musisz być silna.

Bądź silna! – Silna. Siła. Przypominam sobie, co powiedziała Nell. – Felicity, Nell ostrzegała, że Makowi Wojownicy ukradną naszą siłę. Fee, ty jesteś naszą siłą! Potrzebujemy cię!

Staję twarzą w twarz z Azraelem i jego martwymi, pomalowanymi na czarno oczami.

– A co z twoim strachem, kruszyno? Od czego zaczniemy? Nawet nie potrafisz pomóc własnemu ojcu.

– W ogóle nie słucham – odpowiadam. Próbuję się skoncentrować, wyprzeć lęk, ale jest to bardzo trudne.

Azrael kontynuuje.

– Posiadasz wielką moc, a jednak nie możesz zrobić jedynej rzeczy, która ma znaczenie.

Chwilę wcześniej amulet zaczął świecić, wskazując mi drogę. Ściskam go w dłoni, niepostrzeżenie przesuwając się w stronę dwóch pozostałych tuneli. Który jest właściwy?

Makowy Wojownik wymierza mi siarczysty policzek.

– Słuchasz mnie, kruszyno?

Skoncentruj się, Gemmo. Czy to tylko moja wyobraźnia, czy amulet rzeczywiście lśni? Tak! Blask jest słaby, ale prawdziwy. Tunel wprost za Azraelem prowadzi na zewnątrz. Znalazłam wyjście.

– Odwiedzamy twojego ojca od czasu do czasu – wyznaje.

– O czym mówisz? – pytam. Całą moją koncentrację diabli wzięli. Blask gaśnie.

– Gdy jest pod wpływem narkotyków, jego umysł robi się wrażliwy na nas. Ależ zabawa, doprawdy świetna! Powiedzieliśmy mu o tobie. O twojej matce. Ale staje się coraz słabszy i zabawa nie jest już tak fajna jak przedtem.

– Zostawcie go w spokoju.

– Tak, tak. Na razie. A teraz zabawmy się.

– Nie ruszaj się! – Felicity stoi na głazie z naciągniętą cięciwą łuku i mrużąc oko, patrzy wzdłuż strzały, którą przesuwa, spokojnie mierząc do wszystkich wokół. Makowi Wojownicy kraczą. Usta dziewczyny wyginają się w pełen nienawiści uśmiech, kształtem podobny do krzywizny łuku.

– Odłóż broń, kruszyno.

Felicity celuje w Azraela.

– Nie.

Jego uśmiech znika.

– Pożrę cię żywcem.

– Cholernie się mylisz – odpowiada moja przyjaciółka przez łzy.

Azrael rzuca się na nią z głośnym krakaniem. Strzała Felicity mknie szybko i pewnie, po czym przeszywa jego szyję tuż nad kołnierzem kolczugi. Wojownik szeroko otwiera oczy, opadając na kolana. Martwy osuwa się na zakurzoną podłogę. Następuje chwila ogłuszającej ciszy, a po niej rozpętuje się prawdziwe pandemonium. Jego kamraci wrzeszczą ze złości i żalu. Nie ma czasu do stracenia.

– Tędy! – wołam, biegnąc w stronę tunelu, który wskazał mi amulet. Felicity i Ann depczą mi po piętach, ale Makowi Wojownicy również. Nie zdążyłyśmy chwycić pochodni ze ściany, a w tunelu jest ciemno jak w studni. Posuwamy się naprzód, wpadając na siebie, czując, jak szczury łaskoczą nas po stopach, słysząc swoje zrozpaczone jęki i urywane oddechy. A tuż za nami rozlega się ohydne krakanie zmiennokształtnych rycerzy.

– Gdzie? – krzyczy Felicity. – Gdzie jest wyjście?

Nadal panuje taka ciemność, że nie widzę własnych rąk.

– Nie wiem!

– Gemma! – skowyczy Ann. Są za nami w tunelu. Słyszę, że zbliżają się bardzo szybko.

– Nie zatrzymujcie się! – wołam.

Tunel zakręca ostro. Wtem zauważam wyjście, a za nim szarą mgłę. Przyspieszamy w nagłym przypływie nadziei i wypadamy w gęste powietrze, wciągając je gwałtownie do płuc. Znajdujemy się na brzegu.

– Jest łódka! – woła Felicity. Stoi tam, gdzie ją zostawiłyśmy. Ann gramoli się do łodzi i chwyta wiosła, podczas gdy ja i Fee spychamy ją z plaży, brodząc w mrocznej wodzie. Po chwili wdrapujemy się do środka.

Ptaki nadlatują wielkim, czarnym, rozwrzeszczanym stadem.

Ann i ja wiosłujemy, a Felicity celuje do tych potwornych skrzydlatych stworzeń. Zamykam oczy i z całych sił napieram na wiosło, słuchając koszmarnego krakania i świstu strzał przecinających powietrze.

Coś uderza w łódź.

– Co to było? – pyta Ann.

– Nie wiem – odpowiadam, otwierając oczy. Rozglądam się wokół, ale niczego nie widzę.

– Wiosłujcie! – rozkazuje Felicity, cały czas strzelając. Ptaki padają z nieba, po czym zmieniają się w ludzi i toną.

– Odlatują! – krzyczy Felicity. – Rezygnują!

Wiwatujemy. Nagle coś wyrywa Ann wiosło z ręki. Uderza w burtę tak mocno, że łódka gwałtownie się kołysze na wodzie.

– Co się dzieje? – pyta przerażona dziewczyna.

Coś znowu popycha łódkę, która się przewraca, a my wpadamy do mętnej wody. Wypływam na powierzchnię, parskając i ocierając wodę z oczu palcami.

– Felicity! Ann! – wołam. Nikt nie odpowiada. Krzyczę głośniej: – Felicity!

– Tutaj! – plując wodą, wynurza się obok mnie. – Gdzie jest Ann?

– Ann! – krzyczę znowu. – Ann!

Jej niebieska wstążka do włosów unosi się na wodzie. Ann zniknęła, widać tylko oleisty pobłysk po wodnych nimfach.

– Ann!

Krzyczymy aż do ochrypnięcia.

Felicity nurkuje i ponownie się wynurza.

– Mają ją.

Przemoczone i roztrzęsione, potykając się, wychodzimy na ląd. W oddali mrugają do mnie puste okna katedry. Odarta z magicznego blasku stała się tym, czym naprawdę jest – wielką ruiną. Kładę głowę na kolanach i kaszlę.

Felicity wybucha płaczem.

– Fee – mówię, kładąc rękę na jej plecach – odnajdziemy ją. Obiecuję. Nie będzie tak jak z... – Nie będzie tak jak z Pippą.

– Nie powinien był mówić takich rzeczy. – Fee zanosi się łkaniem przypominającym czkawkę. – Nie powinien był tego mówić!

Chwilę trwa, zanim uświadamiam sobie, że chodzi jej o Azraela i o to, co się stało w katakumbach. Myślę o tym, jak stała na głazie, a potem przeszyła naszego dręczyciela strzałą.

– Nie wolno ci żałować tego, co zrobiłaś.

Spogląda mi w twarz, a łkanie ustępuje miejsca zimnej, bezwzględnej furii. Zarzuca prawie pusty kołczan na ramię.

– Nie żałuję.

❧

Droga powrotna do ogrodu jest długa i męcząca. Po pewnym czasie rozpoznaję zagajnik, w którym spotkałyśmy robotnice z pożaru w fabryce.

– Już blisko – pocieszam przyjaciółkę. Nagle do moich uszu docierają strzępy rozmów młodych kobiet.

– Dokąd idziemy? – pyta jedna z nich.

– Za przyjaciółkami Bessie. Zaprowadzą nas do miejsca, w którym znów będziemy zdrowe – odpowiada druga.

Ciągnę Felicity w dół. Przykucamy za wielką paprocią. Trzy dziewczyny w bieli, te z moich wizji, prowadzą robotnice tam, gdzie jeszcze nigdy nie szłyśmy. Zwiodą was fałszywymi obietnicami...

Nell miała rację. Kimkolwiek te dziewczęta były kiedyś, teraz są mrocznymi duchami sprzymierzonymi z Kirke.

– Dokąd one idą? – szepcze Felicity.

– Obawiam się, że do Krainy Zimy – odpowiadam.

– Powinnyśmy je powstrzymać? – pyta ona.

Kręcę głową.

– Pozwolimy im odejść. Przede wszystkim musimy uratować Ann.

Felicity potakuje. Wybór wydaje się koszmarny, ale decyzja zapadła. Patrzymy więc, jak odchodzą, niektóre trzymają się za ręce, inne śpiewają, wszystkie zaś zmierzają ku nieuniknionej zgubie.

ROZDZIAŁ CZTERDZIESTY TRZECI

Zanim milczące i nieszczęśliwe docieramy do znajomego pomarańczowego zachodu słońca w ogrodzie, po wędrówce w przemoczonych butach robią nam się pęcherze na piętach. Bolą i pieką przy każdym kroku, ale nie mogę się teraz nimi przejmować. Musimy uratować Ann – jeśli jeszcze żyje.

– Boże drogi, co wam się stało? – To Pippa. Zmyła krew z policzków, nie wygląda już przerażająco, lecz spokojnie i pięknie.

– Nie ma czasu na wyjaśnienia – odpowiadam. – Wodne nimfy porwały Ann. Musimy je odnaleźć.

– Oczywiście, nie opuścisz Ann – zauważa Pippa pod nosem. Nie reaguję na to. – Mówiłam, żebyście nie przychodziły do mnie po pomoc.

– Pip! – warczy Felicity. – Przysięgam, że jeśli teraz nas zawiedziesz, to do końca życia nie przyjdę cię odwiedzić.

Pippę zaskakuje nagła furia przyjaciółki.

– Zrobiłabyś to?

– Tak.

– No dobrze – poddaje się Pippa. – Jak chcecie z nimi walczyć? Jest nas tylko trójka.

– Pip ma rację. Potrzebujemy pomocy – zgadzam się.

– A co z gorgoną? – pyta Pip. – Już raz nam pomogła.

Kręcę przecząco głową.

– Nie wiemy, czy teraz można jej ufać. Prawdę mówiąc, nie wiemy, czy można ufać jakiemukolwiek stworzeniu z międzyświata.

– A czy w ogóle komukolwiek można? – zastanawia się Pippa.

Biorę głęboki wdech.

– Będę musiała wrócić po pomoc.

Felicity ze złością mruży oczy.

– Mówiłaś, że nie zostawimy Ann. Że nie będzie tak, jak... jak ostatnio.

Pippa odwraca wzrok.

– Chcę sprowadzić pannę Moore – wyjaśniam.

– Pannę Moore? A co ona może zrobić? – dziwi się Pip.

– Nie wiem! – wybucham, pocierając obolałe skronie. – Nie mogę poprosić o pomoc naszych krewnych. Zamknęliby mnie na zawsze! To jedyna osoba, jaka by mnie wysłuchała. Nikt inny nie przychodzi mi do głowy.

– No więc dobrze – zgadza się Felicity. – Przyprowadź ją.

Potrzebna jest magia i skupienie, żeby przywołać drzwi ze światła i niepostrzeżenie przemknąć przez ulice Londynu. Ogromnie ryzykuję, robiąc to i używając mocy, która jest nieprzewidywalna, ale jeszcze nigdy nie byłam tak zrozpaczona. Magia nie chroni mnie jednak przed londyńskim deszczem. Zanim udaje mi się dotrzeć do mieszkania panny Moore, jestem przemoczona do suchej nitki. Na szczęście pani Porter nie ma w domu i drzwi otwiera moja była nauczycielka.

– P-panno M-moore – udaje mi się wydukać, szczękając zębami z zimna.

– Panno Doyle! Co się stało? Zupełnie pani przemokła. Na litość boską, proszę wejść!

Prowadzi mnie na górę do swojego mieszkania i sadza przed kominkiem, żebym się ogrzała.

– Przepraszam za najście, ale muszę coś pani powiedzieć. To pilna sprawa.

– Oczywiście, proszę – zgadza się bez wahania, słysząc strach w moim głosie.

– Potrzebujemy pani pomocy. Pamięta pani te historie o Zakonie, które opowiadałyśmy? Nie byłyśmy do końca szczere. To jest prawda. Wszyściuteńko: międzyświat, Zakon, Pippa, magia. Widziałyśmy to. Przeżyłyśmy to. Wszystko. A teraz wodne nimfy porwały Ann. Musimy ją odzyskać. Proszę. Niech nam pani pomoże.

Moje słowa płyną równie wartko co strugi deszczu po szybach w mieszkaniu panny Moore. Gdy kończę, nauczycielka przygląda mi się przez chwilę.

– Gemmo, wiem, że sporo przeszłaś, gdyż straciłaś nie tylko mamę, ale i przyjaciółkę... – Kładzie dłoń na moim kolanie.

Chce mi się płakać. Ona mi nie wierzy.

– Nie! Nie opowiadam bzdur, żeby zasłużyć na współczucie! To wszystko prawda! – krzyczę. Wymyka mi się podwójne kichnięcie. Gardło mam obolałe i opuchnięte.

– Chcę ci wierzyć, lecz... – Przechadza się przed kominkiem. – Możesz mi to udowodnić?

Kiwam głową.

– No to dobrze. Jeśli możesz mi to udowodnić tu i teraz, to ci uwierzę. Jeżeli nie, natychmiast odwiozę cię do domu i porozmawiam z twoją babcią.

– Umowa stoi. – Znów kiwam głową. – Hester...

Nie marnuję czasu. Chwytam ją za rękę i używam tych nędznych resztek magii, jakie mi zostały, aby przywołać drzwi. Gdy otwieram oczy, są tam, a kompletnie zdumioną twarz panny Moore oświetla jasny blask. Nauczycielka zamyka oczy i ponownie je otwiera, ale drzwi nie znikają.

– Proszę iść za mną – mówię.

Biorę ją za rękę i przeciągam na drugą stronę. Wymaga to ode mnie sporego wysiłku. Robię się coraz słabsza. Ledwie czuję szum jej krwi zasilającej serce, które musi nagle zaakceptować fakt, że logika to tylko kolejna tworzona przez nas iluzja.

Ogród, migocząc, nabiera kształtów. Widać ziemię usłaną fioletowymi kwiatami, potem pojawia się drzewo o korze zwijającej się w różane płatki oraz wysokie chwasty i dziwne muchomory. Przez chwilę obawiam się, czy wstrząs nie okaże się zbyt silny dla panny Moore. Unosi drżącą dłoń do ust, a drugą przesuwa po pniu drzewa. Zgarnia garść płatków i przesypuje je między palcami, w oszołomieniu wędrując przez szmaragdowozieloną trawę.

Przysiada na głazie.

– Ja śnię. To złudzenie. Na pewno.

– Mówiłam pani.

– Mówiłaś. – Dotyka fioletowego kwiatu, który przemienia się w węża pończosznika i wpełza na drzewo, znikając nam z oczu. – Och!

Oczy panny Moore robią się wielkie.

– Pippa! – Przyjaciółki wybiegają nam na powitanie. Panna Moore z wahaniem wyciąga rękę, żeby dotknąć jedwabistych włosów Pippy. – To ty, prawda?

– Tak, proszę pani, to prawda – potwierdza dziewczyna.

Panna Moore przykłada rękę do brzucha, jakby próbowała się uspokoić.

– Naprawdę tu jestem? Nie śnię?

– Nie śni pani – zapewniam ją.

Hester niepewnym krokiem wędruje przez ogród, rozglądając się wokół. Przypomina mi się moja pierwsza wizyta tutaj i zdumienie, które czułam. Idziemy za nią pod zmatowiałym srebrnym łukiem na polankę, na której niegdyś stały runy. Spogląda na wypaloną ziemię.

– Tutaj Gemma rozbiła Runy Wyroczni, w których była zmagazynowana magia – wyjaśnia Pippa.

– Och – odpowiada panna Moore, jakby znajdowała się tysiące kilometrów stąd. – To dlatego szukałyście tej swojej świątyni?

– Tak – potwierdzam. – I nadal szukamy.

– Czyli nie znalazłyście jej jeszcze?

– Nie. Próbowałyśmy, ale mroczne duchy zwiodły nas na manowce. I wtedy wodne nimfy porwały Ann – wyjaśniam.

– Musimy ją uratować, proszę pani – błaga Felicity.

Panna Moore prostuje się.

– Oczywiście, że musimy. Gdzie znajdziemy te stworzenia?

– Żyją w rzece – odpowiadam.

– Mieszkają tam? – dopytuje się panna Moore.

– Nie wiem.

– Gorgona na pewno wie, gdzie one mieszkają – podpowiada Pippa.

Panna Moore szeroko otwiera oczy ze zdumienia.

– Jest tu gorgona?

– Tak – potwierdzam. – Ale nie mam pewności, czy można jej ufać. Została związana magią Zakonu, żeby mówić tylko prawdę i nie czynić nam krzywdy, lecz magia już nie jest taka, jaka była kiedyś.

– Rozumiem – mówi panna Moore. – Mamy jakieś inne wyjście?

– Na pewno nie istnieje szybszy sposób – oznajmia Felicity. – A nam brak czasu. Powinnyśmy zaufać gorgonie.

Nie podoba mi się, że muszę zawierzyć stworzeniu z międzyświata, ale Fee ma rację. Trzeba odnaleźć Ann najszybciej, jak to tylko możliwe.

Gorgona czeka cierpliwie przy brzegu. Gdy się zbliżamy, zwraca swoją potworną głowę o wijącej się fryzurze w naszym kierunku. Panna Moore wzdryga się na ten widok.

Gorgona mruga niepokojącymi żółtymi oczami.

– Widzę, że przyprowadziłyście nową przyjaciółkę.

– Starą przyjaciółkę – prostuje Felicity. – Gorgono, przedstawiam ci pannę Hester Moore.

– Panna Moore – syczy zielona, oślizgła głowa.

– Tak, Hester Moore – mówi nauczycielka. – Miło cię poznać.

– Wszyscy tak twierdzą – odpowiada gorgona.

Trap opada i panna Moore wchodzi na łódź, jakby się spodziewała, że może ona w każdej chwili zniknąć.

– Gorgono – odzywam się – tego dnia, gdy odwiedziłyśmy Las Świateł, wodne nimfy odpłynęły w tamtym kierunku. – Pokazuję w dół rzeki. – Czy wiesz, gdzie mieszkają?

– Tak jessst – odpowiada, a jej wężowe oczy otwierają się i zamykają powoli. – Laguna jest ich domem, ale otacza ją czarna skała. Mogę was dowieźć tylko do skały, dalej będziecie musiały iść na piechotę.

– To nam wystarczy – stwierdza Pippa.

– Ich pieśń jest przepiękna – ostrzega gorgona. – Umiecie oprzeć się jej urokowi?

– Będziemy musiały – odpowiadam.

Wchodzimy na pokład i wielka barka zawraca, aby popłynąć w dół rzeki. Biorę amulet w dłonie.

– Księżycowe oko... – mówi panna Moore. – Mogę?

Podaję jej naszyjnik.

– To kompas. Trzeba go trzymać w ten sposób.

Kołysze go w rękach, ale amulet nie lśni, żeby wskazać drogę. Teraz już z pewnością zeszłyśmy ze ścieżki i jesteśmy zdane tylko na siebie. Zachód słońca w ogrodzie zostaje za nami i łódź wpływa w zieloną mgłę, przez którą trudno cokolwiek dojrzeć.

– Jak odkryłyście to miejsce? – pyta panna Moore, rozglądając się wokół w absolutnym zdumieniu.

– Dzięki mojej mamie – wyjaśniam. – Była członkinią Zakonu. Nazywała się Mary Dowd.

– To ta dziewczyna z pamiętnika? – przypomina sobie nauczycielka.

Kiwam głową.

– I uważacie, że panna McCleethy ją zabiła?

– Tak. Sądzę, że przenosiła się ze szkoły do szkoły, szukając mnie.

– A co zrobisz, kiedy po ciebie przyjdzie?

Wpatruję się w wirujące smugi mgły.

– Zadbam o to, by już nigdy nikogo nie skrzywdziła.

Panna Moore bierze mnie za rękę.

– Boję się o ciebie, Gemmo.

Ja też.

Robi się cieplej. Pot ścieka mi między łopatkami, mokre pasma włosów kleją mi się do czoła.

– Ależ gorąco – narzeka Felicity, ocierając twarz wierzchem dłoni.

– Koszmarnie. – Pippa unosi włosy, żeby nie dotykały jej szyi. Ale rezygnuje, ponieważ nie wieje wiatr, który mógłby ją ochłodzić.

Panna Moore wpatruje się w rzekę, chłonąc wszystkie widoki i dźwięki. Spoglądam w przepływającą pod nami wodę i zastanawiam się, co się stało z Mae oraz Bessie Timmons i resztą dziewcząt z fabryki. Czy zostały pochłonięte i uwięzione przez mroczne duchy z Krainy Zimy? Czy stało się to szybko, czy też miały czas, by uświadomić sobie pełny koszmar tego, co je spotyka?

Zamykam oczy, żeby odegnać te myśli i pozwolić, by ukoiło mnie kołysanie łodzi.

– Zbliżamy się do płycizny – ostrzega gorgona.

Rzeka zaczyna zmieniać barwę. Widzę jej dno, upstrzone fluorescencyjnymi kamieniami i mieliznami, od których blasku nasze dłonie wydają się zielone i niebieskie. Łódź zatrzymuje się.

– Nie mogę płynąć dalej – oznajmia gorgona.

– Stąd pójdziemy piechotą – odpowiadam. – Możemy wziąć ze sobą sieci?

Gorgona kiwa gigantyczną głową. Podczas gdy moje przyjaciółki szykują się do zejścia na ląd, gorgona wzywa mnie do siebie.

– Uważaj, byś i ty nie wpadła w sieci, Wasza Wysokość – przestrzega.

– Dobrze – odpowiadam zaniepokojona.

Ale gorgona kręci głową. Węże wiją się i syczą.

– Niektóre sieci dostrzegamy dopiero wtedy, gdy jesteśmy w nie już całkowicie zaplątani.

– Gemmo! – woła Felicity głośnym szeptem. Pędzę, by do nich dołączyć. Felicity zabrała swoje strzały, Pip i panna Moore niosą sieci i linę. Schodzimy z trapu w sięgającą kostek wodę i ruszamy na ląd przesłonięty wałem chmur. Grunt pod nami jest twardy i śliski. Musimy chwycić się za ręce, by się nawzajem podtrzymywać. Mgła nieco się rozwiewa, ukazując niegościnny krajobraz – czarne skały, wśród których widać małe parujące sadzawki. W powietrzu wiszą zielone opary siarki.

Na czworakach wdrapujemy się na postrzępiony skalny szczyt. Pod nami rozciąga się szeroka laguna. Fluorescencyjne kamienie na jej dnie świecą zielononiebieskim blaskiem i barwią mgłę.

– Widzę ją! – woła Felicity.

– Gdzie? – pyta panna Moore, spoglądając w dal.

Felicity wskazuje równą, pionową skałę na drugim krańcu laguny. Ann w samej koszuli przywiązano do niej, jakby była figurą dziobową na statku. Pustym wzrokiem patrzy prosto przed siebie.

Przywiążą pieśń do skały. Nie pozwólcie, żeby pieśń umarła.

– Nie pozwólcie, by pieśń umarła – powtarzam. – Ann jest pieśnią. To próbowała nam przekazać Nell.

– Ruszajmy – nakazuje Felicity i zaczyna schodzić.

– Czekaj – mówię, powstrzymując ją.

Wodne nimfy wynurzają się z głębin, a ich lśniące głowy w łunie bijącej od wody wyglądają jak wypolerowane kamienie. Śpiewają słodko dla Ann. Czar ich głosów zaczyna na mnie działać.

– One są jak syreny z legend. Nie słuchajcie, zakryjcie uszy – poleca panna Moore. Robimy tak wszystkie prócz Pippy. Na niej ich urok nie robi wrażenia, a ja znów sobie przypominam, że to nie jest już Pippa, którą znałyśmy, niezależnie od tego, jak bardzo chciałybyśmy udawać, że jest inaczej.

Wodne nimfy przesuwają czymś w rodzaju morskiej gąbki przez splątane włosy Ann, nadając im perłowy, złotozielony odcień. Błoniastymi dłońmi głaszczą ją po ramionach oraz nogach i pozostawiają na niej błyszczące łuski. Potem omywają gąbką skórę dziewczyny, która też nabiera złotozielonego zabarwienia.

Nimfy przestają śpiewać.

– Co one robią? – szepczę.

Twarz panny Moore ma ponury wyraz.

– Jeśli legendy mówią prawdę, to przygotowują pannę Bradshaw.

– Do czego? – pyta Fee.

Panna Moore milczy chwilę.

– Do oskórowania.

Zapiera mi dech z przerażenia.

– To dlatego woda jest taka piękna i ciepła – wyjaśnia nauczycielka. – Dzięki ludzkiej skórze.

Daleko na drugim końcu laguny mgła robi się jaśniejsza i nabiera kształtu. Pojawia się jedna upiorna dziewczyna, a potem następna i następna, aż ukazują się wszystkie trzy. Trójca w bieli. Przez chwilę patrzą w naszym kierunku, uśmiechając się tajemniczo, jednak nie zdradzają naszej obecności.

– Na ziemię – mówię, ciągnąc pannę Moore za spódnicę. Nauczycielka kładzie się płasko na skale. – To bardzo mroczne duchy. Nie powinny się dowiedzieć, że pani tu jest.

Dziewczęta wołają coś do nimf w języku, którego nie znam. Kiedy zerkam nad krawędzią skały, widzę, że panny w bieli prowadzą nimfy wokół falochronu, po czym cała grupa znika nam z oczu.

– Teraz – rozkazuję.

Najszybciej, jak to możliwe, schodzimy ze skalistego klifu i stajemy na brzegu.

– Kto pójdzie? – pyta niespokojnie Pippa.

– Ja – ofiarowuje się panna Moore.

– Nie – protestuję. – Ja, bo jestem za nią odpowiedzialna.

Panna Moore kiwa głową.

– Jak sobie życzysz.

Nauczycielka przewiązuje się liną w pasie.

– Jeśli sytuacja zacznie się komplikować, szarpnij za linę, a my cię wyciągniemy.

Chwytam za drugi koniec i płynę w kierunku Ann. Woda okazuje się zaskakująco przyjemna, ale aż się otrząsam na myśl dlaczego. Po chwili czuję, że muszę zamknąć oczy, żeby w ogóle płynąć naprzód. W końcu docieram do przyjaciółki.

– Ann? – szepczę, po czym powtarzam trochę głośniej: – Ann!

– Gemma? – dziwi się, jakby na moment przebudziła się z narkotycznego zamroczenia. – To ty?

– Tak – szepczę. – Przyszłyśmy po ciebie. Nie ruszaj się.

Owijam linę wokół jej talii i mocno zawiązuję. Palce mam śliskie od wody z laguny, ale udaje mi się rozluźnić węzły przytrzymujące jej stopy i dłonie. Ann wpada do wody z cichym pluskiem.

– Gemmo! – woła Felicity szeptem z brzegu. – Nie pozwól jej się utopić.

Szarpię za linę i Ann, krztusząc się, wyskakuje na powierzchnię już przytomna. Hałaśliwie rozchlapuje wodę.

– Ann! Ciii! Usłyszą cię...

Za późno. Po drugiej stronie laguny nimfy zakończyły naradę z potwornymi dziewczętami w bieli i wiedzą już, co zamierzam zrobić. Ruszają błyskawicznie w moją stronę z wściekłym wrzaskiem, który boleśnie rani moje uszy. Nie podoba im się, że zabrałam ich maskotkę. A potem widać tylko srebrzyste łuki pleców, gdy nurkują jedna po drugiej i płyną szybko, złaknione naszej gładkiej skóry.

Odpycham się od skały, wlokąc za sobą przyjaciółkę. Czuję, że panna Moore z całej siły ciągnie linę, ale obie musimy walczyć z bezwładnym ciężarem Ann.

– No, dalej, Annie, musisz kawałek popłynąć – perswaduję.

Ann usiłuje płynąć crawlem i chaotycznie młóci ramionami wodę, ale nie możemy się mierzyć z wściekłymi nimfami mknącymi w naszym kierunku.

Wrzeszczę, nie starając się już zachowywać cicho:

– Ciągnijcie! Ciągnijcie linę, mocno!

Felicity i Pippa rzucają się, by pomóc pannie Moore. Sapiąc i napinając mięśnie, ciągną z całej siły. Gwałtownie prujemy wodę, ale to nie wystarczy.

– Użyjcie sieci! – krzyczę, a odrażająca woda zalewa mi usta, tak że krztuszę się i dławię.

Pippa rzuca sieć, która szybuje nad naszymi głowami i z pluskiem wpada do wody. Nimfy wrzeszczą w furii. Sieć odstraszyła je, ale tylko na chwilę. Znów podejmują pogoń. Tym razem Pippa trafia w cztery nimfy naraz. Rozlega się potworny wrzask, gdy sieć pali ich skórę. Pokrywają się bąblami i pęcherzami, aż zostaje po nich jedynie morska piana.

Reszta pozostaje w tyle, bojąc się podpłynąć bliżej. Przyjaciółki wyciągają nas z głębiny na kłującą rafę.

Panna Moore pomaga mi wstać.

– Nic ci nie jest?

Ann wymiotuje. Jest osłabiona, ale żyje.

Wykradłyśmy im zdobycz! Nie mogę się opanować, by nie wrzasnąć z radości i satysfakcji:

– Weźcie naszą skórę! Proszę bardzo! No, bierzcie!

– Gemmo – odzywa się panna Moore, odciągając mnie od wody – nie prowokuj ich.

I rzeczywiście nimfy nie traktują wyrozumiale mojego wybuchu. Otwierają usta i zaczynają śpiewać. Ich czar niczym sieć ściąga mnie w stronę laguny. Och, ten dźwięk, który brzmi jak obietnica, że nigdy już nie będę miała żadnych zmartwień ani pragnień. Mogłabym się upić tą melodią.

Panna Moore zatyka uszy palcami.

– Nie słuchajcie!

Felicity przyciągana przez pieśń zanurza się w ciepłej wodzie po kostki, potem po kolana. Pippa biegnie na brzeg, wołając ją po imieniu:

– Fee! F e e!

Ann dołącza się do śpiewu. Na chwilę jej głos mnie dekoncentruje. Co ja robię w wodzie? Wychodzę. Lecz gdy Ann przestaje śpiewać, nimfy znów zalewają mnie słodkimi obietnicami.

Jak przez mgłę dociera do mnie krzyk panny Moore:

– Ann! Śpiewaj! Musisz śpiewać!

Ann znów odnajduje swoją pieśń. Dzięki niej otrząsam się z uroku na tyle, by zorientować się, co się dzieje. Felicity wypływa w lagunę.

– Śpiewaj, Ann! – wołam. Odnajduję dłonią słaby puls na jej szyi. – Śpiewaj tak, jakby od tego zależało twoje życie.

Jej pieśń, początkowo wątła, nie może się równać z pokusą w uszach Felicity. Ale głos przyjaciółki nabiera siły. Ann śpiewa głośniej i mocniej niż kiedykolwiek wcześniej, aż sama staje się pieśnią. Przeszywa nimfy wzrokiem niczym wojownik ostrzegający o nadchodzącej bitwie. W końcu Felicity zatrzymuje się, Pippa płynie po nią.

– Fee, wróć ze mną.

Wyciąga rękę, a przyjaciółka ją chwyta.

– No, chodź – przekonuje miękko Pip, zachęcając ją do wyjścia z wody. – Chodź.

Felicity idzie za głosem Ann i ręką Pippy, aż wreszcie staje na lądzie.

– Pippa? – pyta.

Przyjaciółka bierze ją w objęcia, a Felicity w odpowiedzi ściska ją tak mocno, że boję się, iż połamie jej kości.

Nimfy, uświadamiając sobie przegraną, wściekle wrzeszczą.

– Nie ociągajmy się, dobrze? – ponagla nas panna Moore i zarzuca sobie zwiniętą linę na ramię. W tej chwili jestem jej tak wdzięczna, że mogłabym się rozpłakać.

– Dziękuję, Hester – mówię.

– To ja powinnam podziękować tobie, Gemmo.

– Za co? – dziwię się.

Ale nie otrzymuję odpowiedzi, gdyż dziewczęta w bieli powróciły. I nie są same. Przyprowadziły tę przerażającą istotę, którą widywałam w wizjach i która ścigała nas z Grot Westchnień – tropiciela. Wyłania się za nimi z ciemności, rośnie, rozciąga się, aż zmuszone jesteśmy zadzierać głowy, by widzieć jego ogromne kłębiące się ciało. Dziewczęta zanurzają się w jego zwoje jak dzieci lgnące do matczynej spódnicy.

– Nareszcie... – mówi potwór.

Biegnij. Uciekaj. Nie mogę się ruszyć. Strach. Wielki strach. Monstrum rozkłada skrzydła, ukazując pod nimi potworne twarze. *Nienawiść. Trwoga.*

Panna Moore popycha mnie, jej głos brzmi mocno.

– Uciekajcie!

Potykając się, pędzimy w dół po czarnej skale. Zjazd jest bolesny. Kaleczę sobie dłonie, ale za to szybko ląduję na dole.

– Do gorgony! – woła Felicity. Biegnie jako pierwsza, Pippa za nią. Ja ciągnę Ann, która ledwie porusza nogami. Ale gdzie jest panna Moore? Widzę ją! Wyłania się z zielonej siarkowej mgły. Bestia i dziewczęta depczą jej po piętach.

Pogania nas gestem dłoni.

– Biegnijcie! Biegnijcie!

Ciągnąc Ann, pędzę najszybciej, jak mogę, aż w końcu zauważam gorgonę na płyciźnie. Wszystkie cztery wdrapujemy się na pokład.

Panna Moore pojawia się w zasięgu naszego wzroku, ale potwór jest szybki i odcina jej drogę.

– Panno Moore! – wołam.

– Nie! Gemmo, uciekaj! – odkrzykuje. – Nie czekaj na mnie!

Z potężnym rykiem gorgona rusza w kierunku ogrodu. Próbuję przeskoczyć przez burtę, ale Felicity i Pippa uwieszają się na moich ramionach. Walczę z nimi jak szalona.

– Gorgono, zatrzymaj się natychmiast! Rozkazuję ci się zatrzymać!

Nie słucha mnie. Oddalamy się od brzegu, na którym moja przyjaciółka została zdana na łaskę tego monstrum.

– Panno Moore! Panno Moore! – wrzeszczę aż do zachrypnięcia, w końcu zupełnie tracę głos. – Panno Moore! – szepczę, osuwając się na deski pokładu.

❧

Wróciłyśmy do ogrodu. Oczy mnie szczypią od płaczu, jestem wyczerpana i chora. Zwracam się do gorgony:

– Dlaczego się nie zatrzymałaś, kiedy ci rozkazałam?

Potężna, pokryta łuskami głowa powoli odwraca się w moją stronę.

– Przede wszystkim mam cię chronić, Wasza Wysokość.

– Mogłyśmy ją uratować! – krzyczę.

Głowa odwraca się.

– Raczej nie.

– Gemmo – odzywa się Ann delikatnie – musisz przywołać drzwi.

Felicity i Pippa siedzą objęte ramionami, nie chcą się rozstawać.

Zamykam oczy.

– Gemmo – ponagla mnie Ann.

– Potwór Kirke ją dopadł, a ja nie potrafiłam go powstrzymać!

Nikt nie ma do powiedzenia niczego pocieszającego.

– Zabiję ją – mówię, a moje słowa są twarde jak stal. – Zmierzę się z nią, a potem ją zabiję.

Przywołanie świetlistych drzwi wymaga kolosalnego wysiłku. Przyjaciółki muszą mnie podtrzymywać, ale portal w końcu migocze przed nami. Pippa macha nam na pożegnanie i przesyła całusy. Ja mam przejść ostatnia i gdy czekam na swoją kolej, po raz ostatni zerkam na nią. Wyciągnęła coś z kryjówki za drzewem. To truchło jakiegoś małego zwierzęcia. Wpatruje się w nie tęsknie, a potem przysiada nisko na piętach, jakby sama była zwierzakiem. Unosi mięso do ust i je, a jej oczy robią się białe z głodu.

ROZDZIAŁ CZTERDZIESTY CZWARTY

Panna Moore odeszła. Nie ma jej. A ja nie znalazłam Świątyni. Rakshana nie mieli racji, powierzając mi to zadanie. Nie jestem panią Nadzieją, jak nazywała mnie Nell Hawkins. Nie jestem Waszą Wysokością, która przywróci chwałę Zakonowi i magii. Jestem Gemmą Doyle i zawiodłam.

Czuję się taka zmęczona. Całe ciało mnie boli i wydaje mi się, że głowę mam wypchaną watą. Chciałabym się położyć i spać przez kilka dni. Jestem nawet zbyt zmęczona, żeby się rozebrać. Kładę się w poprzek łóżka. Pokój wiruje przez chwilę przed moimi oczami, a potem zasypiam jak kamień i śnię.

Lecę nad ciemnymi, wilgotnymi po deszczu ulicami, nad zaułkami, w których brudne dzieci pochłaniają czerstwy chleb pełen robaków. Lecę dalej, aż docieram do korytarzy szpitala Bethlem i pokoju Nell Hawkins.

– Pani Nadziejo – szepcze ona. – Coś ty zrobiła?

Nie rozumiem. Nie umiem odpowiedzieć. Na korytarzu rozlegają się kroki.

– Coś ty zrobiła? Coś ty zrobiła? – krzyczy Nell. – Mika i Mik na górę myk, Mika i Mik na górę myk, Mika i Mik na górę myk.

Unoszę się na jej niezbornych słowach, wysoko nad ciemnym korytarzem, którym niezauważona przemyka dama w zielonym płaszczu. Kiedy już ulatuję w atramentową noc nad St. George, dobiega do mnie cichy, zduszony krzyk Nell Hawkins.

Nie wiem, jak długo spałam, jaki jest dzień ani gdzie jestem, gdy budzi mnie zdenerwowana pani Jones.

– Panienko, panienko! Niech się panienka szybko ubierze. Lady Denby i pan Simon przyszli z wizytą. Babcia przysłała mnie, żebym natychmiast panienkę przyprowadziła.

– Nie czuję się dobrze – odpowiadam, opadając z powrotem na poduszki.

Pani Jones sadza mnie prosto.

– Gdy już pójdą, będzie mogła panienka odpoczywać, ile zechce. Ale teraz musi się panienka ubrać, i to szybko.

Kiedy schodzę, wszyscy siedzą w bawialni pochyleni nad filiżankami herbaty. Jeśli to wizyta towarzyska, to zdecydowanie nieudana. Coś poszło nie tak. Nawet Simon się nie uśmiecha.

– Gemmo – zwraca się do mnie babcia. – Usiądź, dziecino.

– Obawiam się, że przynoszę nieprzyjemne wieści na temat pani znajomej, panny Bradshaw – odzywa się lady Denby. Moje serce zamiera.

– Doprawdy? – mówię omdlewającym głosem.

– Tak. Uznałam to za dziwne, że nie znam jej rodziny, więc popytałam tu i ówdzie. W Kent nie ma nikogo takiego jak książę Chesterfield. Prawdę mówiąc, nikt nic nie słyszał o panience, która okazała się rosyjską arystokratką.

Babcia kręci głową.

– To wstrząsające. Wstrząsające!

– Dowiedziałam się natomiast, że ma ona dość pospolitą kuzynkę, żonę kupca, która mieszka w Croydon. Obawiam się, że wasza panna Bradshaw jest zwykłą łowczynią fortun – podsumowuje lady Denby.

– Nigdy mi się nie podobała – wyznaje babcia.

– To z pewnością jakaś pomyłka – protestuję słabo.

– Delikatnie powiedziane, moja droga – stwierdza lady Denby, klepiąc mnie po dłoni. – Ale proszę pamiętać, że panią też dotknął ten skandal. I oczywiście panią Worthington. Pomyśleć, że otworzyli przed nią swój dom. Naturalnie pani Worthington nie słynie z roztropności, jeśli mogę tak to ująć.

Babcia wydaje wyrok.

– Nie wolno ci utrzymywać z tą dziewczyną żadnych kontaktów.

Wchodzi Tom. Twarz ma bladą i ściągniętą.

– Thomas? Co się stało? – pyta babcia.

– Chodzi o pannę Hawkins. W nocy dostała gorączki i prawdopodobnie nie dojdzie już do siebie. – Potrząsa głową, nie mogąc mówić dalej.

– Śniłam o niej ostatniej nocy – wyrywa mi się.

– Naprawdę? I co się pani śniło? – pyta Simon.

Śniłam o Kirke i zduszonym krzyku Nell. A jeśli to nie był sen?

– Ja... nie pamiętam – odpowiadam.

– Och, biedactwo, jak pani pobladła – lituje się nade mną lady Denby. – To bardzo przykre, dowiedzieć się, że oszukała nas domniemana przyjaciółka. A teraz jeszcze panna Hawkins zachorowała. To musi być ogromny wstrząs.

– Istotnie – mówię. – Nie czuję się dobrze.

– Biedulka – znów mruczy lady Denby. – Simonie, bądź dżentelmenem i odprowadź pannę Doyle.

Simon bierze mnie pod ramię i wyprowadza z pokoju.

– Nie mogę znieść tego, że Ann znalazła się w takich tarapatach – wyznaję.

– Jeśli podawała się za kogoś innego, to zasłużyła na swój los – odpowiada Simon. – Nikt nie lubi być oszukiwany.

Czy ja oszukuję Simona, pozwalając mu sądzić, że jestem nieskomplikowaną angielską uczennicą? Czyby uciekł, gdyby znał prawdę? Czyby uznał, że go zwodziłam? Posiadanie sekretów to taka sama iluzja jak zawiła gra pozorów.

– Wiem, że to straszne oszustwo – mówię – ale czy mógłby pan opóźnić wizytę matki u pani Worthington, dopóki nie będę miała okazji porozmawiać z panną Bradshaw?

Simon uśmiecha się do mnie.

– Zrobię, co w mojej mocy. Lecz powinna pani wiedzieć, że gdy moja matka upatrzy sobie jakiś cel, niewiele da się zrobić, żeby zawrócić ją z drogi. I myślę, że panią sobie upatrzyła.

Powinno mi to pochlebiać. I w pewnym, niewielkim stopniu tak jest. Nie mogę się jednak pozbyć wrażenia, że aby Simon i jego rodzina mogli mnie pokochać, musiałabym być zupełnie inną osobą, a gdyby mnie naprawdę znali, nie przyjmowaliby mnie tak ciepło.

– A jeśli rozczarowałby się pan co do mnie?

– To niemożliwe.

– A gdyby odkrył pan coś... zaskakującego na mój temat?

Simon kiwa głową.

– Wiem, co to jest, panno Doyle.

– Tak? – szepczę.

– Tak – potwierdza z przejęciem. – Ma pani garb, który pojawia się dopiero po północy. Obiecuję, że zabiorę pani sekret do grobu.

– Zgadł pan – odpowiadam z uśmiechem, mocno mrugając, żeby powstrzymać łzy, które mnie pieką pod powiekami.

– Widzi pani? Wiem o pani wszystko – mówi Simon. – A teraz proszę odpocząć. Zobaczymy się jutro.

Słyszę, jak plotkują w bawialni. Słyszę, ponieważ stoję na schodach, cicha niczym światło gwiazd. A potem równie bezszelestnie wychodzę z domu i pędzę do Worthingtonów, żeby ostrzec przyjaciółki. Później zamierzam odnaleźć pannę McCleethy, która odpowie za śmierć panny Moore, mojej mamy, Nell Hawkins i pozostałych. W tym celu sztylet od Kartika wsuwam za cholewkę buta.

Kamerdyner Worthingtonów otwiera drzwi, a ja wpycham się do hallu mimo jego protestów.

– Felicity! – wołam, nie przejmując się manierami czy etykietą. – Ann!

– Tu jesteśmy! – odpowiada Felicity z biblioteki.

Biegnę do nich, a kamerdyner depcze mi po piętach.

– Panna Doyle do panienki – anonsuje, zdecydowany nadać naszemu zachowaniu pozory oficjalności.

– Dziękuję, Shames. Możesz odejść – odprawia go Felicity. – Co się dzieje? – pyta, gdy zostajemy same. – Czy chodzi o pannę Moore? Znalazłaś sposób, jak ją ściągnąć z powrotem?

Kręcę głową.

– Wpadłyśmy. Lady Denby zasięgnęła języka. Odnalazła twoją kuzynkę, Ann, i wie, że cały czas udawałyśmy. – Opadam na fotel. Jestem taka zmęczona.

– W takim razie wszyscy się dowiedzą, możecie być tego pewne – mówi Felicity, a na jej twarzy maluje się prawdziwe przerażenie.

Ann blednie.

– Przecież mówiłaś, że nikt się nie zorientuje!

– Nie wzięłam pod uwagę lady Denby i jej nienawiści do mojej matki.

Ann siada, cała drżąc.

– Jestem zrujnowana. I nigdy już nie pozwolą nam się zobaczyć.

Felicity przyciska pięść do brzucha.

– Papa urwie mi głowę.

– To był twój pomysł! – wybucha Ann, mierząc palcem w Felicity.

– A ty bardzo chętnie na niego przystałaś!

– Przestańcie, proszę – interweniuję. – Musimy powstrzymać lady Denby przed wyjawieniem tego, co wie.

– Nikt jej przed tym nie powstrzyma – zapewnia Felicity. – To bardzo stanowcza kobieta, a tego rodzaju plotki stanowią sens jej życia.

– Moglibyśmy przedstawić kolejną historyjkę – podpowiada Ann, spacerując niespokojnie po pokoju.

– Ile czasu minie, zanim przeprowadzi śledztwo również w tej sprawie? – pytam.

Ann siada na kanapie, ukrywa twarz w dłoniach i wybucha płaczem.

– Moglibyśmy wykorzystać magię – sugeruje Fee.

– Nie – oponuję.

Oczy Felicity błyszczą.

– Dlaczego nie?

– Zapomniałaś już o ostatniej nocy? Będziemy potrzebowały każdej odrobiny magii, żeby odnaleźć Świątynię i stawić czoło Kirke.

– Kirke! – parska Felicity. – Pippa miała rację. Dbasz tylko o siebie.

– To nieprawda.

– Nie?

– Proszę, Gemmo – bełkocze Ann.

– Widziałyście, jak magia mnie wyczerpuje – odpowiadam. – Nie jestem dzisiaj sobą. A Nell Hawkins wpadła w śpiączkę. Zeszłej nocy śniłam, że Kirke ją odnalazła.

Wchodzi kamerdyner.

– Wszystko w porządku, panno Worthington?

– Tak, Shames, dziękuję.

Wychodzi, ale nie zabiera ze sobą naszego gniewu. Złość zalega w pokoju, objawiając się zranionymi spojrzeniami i wrogą ciszą. Boli mnie głowa.

– Myślisz, że to prawda? Sądzisz, że Kirke naprawdę zapanowała nad umysłem Nell Hawkins? – pyta Ann przez łzy.

– Tak – potwierdzam. – Widzicie więc, że koniecznie musimy dziś wieczorem znów wybrać się do międzyświata. Kiedy znajdziemy Świątynię i zapieczętujemy magię, będziesz mogła ich skłonić, żeby uwierzyli, iż jesteś samą królową Wiktorią, jeśli chcesz. Ale najpierw odnajdziemy Świątynię. – I Kirke.

Felicity głośno wypuszcza powietrze z płuc.

– Dziękuję, Gemmo. Zadbam o to, żeby mama trzymała się z dala od szponów lady Denby aż do jutra. Ann, zaraz bardzo się rozchorujesz.

– Tak?

– Nikt nie śmie mówić źle o osobie cierpiącej – wyjaśnia. – Teraz zemdlej.

– A jeśli zorientują się, że udaję?

– Ann, zemdleć nie jest wcale trudno. Kobiety robią to bezustannie. Po prostu upadniesz na podłogę, zamkniesz oczy i nie będziesz się odzywała.

– Dobrze – zgadza się Ann. – Mam upaść na podłogę czy na kanapę?

– Och, na Boga, to nie ma znaczenia! Po prostu zemdlej!

Ann kiwa głową. Z finezją urodzonej aktorki wywraca oczy i teatralnie osuwa się na podłogę jak opadający suflet. To najładniejsze omdlenie, jakie w życiu widziałam. Szkoda, że zostało zmarnowane na nas.

– Dziś wieczorem – mówi Felicity, ujmując mnie za ręce.

– Dziś wieczorem – potwierdzam.

Gorączkowo rzucamy się do drzwi.

– Shames! Shames! – woła Fee.

Wysoki, lodowaty kamerdyner staje na progu.

– Tak, panienko?

– Shames, panna Bradshaw zemdlała! Chyba zachorowała. Trzeba natychmiast zawiadomić mamę.

Nawet opanowany Shames wydaje się poruszony.

– Tak, panienko. Natychmiast.

Gdy w domu wybucha gorączkowy zamęt – najwyraźniej wszystkich ekscytuje ta niebezpieczna sytuacja, odstępstwo od ogłupiającej rutyny – ja wychodzę. Muszę przyznać, że odczuwam prymitywną przyjemność na myśl o tym, co powiem babci o tej wizycie: „...i wtedy łagodne, dobre serce panny Bradshaw zostało tak zranione tymi pomówieniami, że biedaczka rozchorowała się i zemdlała...”.

Tak, to będzie bardzo satysfakcjonująca chwila. Gdybym tylko nie czuła się taka zmęczona.

Nad Londynem zapadł zmierzch i zaczął padać śnieg z deszczem. Wieczór jest nieprzyjemny, chętnie więc posiedzę przy kominku. Zastanawiam się, co się stało z panną Moore i czy mogę zrobić cokolwiek, żeby uchronić ją przed potwornym losem. Zastanawiam się, czy jeszcze kiedykolwiek zobaczę Kartika, czy też pochłonęły go cienie Rakshana.

Jackson czeka cierpliwie przy krawężniku. To może oznaczać jedynie, że odkryli moje zniknięcie i wyciągnęli z tego logiczny wniosek. Teraz tkwię w tym po uszy razem z Felicity i Ann. Najprawdopodobniej w powozie siedzi wściekły Tom.

– Bry wieczór, panienko. Babcia bardzo się o panienkę martwiła – mówi Jackson, otwierając przede mną drzwiczki. Chwyta mnie za rękę, żeby pomóc mi wsiąść.

– Dziękuję, Jack... – Zamieram. Nie czekają na mnie ani Tom, ani babcia. W moim powozie siedzi panna McCleethy, a towarzyszy jej Fowlson ze stowarzyszenia Rakshana.

– Proszę wsiąść, panienko – nalega Jackson, popychając mnie.

Otwieram usta, żeby krzyknąć, ale on mocno zatyka mi je dłonią, tłumiąc dźwięk.

– Wiem, gdzie mieszka twoja rodzinka. Pomyśl o biednym tatusiu, złożonym chorobą i takim bezradnym.

– Dość – przerywa mu panna McCleethy. – Wystarczy.

Jackson puszcza mnie z ociąganiem. Zamyka za mną drzwiczki i siada na koźle. Światła Mayfair znikają, gdy powóz nagle skręca w Bond Street.

– Dokąd mnie zabieracie? – pytam stanowczo.

– Tam, gdzie będziemy mogli porozmawiać – wyjaśnia panna McCleethy. – Bardzo trudno panią złapać, panno Doyle.

– Co pani zrobiła Nell Hawkins? – chcę wiedzieć.

– Panna Hawkins jest w tej chwili moim najmniejszym zmartwieniem. Musimy porozmawiać o Świątyni.

Fowlson zwilża chustkę cieczą z niewielkiej buteleczki.

– Co to jest? – pytam, czując, że narasta we mnie strach.

– Nie może pani poznać drogi do naszej kryjówki – odpowiada.

Pochyla się nade mną. Walczę, odwracając głowę na boki, żeby mu się wywinąć, ale jest zbyt silny. Widzę jedynie biel chusteczki, która zbliża się, zakrywając mi w końcu usta oraz nos.

Czuję łatwo rozpoznawalny, duszący zapach eteru. Ostatni obraz przed moimi oczami to panna McCleethy beztrosko pochłaniająca ciągutkę.

❧

Stopniowo dochodzę do siebie. Najpierw pojawia się niesmak w ustach, ohydny, siarkowy osad na języku, który przyprawia mnie o mdłości, a potem rozmazane widzenie. Muszę unieść dłoń, żeby osłonić oczy przed drgającym światłem. Znajduję się w ciemnym pokoju, rozjaśnionym tylko blaskiem świec. Czy nie ma tu nikogo prócz mnie? Nikogo nie widzę, ale wyczuwam w pomieszczeniu obecność innych. W ciemnościach nade mną rozlega się szeleszczenie.

Wchodzi dwóch zamaskowanych mężczyzn, prowadząc kogoś w przepasce na oczach. Zdejmują mu przepaskę. To Kartik! Wycofują się, zostawiając nas samych.

– Gemmo... – odzywa się.

– Kartik – chrypię. Gardło mam zupełnie suche, a głos trzeszczący. – Co ty tu robisz? Ciebie też porwali?

– Nic ci nie jest? Masz, napij się wody – odpowiada.

Upijam łyk.

– Tak bardzo mi przykro z powodu tego, co powiedziałam tamtego dnia. Nie chciałam cię urazić.

Kręci głową.

– Zapomniałem już o tym. Jesteś pewna, że nic ci się nie stało?

– Musisz mi pomóc. Fowlson i panna McCleethy porwali mnie i przywieźli tutaj. Skoro on z nią współpracuje, to nie możemy wierzyć Rakshanom.

– Ciii, Gemmo. Nikt nie przyprowadził mnie tutaj wbrew mojej woli. Panna McCleethy należy do Zakonu. Współpracuje z Rakshanami, żeby odnaleźć Świątynię i przywrócić Zakonowi pełną moc. Przybyła tu, aby ci pomóc.

Ściszam głos do szeptu.

– Kartiku, wiesz, że panna McCleethy to Kirke?

– Fowlson twierdzi, że to nieprawda.

– Skąd on to wie? A skąd ty wiesz, czy on też nie został zdeprawowany? Skąd wiesz, że możesz mu zaufać?

– Panna McCleethy nie jest tą osobą, za którą ją uważasz. Nazywa się Sahirah Foster i poluje na Kirke. Przybrała nazwisko McCleethy na przynętę, w nadziei na to, że zwróci uwagę prawdziwej Kirke, gdyż pod takim nazwiskiem występowała ona w Świętej Wiktorii.

– Wierzysz w tę historyjkę? – pytam szyderczym tonem.

– Fowlson w nią wierzy.

– Pewna jestem, że Nell Hawkins powiedziałaby ci co innego. Nie rozumiesz? – przekonuję. – To Kirke! Zamordowała te dziewczynki, Kartiku. Zamordowała moją mamę i twojego brata! Nie pozwolę, by mnie też zabiła.

– Mylisz się, Gemmo.

Przeciągnęła go na swoją stronę, nie mogę mu już ufać.

Do pokoju wchodzi Fowlson, a za nim panna McCleethy, długim zielonym płaszczem zamiatając podłogę.

– To trwa zdecydowanie za długo, panno Doyle. Zabierze mnie pani do międzyświata, a ja pomogę znaleźć Świątynię. Wtedy poskromimy magię i odbudujemy Zakon.

Z góry rozlega się głęboki głos:

– A Rakshana zyskają w końcu dostęp do międzyświata i magii. – W blasku świec widzę tylko zamaskowaną twarz.

– Tak, oczywiście – potwierdza panna McCleethy.

– Wiem o pani wszystko – odzywam się. – Napisałam do Świętej Wiktorii. Wiem, co pani zrobiła Nell Hawkins i innym dziewczętom przed nią.

– Nic pani nie wie, panno Doyle. Tylko tak się pani wydaje i w tym tkwi problem.

– Wiem, że pani Nightwing jest pani siostrą – oświadczam tryumfalnym tonem.

Panna McCleethy wygląda na zaskoczoną.

– Lillian jest moją bliską przyjaciółką. Nie mam siostry.

– Kłamie pani – upieram się.

Głos z góry grzmi:

– Wystarczy! Już pora na was.

– Nie zabiorę nikogo! – krzyczę do wszystkich razem i każdego z osobna.

Fowlson brutalnie chwyta mnie za ramię.

– Mam już dość pani gierek, panno Doyle. Przez nie straciliśmy zdecydowanie za dużo czasu.

– Nie możecie mnie do tego zmusić – mówię.

– Nie?

Panna McCleethy interweniuje.

– Panie Fowlson, proszę pozwolić mi chwilę porozmawiać z dziewczyną.

Odciąga mnie na bok, a jej głęboki głos przechodzi w szept.

– Proszę się nie martwić, moja droga, nie zamierzam dopuścić do tego, żeby Rakshana mieli coś do powiedzenia w międzyświecie. Staram się tylko zjednać ich obietnicą.

– A gdy pani pomogą, pani ich znowu wykluczy.

– Tym nie trzeba się trapić. – Jeszcze bardziej ścisza głos. – Zamierzali zagarnąć międzyświat dla siebie. Jakimi słowami kazali pani związać magię?

– „Zaklinam magię w imieniu Gwiazdy Wschodu".

Uśmiecha się.

– Ta formuła zapewni im absolutną władzę nad Świątynią.

– Czemu mam pani wierzyć? Kartik mówił...

– Kartik? – prycha z pogardą. – A może powiedział też pani, na czym polega jego zadanie?

– Ma mi pomóc odnaleźć Świątynię.

– Panno Doyle, jest pani naprawdę bardzo łatwowierna. Miał pomóc pani odnaleźć Świątynię, tak by Rakshana mogli ją przejąć. Gdy już zdobędą całą władzę, naprawdę sądzi pani, że będzie im pani jeszcze potrzebna?

– Co pani sugeruje?

– W tym momencie byłaby pani tylko zbędnym balastem. Obciążeniem. A to nas prowadzi do jego prawdziwego zadania: miał panią zabić.

Pokój gwałtownie się zmniejsza. Czuję, że nie mogę oddychać.

– Kłamie pani.

– Tak? Może go pani sama spyta? Och, nie spodziewam się, że powie prawdę. Ale proszę go obserwować, zwłaszcza jego oczy. One nie skłamią.

Nie zapomnij o swoim zadaniu, nowicjuszu...

Czy to wszystko było kłamstwem? Czy cokolwiek było prawdą?

– Widzi więc pani, moja droga, jednak musimy ze sobą współpracować.

Jestem zbyt rozgoryczona, żeby płakać. Moja krew została skażona nienawiścią.

– Na to wygląda – odpowiadam, a furia czai się w moim brzuchu niczym zwinięty wąż.

– Posiada pani niezwykłe dary, Gemmo. Pod moimi skrzydłami wiele się pani nauczy, ale najpierw proszę pamiętać: musi pani zapieczętować magię w imię Zakonu. – Panna McCleethy uśmiecha się żmijowato. – Dwadzieścia lat czekałam na tę chwilę.

Po moim trupie.

– Najpierw muszę poznać prawdę – odpowiadam.

Kiwa głową.

– Proszę bardzo. Fowlson! – woła. Kilka sekund później Fowlson wchodzi z Kartikiem. Komnata nad nami się zapełnia. Podłoga ożywa cichymi dźwiękami dyskretnych kroków. Potem nieruchomieje wszystko prócz płomieni świec.

– Kartiku – mówię, a mój głos odbija się od ścian. Pokój jest mniejszy niż myślałam. – Jakie zadanie zlecili ci Rakshana? Nie chodzi mi o odszukanie Świątyni – dodaję głosem przepełnionym nienawiścią. – Chodzi o to drugie.

– O to... to drugie? – pyta, potykając się o własne słowa.

– Tak, gdy już odnajdę Świątynię. Co miałeś wtedy zrobić? – Nigdy przedtem na nikogo nie patrzyłam w taki sposób, z takim śmiertelnym gniewem. I nigdy nie widziałam, żeby Kartik był tak przerażony.

Z trudem przełyka ślinę. Zerka w górę na pozbawionych twarzy ludzi w cieniu.

– Teraz ostrożnie, bracie – szepcze Fowlson.

– Miałem pomóc ci znaleźć Świątynię. Nie było innego zadania – opowiada Kartik. Ale mówiąc to, nie patrzy mi w oczy, i już wiem. Wiem, że kłamie. Wiem, że miał mnie zabić.

– Kłamca – rzucam. Tym słowem zmuszam go, żeby na mnie spojrzał, ale bardzo szybko odwraca wzrok. – Jestem gotowa.

– Wspaniale – cieszy się panna McCleethy.

Ujmuję jej silne dłonie w swoje i zamykam oczy. *Zemdleć nie jest wcale trudno. Kobiety robią to bezustannie. Zamykają oczy i osuwają się na podłogę.*

– Aaa! – jęczę i stosuję się do tych wskazówek.

Nie wygląda to tak wdzięcznie jak w wykonaniu Ann. Ale zginam się wpół tak, aby moja dłoń znalazła się kilka centymetrów od buta. Odnajduję palcami rękojeść sztyletu ukrytego w Megh Sambara. Nigdy jeszcze tak bardzo jak teraz nie potrzebowałam ochrony przed wrogami.

– I co dalej? – wzdycha Fowlson.

– Ona udaje – odpowiada panna McCleethy i mnie kopie. Nie ruszam się. – Mówię wam, że to oszustwo.

– Podnieś ją! – rozlega się potężny głos z góry.

Kartik bierze mnie pod ramiona i unosi, a potem taszczy w stronę drzwi, które się przed nami otwierają.

– Przynieście sole – rozkazuje Fowlson.

– Ona blefuje – upiera się panna McCleethy. – Nie ufajcie jej ani przez chwilę.

Spod półprzymkniętych powiek obserwuję, dokąd zabiera mnie Kartik. Jesteśmy w ciemnym hallu. Skądś z góry dobiega ludzki śmiech i stłumione rozmowy. Czy tam znajduje się wyjście?

Mocno zaciskam palce na moim totemie. Odpycham Kartika, jednocześnie wyciągając ostrze.

– Nie wydostaniesz się stąd. Nie wiesz, które drzwi prowadzą na zewnątrz – ostrzega Fowlson.

Ma rację. Znajduję się w pułapce. Fowlson i Jackson podchodzą bliżej, a panna McCleethy wygląda tak, jakby miała ochotę pożreć mnie na kolację.

– Dość tych wygłupów, panno Doyle. Nie jestem pani wrogiem.

Które drzwi prowadzą na zewnątrz? Kartik. Patrzę na niego. Przez chwilę się waha, a potem wskazuje spojrzeniem drzwi po mojej lewej i lekko kiwa głową. Wiem już, że ich zdradził i wskazał mi drogę.

– A ty po co tam stoisz, chłopcze? – woła Jackson.

Ta chwila nieuwagi wystarcza, by udało mi się wydostać na zewnątrz, a Kartikowi razem ze mną. Zatrzaskujemy za sobą drzwi.

– Gemmo! Daj nóż, szybko! Wsadź go w skobel!

Wciskam nóż w metalowy skobel, blokując drzwi. Słyszę, jak moi prześladowcy łomoczą w nie i krzyczą po drugiej stronie. Prowizoryczny zamek nie wytrzyma długo. Mam nadzieję, że zdążymy uciec.

– Tędy – mówi Kartik. Wychodzimy na ciemną londyńską ulicę. Płatki śniegu mieszają się z czarnymi smugami dymu z lamp gazowych, tak że niewiele widać. Zauważam tu też innych ludzi. Po chwili rozpoznaję okolicę. Znajdujemy się niedaleko placu Pall Mall i najbardziej ekskluzywnych męskich klubów w Londynie. To głosy ich gości słyszałam!

– Zatrzymam ich, dopóki nie uciekniesz – obiecuje Kartik, z trudem oddychając.

– Czekaj, Kartik! Nie możesz wrócić – ostrzegam go. – Nigdy już nie możesz tam wrócić.

Młodzieniec kołysze się na piętach, a jego nogi nie mogą się zdecydować, czy stać tutaj, czy pobiec z powrotem, tak jak dziecko pędzące do mamy, żeby powiedzieć: „Przepraszam, przepraszam za to, co zrobiłem, proszę, wybacz mi już". Lecz Rakshana nie są wyrozumiali. Kartik zaczyna sobie uświadamiać konsekwencje swojego spontanicznego czynu. Pomagając mi, odrzucił wszelkie szanse, by zostać pełnoprawnym członkiem ich stowarzyszenia. Odwrócił się plecami do jedynej rodziny, jaką kiedykolwiek miał. Nie posiada żadnego opiekuna ani domu. Jest sam, tak jak ja.

Fowlson i Jackson wypadają na chodnik, wściekle rozglądając się na prawo i lewo. Zauważają nas. Panna McCleethy wybiega za nimi. Kartik nadal stoi, jakby nie wiedział, w którą stronę się skierować.

– Chodź – mówię, śmiało biorąc go pod ramię. – Idziemy na spacer.

Robimy, co w naszej mocy, żeby wmieszać się w tłum na ulicy, w grupy mężczyzn wychodzących z klubów po kolacji, cygarze i brandy, w towarzystwo par udających się do teatru lub na przyjęcia.

Za nami słyszę, jak Fowlson gwiżdże wojskową melodyjkę, którą angielscy żołnierze śpiewali w Indiach.

– Nie zrobiłbym tego – zapewnia mnie Kartik.

– Po prostu idź – odpowiadam.

– Pozwoliłbym ci uciec.

Gwizdanie Fowlsona, nieszczerze czyste, przedziera się przez uliczny zgiełk i ruch, ziębiąc mnie do szpiku kości. Zerkam w tył. Nasi prześladowcy zbliżają się. Spoglądam przed siebie, by ujrzeć coś znacznie bardziej przerażającego: Simona z ojcem wychodzących właśnie z klubu Ateneum. Nie mogą mnie tu zobaczyć. Puszczam ramię Kartika i zawracam.

– Co ty wyprawiasz? – pyta.

– To Simon – wyjaśniam. – Nie mogę go teraz spotkać.

– No, ale przecież nie pójdziemy w drugą stronę!

Wpadam w panikę. Kamienna Atena stojąca nad okazałym wejściem do klubu widzi, jak Simon kieruje się w naszą stronę. Jego powóz czeka przy krawężniku. Trochę dalej ktoś wysiada z dorożki i płaci woźnicy. Odepchnąwszy z drogi czekającą w kolejce parę, Kartik otwiera przede mną drzwiczki.

– To księżna Kentu – mówi z uśmiechem do rozwścieczonego mężczyzny. – Musi natychmiast jechać do pałacu Świętego Jakuba.

Dżentelmen gotuje się ze złości i krzyczy, zwracając uwagę ludzi na ulicy, w tym Simona i jego ojca. Chowam się w głębi pojazdu, ale rozjuszony mężczyzna żąda, żebym wysiadła.

– Jestem zmuszony zaprotestować, szanowna pani! Ten powóz słusznie należał się nam!

„Proszę, proszę pozwolić mi z niego skorzystać" – błagam go w myślach. Fowlson dostrzegł nas. Przestał pogwizdywać i przyspieszył kroku. Znajdzie się obok za kilka sekund.

– W czym problem? – To głos lorda Denby.

– Ta młoda dama zabrała naszą dorożkę – wyjaśnia mężczyzna. – A ten hinduski chłopiec utrzymuje, że to księżna Kentu.

– Ojcze, czy to nie jest były woźnica pana Doyle'a? To z całą pewnością on!

Lord Denby prostuje ramiona.

– Słuchaj, chłopcze! Co to wszystko ma znaczyć?

– Mam wezwać konstabla? – pyta Simon.

– Bardzo proszę, panienko – ponagla mnie mężczyzna, podając mi rękę przez okno, podczas gdy ja usilnie staram się pozostać niewidoczna. – Już po zabawie. Będę wdzięczny, jeśli panienka natychmiast opuści nasz powóz.

– No, panienko! – woła woźnica. – Niepotrzebne nam kłopoty w taką niesympatyczną noc.

To już koniec. Albo zostanę odkryta przez Simona i jego ojca, a moja reputacja na zawsze legnie w gruzach, albo Fowlson i panna McCleethy uprowadzą mnie w siną dal.

Kładę dłoń na klamce, gdy Kartik nagle zaczyna zachowywać się jak szaleniec – śpiewa żwawą melodyjkę i wycina hołubce.

– Jest pijany czy oszalał? – wyraża zainteresowanie lord Denby.

Kartik zagląda do powozu.

– Wiesz, gdzie mnie znaleźć.

Wyrzuca ręce w powietrze i jedną gwałtownie opuszcza, mocno klepiąc konia w zad. Z głośnym rżeniem koń puszcza się ulicą, a woźnica bezskutecznie krzyczy:

– Prrr, Tillie, zatrzymaj się!

Jedyne, co może zrobić, to skierować zwierzę z dala od chodnika przed klubami w główny nurt powozów wyjeżdżających z Pall Mall. Gdy po raz ostatni zerkam za siebie, widzę, że Kartik nadal odgrywa szalonego błazna. Zbliża się konstabl, dmuchając w gwizdek. Fowlson i Jackson wycofują się. Nie dostaną teraz Kartika. Tylko panny McCleethy nigdzie nie widać. Zniknęła niczym duch.

– Dokąd, panienko? – w końcu woła do mnie woźnica.

Dokąd mogę się udać? Gdzie mogę się ukryć?

– Na Baker Street! – odkrzykuję, podając adres panny Moore. – Jak najszybciej, proszę.

ROZDZIAŁ CZTERDZIESTY PIĄTY

Docieramy na Baker Street akurat w chwili, gdy uświadamiam sobie, że nie mam torebki, a co za tym idzie, nie mam też czym zapłacić za przejazd.

– Jesteśmy na miejscu, panienko – oświadcza woźnica, pomagając mi wysiąść z powozu.

– O mój Boże – wzdycham. – Wygląda na to, że zapomniałam torebki. Jeśli poda mi pan nazwisko i adres, dopilnuję, żeby został pan sowicie wynagrodzony. Obiecuję.

– A moja mama jest królową – odpowiada.

– Mówię prawdę, proszę pana.

Po drugiej stronie ulicy idzie konstabl, a miedziane guziki jego munduru połyskują w mroku. Moje serce przyspiesza.

– Niech panienka powie to konstablowi – proponuje woźnica. – Hej! Panie konstablu! Tutaj!

Rzucam się biegiem, a policyjny gwizdek głośno świszcze za moimi plecami. Szybko wsuwam się w cienisty zaułek i czekam. Znów zaczął padać śnieg z deszczem. Drobne, twarde igiełki lodu kąsają mnie w twarz i zaczyna mi ciec z nosa. Oszronione fasady domów połyskują w gazowym świetle. Każdy oddech to bolesna walka z mrozem o powietrze, ale mam i większy problem. Magia mnie wyczerpała. Czuję się dziwnie, jakbym miała gorączkę.

Niedaleko rozlegają się zdecydowane kroki konstabla.

– I wtedy powiedział, że to księżna Kentu – opowiada woźnica.

Przytulam się płasko do ściany. Moje serce głośno tłucze się o żebra, a płuca są ściśnięte jak więzień w kajdanach.

– Radzę ci więcej nie zabierać dziwnych kobiet, kolego – odpowiada konstabl.

– A skąd niby miałem wiedzieć, że ona jest dziwna? – obrusza się woźnica.

Kłócąc się, mijają mnie w odległości kilku centymetrów i nawet nie zerkają w moją stronę. Potem ich kroki i głosy stają się ledwie słabym echem, aż w końcu noc pochłania je całkowicie. Z głośnym westchnieniem wypuszczam powietrze. Nie marnuję czasu. Zmierzam do mieszkania panny Moore najszybciej, jak mi na to pozwala mój kiepski stan.

W domu panuje ciemność. Pukam głośno w nadziei, że wymyślę jakiś pretekst, który pomoże mi się dostać do środka. Pani Porter wystawia głowę przez okno na piętrze, wołając z irytacją:

– Czego chce?

– Pani Porter, przepraszam, że przeszkadzam, ale mam pilną wiadomość dla panny Moore.

– Nie ma jej w domu.

Tak, wiem, i to moja wina. Mam wrażenie, że zaraz zemdleję. Twarz mam zdrętwiałą z zimna i bezlitośnie wychłostaną śniegiem oraz deszczem. Konstabl może wrócić w każdej chwili, muszę się dostać do środka. Potrzebne mi miejsce, w którym będę mogła się ukryć, zastanowić, odpocząć.

– Już późno. Niech panna przyjdzie jutro.

Słychać echo kroków na śliskim bruku. Ktoś nadchodzi.

– Kochana pani Porter – błagam z rozpaczą. – To ja, Felicity Worthington, córka admirała.

– Córka admirała Worthingtona, powiada panna? I jak się miewa admirał, kochaneczko?

– Całkiem dobrze, dziękuję. To znaczy wcale nie dobrze. I dlatego przyszłam do panny Moore. To pilna sprawa. Czy mogłabym na nią poczekać? – *Proszę, wpuść mnie. Tylko dopóki nie dojdę do siebie.*

W dole ulicy słyszę jednostajny stukot butów wracającego konstabla.

– No nie wiem… – odpowiada pani Porter, która kładła się już spać.

– Nie prosiłabym o to, gdybym nie wiedziała, jaka z pani dobra i życzliwa dusza. Pewna jestem, że mój ojciec zechce pani podziękować osobiście, gdy już wydobrzeje.

Słysząc to, pani Porter pręży się dumnie.

– Za sekundkę zejdę.

Latarnia konstabla wyciąga w moją stronę świetliste paluchy. *Proszę, pani Porter, niech się pani pospieszy*. Gospodyni odsuwa rygiel i wpuszcza mnie do środka.

– Bry wieczór, pani Porter! – woła konstabl, przykładając palce do kapelusza.

– Bry wieczór, panie John – odpowiada ona.

Zamyka drzwi, a ja opieram się dłonią o ścianę, żeby się nie przewrócić.

– Co za miła wizyta, taka niespodziewana. Wezmę płaszcz od panienki.

Mocno otulam kołnierzem bolące gardło.

– Droga pani Porter – skrzeczę. – Proszę mi wybaczyć, ale muszę szybko załatwić sprawę z panną Moore, a potem wrócić na posterunek przy łożu papy.

Pani Porter wygląda, jakby, odgryzłszy kawałek czekoladowego ciasta, odkryła, że ma ono nadzienie z marynaty.

– Hmm. Nie powinnam wpuszczać panny na jej pokoje. Prowadzę tu porządny dom, panna rozumie.

– Tak, oczywiście – potwierdzam.

Pani Porter przez chwilę rozważa ten dylemat, a potem bierze wazon i przechyla go nad krzesłem, wytrząsając klucz do mieszkania panny Moore.

– Tędy proszę, jeśli łaska.

Idę za nią wąską klatką schodową.

– Ale jeśli nie wróci do wpół do, będzie panna musiała sobie pójść – postanawia, chrobocząc kluczem w zamku. Drzwi stają otworem i wchodzę do środka.

– Tak, dziękuję. Niech się pani mną nie przejmuje, pani Porter. Wyczuwam tu przeciąg, a gdyby z mojego powodu złapała pani przeziębienie, nigdy bym sobie tego nie wybaczyła.

Ten argument wyraźnie przemawia do pani Porter. Gospodyni zostawia mnie i ciężkim krokiem schodzi po schodach.

Zamykam drzwi. W ciemnościach pokój wydaje się obcy i złowieszczy. Przesuwam palcami po zżółkniętej tapecie, aż trafiam na lampę gazową, która ożywa z sykiem. Płomień drży niepewnie pod szklanym kloszem. Pokój budzi się z drzemki – aksamitna kanapa, globus na stojaku, biurko jak zwykle zarzucone drobiazgami, rzędy ukochanych książek. Maski wyglądają ponuro w wieczornym półmroku. Nie mogę na nie patrzeć. Szukam pocieszenia w obrazach panny Moore – fioletowy wrzos w Szkocji, poszarpane skały nad morzem, omszałe jaskinie w lasach za Spence.

Przysiadam na sofie, żeby się uspokoić i wszystko sobie poukładać. Czuję się taka zmęczona. Chcę spać, ale nie mogę, jeszcze nie. Muszę się zastanowić, co robić dalej. Jeśli Rakshana sprzymierzyli się z panną McCleethy, z samą Kirke, to nie można im ufać. Kartik miał mnie zabić, gdy już znajdę Świątynię, ale zdradził ich i pomógł mi uciec. Zegar tykaniem odmierza minuty. Pięć. Dziesięć. Odsuwam zasłonę i wyglądam na ulicę, ale nie widzę ani śladu po panu Fowlsonie i czarnym powozie.

Pukanie do drzwi niemalże przyprawia mnie o zawał serca. Wchodzi pani Porter z kopertą.

– Kochaneczko, możesz już nie czekać. Musiałam nie zauważyć, że panna Moore zostawiła list dziś rano na moim stoliku.

– Dziś rano? – powtarzam. To niemożliwe, panna Moore zaginęła w międzyświecie. – Jest pani pewna?

– Och, tak. Widziałam, jak wychodziła, ale potem już się nie pojawiła. Właśnie przeczytałam list. Napisała, że wyjeżdża do rodziny.

– Ale panna Moore nie ma żadnej rodziny – oponuję.

– No, jednak ma. – Gospodyni czyta na głos: – „Droga pani Porter! Proszę wybaczyć, że zawiadamiam tak późno, ale muszę natychmiast wyjechać, gdyż przyjęłam posadę w szkole niedaleko Londynu, gdzie stanowisko dyrektora piastuje moja siostra. Przyślę po rzeczy jak najszybciej. Z poważaniem Hester Asa Moore". Hmm. Chyba raczej uciekła, żeby nie płacić czynszu. Zdaje się, że jest mi winna za dwa tygodnie.

– W szkole? Gdzie stanowisko dyrektora piastuje jej siostra? – powtarzam ledwie słyszalnym głosem.

Znam to zdanie z listu pani Morrissey ze Świętej Wiktorii, ale ona pisała o pannie McCleethy.

– Na to wygląda – potwierdza pani Porter.

Jakaś potworna myśl usiłuje nabrać we mnie kształtu. Obrazy. Szkocja. Spence. A ten pejzaż nadmorski wydaje mi się taki znajomy, podobny do tego z moich wizji. To mogłoby być w Walii, uświadamiam sobie z narastającym przerażeniem. Każde miejsce z listy panny McCleethy jest upamiętnione na tych obrazach.

Ale to panna McCleethy uczyła we wszystkich tych szkołach. To ona szukała dziewczynki, która mogłaby ją zaprowadzić do międzyświata.

Chyba że panna McCleethy i Kartik mówili prawdę. Chyba że panna Moore wcale nie jest panną Moore.

– Nie ma już na co tu czekać, panienko – pani Porter przerywa moje rozmyślania.

– Tak – chrypię. – Napiszę list, który będzie można dołączyć do jej rzeczy.

– A proszę bardzo – zgadza się gospodyni, wychodząc. – Może panienka przypomnieć o należności dla mnie. Nie zapłaciła mi czynszu.

Przeszukuję blat biurka i znajduję pióro oraz papier listowy. Biorę głęboki wdech. Nie panna Moore. To niemożliwe. Panna Moore wierzyła we mnie. Jako pierwsza wspomniała nam o Zakonie. Słuchała, gdy jej opowiadałam o... o wszystkim.

Nie. Panna Moore nie jest Kirke. I udowodnię to.

Zapisuję dużymi, śmiałymi literami: Hester Moore.

Słowa odwzajemniają moje spojrzenie. Ann robiła już anagram dla panny Moore i wyszły jej same nonsensy. Spoglądam na list. *Z poważaniem – Hester Asa Moore*. Asa. Drugie imię. Dopisuję je i patrzę dalej. Drżącymi palcami przesuwam litery nazwiska, by utworzyć coś nowego. S, A, R. W końcu wstawiam na miejsce pozostałe litery. H, R, E. Pokój rozpada się, gdy pełne nazwisko ukazuje się moim oczom.

Sarah Rees-Toome.

Panna Moore jest Sarą Rees-Toome. Kirke. Nie! Nie uwierzę w to. Panna Moore pomogła uratować Ann. Kazała nam uciekać, a sama walczyła z potworem Kirke. Ze swoim potworem. A ja wprowadziłam ją do międzyświata. Dałam jej moc.

Wracają do mnie wspomnienia. Jej żywe zainteresowanie panną McCleethy. Polecenie, żeby trzymać ją z dala od Nell Hawkins. Sposób, w jaki dziewczęta w bieli patrzyły na nią w międzyświecie, jakby ją znały.

Gdy będziesz mogła zobaczyć to, co ja widzę – tak powiedziała Nell.

– Chcę to zobaczyć. Chcę poznać prawdę – mówię.

Wizja spada na mnie równie gwałtownie jak nagły deszcz w Indiach. Pod jej naporem cała drżę i padam na kolana. *Oddychaj, Gemmo. Nie walcz z tym.* Zupełnie tracę kontrolę i narasta we mnie panika, gdy spadam coraz szybciej i gwałtowniej.

Nagle wszystko się zatrzymuje. Panuje spokój. Znam to miejsce, widziałam je już wcześniej. Ryk morza wypełnia moje uszy, a rozpryskująca się woda całuje postrzępione skały i pokrywa moje włosy i usta słoną mgiełką. Ziemia jest popękana i zniszczona, skórę skał znaczą tysiące drobnych rys.

W górze widzę trzy dziewczyny, ale to nie widmowe istoty. Są żywe, szczęśliwe i uśmiechnięte. Wiatr szarpie ich spódnice. Powiewają za nimi jak chusteczki, którymi macha się na pożegnanie. Pierwsza dziewczyna potyka się i chwieje, ale po chwili jej krzyk przeradza się w śmiech, gdy udaje się jej znów odzyskać równowagę.

Ten śmiech odbija się powolnym echem we wnętrzu mojej głowy.

– Chodź, Nell!

Nell. Czyli wcieliłam się w Nell. Widzę to, co ona widziała.

– Ona da nam moc! Wejdziemy do międzyświata i zostaniemy siostrami Zakonu! – krzyczy druga dziewczynka w bieli. Aż promienieje na myśl o tej obietnicy. Jestem taka powolna, zupełnie nie mogę za nimi nadążyć.

Dziewczyny machają do kogoś za moimi plecami.

A oto i ona, kobieta w zielonym płaszczu, idzie po spękanej ziemi. Wołają do niej:

– Panno McCleethy! Panno McCleethy!

– Już zaraz – odpowiada kobieta i odsuwa kaptur z twarzy. Ale nie jest to panna McCleethy, którą znałam. To panna Moore. Rozumiem już jej zaskoczenie, gdy po raz pierwszy wymieniłyśmy to nazwisko, i usiłowania, żeby zdyskredytować nową nauczycielkę. Uświadomiła sobie, że ściga ją ktoś z Zakonu. A ja od samego początku wszystko pomieszałam.

– Czy da nam pani moc? – wołają dziewczęta.

– Tak – odpowiada panna Moore, ale w jej głosie brzmi wahanie. – Idźcie jeszcze kawałek dalej na skały.

Dziewczęta wdrapują się na klif z radosnym, beztroskim piskiem. Przez chwilę szarpie nimi gwałtowny poryw wiatru, sprawiając, że czują się bardziej śmiertelne. Próbuję je dogonić.

– Nell! – woła panna Moore. – Poczekaj tu ze mną.

– Ale, proszę pani – protestuję – one się oddalają.

– Niech idą. Ty zostań ze mną.

Zbita z tropu Nell stoi, patrząc na swoje przyjaciółki. Panna Moore unosi rękę. Nie ma na jej palcu pierścienia z wężami. I nigdy nie było, uświadamiam sobie. To ja opowiedziałam jej o pierścionku i dziewczyny w bieli kazały mi widzieć to, co chciały, żebym widziała.

Panna Moore mruczy pod nosem w języku, którego nie znam. Ołowianoszare niebo ożywa, wirując i kłębiąc się. Dziewczęta wyczuwają zmianę i na ich twarzach pojawia się trwoga. Z morza unosi się stwór. Dziewczyny krzyczą w panice i próbują uciec, ale wielkie widmo rozciąga się jak chmura. Naciera na nie i opada, wchłaniając je w całości, jakby nigdy nie istniały. Stwór wzdycha i jęczy. Rozwija swoje wielkie ramiona-skrzydła, a ja dostrzegam uwięzione w nich krzyczące dziewczęta.

Dłoń panny Moore drży. Nauczycielka zamyka oczy.

Potwór odwraca przerażającą głowę w naszą stronę.

– Widzę, że jest jeszcze jedna – syczy. Ten dźwięk mrozi mi krew w żyłach.

– Nie – protestuje panna Moore. – Ta nie.

– Nie potrafi cię wprowadzić, czemu więc nie można by jej poświęcić? – nalega tym potępionym głosem.

– Nie ją – powtarza panna Moore. – Proszę.

– To my decydujemy, kogo oszczędzić, a nie ty. Masz pecha, jeśli się do nich przywiązujesz. – Widmo rozciąga się i wypełnia całe niebo. Szkieletowa twarz jest wielka jak księżyc. Usta otwierają się, ukazując wyszczerbione zęby.

– Biegnij! – woła panna Moore. – Uciekaj, Nell! Nie zatrzymuj się! Nie dopuść go do swojego umysłu!

Tak robię. Biegnę w ciele Nell najszybciej, jak potrafię, ślizgając się na skałach. Moja stopa wpada w rozpadlinę, oswabadzam ją szarpnięciem i boleśnie wykręcam sobie kostkę. Krzywiąc się z bólu, kuśtykam dalej w dół klifu.

Goniący mnie potwór wrzeszczy z furią.

Przytłacza mnie przerażenie. Zaraz umrę ze strachu. Muszę trzymać go z dala od mojego umysłu.

– Mika i Mik na górę myk po zimnej wody łyk. Mik wpadł w beczkę i zgubił czapeczkę, a Mika za nim fik.

Wchodzę na śliskie skały. Morze chwyta mnie za kostki i wsiąka w moją suknię. Nadchodzi. O Boże, idzie po mnie!

– Mika i Mik, Mika i Mik, Mika i Mik…

Jest tak blisko. Potykam się i wpadam w niespokojną wodę. Idę na dno. Płuca mnie bolą z braku powietrza. Banieczki unoszą się w stronę powierzchni. Walczę z prądem. Utopię się! Otwieram oczy. I oto są: wszystkie trzy. Jakie blade mają twarze! I ciemne kręgi pod oczami. Mój krzyk ginie zdławiony wodą. Kiedy dłonie rybaka wyciągają mnie z głębiny, nadal krzyczę.

Wizja dobiega końca, a ja znów znajduję się w żółtawym półmroku mieszkania panny Moore.

Znam prawdę. Próbuję wstać, ale kolana uginają się pode mną. W końcu z wielkim wysiłkiem udaje mi się podnieść. Wychodzę, nawet nie zamykając za sobą drzwi. Schody rozmazują mi się przed oczami. Podchodzę, żeby postawić stopę na jednym z nich i upadam.

– Co z panną? – pyta pani Porter. Nie mogę odpowiedzieć. Muszę się stąd wydostać. Powietrze. Potrzebuję powietrza.

Gospodyni nie odstępuje mnie na krok.

– Napisała panna o czynszu dla mnie?

Słaniając się, wychodzę w noc. Cała się trzęsę, ale nie z zimna. To magia zawładnęła moim ciałem i zupełnie mnie wyczerpała.

– Panno Moore! – wołam w ciemność. Mój głos brzmi jak ochrypły jęk. – Panno Moore!

Te okropne dziewczyny w bieli stoją na zakręcie ulicy, czekając na mnie. Ich cienie rosną, przechodzą w długie ciemne palce pełznące po mokrym bruku, coraz bliżej mnie. Do mojej głowy wkrada się znajomy głos.

– Nasza pani weszła do międzyświata. Mamy prorokinię. Ona pokaże nam Świątynię.

– Nie... – protestuję.

– Już prawie jest nasza. Przegrałaś.

Próbuję je odpędzić, ale moje ramiona ledwo się poruszają. Upadam na mokrą ulicę. Ich cienie sięgają do moich rąk, kąpiąc mnie w mroku.

– Czas umrzeć...

Przenikliwy gwizdek konstabla rani moje uszy. Cień cofa się.

– Spokojnie, panienko. Zaraz zabierzemy panienkę do domu.

Konstabl niesie mnie w dół ulicy. Słyszę rytmiczne postukiwanie jego butów na bruku, a potem gwizdek i głosy. Słyszę siebie, gdy mamroczę ciągle te same słowa:

– Wybaczcie, wybaczcie, wybaczcie...

ROZDZIAŁ CZTERDZIESTY SZÓSTY

Ktoś zaciąga zasłony i w pokoju zapada mrok. Nie mogę mówić. Tom i babcia siedzą przy moim łóżku. Słyszę głos jakiejś obcej osoby. To lekarz.

– Gorączka... – mówi.

To nie gorączka, lecz magia. Próbuję im to wytłumaczyć, coś powiedzieć, ale nie mogę.

– Musisz odpocząć – odzywa się Tom, biorąc mnie za rękę.

W rogu pokoju widzę zastygłe w oczekiwaniu trzy dziewczyny w bieli – milczące, uśmiechnięte zjawy. Ciemne cienie pod ich oczami przywodzą mi na myśl szkieletową twarz potwora na klifach.

– Nie – protestuję, ale brzmi to jak ledwie słyszalny szept.

– Ciii, śpij – mówi babcia.

– Tak, śpij – słodko szepczą dziewczęta w bieli. – Zaśnij.

– Mam tu coś, co pomoże panience odpocząć – proponuje lekarz metalicznym głosem i wyciąga brązową buteleczkę. Tom waha się. Tak, dobry Tom. Ale doktor nalega i Tom przykłada buteleczkę do moich ust. Nie! Nie wolno mi tego wypić. Nie wolno mi się poddać. Ale nie mam zupełnie sił. Odwracam głowę, lecz dłoń Toma jest silna.

– Proszę, Gemmo.

Dziewczęta siadają, składając dłonie na podołku.

– Tak. Jak miło. Wypij i zaśnij. Nasza pani jest już na miejscu, więc idź spać.

– Prześpij się – doradza głos Toma z daleka.

– Do zobaczenia w snach – mówią dziewczyny, gdy narkotyk zaczyna działać.

Znajduję się w Grotach Westchnień, ale wyglądają inaczej niż poprzednio – nie jak ruina, lecz jak wspaniała świątynia. Wędruję wąskimi korytarzami, a gdy przesuwam palcami po nierównych ścianach, wyblakłe malowidła ożywają czerwieniami i błękitami, zieleniami, różami i oranżami. Są tu obrazy z całego międzyświata. Las Świateł. Wodne nimfy w mrocznych głębinach. Okręt gorgony. Ogród. Runy Wyroczni takie jak niegdyś. Złocisty horyzont nad rzeką, skąd nasze duchy wyruszają w podróż. Kobiety z Zakonu w płaszczach, trzymające się za ręce.

– Znalazłam – mamroczę, a język mam spuchnięty od opium.

– Ciii – mówi ktoś. – Teraz śpij.

Teraz śpij. Teraz śpij.

Słowa dryfują tunelem do mojego ciała, gdzie stają się płatkami róż spadającymi na bose stopy na zakurzonej ziemi. Kaleczę się w palec cierniem tkwiącym w skalnej szczelinie. Krople krwi, wirując, opadają na ziemię. Grube zielone pnącza przeciskają się przez pęknięcia w ścianach. Błyskawicznie oplatają filary, tworząc wzory równie zawiłe jak ornamenty mendhi. Róże w nasyconych kolorach pączkują, rozkwitają, obejmując pędami kolumny jak splecione palce kochanków. Jakie to piękne, jakie piękne…

Ktoś idzie. To Asha, Niedotykalna. Któż lepiej będzie strzegł Świątyni niż ci, których nikt nie podejrzewa o posiadanie jakiejkolwiek mocy?

Wita mnie, składając dłonie i przytykając je do czoła, gdy się kłania. Robię to samo.

– Co nam ofiarujesz?

Ofiarujcie nadzieję Niedotykalnym, gdyż nadzieja jest im niezbędna. Pani Nadzieja. Ja jestem nadzieją. Jestem nadzieją.

Niebo pęka z hukiem. Na twarzy Ashy odbija się troska.

– Co to?

– Wyczuła cię. Jeśli tu zostaniesz, znajdzie Świątynię. Musisz opuścić ten sen. Przerwij wizję, Wasza Wysokość. Natychmiast!

– Dobrze, pójdę sobie – odpowiadam. Próbuję wydostać się z wizji, ale narkotyk trzyma mnie mocno. Nie mogę się wydostać.

– Idź! Biegnij do międzyświata – radzi Asha. – Osłoń swój umysł przed Świątynią. Ona zobaczy to, co ty.

Narkotyk czyni mnie ociężałą. Jestem taka powolna. Nie mogę zmusić myśli do posłuszeństwa. Potykając się, wychodzę z jaskini. Malowidła za moimi plecami tracą kolor, róże zwijają się z powrotem w pąki, a pnącza wślizgują w szczeliny. Gdy wychodzę na zewnątrz, niebo jest ciemne. Naczynia z kadzidłem wysyłają barwny dym w stronę chmur niczym ostrzeżenie. Po chwili dym rozwiewa się. Staje przede mną panna Moore z biedną Nell Hawkins, swoją ofiarą.

– Świątynia. Dziękuję ci, Gemmo.

Otwieram oczy. Patrzę na poplamiony sadzą sufit. Zasłony są zaciągnięte. Nie wiem, jaka jest pora dnia. Słyszę szept.

– Gemmo?

– Otworzyła oczy. Widziałam.

Felicity i Ann szybko podchodzą i siadają na łóżku, ujmując mnie za ręce.

– Gemmo? To ja, Ann. Jak się czujesz? Bardzo się o ciebie martwiłyśmy.

– Powiedzieli, że masz gorączkę, i nie chcieli nas do ciebie wpuścić, ale się uparłam. Spałaś przez trzy dni – wyjaśnia Felicity.

Trzy dni, a nadal jestem taka zmęczona.

– Znaleziono cię na Baker Street. Co robiłaś w pobliżu mieszkania panny Moore?

Panna Moore. Panna Moore to Kirke. Znalazła Świątynię. Zawiodłam. Straciłam wszystko. Odwracam się twarzą do ściany.

Ann paple dalej.

– W całym tym zamieszaniu lady Denby nie miała jeszcze okazji powiedzieć o mnie pani Worthington.

– Simon przychodził tu codziennie, Gemmo – mówi Felicity. – Codziennie! Na pewno bardzo cię to ucieszy.

– Gemmo? – pyta zatroskana Ann.

– Nie obchodzi mnie to. – Głos mam cichy i suchy.

– Co to znaczy, że cię to nie obchodzi? Myślałam, że za nim szalejesz. On najwyraźniej szaleje za tobą. To chyba dobra wiadomość, co? – oburza się Felicity.

– Straciłam Świątynię.

– Co masz na myśli? – pyta Ann.

Musiałabym za dużo wyjaśniać, a głowa mi pęka. Chcę zasnąć i nigdy się nie obudzić.

– Myliłyśmy się co do panny McCleethy. Co do wszystkiego. To panna Moore jest Kirke.

Nie patrzę na nie. Nie mogę.

– Zabrałam ją do międzyświata i ma teraz moc. Wszystko skończone. Przepraszam.

– Nie będzie już więcej magii? – martwi się Ann.

Potrząsam przecząco głową. To boli.

– A co z Pippą? – pyta Felicity i zaczyna płakać.

Zamykam oczy.

– Jestem taka zmęczona – mówię.

– To niemożliwe – nie dowierza Ann, pociągając nosem. – Nie będzie już międzyświata?

Nie odpowiadam. Zamiast tego udaję, że zasnęłam. W końcu łóżko trzeszczy, co oznacza, że wstały i odchodzą. Leżę bez ruchu, wpatrując się w nicość. Smuga światła przedziera się przez zaciągnięte zasłony, bo mimo wszystko jest dzień. Choć nie obchodzi mnie to nic a nic.

❧

Wieczorem Tom znosi mnie na dół, żebym posiedziała przy kominku.

– Masz niezapowiedzianego gościa – oznajmia.

Trzymając mnie w ramionach, pchnięciem otwiera drzwi do bawialni. Simon przyszedł bez matki. Tom kładzie mnie na sofie i przykrywa kocem. Prawdopodobnie wyglądam mizernie, ale w ogóle się tym nie przejmuję.

– Poproszę panią Jones, żeby przyniosła herbatę – mówi mój brat i wycofuje się z pokoju. Choć zostawia drzwi otwarte, Simon i ja jesteśmy sami.

– Jak się pani czuje? – pyta. Nie odpowiadam. – Nieźle nas pani wystraszyła. Jak się pani znalazła w takim okropnym miejscu?

Choinka uschła. Gubi igły i gałązki.

– Myśleliśmy, że może ktoś panią porwał. Może ten mężczyzna, który śledził panią na Victoria Station, wcale nie był tworem wyobraźni.

Simon wygląda na bardzo zmartwionego. Powinnam go jakoś pocieszyć. Chrząknięciem oczyszczam gardło, ale nie wypowiadam żadnych słów. Młodzieniec ma włosy koloru zmatowiałej monety.

– Przyniosłem coś dla pani – kontynuuje, podchodząc bliżej. Z kieszeni płaszcza wyjmuje broszkę. Jest ozdobiona mnóstwem pereł, wygląda na bardzo starą i cenną.

– To należało do pierwszej wicehrabiny Denby – mówi, trzymając w palcach lekką jak piórko broszę. Chrząka dwukrotnie. – Ten drobiazg ma ponad sto lat i zawsze nosiły go kobiety z mojego rodu. Należałby do mojej siostry, gdybym ją miał. Nie mam jej, ale pani o tym wie. – Znów chrząka.

Przypina klejnot do koronki przy mojej podomce. Niejasno uświadamiam sobie, że noszę jego obietnicę i że sytuacja znacznie się zmieniła przez ten jeden drobny gest.

– Panno Doyle. Gemmo. Czy mogę się ośmielić? – Obdarza mnie niewinnym pocałunkiem, zupełnie różnym od tego na balu.

Tom wraca z panią Jones i herbatą. Mężczyźni siedzą, rozmawiając wesoło, a ja wpatruję się w sosnowe igły opadające na podłogę i coraz głębiej zapadam się w sofę, przytłoczona ciężarem broszki.

❧

– Pomyślałem, że złożymy dziś wizytę w Bethlem – oświadcza Tom podczas lunchu.

– Dlaczego? – pytam.

– Od kilku dni leżysz w łóżku. Dobrze ci zrobi, jak wyjdziesz z domu. A poza tym mam nadzieję, że twoje odwiedziny wpłyną na stan panny Hawkins.

Nic nie zmieni jej stanu. Część jej duszy jest na zawsze uwięziona w międzyświecie.

– Proszę – dodaje mój brat.

❧

W końcu zgadzam się pojechać z Tomem. Mamy kolejnego nowego woźnicę, gdyż Jackson zniknął, co wcale mnie nie dziwi.

– Babcia mówi, że Ann Bradshaw nie jest krewną księcia Chesterfield – oznajmia Tom, gdy już ruszamy w drogę. – Mówi też, że panna Bradshaw zemdlała, usłyszawszy o tych pomówieniach. – Kiedy ani nie przeczę, ani nie potwierdzam, ciągnie dalej. – Nie rozumiem, jak to może być prawda. Panna Bradshaw jest taką miłą osobą. Nie potrafiłaby oszukiwać innych. Sam fakt, że zemdlała, dowodzi, iż ma serce zbyt dobre, aby nawet rozważać taki pomysł.

– Ludzie nie zawsze są tym, kim byśmy chcieli, żeby byli – mamroczę pod nosem.

– Słucham? – pyta Tom.

– Nic takiego – odpowiadam.

Przebudź się, bracie. Ojcowie świadomie ranią swoje dzieci. Są nałogowcami zbyt słabymi, żeby wyzwolić się ze swoich złych skłonności, niezależnie od tego, ile bólu zadają. Matki zaniedbują dzieci, tak że stają się one niewidzialne. Wymazują je przez zaniechanie, przez niechęć, by je zauważyć. Przyjaciele oszukują. Ludzie kłamią. To zimny, twardy świat. Nie mam pretensji do Nell Hawkins, że z własnego wyboru wycofała się w szaleństwo.

Korytarze Bethlem robią teraz na mnie niemal kojące wrażenie. Pani Sommers siedzi przy pianinie, wybrzdąkując melodyjkę pełną fałszywych nut, a kółko hafciarskie usadowiło się w kąciku. Kobiety w skupieniu pracują nad swoimi dziełami, jakby każdy staranny ścieg zbliżał je o krok do zbawienia.

Tom prowadzi mnie do pokoju Nell. Dziewczyna leży wyciągnięta na łóżku. Oczy ma otwarte, ale niewidzące.

– Witaj, Nell – odzywam się. W pokoju panuje cisza. – Może gdybyś nas zostawił...– sugeruję bratu.

– Co? No dobrze. – Tom wychodzi.

Ujmuję jej ręce w dłonie. Są takie drobne i zimne.

– Przepraszam, Nell – mówię, a moje słowa brzmią jak łkanie. – Przepraszam.

Nagle ściska mnie mocno. Każdym skrawkiem siły, jaka jej pozostała, walczy z czymś. Jednoczymy się ze sobą i słyszę w głowie jej głos:

– Ona... nie... potrafi... zakląć... magii... – rozlega się szept. – Nadal... jest... nadzieja.

Jej mięśnie rozluźniają się, a dłonie wyślizgują z moich rąk.

– Gemmo? – pyta Tom, gdy wypadam z pokoju Nell i kieruję się prosto do wyjścia. – Gemmo! Gemmo, dokąd idziesz?

❧

Jest piętnaście po piątej, gdy ruszam na dworzec. Przy pewnej dozie szczęścia dotrę do Victoria Station, zanim Felicity i Ann wsiądą do pociągu o piątej czterdzieści pięć do Spence. Jednak szczęście mi nie sprzyja i ulice są pełne ludzi oraz pojazdów wszelkiego rodzaju. To zła pora dnia na pośpiech.

Big Ben wybija wpół do szóstej. Wystawiam głowę przez okienko powozu. Przed nami rozciąga się morze koni, wozów, dwukółek, dorożek i omnibusów. Znajdujemy się jakieś pół kilometra od dworca i utknęliśmy na dobre.

Wołam do woźnicy:

– Jeśli pan pozwoli, wysiądę tutaj!

Przemykam między parskającymi końmi, szybko przecinając ulicę ku chodnikowi. Dworzec jest niedaleko, ale okazuje się, że po kilku dniach w łóżku czuję się bardzo słabo. Zanim docieram na miejsce, muszę się oprzeć o ścianę, żeby nie zemdleć.

Za dwadzieścia szósta. Nie ma czasu na odpoczynek. Na peronie jest mnóstwo ludzi. Nigdy nie znajdę przyjaciółek w tym chaosie. Dostrzegam pustą skrzynię po gazetach i staję na niej, rozglądając się wokół i nie zważając na gniewne spojrzenia przechodniów, którzy uznają moje zachowanie za uwłaczające damie. W końcu je dostrzegam. Stoją na peronie z Franny. Worthingtonowie nawet nie zadali sobie trudu, żeby odprowadzić córkę na dworzec, ucałować ją czy trochę popłakać.

– Ann! Felicity! – wołam. Kolejne minusy na koncie moich manier. Przedzieram się w stronę przyjaciółek.

– Gemmo, co ty tutaj robisz? Myślałam, że jeszcze długo nie dasz rady przyjechać do Spence – mówi Felicity. Ma na sobie elegancki kostium podróżny w twarzowym fiołkowym kolorze.

– Magia nie należy do niej – wyjaśniam pospiesznie. – Nie potrafiła jej zapieczętować.

– Skąd to wiesz? – pyta Felicity.

– Nell mi powiedziała. Najwyraźniej Kirke nie posiada wystarczającej mocy. Potrzebuje mnie, żeby tego dokonać.

– Co robimy? – chce wiedzieć Ann.

Rozlega się gwizd. Pociąg do Spence stoi na torach w chmurze pary, gotów do odjazdu. Konduktor nawołuje pasażerów, by wsiadali.

– Odszukamy ją – odpowiadam.

Na dworcu pojawili się Jackson i Fowlson. Dostrzegli nas i idą prosto w naszą stronę.

– Mamy towarzystwo – ostrzegam.

Felicity zauważa naszych prześladowców.

– Chodzi o nich?

– To Rakshana – wyjaśniam. – Będą próbowali nas powstrzymać i przejąć kontrolę nad międzyświatem.

– Wymknijmy się im – proponuje Fee, wsiadając do pociągu.

ROZDZIAŁ CZTERDZIESTY SIÓDMY

– Oni też wsiadają! – woła Ann w panice.

– A więc my będziemy musiały wysiąść – stwierdzam. Znajdujemy się już prawie przy drzwiach, gdy nagle pociąg rusza z szarpnięciem. Peron znika za nami, a podróżni machają na pożegnanie jeszcze przez chwilę, choć dworzec robi się coraz mniejszy.

– Co robimy? – pyta Felicity. – Zaraz nas dopadną.

– Znajdźmy przedział – podejmuję decyzję.

Szukamy po lewej i po prawej, aż w końcu trafiamy na wolny przedział i zamykamy się w nim.

– Będziemy musiały działać szybko – ostrzegam. – Weźcie mnie za ręce.

A jeśli nie dam rady przywołać drzwi? Jeśli jestem zbyt słaba lub magia została w jakiś sposób ograniczona? *Proszę, proszę, wpuśćcie nas jeszcze raz.*

– Nic się nie dzieje – zauważa Fee.

Słyszę, jak ktoś w korytarzu otwiera drzwi i Fowlson mówi:

– Najmocniej przepraszam, to jednak nie mój przedział.

– Jestem za słaba, potrzebuję waszej pomocy – mówię. – Musimy spróbować jeszcze raz. Starajcie się tak, jak jeszcze nigdy w życiu.

Znów zamykamy oczy i koncentruję się na swoim oddechu. Czuję miękkie, żywe ciepło dłoni Ann pod rękawiczką. Czuję odważne bicie zranionego serca Felicity, wyczuwam mroczną plamę na jej duszy. Czuję ziemisty zapach Fowlsona na korytarzu. A potem otwiera się we mnie głęboka studnia siły. Każdy fragment mojego ciała budzi się do życia.

Pojawiają się drzwi.

– Teraz – wydaję polecenie i znów wkraczamy do międzyświata.

Ogród zdziczał. Wyrosło jeszcze więcej, teraz ponadpółtorametrowych, muchomorów. W ich grubych ciastowatych trzonkach zostały wygryzione głębokie czarne dziury. Z jednej z nich wysuwa się szmaragdowozielony wąż i opada na trawę.

– Och! – piszczy Ann, gdy gad mija jej stopę w odległości ledwie kilku centymetrów.

– Co tu się stało? – Felicity dziwi się zmianie.

– Im szybciej dotrzemy do Świątyni, tym lepiej.

– Ale gdzie to jest? – pyta Ann.

– O ile się nie mylę, miałyśmy ją cały czas pod nosem – odpowiadam.

– Co masz na myśli? – chce wiedzieć Felicity.

– Nie tutaj – mówię, rozglądając się czujnie. – Tu nie jest bezpiecznie.

– Powinnyśmy znaleźć Pip – proponuje Felicity.

– Nie – protestuję, powstrzymując ją. – Nikomu nie należy ufać. Idziemy same.

Przygotowuję się na sprzeczkę, ale Fee nie nalega.

– Dobrze, przyniosę strzały – mówi, szukając kryjówki.

– To znaczy strzałę – poprawia ją Ann. Felicity zużyła już wszystkie prócz jednej.

– Będzie musiała wystarczyć – stwierdza, wyjmując ją z kołczanu. Zarzuca łuk na ramię. – Jestem gotowa.

Maszerujemy ścieżką przez gęste zarośla, aż docieramy do stóp góry.

– Dlaczego idziemy tędy? – pyta Felicity.

– Idziemy do Świątyni.

– Ale to droga do Grot Westchnień – odpowiada Fee głosem pełnym niedowierzania. – Chyba nie sugerujesz…

Ann jest zaskoczona.

– Przecież to tylko jaskinie i jakieś stare ruiny. Jakim cudem to ma być Świątynia?

– Nie ukazywała nam się w swojej prawdziwej krasie. Gdybyście chciały ukryć najcenniejszy skarb, to czy nie schowałybyście go w miejscu, w którym nikt by go nie chciał szukać? I czemu nie mieliby go strzec ci, których nikt nie podejrzewa o posiadanie mocy?

– „Dajcie nadzieję Niedotykalnym, gdyż nadzieja jest im niezbędna" – Ann powtarza słowa Nell.

– No właśnie – potwierdzam. Wskazuję na Felicity, a potem na Ann. – Siła. Pieśń. Ja jestem Nadzieją. Pani Nadzieja. Tak mnie uparcie nazywała.

Felicity kręci głową.

– Nadal nie rozumiem.

– Zrozumiesz.

Docieramy do wąskiej, zakurzonej drogi, która prowadzi na szczyt góry, gdzie znajdują się Groty Westchnień. Muszę zatrzymać się, żeby chwilę odpocząć.

Felicity wspiera mnie ramieniem.

– Dobrze się czujesz?

– Tak, tylko jestem jeszcze trochę osłabiona.

Spoglądam w górę, osłaniając oczy dłonią. Droga na szczyt wydaje się taka długa.

– Gemmo! Felicity! – woła Ann. – Popatrzcie! – Wskazuje na rzekę, po której barka gorgony płynie szybko w naszą stronę. Pippa stoi w bocianim gnieździe, a wiatr szarpie jej czarnymi włosami jak jedwabną peleryną.

– Pippa! – krzyczy Felicity, machając.

– Co robisz? – mówię, ciągnąc ją za rękę.

Za późno, Pippa już nas zauważyła. Macha w naszą stronę, gdy gorgona podpływa do brzegu.

– Jeśli mamy zapieczętować magię, Pip powinna przy tym być – oznajmia Felicity. – Może jakoś się uda ... – Milknie.

Siła. Pieśń. Nadzieja. I Piękno. *Uważajcie na piękno. Piękno musi odejść...*

– Wiesz, że nie mogę nic obiecać, Fee. Nie wiem, co się wydarzy.

Kiwa głową, a w jej oczach wzbierają łzy.

– Ahoj! – krzyczy Pippa, wywołując tym gorzki uśmiech na ustach przyjaciółki.

– W takim razie przynajmniej możesz nam pozwolić odpowiednio się pożegnać. Nie tak jak ostatnim razem – mówi miękko.

Patrzę, jak Pip wesoło przedziera się przez krzaki na piaszczystą dróżkę. Wydaje się taka żywa.

– Idzie tutaj – mówi Ann, z zaciekawieniem obserwując moją reakcję.

– Poczekamy na nią – odpowiadam w końcu.

Przyjaciółka szybko nas dogania.

– Dokąd się wybieracie? – pyta. Nie ma już korony ze stokrotek. W poplątanych włosach widać tylko kilka uschniętych kwiatków.

– Znalazłyśmy Świątynię – wyjaśnia Felicity.

Pippa jest zaskoczona.

– Tutaj? Chyba żartujecie.

– Gemma twierdzi, że to, jak wygląda, to iluzja – wyjaśnia Ann.

– To w tym miejscu rodzi się magia? – dopytuje się Pippa.

– I tu można nad nią zapanować – dodaję.

Przez twarz Pippy przemyka cień.

Wstaję.

– Już zbyt długo czekałyśmy. Musimy ruszać.

Gdy wchodzimy do długiego korytarza z wyblakłymi freskami, z mis z kadzidłem unosi się czerwony i niebieski dym. Wiatr porywa suche płatki róż, które unoszą się, wirując, a potem opadają na ziemię. Przez chwilę przepełniają mnie wątpliwości. Czy to możliwe, żeby ta ponura ruina była źródłem wszelkiej magii w międzyświecie? Może moja wizja kłamała i znów szukam w złym miejscu? Przed nami niczym miraż pojawia się Asha. Składa dłonie i kłania się. Odpowiadam takim samym gestem, a ona się uśmiecha.

– Co nam ofiarujesz? – pyta.

– Ofiaruję siebie – mówię. – Ofiaruję wam Nadzieję.

Asha uśmiecha się jeszcze szerzej. Ma przepiękny uśmiech.

– Jestem twoją służebnicą.

– A ja twoją – odpowiadam.

– Czy przybyłaś zapieczętować magię?

– Chyba tak. – Nagle ogarnia mnie lęk. – Ale jak mam to zrobić?

– Gdy będziesz gotowa, musisz przejść przez wodospad do miejsca, w którym czeka studnia wieczności.

– I co się potem stanie?

– Nie wiem. Tam staniesz twarzą w twarz ze swoim strachem i może wyjdziesz po drugiej stronie.

– „Może" wyjdę? – pytam. – To nie jest pewne?

– Nic nigdy nie jest pewne, pani Nadziejo – odpowiada.

Może. To słowo stanowi taką lichą tarczę.

– A jeśli wyjdę?

– Musisz wybrać słowa, którymi zwiążesz magię. Twoje słowa nadadzą wszystkiemu kierunek. Wybierz je mądrze.

– Chciałabym już zacząć – odpowiadam.

Asha prowadzi mnie do dziwnego wodospadu, w którym woda zdaje się równocześnie spadać i wznosić.

– Gdy będziesz gotowa, przejdź przezeń bez lęku.

Zamykam oczy. Biorę głęboki oddech, potem kolejny. Czuję, jak Świątynia wokół mnie ożywa. Róże przepychają się przez pęknięcia w ścianach, a ich woń przesyca powietrze. Freski rozkwitają kolorami. Miękkie westchnienia stają się wyraźnymi głosami w wielu językach, a ja słyszę je wszystkie. Dudnienie mojego serca dołącza do chóru.

Jestem gotowa.

Przekraczam zasłonę wody, idąc na spotkanie z przeznaczeniem. Studnia wieczności to idealne koło gładkiej wody. Jej powierzchnia ukazuje mi wszystko naraz. Pokazuje mi międzyświat, świat, przeszłość, teraźniejszość i możliwą, choć niepewną, przyszłość. Czy to moje przeznaczenie, czy tylko jedna z możliwości? Wpatruję się w wodę, rozmyślając nad tym, jakimi słowami związać magię.

Nagle rozprasza mnie jakiś dźwięk. W cieniach jaskini dostrzegam poruszenie.

Tam staniesz twarzą w twarz ze swoim strachem i może wyjdziesz po drugiej stronie.

Coś się zbliża. W krąg światła wstępuje panna Moore, prowadząc pojmaną Nell.

– Witaj, Gemmo. Czekałam na ciebie.

ROZDZIAŁ CZTERDZIESTY ÓSMY

Oglądam się na zasłonę wody, przez którą przyszłam. Bardzo wyraźnie widzę zatroskane twarze Felicity, Pippy oraz Ann. Jedynie Asha nie zdradza żadnych emocji. Mam ochotę rzucić się pędem przez wodospad, by znaleźć się w bezpieczniejszym miejscu. Ale bezpieczeństwo jest tylko kolejną iluzją. Mogę jedynie iść naprzód.

– Nie potrafi pani dotknąć magii, prawda? Dlatego potrzebowała pani Nell. Dlatego potrzebuje pani mnie. Może pani kontrolować magię tylko poprzez kogoś innego.

– Ty jesteś najwyższą kapłanką. Potrzebne są przede wszystkim twoje słowa – odpowiada. – Gemmo, razem możemy przywrócić moc i chwałę Zakonowi. Możemy robić dobre, wspaniałe rzeczy. Masz w sobie więcej magii niż ktokolwiek w historii Zakonu. Nie istnieją granice tego, co ty i ja możemy osiągnąć. – Podaje mi dłoń. Nie przyjmuję jej.

– Ja dla pani nic nie znaczę – mówię. – Pragnie pani jedynie kontrolować magię i międzyświat.

– Gemmo…

– Nie może pani powiedzieć mi nic, co chciałabym usłyszeć.

– Ale może jednak mnie wysłuchasz? – prosi. – Czy wiesz, jak to jest, gdy ktoś odbierze ci moc? I musisz na zawsze poddać się innym? Miałam moc w rękach, kontrolowałam swoje przeznaczenie i odebrano mi to.

– Międzyświat nie wybrał pani – odpowiadam, stając tak, by dzieliła nas studnia.

– Nie, to kłamstwo, które ci wmawiają. Międzyświat obdarzył mnie mocą. To Zakon mi odmówił. Wybrał twoją matkę, bo była bardziej uległa. Zgadzała się robić to, co jej kazano.

– Proszę nie mieszać do tego mojej mamy.

– Czy tego chcesz, Gemmo? Być ich lojalną sługą? Weźmiesz udział w ich wojnie, obronisz Świątynię, zwiążesz magię, a potem przekażesz im wszystko, żeby rządziły, jak im się podoba? A jeśli postanowią cię wykluczyć? A jeśli odbiorą ci to wszystko? Czy cokolwiek ci obiecały?

Nie obiecały. O nic nie prosiłam. Robiłam, co mi kazano.

– Wiesz, że mówię prawdę. Dlaczego nie zaproponowały żadnej pomocy? Dlaczego same nie związały magii? Bo bez ciebie nie mogły. Ale gdy ty już zapieczętujesz magię i nie będzie istniało żadne niebezpieczeństwo, zażądają, żebyś je tu wprowadziła, po czym przejmą władzę. I nie będziesz miała dla nich żadnej wartości, jeśli nie będziesz robiła dokładnie tego, co ci każą. Nie będzie im na tobie zależało, tak jak zależy mnie.

– Tak jak zależało pani na Nell. I na mojej matce. – Nie mówię, lecz wypluwam te słowa.

– Twoja mama obiecała, że mi pomoże. Przysłała list z Bombaju z wiadomością, że zmieniła poglądy. A potem zdradziła mnie dla Rakshana.

– Więc ją pani zabiła.

– Nie, nie ja. Istota.

– Na jedno wychodzi.

– Nie, wcale nie. Niewiele wiesz o mrocznych duchach, Gemmo. Pożrą cię żywcem. Potrzebujesz mojej pomocy. – Wytacza ostatni argument. – Bez magii nie mogę zerwać więzi z tymi istotami, Gemmo. Oszczędź mi tej pożałowania godnej egzystencji. Przez wiele lat szukałam wybranej, szukałam ciebie. Robiłam wszystko dla tej jednej chwili, dla tej jednej szansy. Możemy stworzyć nowy Zakon, Gemmo. Wypowiedz tylko słowa…

– Widziałam, co pani zrobiła tym dziewczętom.

– To potworne, nie przeczę. Złożyłam wiele ofiar – przyznaje panna Moore. – A ty jakie chcesz złożyć ofiary?

– Nie postąpię tak jak pani.

– Teraz tak mówisz. Każdy przywódca ma na swoich dłoniach krew.

– Ufałam pani!

– Wiem. I jest mi przykro. Ludzie zawsze będą cię rozczarowywali, Gemmo. Pytanie brzmi, czy nauczysz się żyć z tymi rozczarowaniami i iść dalej. Ofiarowuję ci nowy świat.

Ale ja nie umiem w nim żyć.

– Słusznie została pani wykluczona. Eugenia Spence miała rację.

W jej oczach pojawia się gniewny błysk.

– Eugenia! Nie masz pojęcia, czym ona się stała. Przez cały ten czas przebywała z mrocznymi duchami. Jak będziesz z nią walczyła, gdy okaże się to konieczne? Będziesz mnie niedługo potrzebowała, daję ci na to słowo.

– Próbuje pani namieszać mi w głowie – odpowiadam.

Nagle rozlega się głos Ashy:

– Stój!

Pippa przebiega przez ścianę wody.

– Pip! – Felicity rzuca się za nią. Ann przez chwilę się waha, ale też rusza.

– Co się dzieje? – pyta Pippa.

Felicity unosi łuk.

– Została mi jedna strzała.

– Jeśli mnie zastrzelisz, zabiorę ze sobą wszystkie tajemnice mrocznych duchów i Krainy Zimy. Nigdy ich nie poznacie.

– Czy wie pani, jak użyć magii, żeby zatrzymać tutaj wolnego ducha? – pyta niepewnym głosem Pippa.

– Tak – odpowiada panna Moore. – Mogę znaleźć sposób, żeby dać ci to, czego chcesz. Nie będziesz musiała przechodzić na drugą stronę. Będziesz mogła zostać w międzyświecie na zawsze.

– Ona kłamie, Pip – ostrzegam.

Lecz widzę już w oczach przyjaciółki bolesną tęsknotę. Panna Moore też ją zauważa.

– Nie musiałabym cię opuszczać, Fee – mówi Pippa i pyta pannę Moore: – Czy to będzie bardzo bolało?

– Nie, wcale.

– I pozostanę taka, jaka jestem?

– Tak.

– Nie wierz jej, Pip.

– A ty co mi obiecałaś, Gemmo? Ja ci pomagałam, a ty co dla mnie zrobiłaś?

Obchodzi studnię i bierze pannę Moore za rękę.

– Będziemy mogły być razem, Fee. Tak jak przedtem.

Trzymająca łuk Felicity waha się. Po chwili zwalnia cięciwę.

– Fee, wiesz, że to niemożliwe – szepczę.

– Zastrzel ją – dodaje szeptem Ann. – Zastrzel Kirke.

Felicity celuje, ale Pippa staje przed panną Moore, osłaniając ją własnym ciałem. Nie wiem, co stanie się z nią, duchem, jeśli zostanie zabita w międzyświecie.

Fee stoi bez ruchu, a mięśnie ma napięte pod ciężarem łuku i brzemienia okrutnego zadania. W końcu opuszcza łuk.

– Nie potrafię. Nie potrafię.

Miłość widoczna w uśmiechu Pippy może złamać serce.

– Dziękuję, Fee – mówi i biegnie przytulić przyjaciółkę.

Chwytam łuk i mocno naciągam cięciwę. Nie jestem tak dobrą łuczniczką jak Felicity i mam tylko jedną strzałę.

Panna Moore trzyma Nell w ramionach.

– Mogłabym w tej chwili złożyć Nell w ofierze. Dołącz do mnie, a pozwolę jej odejść.

– Daje mi pani niemożliwy wybór – odpowiadam.

– Ale przynajmniej jest to jakiś wybór, a to więcej, niż ty mi dałaś.

Nell opiera się o pannę Moore jak bezwładna lalka. Ta iskra, która kiedyś lśniła w jej oczach, zniknęła, pogrzebana pod warstwami bólu. Mogę uratować dziewczynę, zjednoczyć siły z panną Moore i dzielić z nią Świątynię. Mogę też patrzeć, jak Kirke ofiarowuje Nell potworowi i wykorzystuje zyskaną moc zgodnie ze swoją wolą.

Nell zwraca na mnie udręczone oczy. *Nie wahaj się...*

Wypuszczam strzałę. Leci szybko i wbija się prosto w gardło Nell. Dziewczyna osuwa się na ziemię z cichym jękiem. Jako ofiara jest teraz bezużyteczna.

Panna Moore spogląda na mnie z mieszaniną wściekłości i zdumienia.

– Coś ty zrobiła?

– Splamiłam swoje ręce krwią – odpowiadam.

Kirke rzuca się w moją stronę. Nie ma czasu na przestrzeganie zasad, będę musiała stworzyć własne. Zamykam oczy i skaczę w stronę studni. Ale panna Moore jest szybka. Chwyta mnie za rękę. Tracę równowagę i razem, z ramionami splątanymi w walce, wpadamy w tę wspaniałą, wieczną wodę.

Czuję oddech panny Moore, słyszę szalony rytm jej serca, które pompuje krew – nośnik życia. Wyczuwam nikły zapach sadzy z londyńskich kominów, bzowego pudru i jeszcze czegoś. Pod skórą czuć lęk. Ból. Wyrzuty sumienia. Tęsknotę. Pragnienie. Dzikie pożądanie władzy. Wszystko naraz. Jesteśmy zjednoczone, jakbyśmy znajdowały się w centrum wielkiej burzy. Wokół nas międzyświat wiruje niczym kalejdoskop, obrazy przechodzą jeden w drugi. Tak wiele światów! Tak wiele do poznania.

„Cóż" – panna Moore zdaje się mówić w mojej głowie. – „Tak wiele jeszcze musisz się dowiedzieć".

To wszystko mnie wchłania. Czuję, że każda cząstka mnie rozciąga się, aż staję się częścią tego, co widzę. Jestem liściem zmieniającym się w motyla i jestem rzeką omywającą kamienie na brzegu. Jestem głodnym brzuchem posługaczki, jestem bankierem rozczarowanym swoimi dziećmi, dziewczęcym pragnieniem rozrywki. Chcę się śmiać i płakać równocześnie. Tak wiele tego, tak wiele.

Pojawia się ścięte mrozem pustkowie. Szybujemy nad stromymi górami pod wściekłym niebem. Poniżej tysiączna armia duchów wyje w pustce. Czuję je wewnątrz siebie. Ich strach, ich wściekłość. Jestem ogniem. Jestem potworem, który niszczy. Nie mam chęci, by zakończyć tę okrutną potyczkę. To ona trzyma mnie przy życiu.

Czuję, jak ramię panny Moore zaciska się wokół mnie. Kirke nie da się odtrącić po raz drugi. Jestem teraz skupiona wyłącznie na walce. Tylko jedna z nas może się wynurzyć ze studni. Panna Moore, jakby czytając w moich myślach, przyciska mnie jeszcze mocniej. Chce wygrać, pragnie tego z całego serca.

Ale ja też chcę wygrać.

Musisz wybrać kierunek, jaki chcesz temu nadać, formę pieczęci. Muszę znaleźć sposób opanowania magii, ale trudno mi się na tym skupić w środku tej rozpaczliwej bójki. Widzę tylko pannę Moore, moją nauczycielkę, przyjaciółkę, wroga. I nagle wiem, co muszę zrobić, żeby to wszystko zakończyć.

Jednym silnym szarpnięciem odpycham pannę Moore. Jej oczy robią się wielkie ze strachu. Wie, co zamierzam, jaki jest mój cel. Rzuca się w moją stronę, ale tym razem determinacja sprawia, że poruszam się szybciej. Wychodzę przez cembrowinę studni i staję przed nią mokra i lśniąca niczym nowo narodzone dziecię. Unoszę ręce nad powierzchnią wody, a potem wypowiadam słowa, które, mam nadzieję, przywrócą harmonię.

– Kładę pieczęć na mocy. Niech powróci równowaga w międzyświecie i niech nikt nie kala jego majestatu. Przyzywam magię w imieniu wszystkich, którzy pewnego dnia będą dzielili się mocą. Gdyż jam jest Świątynią, we mnie żyje magia.

Pojawia się nagły rozbłysk oślepiająco białego światła. Czuję się, jakby jego siła rozerwała mnie na kawałki. To właśnie magia. Pieczęć używa mnie jako ścieżki, przepływa przeze mnie jak woda. I dokonuje się. Padam na kolana, ciężko oddychając.

Jaskinia jest znów skąpana w kolorach. Freski nabierają soczystych barw, róże kwitną, a wielkie posągi wydają się żywe.

– Co się stało z panną Moore? – pyta Ann.

– Zrobiłam to, o co prosiła: oszczędziłam jej tej pożałowania godnej egzystencji i zamknęłam w miejscu, w którym nie wyrządzi już nikomu krzywdy.

– A zatem stało się, tak? – odzywa się Pippa.

Ann cicho wzdycha, gdy Pippa wychodzi zza głazu. Bez magii na wolności czar zaczął pryskać. Na lokach naszej przyjaciółki widzimy świeży wianek, ale Pippa już nie jest tą, którą znałyśmy i kochałyśmy. Istota przed nami zmienia się. Zęby ma trochę wyszczerbione i cieńszą skórę, spod której prześwituje jasny błękit żył. A jej oczy...

Nabrały mętnego białego koloru, a czarne źrenice mają wielkość główek od szpilki.

– Dlaczego tak na mnie patrzycie? – pyta ze strachem.

Żadna z nas nie odpowiada.

– Stało się, a ja nadal tu jestem – mówi dalej. Uśmiecha się, lecz efekt mrozi krew w żyłach.

– Czas odejść, Pip – odzywam się łagodnie. – Czas zrezygnować.

– Nie! – wyje jak ranne zwierzę, a ja mam wrażenie, że serce zaraz mi pęknie. – Proszę, nie chcę odchodzić! Jeszcze nie. Proszę, nie opuszczajcie mnie! Proszę! Fee!

Felicity płacze.

– Przepraszam, Pip.

– Obiecałaś, że nigdy mnie nie zostawisz. Obiecałaś! – Ociera łzy ramieniem. – Pożałujecie tego.

– Pippa! – woła Felicity, ale jest już za późno. Zostawiła nas i uciekła w jedyne miejsce, które zapewni jej schronienie. Pewnego dnia znów się spotkamy, ale już nie jako przyjaciółki, lecz jako wrogowie.

– Nie mogłam wykorzystać magii, żeby ją tu zatrzymać. Rozumiecie, prawda?

Felicity nie patrzy na mnie.

– Mam dość, chcę wracać do domu. – Maszeruje w dół, aż po chwili znika w kolorowym dymie z kadzielnic.

Ann wsuwa rękę w moją dłoń. To jej sposób na to, by powiedzieć, że mi przebacza. Jestem jej wdzięczna i mam nadzieję, że Felicity z czasem również mi przebaczy.

– Spójrz, pani Nadziejo! – woła Asha.

Widzę je po drugiej stronie rzeki – tysiące istot wkraczających do świata poza naszym światem, w końcu gotowych, by odbyć tę podróż. Mijają nas, niepomne na nic. Pragną tylko odpocząć. Wbrew wszystkiemu liczę na to, że zobaczę wśród nich Bessie Timmons oraz Mae Sutter. Ale nie. Dotarły do Krainy Zimy, tam gdzie wkrótce znajdzie się i Pippa. Ale to już inna walka na inny dzień.

– Pani Nadziejo!

Odwracam się i dostrzegam Nell Hawkins, która sennie macha do mnie z brzegu. Jest taka, jaką zapamiętałam z moich wizji – śliczna i uśmiechnięta. Czuję ukłucie winy. Moje ręce pozostaną na zawsze splamione jej krwią. Czy postąpiłam właściwie? Czy po niej będą następne ofiary?

– Przepraszam – mówię.

– Nie można trzymać życia w klatce – odpowiada. – Do widzenia, pani Nadziejo.

Z tymi słowami zanurza się w rzece, znika pod wodą, po czym wyłania się na drugim brzegu, idąc w stronę pomarańczowego nieba, aż zupełnie znika mi z oczu.

❧

Gorgona czeka na nas na rzece.

– Czy mam was zabrać do ogrodu, Wasza Wysokość? – pyta.

– Gorgono, zdejmuję z ciebie klątwę Zakonu – mówię. – Odzyskałaś wolność, choć przypuszczam, że stało się to w chwili, gdy magia została wyswobodzona.

Węże na jej głowie tańczą.

– Dziękuję – odpowiada. – Czy mam was zawieźć do ogrodu?

– Nie słyszałaś? Jesteś wolna.

– Tak jessst. Mieć wybór to miła sprawa. A ja decyduję się was odwieźć, Wasza Wysokość.

Płyniemy w dół rzeki na plecach gorgony. Powietrze już wydaje się lżejsze. Wszystko się zmienia. Nie wiem, w jaki sposób ani jaką formę ostatecznie przyjmie, ale ważna jest sama zmiana. To ona daje mi poczucie, że wszystko jest możliwe.

Leśny lud zebrał się pod Grotami Westchnień i stoi wzdłuż brzegu, gdy przepływamy. Filon wskakuje na głaz, krzycząc do mnie:

– Będziemy czekali na zapłatę, kapłanko! Nie zapomnij!

Składam dłonie razem i kłaniam się, tak jak zrobiła to Asha. Filon odpowiada takim samym gestem. Na razie zawarliśmy pokój.

Nie wiem jednak, na jak długo.

– Próbowałaś mnie ostrzec przed panną Moore, prawda? – pytam gorgonę, gdy wypływamy na środek rzeki. Nad nami białe obłoki rozciągają się w ziarniste pasma jak cukier rozsypany na podłodze nieba.

– Znałam ją kiedyś pod innym imieniem.

– Musisz wiele wiedzieć – podpuszczam ją.

Syk gorgony brzmi jak westchnienie.

– Kiedyś, gdy będzie na to czas, opowiem ci historie o dawnych czasach.

– Tęsknisz za nimi? – pytam.

– Żył wtedy mój lud – mówi. – Ale ja z niecierpliwością czekam na to, co nadejdzie.

❧

Gdy w końcu wracam do domu, w pokoju ojca jest ciemno jak w grobowcu. Tato śpi, rzucając się niespokojnie po przepoconych prześcieradłach. Zamierzam użyć magii po raz pierwszy od momentu zapieczętowania. Modlę się, żeby tym razem poszło mi lepiej. Poprzednio próbowałam go uleczyć, ale doszłam do wniosku, że to nie działa w ten sposób. Nie mogę go wyleczyć. Mogę mu tylko pomóc znaleźć drogę.

Kładę dłoń na jego sercu.

– Odnajdź odwagę, ojcze. Znajdź wolę walki, którą nadal w sobie masz, uwierz mi.

Wydaje się, że oddycha z mniejszym mozołem. Jego czoło wygładza się. Chyba zauważam nawet cień uśmiechu, choć może to tylko gra świateł. A może moc międzyświata działająca przeze mnie. A może połączenie ducha i pragnienia, miłości i nadziei – taka alchemia, którą każdy z nas dysponuje i której może użyć, jeśli wie, gdzie szukać, i nie zawaha się.

ROZDZIAŁ CZTERDZIESTY DZIEWIĄTY

To mój ostatni dzień w Londynie przed powrotem do Spence. Babcia zgodziła się wysłać tatę na rekonwalescencję do sanatorium, a jutro też sama wyjeżdża odpocząć na wieś. Po domu krząta się służba, zakładając pokrowce na meble. Kufry są pakowane, należności płacone. Londyńskie modne domy będą stały puste do kwietnia i do rozpoczęcia nowego sezonu.

Dziś po raz ostatni zjemy kolację z Simonem i jego rodziną, ale najpierw muszę odbyć dwie wizyty.

Jest zdziwiony na mój widok. Gdy wślizguję się do jego pokoju przez małe ukryte za draperią drzwiczki, które niegdyś mi pokazał, po czym śmiało odsuwam kaptur z twarzy, stoi na baczność, jak dziecko, które spodziewa się albo lania, albo wybaczającego pocałunku. Nie przynoszę ani jednego, ani drugiego. Proponuję coś w rodzaju kompromisu.

– Pamiętałaś – odzywa się.

– Pamiętałam.

– Gemmo... Panno Doyle... Ja...

Unoszę trzy palce i to wystarcza, żeby go uciszyć.

– Powiem krótko. Jest zadanie do wykonania i przydałaby mi się twoja pomoc, jeśli zaoferujesz ją z własnej woli i nie stawiając żadnych warunków. Nie możesz służyć naraz naszej przyjaźni i Rakshanom.

Jego uśmiech mnie zaskakuje. Błąka się po miękkim łuku ust jak ptak ze złamanym skrzydłem niepewny, gdzie przysiąść. A potem ciemne oczy wypełniają się łzami, które powstrzymuje, mrugając z pełną rozpaczy determinacją.

– Ja... – Chrząknięciem oczyszcza gardło. – Uważam za konieczne podkreślić, że Rakshana już mnie nie chcą, więc może nie posłuży twojej sprawie obrońca tak zhańbiony.

– Chyba też nie zaszkodzi. Stanowimy dość dziwną drużynę.

Jego wzrok się rozjaśnia, a głos nabiera mocy. Kiwa głową do nikogo w szczególności.

– Wygląda na to, że w końcu zmieniłeś swoje przeznaczenie – zauważam.

– A może to właśnie było mi przeznaczone – odpowiada z uśmiechem.

– No cóż. – Naciągam znów kaptur na głowę. Udaje mi się bez szwanku dojść do drzwi, ale on nie może się powstrzymać, by nie zadać jeszcze jednego pytania.

– Czy oddanie Zakonowi... to jedyne poświęcenie, jakiego ode mnie wymagasz?

Dlaczego to pytanie sprawia, że nie mogę zaczerpnąć tchu?

– Tak – szepczę, nie odwracając się. – Jedyne.

W szeleście jedwabiu i szumie aksamitu przechodzę przez drzwi, ścigana przez zapach jałowca, ciszę i cień szeptu: „Na razie...".

❧

Mieszkanie panny McCleethy znajduje się w Lambeth, niedaleko szpitala Bethlem.

– Mogę wejść? – pytam.

Wpuszcza mnie, zachowując pozory przyjacielskich stosunków.

– Panna Doyle. Czemu zawdzięczam tę niespodziewaną wizytę?

– Mam do pani dwa pytania. Jedno dotyczy pani Nightwing, a drugie Zakonu.

– Słucham – mówi, siadając na krześle.

– Czy pani Nightwing należy do nas?

– Nie, jest po prostu przyjaciółką.

– Ale kłóciłyście się na przyjęciu bożonarodzeniowym, a potem we Wschodnim Skrzydle.

– Tak, chodziło o remont Wschodniego Skrzydła. Upierałam się, że czas już je odbudować, ale Lillian jest bardzo oszczędna.

– Jednak przyjęła panią jako Claire McCleethy, choć nie jest to pani prawdziwe nazwisko.

– Powiedziałam jej, że przybrałam nową tożsamość, żeby uniknąć konsekwencji nieudanego romansu. Ona potrafi coś takiego zrozumieć. I to już wszystko. Jak brzmi następne pytanie?

Nie mam pewności, czy mówi prawdę, czy nie, idę więc dalej.

– Dlaczego Zakon nigdy nie dzielił się władzą z innymi?

Przyszpila mnie tym niepokojącym spojrzeniem.

– Ona należy do nas. Walczyłyśmy o nią. Poświęcałyśmy się i przelewałyśmy krew.

– Ale raniłyście też innych. Nie dałyście im żadnej szansy na to, by mieli udział w magii, by mogli decydować.

– Oni postąpiliby dokładnie tak samo. Dbamy o swój interes. Tak już jest.

– To brudny interes – komentuję.

– Tak jak sama władza – ripostuje bez skruchy. – Nie byłam szczęśliwa, gdy mnie zostawiłaś z Rakshanami. Ale rozumiem, że uważałaś mnie za Kirke. To nie ma już teraz znaczenia. Nie dopuściłaś Kirke do Świątyni i do magii. Dobrze się sprawiłaś. Teraz możemy odnowić Zakon z naszymi siostrami i...

– Raczej nie – przerywam jej.

Usta panny McCleethy chcą się uśmiechnąć.

– Słucham?

– Zawieram nowe sojusze: Felicity, Ann, Kartik z bractwa Rakshanów, Filon z Lasu, Asha, Niedotykalna.

Kręci głową.

– Chyba nie mówisz poważnie.

– Mocą należy się dzielić.

– Nie, to zabronione. Nie wiemy, czy można obdarzyć ich zaufaniem i powierzyć im magię.

– Nie, nie wiemy. Musimy opierać się na nadziei.

Panna McCleethy wścieka się.

– Absolutnie nie! Zakon ma pozostać czysty.

– Takie rozwiązanie wyszło wszystkim na dobre, prawda? – mówię najbardziej jadowitym tonem, na jaki mnie stać.

Widząc, że do niczego nie dojdzie w ten sposób, panna McCleethy zmienia podejście i przemawia do mnie łagodnie, jak matka uspokajająca nerwowe dziecko.

– Możesz próbować z nimi współpracować, ale istnieje spore ryzyko, że to się nie uda. To międzyświat decyduje, kto ma należeć do Zakonu. My nie mamy na to wpływu. Zawsze tak było.

Próbuje pogłaskać mnie po włosach, ale odsuwam się.

– Wszystko się zmienia – odpowiadam i wychodzę.

Rezygnując z wszelkich form towarzyskich, panna McCleethy woła za mną z okna.

– Nie rób sobie z nas wrogów, panno Doyle! Nie zrezygnujemy z władzy tak łatwo.

Nawet się nie odwracam, żeby na nią spojrzeć. Zamiast tego patrzę prosto przed siebie, szukając wejścia do metra. Oprawiony w ramki plakat wychwala zalety nadchodzącej rewolucji w komunikacji. Na niektórych stacjach już zaczęto wprowadzać zasilanie elektryczne. Niedługo wszystkie pociągi będą się poruszały dzięki niewidzialnej mocy tego najnowszego wynalazku.

To naprawdę nowy świat.

Tym razem kolacja z Middletonami nie jest całkiem przyjemnym przeżyciem. Trudno mi brać udział w uprzejmej konwersacji przy zupie i groszku, kiedy mam tak wiele do zrobienia. Gdy nadchodzi ten moment, w którym panie i panowie powinni przejść do innych pokoi, Simon wyprowadza mnie do bawialni i nikt nie protestuje.

– Będzie mi pani brakowało – mówi. – Napisze pani do mnie?

– Tak, oczywiście – odpowiadam.

– Czy opowiadałem już, że panna Weston skompromitowała się, goniąc za panem Sharpem na podwieczorku tanecznym?

Wcale nie wydaje mi się to zabawne, współczuję biednej pannie Weston. Nagle mam takie wrażenie, jakbym zaczęła się dusić.

Simon jest przejęty.

– Gemmo, co pani jest?

– Simonie, czy nadal by panu na mnie zależało, gdyby odkrył pan, że nie jestem osobą, za którą się podaję?

– Co ma pani na myśli?

– Chodzi mi o to, czy nadal by panu na mnie zależało, niezależnie od tego, czego by się pan dowiedział?

– Jakie dziwne pytanie. Nie wiem, co powiedzieć.

Odpowiedź brzmi „nie", nie musi tego mówić.

Simon z westchnieniem bierze metalowy pogrzebacz i grzebie w kominku. Kawałki zwęglonej kłody rozpadają się, ukazując wściekłe wnętrze. Przez chwilę lśni pomarańczowym blaskiem, a potem przygasa. Simon poddaje się po trzeciej próbie.

– Obawiam się, że ogień się wypalił.

Widzę jeszcze kilka kawałków żaru.

– Nie, chyba nie, jeśli tylko...

Wzdycha i wiem już wszystko.

– Proszę nie zwracać na mnie uwagi – mówię, z trudem przełykając. – Jestem zmęczona.

– Tak – chwyta się tej wymówki. – Nadal dochodzi pani do siebie. Już niedługo całkiem pani wyzdrowieje i wszystko będzie tak jak przedtem.

Nic nie będzie tak jak przedtem. Świat się zmienił. Ja się zmieniłam.

Pokojówka puka do drzwi.

– Proszę o wybaczenie, sir, ale lady Denby pana prosi.

– Oczywiście. Panno Doyle... Gemmo, wybaczy mi pani? To nie potrwa długo.

Gdy zostaję sama, biorę pogrzebacz i poruszam tlącymi się kawałkami drewna, aż niewielki ogień znów budzi się do życia. Zrezygnował za szybko, potrzeba było tylko trochę więcej uwagi. Cisza panująca w pokoju zamyka się wokół mnie. Starannie pogrupowane meble. Portrety spoglądające w dół bezwolnymi oczami. Wysoki zegar odmierzający czas, który mi pozostał. Przez otwarte drzwi widzę Simona i jego rodzinę, uśmiechniętych, zadowolonych, bez żadnych trosk. Wszystko należy do nich – bez wysiłku. Nie znają głodu, lęku ani wątpliwości. Nie muszą walczyć o to, czego pragną. To po prostu jest, czeka, a oni sobie to biorą. Serce mnie boli. Tak bardzo chciałabym owinąć się ciepłym kocem ich życia, ale zbyt wiele widziałam, żeby umieć w nim żyć.

Zostawiam perłową broszkę na półce nad kominkiem, chwytam płaszcz, zanim poda mi go pokojówka, i wychodzę w zimny zmierzch. Simon nie pójdzie za mną. Nie jest tego typu mężczyzną. Poślubi dziewczynę, która nie jest mną i której ciężar broszki nie będzie przytłaczał.

Powietrze jest rześkie i ostre. Człowiek zapalający latarnie powoli idzie ulicą, zostawiając za sobą płonące światła. Po drugiej stronie Park Lane roztacza się Hyde Park, w którym całun zimy zakrywa wszelkie ewentualne oznaki wiosny. A za nim stoi pałac Buckingham, rządzony przez kobietę.

Wszystko jest możliwe.

Jutro wrócę do Spence, gdzie moje miejsce.

ROZDZIAŁ PIĘĆDZIESIĄTY

Spence, ta sroga, majestatyczna dama podczas mojej nieobecności zyskała przyjazne oblicze. Przez całe szesnaście lat życia nie byłam tak szczęśliwa na widok żadnego miejsca. Nawet gargulce nie wyglądają groźnie. Są jak krnąbrne domowe zwierzaki, które nie mają tyle rozsądku, by zejść z dachu, więc pozwalamy im tam siedzieć – nas to trochę drażni, ale one się cieszą.

Plotki dotyczące tej nocy, gdy konstabl znalazł mnie na Baker Street, już rozniosły się po całej szkole. Porwali mnie piraci. Otarłam się o śmierć. Prawie straciłam nogę... nie, ramię, z powodu gangreny! Właściwie to umarłam i zostałam pochowana, ale potrąciłam sznur dzwonu palcem u nogi, potwornie przeraziwszy biednego grabarza, który w samą porę wyciągnął mnie z trumny. Zdumiewające są historie, które dziewczęta wymyślają, żeby się nie nudzić. Mimo to sprawia mi przyjemność, gdy wszyscy proponują, że coś za mnie zrobią i rozstępują się na boki, kiedy wchodzę do pokoju. Nie będę kłamała – niezmiernie mi się podoba rola rekonwalescentki.

Felicity zobowiązała się udzielać młodszym dziewczętom lekcji łucznictwa. Oczywiście uwielbiają ją z jej grzebieniami do włosów prosto z Paryża i statusem starszej, modnej dziewczyny. Przypuszczam, że poszłyby za nią jak za szczurołapem z Hameln, niezależnie od tego, jak nieprzyjemnie by je traktowała. Przypuszczam też, że Felicity zdaje sobie z tego sprawę i że taki tłum wielbicielek daje jej nieliche satysfakcję.

Ponieważ babcia oraz pani Nightwing kategorycznie zabroniły mi udziału w jakichkolwiek ćwiczeniach, dopóki całkiem nie wydobrzeję, siedzę pod stertą pledów w wielkim fotelu, który został wyniesiony na dwór specjalnie dla mnie. Odkrywam, że to najprzyjemniejszy rodzaj aktywności fizycznej i zamierzam z niego korzystać jak najdłużej.

Na wielkim trawniku ustawiono tarcze. Felicity uczy grupę dziesięciolatek właściwej techniki, jednej poprawiając postawę, inną karcąc za chichotanie. Upomniana panienka staje prosto, zamyka jedno oko i strzela. Strzała odbija się od ziemi i wpada w pryzmę błota.

– Nie, nie – wzdycha Felicity. – Uważaj, jeszcze raz zademonstruję właściwą postawę.

Otwieram poranną pocztę. Przyszedł list od babci. O ojcu wspomina dopiero na końcu. „Twój tato coraz lepiej sobie radzi w sanatorium i przesyła ci serdeczne pozdrowienia".

Jest też niewielka paczka od Simona. Boję się ją otworzyć, ale w końcu zwycięża ciekawość. W środku znajduje się małe czarne pudełeczko, które oddałam mu przez posłańca, wraz z oryginalnym liścikiem: „Tutaj można ukryć wszystkie sekrety". To wszystko. Zaskoczył mnie. Nagle tracę pewność, czy słusznie postępuję, czy miałam rację, pozwalając mu odejść. Jest w Simonie coś bezpiecznego i pocieszającego. Ale to wrażenie przypomina trochę szkatułkę o podwójnym dnie. Wiem tylko, że mogłabym wpaść przez to fałszywe dno jego ciepłego uczucia i znaleźć się w pułapce.

Jestem tak zaabsorbowana, że nie zauważyłam stojącej za mną pani Nightwing. Ogarnia wzrokiem dziewczęta uzbrojone w łuki i strzały, po czym cmoka z dezaprobatą.

– Wcale nie jestem pewna, czy mi się to podoba – mówi.

– Miło jest mieć jakiś wybór – odpowiadam, trzymając pudełko w dłoni. Staram się nie płakać.

– W czasach mojej młodości nie było takich wyborów. Takiej wolności. Nikt nie mówił: „Hej, świat leży przed tobą otworem, wystarczy tylko sięgnąć".

W tym momencie Felicity otwiera dłoń, wypuszczając strzałę. Grot rozszczepia powietrze i trafia dokładnie w środek tarczy, w samą dziesiątkę. Fee nie może się pohamować. Piszczy z radości wywołanej tryumfem w zupełnie naturalny i nieprzystający damie sposób, a dziewczęta idą w ślad za nią.

Pani Nightwing kręci głową i na chwilę wznosi oczy do nieba.

– Bez wątpienia koniec cywilizacji zbliża się wielkimi krokami.

Pozwala sobie na lekki uśmiech, który jednak bardzo szybko poskramia. Po raz pierwszy zauważam luźniejszą skórę na jej brodzie, delikatny puszek pokrywający policzki niczym ślad po dziecięcej dłoni i zastanawiam się, co człowiek czuje, gdy patrzy, jak mięknie pod naporem lat i nie może tego powstrzymać. Jak to jest odmierzać swoje dni doskonaleniem dziewczęcych dygów i piciem kieliszka sherry przed snem, próbować nadążyć za światem, który puszcza cię niczym rozkręconego bąka w przyszłość, a ty i tak wiesz, że zawsze zostajesz o krok z tyłu.

Pani Nightwing zerka na pudełko w mojej dłoni. Chrząka cicho.

– Rozumiem, że postanowiła pani odrzucić pana Middletona.

Widzę, że inne plotki też już się rozniosły.

– Tak – odpowiadam, walcząc ze łzami. – Wszyscy uważają, że oszalałam. Może to i prawda. – Próbuję się zaśmiać, ale brzmi to jak ciche łkanie. – Może coś jest ze mną nie tak, skoro nie potrafiłabym być z nim szczęśliwa.

Czekam, aż pani Nightwing potwierdzi, że tak właśnie jest, że wszyscy o tym wiedzą i że powinnam otrzeć oczy i przestać zachowywać się niemądrze. Zamiast tego kładzie mi rękę na ramieniu.

– Trzeba mieć całkowitą pewność – mówi, uparcie nie spuszczając wzroku z bawiących się na trawniku dziewcząt. – Inaczej pewnego dnia może się okazać, że wracasz do pustego domu i znajdujesz w nim liścik: „Wyszedłem". Możesz czekać całą noc, aż wróci. Kolejne noce przechodzą w tygodnie, a potem w lata. Czekanie jest koszmarem. Ledwie możesz je znieść. I może wiele lat później podczas wakacji w Brighton zobaczysz go, jak idzie po nadmorskiej promenadzie, jakby wyłonił się ze snu. Już nie jest zaginiony. Twoje serce przyspiesza. Musisz go zawołać! Ale ktoś inny woła przed tobą. Ładna, młoda kobieta z dzieckiem. On zatrzymuje się, by wziąć dziecko na ręce. Swoje dziecko. Ukradkiem całuje młodą żonę. Daje jej pudełko cukierków, a ty wiesz, że są to czekoladki od Cholliera. Wraz z rodziną idzie dalej. Coś w tobie pęka. Już nigdy nie będziesz taka jak kiedyś. Jedyne, co ci pozostało, to szansa, że staniesz się kimś nowym i niepewnym. Ale przynajmniej czekanie dobiegło końca.

Ledwie oddycham.

– Tak. Dziękuję pani – mówię, gdy udaje mi się w końcu odzyskać głos.

Pani Nightwing lekko klepie mnie po ramieniu, zanim zabiera rękę, by poprawić spódnicę, wygładzając zagniecenia w pasie. Jedna z dziewcząt krzyczy. Znalazła osierocone pisklę, które jakimś cudem przetrwało mimo chłodu. Kwili rozpaczliwie w jej dłoniach, gdy dziewczynka biegnie, żeby pokazać je pani Nightwing.

– A cóż to znowu za szaleństwo? – mamrocze pod nosem nasza dyrektorka, szykując się, by wkroczyć do akcji.

– Proszę pani, błagam... Możemy je zatrzymać? – Twarz dziewczynki jest taka otwarta i szczera.

– Prosimy! Prosimy! – pozostałe dziewczęta szczebioczą jak pisklaki, którymi zresztą są.

– No dobrze.

Uczennice wybuchają radością. Pani Nightwing musi krzyczeć, żeby ją dosłyszały.

– Ale ja nie będę się nim zajmowała! To wasz obowiązek. Wy się nim opiekujecie. Nie wątpię, że pożałuję tej decyzji – dodaje, pociągając nosem. – A teraz, wybaczcie mi, ale chciałabym dokończyć książkę, sama, bez towarzystwa ufryzowanych dziewczynek, które by mi przeszkadzały. Jeśli przyjdziecie po mnie na kolację, a ja będę siedziała w fotelu, wyzionąwszy ducha, to możecie mieć pewność, że umarłam samotnie, czyli w stanie bezwzględnej szczęśliwości.

Pani Nightwing maszeruje w stronę szkoły. Po drodze zatrzymują ją co najmniej cztery uczennice, pytając o to i owo. Nie chcą dać jej spokoju. W końcu dyrektorka poddaje się i rusza do Spence, a za nią podąża gromadka dziewcząt. Książkę będzie mogła poczytać dopiero wieczorem, ale jakoś wydaje mi się, że tego właśnie chce – być potrzebną. To j e j obowiązek.

To jej miejsce. Znalazła je, albo ono znalazło ją.

❧

Wieczorem, kiedy zbieramy się wokół kominka w wielkim salonie, mademoiselle LeFarge wraca po dniu spędzonym w Londynie z inspektorem Kentem. Wprost promienieje. Nigdy nie widziałam, żeby była tak szczęśliwa.

– *Bonjour, mes filles*! – mówi, z godnością wkraczając do pokoju w eleganckiej nowej spódnicy i bluzce. – Mam nowiny.

Dziewczęta opadają ją tak, że ledwie ma czas, by usiąść przy kominku i zdjąć rękawiczki. Gdy to robi, natychmiast zauważamy pierścionek z niewielkim diamentem na serdecznym palcu jej lewej dłoni. Mademoiselle LeFarge rzeczywiście ma nowiny.

– Pobierzemy się w maju – zdradza, uśmiechając się tak, jakby miała zaraz pęknąć z radości.

Chwalimy pierścionek i gratulujemy nauczycielce, a potem zasypujemy ją pytaniami: Jak ją poprosił o rękę? Kiedy będzie ślub? Czy wszystkie możemy przyjść? Czy odbędzie się w Londynie? A może na wsi? Czy będzie miała kwiaty pomarańczy na szczęście? Czy wplecie je we włosy, czy przypnie do sukni?

– Wspaniałe jest to, że nawet taka stara panna jak ja może znaleźć szczęście – mówi ze śmiechem, ale ja zauważam, jak prostuje serdeczny palec lewej ręki. Spogląda na pierścionek i bardzo się stara, żeby nie pokazać po sobie, jaka jest oszołomiona.

❧

W pierwszą środę nowego roku odbywamy pielgrzymkę do ołtarza Pippy. Siadamy u stóp starego dębu, szukając oznak wiosny, choć wiemy, że pojawią się dopiero za kilka miesięcy.

– Napisałam do Toma i wyznałam mu prawdę – oznajmia Ann.

– I? – ponagla ją Felicity.

– Nie podobało mu się, że został wprowadzony w błąd. Uznał, że muszę być straszną dziewczyną, skoro udawałam kogoś, kim nie jestem.

– Przykro mi, Ann – mówię.

– Cóż, uważam, że z niego gbur, a do tego ponurak – oświadcza Fee.

– Wcale nie. Miał prawo się na mnie rozgniewać.

Nie mogę temu zaprzeczyć. Ann ma rację.

– W książkach wyznanie prawdy sprawia, że wszystko staje się dobre i słuszne. Dobro zwycięża. Podli ponoszą karę. Panuje szczęście. Ale w rzeczywistości tak nie jest, co?

– Nie – odpowiadam. – Chyba takie wyznanie po prostu sprawia, że wszystko staje się wiadome.

Opieramy głowy o pień i patrzymy na puszyste, białe chmury.

– Po co więc się tym przejmować? – chce wiedzieć Ann.

Po niebie płynie zamek z chmur, powoli zmieniając się w psa.

– Ponieważ iluzji nie da się zatrzymać na zawsze – wyjaśniam. – Nikt nie posiada tak silnej magii.

Przez długą chwilę siedzimy, nic nie mówiąc. Nie próbujemy trzymać się za ręce czy żartować, rozmawiać o tym, co się stało, lub o tym, co będzie. Po prostu siedzimy oparte plecami o drzewo, stykając się ramionami. To bardzo delikatny dotyk, jednak wystarcza, żeby przytrzymać mnie przy ziemi.

I nagle rozumiem, że mam przyjaciół na tej samotnej ścieżce, że czasami miejsca na świecie się nie znajduje, tylko po prostu się je ma w razie potrzeby.

Wieje wiatr. Podrywa liście, które bezładnie przed nim uciekają, aż pojawia się delikatna bryza, która kładzie je na ziemi, jakby mówiła: „Ciii, spokojnie, spokojnie, już wszystko dobrze". Jeden liść nadal tańczy w powietrzu. Unosi się coraz wyżej i wyżej, przecząc prawu grawitacji i logice, sięgając po coś tuż poza zasięgiem. Oczywiście, będzie musiał w końcu spaść. Ale na razie wstrzymuję oddech, pragnąc, by leciał dalej, i czerpiąc pociechę z jego walki.

Zrywa się kolejny powiew. Liść unosi się w stronę horyzontu na silnych skrzydłach wiatru. Patrzę za nim, aż staje się cienką kreską, a potem ledwie kropką. Patrzę, aż nic już nie widzę, aż drogę, którą przebył, przesłania chmura innych liści.

PODZIĘKOWANIA

Książki nie piszą się same. Gdyby tak było, mogłabym o wiele więcej czasu poświęcać na zakupy w Internecie. Nie piszą się też bez mądrych rad, szczerej pomocy, a czasami także pociechy ze strony innych. Dlatego teraz chciałabym podziękować wielu cudownym osobom.

Mojej wspaniałej redaktorce Wendy Loggii, bez której zupełnie bym się zagubiła. Mojemu wydawcy, obrotnej i znającej się na rzeczy Beverly Horowitz. Utalentowanej graficzce Trish Parcell Watts. Bogini korekty Colleen Fellingham. Emily Jacobs, której nam bardzo brak. Dziewczynom od reklamy, Judith Haut oraz Amy Ehrenreich. Adrienne Waintraub i Tracy Bloom, za zdobywanie młodych czytelników. Uroczo psotnemu i zabawnemu Chipowi Gibsonowi. Oraz wszystkim innym za wszystko inne. Random House rządzi.

Mojemu fenomenalnemu agentowi Barry'emu Goldblattowi, nie tylko za zapewnianie pokrycia dla moich czeków, ale też za ściąganie mnie z parapetu, kiedy dochodzę do wniosku, że moje pisarstwo jest tak złe, iż mogłoby wywołać u innych obrażenia wewnętrzne.

Bogom epoki wiktoriańskiej: Colinowi Gale'owi, starszemu archiwiście w Królewskim Szpitalu Bethlem, który niezmordowanie odpowiadał na wszystkie pytania, a jego książka *Presumed Curable*[*] była prawdziwym darem bożym. Markowi Kirby'emu z Londyńskiego Muzeum Transportu, który był nienagannie uprzejmy i niezawodnie dokładny, nawet kiedy mówiłam: „No, dobra, ale gdyby pojechała tą linią z Picadilly...", jakby to była scena z *Monty*

* Dosłowne tłumaczenie: „Uznawane za uleczalne" (przyp. tłum.)

Pythona i Świętego Graala. A także zachwycającej Lee Jackson – centrum informacji na każdy, dosłownie każdy temat związany z epoką wiktoriańską. Bystra, wesoła, doskonale wykształcona, błyskawicznie odpowiada na e-maile, a do tego jest fanką Elvisa Costello. Miłość przepełnia moje serce. Ci ludzie znają się na swojej robocie. Wszelkie błędy czy zbyt wielka swoboda w interpretacji stanowią wyłącznie winę autorki.

Laurie Allee, czytelniczce niezwykłej, która po raz kolejny trafiła w sedno. Nie jestem tego godna.

Holly Black, Cassandrze Claire i Emily Lauer, które nawet w gorsze dni wiedzą więcej o fantastyce i magii, niż ja mogłabym się nauczyć przez całe życie.

Nancy Werlin, za zadanie wszystkich właściwych pytań.

Wielce Czcigodnej Kate Duffy z Kensington Books, która nie ma sobie równych, jeśli chodzi o wiedzę ma temat arystokracji.

Moim kumplom z YAWriters, właściwie za wszystko.

Personelowi kawiarni Tea Lounge na Brooklynie – Brigid, Benowi, Mariu, Alemu, Almie, Sherry, Peterowi, Amandzie, Jonathanowi, Jessemu, Emily, Rachel, Geoffreyowi – za kofeinę, rozśmieszanie mnie, puszczanie niezwykłej muzyki, za to, że pozwalali mi przesiadywać u siebie całymi godzinami i bardzo umilili mi pracę. Nie mogę się doczekać, kiedy skończą budować dla mnie ten boks koło wejścia...

Pełnym pasji księgarzom i bibliotekarzom, których poznałam. Jesteście wspaniali.

BookDivas, obyście długo czytały i rządziły.

Wszystkim czytelnikom, których spotkałam podczas tej szalonej wyprawy. Dziękuję za inspirację i zachętę.

I w końcu dziękuję mojemu synowi Joshowi za wielką cierpliwość. Teraz, kochanie, nareszcie możemy pograć w „Cluedo".

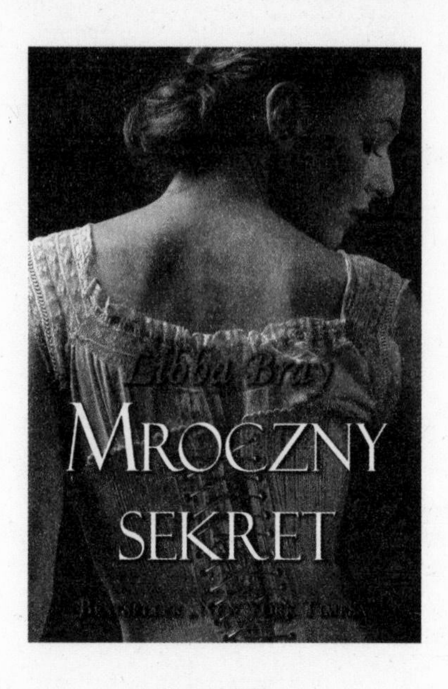

Libba Bray
Mroczny sekret

Szesnastoletnia Gemma Doyle w niczym nie przypomina swoich rówieśniczek – panien o nienagannych manierach, które grzecznie odpowiadają na pytania i marzą o bogatym zamążpójściu. Gemma, osóbka uparta i przekorna, trafia do londyńskiej Akademii Spence po tragedii, która spotyka jej rodzinę w Indiach. Dziewczyna jest samotna, dręczy ją poczucie winy i nękają wizje przyszłości, które mają tę paskudną cechę, że zawsze się spełniają. Nie jest jednak zupełnie sama… Jej śladem podąża tajemniczy młodzieniec, który utrzymuje, że ma ją chronić przed mrocznymi siłami. W Spence Gemma zaprzyjaźnia się z najbardziej wpływowymi dziewczętami, odkrywa w sobie nadprzyrodzone zdolności, a także dowiaduje się o dawnych powiązaniach swojej matki z tajnym stowarzyszeniem nazywanym Zakonem. Tutaj czeka na nią przeznaczenie… jeśli tylko będzie potrafiła w nie uwierzyć.

W przygotowaniu

III część trylogii

STUDNIA WIECZNOŚCI

GRUPA WYDAWNICZA
PUBLICAT S.A.

Firma rozpoczęła swoją działalność w 1990 roku pod nazwą Podsiedlik-Raniowski i Spółka. W 2004 roku przyjęto nazwę PUBLICAT S.A., w tym samym roku w skład grupy PUBLICAT weszło wrocławskie Wydawnictwo Dolnośląskie. W 2005 roku dołączyło do niej katowickie Wydawnictwo Książnica. Rok 2006 to objęcie nazwą Papilon programu książek dla dzieci. W roku 2007 częścią grupy stała się warszawska Elipsa.

Papilon – baśnie i bajki, klasyka polskiej poezji dla dzieci, wiersze i opowiadania, książki edukacyjne, nauka języków obcych dla dzieci

Publicat – książki kulinarne, poradniki, książki popularnonaukowe, literatura krajoznawcza, hobby, edukacja

Elipsa – albumy tematyczne: malarstwo, historia, krajobrazy i przyroda, albumy popularnonaukowe

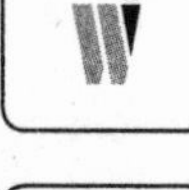

Wydawnictwo Dolnośląskie – literatura faktu i poradnikowa, historia, biografie, literatura współczesna, kryminał i sensacja, fantastyka, literatura dziecięca i młodzieżowa

Książnica – literatura kobieca, powieść historyczna, powieść obyczajowa, fantastyka, sensacja, thriller i horror, beletrystyka w wydaniu kieszonkowym, książki popularnonaukowe

Publicat S.A., 61-003 Poznań, ul. Chlebowa 24, tel. 061 652 92 52, fax 061 652 92 00,
e-mail: office@publicat.pl, www.publicat.pl
Oddział w Katowicach: Wydawnictwo Książnica, 40-160 Katowice, Al. W. Korfantego 51/8,
tel. 032 203 99 05, fax 032 203 99 06, e-mail: ksiaznica@publicat.pl
Oddział we Wrocławiu: Wydawnictwo Dolnośląskie, 50-010 Wrocław, ul. Podwale 62,
tel. 071 785 90 40, fax 071 785 90 66, e-mail: wydawnictwodolnoslaskie@publicat.pl
Oddział w Warszawie: 00-466 Warszawa, ul. Polna 46/7